LITERATURA Y FOLKLORE:
Problemas de Intertextualidad

ACTA SALMANTICENSIA

IVSSV SENATUS UNIVERSITATIS EDITA

SERIE VARIA
TEMAS CIENTIFICOS, LITERARIOS E HISTORICOS
45

LITERATURA Y FOLKLORE:
Problemas de Intertextualidad

(Actas del 2º Symposium Internacional del Departamento de Español
de la Universidad de Groningen 28, 29 y 30 de Octubre de 1981)

bajo la redacción de
J.L. ALONSO HERNANDEZ

UNIVERSIDAD DE GRONINGEN — UNIVERSIDAD DE SALAMANCA

Ediciones Universidad de Salamanca
Apartado de Correos, n.º 325
Salamanca.

Depósito Legal: S. 495-1983
I.S.B.N.: 84-7481-254-2

Imprime: Gráficas VARONA
c/ Rúa Mayor, 44 - Teléf. 25 33 88
SALAMANCA, 1983.

INTRODUCCION

Al presentar las Actas de este II Symposium Internacional del Departamento de Español de la Universidad de Groningen son varias las observaciones que quisiera hacer y ello tomando como punto de referencia la comparación con el primero de una serie que esperamos continúe.

En primer lugar, con respecto a nuestra anterior reunión, cuyas Actas se publicaron con el título *Teorías Semiológicas aplicadas a Textos Españoles* (Groningen 1981), señalaba, a manera más bien de disculpa, el carácter sumamente general y amplio en que el lector debía entender *semiológico* ya que, entendido en sentido estricto, podía dar lugar a confusiones. Pienso que dicha generalidad y amplitud de visión han desaparecido en gran parte en lo que toca a las presentes Actas y que la mayoría de los participantes han tenido muy en cuenta la limitación impuesta por el título, *Literatura y Folklore: problemas de intertextualidad*, entendiéndolo en el sentido estricto de "estudios y análisis sobre las incidencias que el folklore tenía en la literatura y viceversa".

En segundo lugar la amplia participación a un tipo de reuniones que suelen ser minoritarias —aunque no sea más que por motivos económicos y de organización difíciles de superar para un departamento pequeño como es el nuestro— confirma el interés que los estudios folklóricos despiertan desde hace tiempo entre los hispanistas, a la vez que creo es un indicio alentador sobre el futuro de semejantes coloquios.

En tercer lugar merece destacarse la diversa procedencia profesional de los participantes que no se ha limitado, como es costumbre, al profesor universitario tipo; y, aunque no se haya tratado más que de una tímida tentativa, la inclusión de escritores, folkloristas y estudiantes —significativa ésta por lo que supone de animoso— ha condicionado de manera sumamente positiva el desarrollo de la reunión sacándola de los cauces trillados del "universitarismo" y como experiencia creo que todos estábamos de acuerdo para señalar que tendría que repetirse y ampliarse en futuros coloquios.

Todo ello constituye un acicate que tendría que animarnos a continuar.

En cuanto a los trabajos aportados, cuyo resultado son las presentes Actas, el lector podrá observar la variedad de temas que han sido tratados. Vacilando entre una ordenación alfabética por autores y una ordenación temática de trabajos, me he inclinado por la última por considerarla más apropiada y de fácil manejo para el lector. Todo ello consciente de que los límites entre temas son a veces de difícil determinación. Así tenemos:

Una primera parte de carácter teórico con trabajos de aproximación al fenómeno folklórico en sus diversos aspectos lingüísticos, temático, de incidencia en la literatura, de transmisión...

Una segunda parte recoge los trabajos que podríamos llamar de "folklore puro", es decir, de aquellos en los que la cuestión literaria o no aparece o resulta secundaria.

El tercer grupo está constituído por los estudios que tratan de la incidencia del folklore en la literatura sea a través de problemas de filiación o fuentes, sea a través de problemas temáticos, pero sin tratar de un texto o autor en particular.

Los trabajos sobre un texto o autor en particular, de la literatura clásica —Edad Media y Siglo de Oro— constituyen el cuarto grupo.

Por último, el quinto apartado reúne las aportaciones dedicadas a analizar las incidencias del folklore en la literatura moderna.

Como observación complementaria quisiera indicar que los trabajos de Alçada, Hermans, van Esseveld y el mío propio tienen que ser leídos en interrelación ya que en parte son el resultado de varias discusiones en común independientemente de que cada autor sea, en última instancia, el responsable de sus respectivas opiniones.

Observará el lector que en esta clasificación aproximativa los estudios más numerosos eligen como centro de interés la literatura clásica. Quizá se deba a que es ahí donde las relaciones literatura-folklore han sido observadas desde hace más tiempo entre los hispanistas y las publicaciones de varios de los asistentes a la reunión no son sino una confirmación acaso innecesaria. Ello, en lugar de ser un freno, creo que tendría que ser un aliciente que animara a desarrollar los otros aspectos más descuidados y la colaboración entre hispanistas, folkloristas y escritores a que antes aludía me parece un paso decisivo y obligado.

Para terminar quiero indicar que tanto la organización de este II Symposium como la publicación de las presentes Actas han sido posibles gracias a la aportación financiera de la Facultad de Letras de la Universidad de Groningen, de la Embajada de España en La Haya por mediación de su Agregaduría Cultural en su simpático y generoso titular Fernando Arias y a las facilidades acordadas por Iberia en su represente don Carlos Sánchez, así como a la colaboración práctica y eficaz de los estudiantes y profesores del Departamento de Español de la Universidad de Groningen y a la presencia de numerosos colegas y amigos que tuvieron a bien acompañarnos.

A todos ellos el agradecimiento sincero de nuestro Departamento.

JOSE LUIS ALONSO

LISTA DE PARTICIPANTES Y COLABORADORES

Comprende esta lista tanto a los conferenciantes como a los estudiantes y profesores que participaron activamente en las discusiones o en la organización del symposium. Hemos incluido a algunos que a última hora no pudieron acudir pero que enviaron el texto de sus respectivas conferencias que se incluyen en estas Actas. Pedimos disculpas por los posibles olvidos totalmente involuntarios:

Van ADRICHEM, Anneke.– Groningen
ALCADA, João Nuno.– Groningen
ALONSO HERNANDEZ, José Luis.– Groningen
ALVAREZ PEREZ, Guzmán.– Utrecht
BEENTJES, Annemieke.– Groningen
BINK, Elise.– Groningen
BROEK, Roger.– Groningen
BROEKHUIS, Fia.– Groningen
BRUINS, Lydia.– Groningen
CHEVALIER, Maxime.– Bordeaux
COMBET, Louis.– Lyon
CROS, Edmond.– Montpellier
DEBAX, Michelle.– Toulouse
DIAZ GONZALEZ, Joaquín.– Valladolid
ELBERS, M.J.P.– Nijmegen
Van ESSEVELD, Peter.– Groningen
FERRE DA PONTE, Pedro Alfonso.– Lisboa
FERRER-CHIVITE, Manuel.– Dublin
FORESTI SERRANO, Carlos.– Göteborg
FREITAS MORNA, Fátima.– Lisboa
GARCIA DE ENTERRIA, Mª Cruz.– Madrid
GARCIA DE LA TORRE, José Manuel.– Amsterdam
GORLEE, Dinda.– Groningen
HERMANS, Hub.– Groningen
HEUSSEN, Arthur.– Groningen
IÑIGO MADRIGAL, Luis.– Leiden
JOLY, Monique.– Lille

JORNA, Joke.– Gronigen
JOSET, Jacques.– Amberes
Van der KOOI, Elsa.– Groningen
Van der KRAATS, Margot.– Groningen
LEMAIRE, Ria.– Utrecht
LUESINK, Gerdi.– Groningen
MARTIN, Georges.– Orleans
METZELTIN, Michael.– Groningen
NOORDERMEER, Janneke.– Groningen
NOUHAUD, Dorita.– Limoges
OSSTENDORP, Enrique.– Groningen
PENSADO TOME, José Luis.– Salamanca
POSTHUMA, Ursula.– Groningen
RAFFI-BEROUD, Cathérine.– Groningen
REDONDO, Augustin.– Paris
REINA CARMONA de HARMSEN, Elena.– Leiden
Van RENS, Margarita.– Groningen
RUIZ de PENSADO, Enriqueta.– Salamanca
SASTRE, Alfonso.– Fuenterrabía
SEPHIHA, Haïm Vidal.– Paris
SIERRA, Fermín.– Utrecht
VANDERMAELEN, Christel.– Groningen
WINDSTER, Humphrey.– Groningen

TEATRO Y LENGUAJE POPULAR

ALFONSO SASTRE
Fuenterrabía

TEATRO Y LENGUAJE POPULAR

Alfonso Sastre

Durante las dos últimas décadas han podido observarse en el desarrollo del teatro euroamericano avanzado o experimental el descrédito de la palabra hablada y el subrayado de los aspectos plásticos y gestuales con evidente detrimento del habla teatral. La puesta en cuarentena del empleo de la palabra hablada en el teatro en tanto que elemento no específico de la expresión teatral encuentra su justificación teórica y práctica en el hecho de la existencia de un teatro burgués palabrero o, podríamos decir, hiperhablado, o también: hipogestual. La palabra hablada como ocultación y hasta mixtificación de la realidad, en lugar de como desvelamiento de esa realidad (desvelamiento que se produce en las hablas *poéticas;* con lo cual, cuidado, no se quiere decir hablas *líricas* o invadidas de metáforas al modo de García Lorca por ejemplo), produjo una negación muy radical de la importancia del habla en el campo de la expresión teatral. Así, de un teatro a menudo gárrulo o cargado de verbo (rrea), se pasó, en el teatro de la vanguardia, a considerar como un desideratum de la expresión teatral un espectáculo afásico o lo menos parlante posible como manera de potenciar lo específicamente teatral que residiría en la expresión de los cuerpos de los actores en un ámbito plástico-dinámico-lumínico determinado no tanto por la fantasía intelectual de los creadores del teatro —y desde luego la figura tradicional del autor dramático desaparecía en esta concepción— como por las prácticas teatrales físicas sobre un espacio material (improvisaciones, etcétera). De modo análogo a cómo por algunos teórico del cinema durante su fase muda se consideró la aparición del cine hablado y sonoro como una desviación mercantil que venía a matar las posibilidades específicas de aquel arte nuevo, gentes del teatro han considerado el desideratum de un drama no parlante. La polémica, planteada de una u otra manera, es ya muy antigua. No son pocos los estudiosos de la estética del teatro que repitieron durante décadas anteriores que "en el teatro, como en la génesis del mundo, en un principio fue el verbo"; pero quienes nos dedicamos al teatro, incluso los que participamos en su vida como escritores, sabemos muy bien que eso es una gran mentira, y que se puede repetir con Goethe en su "Fausto" aquello de que en el principio fue la acción o, digamos, la práctica; o, en términos propios de lo teatral, la situación: o sea, el trance generador, en virtud de las tensiones confrontadas, de una acción problemática en la cual *pueden producirse o no* —cuando se trata de seres humanos generalmente se producen— *palabras*. Cuando Aristóteles, al describir la estructura de la tragedia, sitúa el elemento "léxico" después de la "fábula" y de los "caracteres" está indicando un lugar muy preciso y justo para el habla en el teatro. Y así llegamos a nuestro tema de hoy, una vez admitido que en el teatro se puede producir, aunque ello no sea necesario (y en formas como el mimo o la pantomima no lo es en absoluto), habla, palabras, diálogo: hacer y decir parece una forma bastante aceptable a la hora de intentar expresar las condiciones y las características del fenómeno humano en un espacio teatral, es decir, por el intermedio de la actuación física de personas reales-imaginarias: unos actores no meramente lugartenientes de los personajes de la ficción.

¿Pero cómo habrá de ser el habla del teatro en comparación al habla de la realidad? ¿En el teatro habrá de reproducirse el habla de la calle? ¿O el teatro habrá de inventar sus propias hablas? ¿Cuál es, en definitiva, la *diferencia* postulable entre las hablas coloquiales y las artísticas o literarias? (De hecho se dan esas diferencias, y en algunas culturas hasta el punto de que el lenguaje se halla radicalmente desdoblado no sólo en un habla popular y un habla artística, sino incluso en el nivel de las lenguas o sistemas lingüísticos; el problema consiste en establecer la legalidad teórica de estas diferencias).

Las soluciones de hecho a estos problemas en el campo del teatro suelen oscilar entre dos respuestas igualmente inaceptables desde mi punto de vista: el costumbrismo y el alambicamiento: la mala reproducción —pretendidamente fiel— del habla popular en el escenario o la pérdida de vista —o mejor sería decir de oído— de las hablas reales de la vida en homenaje a un pretendido plano superior de la expresión humana. Populismo o superliteratura. O bien, como en el caso del teatro de García Lorca antes citado, ambas cosas a la vez de la siguiente manera: un habla popular usado como materia de alambicamiento supercultivado. Esta respuesta literario-populista tiene para mi, en el teatro español, una réplica que considero muy feliz en el habla propia de los esperpentos de Valle-Inclán. Desde luego que la peor forma de no resolver el problema es ni siquiera llegar a planteárselo: ignorar, aquí sí que podría decirse olímpicamente, la existencia de esos "bajos" o "incultos" lenguajes (y naturalmente hacer como si no existieran las capas populares que se expresan en esas hablas... todavía, pues cada vez es mayor la intoxicación de las hablas más naturales por los efectos de las expresiones publicitarias y en general sofisticadas de la TV que llega con su bazofia *ciudadana* a los últimos rincones, cada vez más impregnados de la cultura capitalista y sus hablas mercantiles ocultadoras de la verdad), y trabajar sobre capas burguesas y sus ya de por sí alambicadas hablas; tal es el caso del teatro de Benavente, salvo en sus experiencias "rurales", de las que no salió tan mal parado como podía esperarse, aunque Pérez de Ayala con tanta gracia se burlara del lenguaje "imitativo-alcarreño", así lo llamó, en que se expresaban los personajes de "Señora Ama" por ejemplo. "Es que así se expresan en la Alcarria", parece que le dijo algún espectador entusiasta; pero Pérez de Ayala, aún partidario del realismo, lo era de un "realismo artístico", de un realismo a otro nivel que el de la pura imitación.

El caso de Valle Inclán es modelo muy rico para nuestra reflexión y no sólo porque llegara a escribir los diálogos excelentes de los esperpentos —en los que se da el doble efecto de reconocimiento de y extrañeza ante el habla popular: el doble efecto propio del mejor teatro y de la mejor literatura, como en otras partes he tratado de decir— sino también porque pasó por una fase de terrible alambicamiento (su teatro modernista, en el que el lenguaje popular es casi invisible, aunque aquí y allá asoma la oreja), a la que siguió lo "rural" inventado de las comedias bárbaras, para, en fin, desembocar en ese gran lenguaje teatral de los esperpentos cuyos personajes cumplen la perfecta paradoja de un habla reconocible y extraña: corriente y sorprendente: coloquial y literaria a un mismo tiempo: un habla fantástica y realista, por decirlo de otra manera. Ni que decir tiene que la presentación del habla teatral del último Valle Inclán no comporta, ni mucho menos, una propuesta de imitación. En un artículo de hace algún tiempo ya avisé, al grito de " ¡muera Valle Inclán"!, que no había que resolver este problema de un teatro nuevo por la vía de las imitaciones de los maestros. Pero queda como válido el objetivo y lo que yo imagino el método de Valle Inclán aunque él no tuviera conciencia de emplear este sistema que yo trataré de describir así:

1.- Un oído muy sensible y permeable a la escucha del lenguaje corriente, popular. He creído observar que los escritores, contra lo que pueda creerse, no escuchan con la avidez necesaria el habla de la gente.

2.- Esta información ha de pasar a la memoria —o, si se quiere, al inconsciente— del escritor como mejor método de que ese léxico y esas formas sintácticas ocupen después su debido sitio en la expresión hablada de los personajes. Lo contrario de esto es lo que hizo, por ejemplo, el novelista Juan Antonio de Zunzunegui que escribió una novela plagada de argot de diccionario: argot pasado sin otra mediación del diccionario al diálogo de su novela. El empleo auxiliar de un diccionario o el pase directo de una expresión escuchada a un cuadernito para saltar de allí a la obra literaria conllevan importantes riesgos.

3.- La salida de esa información desde sus depósitos inconscientes habrá de producirse en función de la situación y de los caracteres de los personajes: de su contexto social y de su ideología. Es en esa reaparición del habla olvidada donde ha de operar un filtro de salida, de manera que si todo ha sido válido para entrar (escucharlo todo, he dicho, en la calle y entre las gentes), el filtro de salida —en el que reside una gran parte de lo que se llama la sensibilidad del escritor y su consiguiente estilo— ha de tener una estructura muy delicada capaz de rechazar elementos lingüísticos torpes o inhábiles que sin embargo caminan como Pedro por su casa por la literatura costumbrista y por el teatro sainetesco. Filtro que no excluye el uso de los vocablos más fuertes y "groseros" en otros contextos. El uso de la palabra gruesa o el argot por Valle Inclán se produce en términos de magnífica literatura, porque hallan en su escritura su lugar preciso, su función y su momento —nada hay de ínfimo, por ejemplo, en la expresión de aquel personaje valleinclanesco que grita en la noche: " ¿Eres un alma en pena o un hijo de puta?" (cito de memoria)— mientras que la inexistencia de tacos o palabras tradicionalmente malsonantes no elevan ni un ápice la calidad de los sainetes de Muñoz Seca por ejemplo. (Arniches es un caso aparte en algunos sentidos, pues él contribuyó a *inventar* un lenguaje *popular* madrileño, de características muy peculiares en las que no podemos entrar ahora).

Me planteo yo desde hace algunos años el problema del habla de los personajes populares en el marco de una tragedia de nuestro tiempo, y de ello podemos hablar en la conversación que siga a estas palabras. Claro está que ya pasó hace mucho el tiempo, que duró bastante sin embargo, en que se consideraba que la tragedia se diferenciaba de la comedia, entre otras cosas, por su estilo en el habla: un lenguaje elevado frente a las hablas bajas del pueblo llano, sólo posible protagonista de las comedias. También parte del espacio de la comedia le es arrebatado en el siglo XIX por la llamada alta comedia (las de Oscar Wilde serían un buen modelo de este género). Pero ya desde los siglos XVI y XVII los pobres empiezan a ser sujetos de, por lo menos, tragicomedias, pero también de alguna gran tragedia, como la "Numancia" de Cervantes, obra en la que sin embargo el pueblo de Numancia se expresa en aquel estilo *elevado*. ¿Cómo hablan los personajes cuando por fin, a finales del siglo pasado, se escribe una tragedia "de alpargata"? (El "Juan José" de Joaquín Dicenta). Pues ocurre que estos personajes hablan en el lenguaje del teatro costumbrista: en un lenguaje reconocible como corriente: el habla "de la vida misma". Habrá que seguir buscando el lenguaje propio de una tragedia de nuestro tiempo. Camus pensó que Faulkner había resuelto el problema cuando hizo versión para el teatro francés del "Requiem por una monja" del escritor norteamericano. Lorca intenta un lenguaje de resonancias folklóricas para sus tragedias, en una línea quizás próxima, aunque no se ha hablado mucho de ello, a la del irlandés Synge (¿qué le debe "Bodas de sangre" a los "Jinetes hacia el mar" de Synge? Sería bueno saberlo, en el caso de que efectivamente le deba algo). Otro irlandés, O'Casey, da un fuerte paso en el camino de una tragedia popular, en la que el habla sea reconocida como *hablada* por las gentes y, al mismo tiempo, se produzca —¿en virtud de qué?; ahí está el *misterio*, el cual reside en el talento del autor que escribe aquel lenguaje que le resurge de su inconsciente— la distanciación, el asombro, la extrañeza... propia precisamente de lo literario y que para nada se da en el estilo costumbrista.

Sobre estos y otros temas más o menos conexos con ellos podríamos conversar a continuación.

ALFONSO SASTRE
Fuenterrabía 30 setiembre 1981

AMBIGÜEDAD Y ANTITESIS EN LA NARRACION FOLKLORICA Y EN LA LITERARIA

JOSE LUIS ALONSO HERNANDEZ
Universidad de Groningen

AMBIGÜEDAD Y ANTITESIS EN LA NARRACION FOLKLORICA Y EN LA LITERARIA

José Luis Alonso Hernández

Las breves notas que siguen han sido suscitadas hace tiempo ya para tratar de explicar una serie de problemáticas sobre todo en relación con la narración (1) folklórica que se me planteaban con respecto a cuestiones que al parecer nada tenían que ver entre sí pero que bien miradas acaso tengan —y esto es lo que trataré de demostrar— un fondo común. De manera sucinta estas problemáticas son:

a) Problemática del folklore como transmisión oral. Es decir, las formas de transmisión del folklore en relación sobre todo con las transformaciones que sufre, conscientes o inconscientes o debidas a olvidos de censura o involuntarios.

b) Problemática de la conservación del folklore. Cuestión ésta en parte ligada a la anterior pero que tiene, a su vez, un carácter autónomo que es el de tratar de aclarar por qué ciertas narraciones folklóricas se mantienen durante siglos —y así se atestigua en los sucesivos textos de recopiladores eruditos que las registran— y en otros, en cambio, desaparecen simplemente o son absorbidas por otras narraciones hasta el punto de ser irreconocibles con respecto a su formulación primitiva.

c) Problemática de la inserción folklórica en los textos literarios de diversos autores, sea en forma de narraciones completas o de fragmentos más o menos amplios —cuestión que desde hace años preocupa a nuestro colega M. Chevalier— sea en forma de resonancias incluso de carácter psíquico cuyo límite extremo se encontraría en la noción de intertextualidad como substitutivo de la intersubjetividad de Kristeva, inspirada en Bakthine, para quien todo texto es absorción y transformación de otro texto (2). Un aspecto fundamental en este apartado es el de la valoración estética admitida para ciertos textos de la literatura española en los que el folklore tiene bastante representación a diferentes niveles como veremos más tarde.

En lo que respecta a la problemática y conservación folklóricas se me planteó de nuevo recientemente cuando al hacer una lectura sistemática y continuada de diversas

---

1) Narración debe entenderse en sentido amplio, lo que cuenta algo, independientemente de si es en verso o en prosa o si se trata de una canción en cuyo caso nos limitamos al análisis del texto lingüístico dejando de lado el aspecto musical.

2) J. Kristeva, *Recherches por une sémanalyse*. Seuil, París, 1969. Pág. 146.

recopilaciones de folklore sefardí (3) pertenecientes a espacios culturales a veces muy diferentes y en las que en algunas ocasiones los informantes eran los mismos separados por algunos años de una recopilación a otra, aparecían, junto a ciertas constantes, variantes a veces muy importantes. Lo primero que se nos ocurre pensar en estos casos es que las variantes se justifican por una pérdida de memoria del informante o por influencias directas de otros informantes con los que por razones diversas ha podido entrar en contacto. Pero junto a estos aspectos que no podemos desechar aparecen otros en los que resulta bastante evidente que pérdida de memoria o influencia personal no bastan para explicar la transformación sufrida por ciertos temas folklóricos. Comunicando inmediatamente las conclusiones de mis observaciones y sin presentar el mecanismo que me ha conducido a ellas, diremos que un tema folklórico encuentra su permanencia y su alteración en tres constantes de tipo diferente:

1) Temáticas primarias (entendido como narración completa). Es esta una cuestión de fuentes donde se descubre o la coherencia narrativa, en el caso de una transmisión de buena calidad, o la incoherencia en los casos de una transmisión defectuosa. Contra lo que pudiera parecer la coherencia obligada de la narración a nivel de la llamada lógica habitual no es fundamental en la transmisión folklórica y son frecuentísimos los casos de "aberración lógica" o de transmisiones sin verdadero sentido en apariencia (4).

Parece, sin embargo, que la coherencia narrativa depende en gran medida del grado de abstracción o generalización que la narración es susceptible de alcanzar, sea en su origen, sea a través de modificaciones diversas. Por ejemplo en los casos de los romances relativos a la *Muerte del Príncipe don Alfonso de Portugal* o en el de la *Muerte del Duque de Gandía*, ambos surgidos a partir de hechos históricos muy precisos y conocidos en su época y con abundantes observaciones incluso directas en las versiones primitivas, su conservación en la actualidad, del primero en las Azores y del segundo en la tradición sefardí oriental entre otras, se debe justamente a la pérdida de las observaciones más precisas del punto de vista histórico anuladas o reemplazadas por otras adecuadas al ambiente cultural donde se conservan los romances. Así, lo que estos romances han perdido en precisión histórica lo han ganado en universalidad que es lo que ha permitido su conservación. Nos encontramos aquí ante un caso de ambigüedad de que trataré más adelante.

2) Temáticas subsidiarias de carácter ambiental o sociológico. Me explico. Se trata en este caso de núcleos narrativos que se desplazan de un romance a otro con relativa facilidad y frecuencia. Semejantes a la llamada función catalítica de Barthes, sirven para frenar el ritmo de la narración o desviarla de su línea principal y no dependen, en absoluto, del tema narrativo cardinal en el que, sin embargo, se incluyen pudiendo, incluso, aparecer en narraciones muy dispares entre ellas. Por último, creo que se diferencian de los mitemas de los que trataré después.

Veamos ahora un único ejemplo que creo bastante explícito. Se trata de la temática en tres partes en que una dama, al recibir a su enamorado público u oculto, lo somete a un

---

3) La preocupación desde hace tiempo por la pérdida del folklore sefardí ha hecho de él terreno privilegiado de estudio ya que son numerosas las recopilaciones que han aparecido y aparecen en un intervalo muy corto de tiempo lo que favorece grandemente el estudio de la evolución del mismo y la cuestión de las variantes.

4) Cf. J.L. Alonso, *Algunas claves para el reconocimiento y la función del símbolo en los textos literarios y folklóricos*, in *Teorías semiológicas, etc.*, donde se estudia la cuestión a nivel del léxico.

lavatorio de pies y manos, le ofrece una comida y por último, se van a dormir. Según los romances en que esta temática catalítica se registra puede faltar alguna de las partes con frecuencia la segunda. Pues bien, encontramos este asunto inserto en algunas de las variantes del, a mi parecer, mal llamado como ha dicho en otro sitio (5), romance sefardí de *Hero y Leandro* con amplia difusión entre los sefardíes de Salónica y las comunidades de los Estados Unidos procedentes de Oriente, pero sin ninguna versión en la Península (6) ni en los cancioneros marroquíes (7). Lo encontramos asímismo en algunas variantes del *Bernal Francés* con amplia difusión tanto en la Península como en Hispanoamérica, como en las diversas comunidades sefardíes de Oriente, Marruecos, Estados Unidos, etc... Lo encontramos en el romance de *Tarquino y Lucrecia* de la tradición sefardí. Y lo encontramos, por último, en el *Cancionero segoviano* de Marazuela, en el romance de *Don Francisco* (8) que probablemente ha recibido el préstamo del *Bernal Francés* del que es un sucedáneo moderno así como otros del mismo título que se encuentran repartidos por toda la Península y también en las Canarias donde recibe el nombre, y esto como curiosidad, de *Don Alonso*.

Reduciéndonos voluntariamente a los ejemplos citados que podrían ampliarse sin dificultad, observaremos que en el caso del llamado romance de *Hero y Leandro* el tema principal es el de unos amores en principio desgraciados pero que en la tradición sefardí terminan siempre bien (9) (todo lo contrario del tratamiento trágico final de la leyenda griega). En el caso del *Bernal Francés* o *Don Francisco* se trata de unos amores adúlteros y castigados. En el caso de *Tarquino y Lucrecia* se trata del conocido tema de la tentativa de violación y suicidio o asesinato de la casta por sus pecados Lucrecia. En resumen, nos encontramos con una disparidad temática general en la que, sin embargo, reconocemos una base estructural semejante, relación hombre-mujer, que acaso, aunque mínima, es la que permite el trasvase de la temática subsidiaria o catalítica que anunciábamos al principio. Digamos, para terminar con este ejemplo, que la temática catalítica se efectúa casi al pie de la letra en las diferentes versiones o conservando tales semejanzas que no es difícil demostrar que se trata de una unidad narrativa única en desplazamiento.

---

5) J.L. Alonso, *El tema de "Hero y Leandro" en la poesía sefardí*, in *I Congreso Internacional sobre la España Olvidada: Los Judíos*, organizado por la *Fundación Ramos de Castro*. (Zamora, 18-19-20 de Junio de 1981). Próxima aparición de las Actas.

6) Fuera del caso excepcional del romance *El caballero de Málaga*, in *Romancerillo catalán*, ed. de Milá, 2ª ed. Barcelona, 1882.

7) Aunque creo que en el romance 25 de *Romances judeo-españoles de Tánger* recogidos por Zarita Nahón (cf. bibliografía final), *¿Por qué no cantáis la bella?* (é-a) + *El conde Alarcos* (í-a) se encuentran resonancias del *Hero y Leandro* que me inclinan a pensar que también ha debido existir en el romancero marroquí aunque en la actualidad se haya perdido. Así, los primeros versos,
"Una hija tiene el rey, una hija arreglada.
Su padre, por más valor, un castillo la fraguara;
ventanas al derredor, por donde el aire la entrara".
variante antitética ésta última de "por donde el aire no entrara" y también del verso 10, "A los tres días pasados, muchacho se arrimó a ella"; y también el verso 14, "gallinas y pichones, comidas al que más valía", podrían pasar como variantes en forma y fondo de versos semejantes que se registran en el *Hero y Leandro*.

8) Marazuela-Albornos, *Cancionero segoviano*. Jefatura Provincial del Movimiento, Segovia, 1964. Pág. 393.

9) Con excepción de la versión publicada por Moya y que ofrece una alternativa trágica: la del suicidio de los amantes en caso de no poder casarse. Cf. Rina Benmayor, *Romances etc.*, págs. 53 y 54.

El aspecto sociológico en nuestro ejemplo de temática subsidiaria o catalítica se encuentra reflejado en las variantes culinarias de las diversas versiones a veces muy desarrollado en lo que concierne a las sefardíes; variantes que funcionan como indicios bastantes claros del ambiente cultural en el que se registra la versión. Lo mismo podemos decir acerca del tipo de aguas, perfumes o ropas que ocurren en las diferentes versiones.

3) La tercera constante está constituída por mitemas semánticos de carácter mitico-psíquico; es decir, pequeñas unidades que pueden tener formulaciones variadas pero que se presentan con significados invariantes y transferibles de una narración a otra. Su significación es interpretable a nivel simbólico y poseen un alto grado grado de generalización o universalidad. Algunos ejemplos: la alta frecuencia del número tres de carácter prelógico (10), que lo encontramos en el "Erase un rey que tenía tres hijas, etc." en los "tres trabajos que alguien tiene que llevar a cabo" de los cuentos infantiles; en las "tres hermanicas", "tres caballeros", "tres besicos", "tres manzanas", etc. de la tradición sefardí (11) e incluso, dentro de la mitología cristiana, en la Santísima Trinidad. En relación con este *tres* se desarrolla otro mitema que es el del "tercero", o "el/la más joven o chico/a" de los hermanos o hijos, o "tercera tentativa". Personaje, objeto o espacio en el que se plantea o resuelve la crisis inherente a la narrativa folklórica. Añadamos, en lo que se refiere a los personajes, que este tercero, menor o más pequeño, es con frecuencia más inteligente que el mayor o anciano, o recibe un rango más alto respecto al mayor y así parece ser una "peculiaridad importante de todos los sistemas sígnicos humanos" como demuestra brillantemente V.V. Ivanov en su trabajo *La semiótica de las oposiciones mitológicas de varios pueblos* (12). Otro mitema semejante es el de la dama a la ventana, en la torre o en el tejado en actitud de espera o despedida; o el de los cabellos, generalmente de oro, peinados por la reina, dama, princesa, etc...

Diremos, por último, que no hay que confundir estos mitemas por estereotipados que estén, con el simple hecho de una imitación o copia al pie de la letra o con ligeras variantes de determinados elementos, un verso por ejemplo, que han podido imponerse en varias composiciones por su misma eficacia, lo que es un problema de fuentes.

En lo que hasta ahora hemos visto he ido introduciendo voluntaria y subrepticiamente una serie de conceptos que creo merecen recapitularse y afinarse un poco más. Se trata de ambigüedad, constantes o invariantes, variantes y transformaciones, universalidad.

En primer lugar, creo que todas estas nociones están en estrecha interdependencia. Observaremos que las constantes se refieren tanto a temáticas primarias, narraciones completas y coherentes, que pueden sufrir transformaciones de superficie, en su formulación, sin alteración de la estructura profunda, como a temática subsidiarias y a los mitemas que circulan en temáticas primarias muy diferentes entre sí. Son, pues, constantes que se refieren tanto a estructuras cuyos componentes mantienen entre ellos una relación sintagmática, como a elementos descriptibles en relación paradigmática con otros elementos de

---

10) Cf. J.L. Alonso, *Algunas claves para el reconocimiento, etc.*

11) Cf. el trabajo de Mónica Estela Hollander, *Reliquias del romancero judeo-Español de Oriente*, University Microfilms International, Ann Arbor, Michigan, U.S.A. London, England, 1978. pág. 206 entre otras.

12) Cf. bibliografía final.

la misma especie; relación que se desenvuelve en los límites de la afinidad y de la oposición.

En lo que se refiere a las variantes observaremos, por una parte, que, realizándose en el circuito estructural de las temáticas primarias o narraciones completas, pueden ser constantes paradigmáticas (temáticas subsidiarias y mitemas) o variantes libres, que no mantienen una relación con otras variantes de la misma especie y descriptibles en un paradigma. Se trata en este último caso de variantes de creación personal destinadas a paliar olvidos sentidos como tales. Por otra parte ya hemos visto cómo las variantes pueden darse, como de hecho se dan, en elementos de relación paradigmática (temáticas subsidiarias y mitemas). Es este un problema de adaptabilidad que sirve para explicar la transformación de un texto inicial dentro de una misma área cultural o en áreas culturales diferentes – universalización del texto inicial.

Insisto en el hecho de que en estos casos la variancia se realiza sólo a nivel superficial y que en profundidad nos encontramos con una constante. Por ejemplo, en un cuento de San Ciprián de Sanabria titulado *El pobre y el demonio* (13) ocurre una peripecia que es la siguiente: perseguidos el protagonista y su prometida por el padre de ésta que resulta ser el mismo demonio, el caballo se convierte en ermita, la moza en Virgen María y el mozo en ermitaño; un ermitaño, por cierto, que se finge tonto. Así burlan la persecución. Pues bien, la misma peripecia se da en el mismo cuento mucho más amplio que se registra en la tradición chilena con el título de *El Gran Jugador* y que será analizado por nuestro colega Carlos Foresti Serrano en su ponencia. Pero aquí, no se trata de una ermita etc., sino de un molino y un molinero (que pica la piedra-mujer con un indudable significado erótico) que funciona también como tonto, y la burla subsiguiente, y es posible que se registre en otros cuentos con nuevas variantes que no excluyen, todo lo contrario, la identidad funcional de base ni la modifican de ninguna manera.

Este tipo de variabilidad superficial se basa, a mi parecer, en la ambigüedad, concepto con el que se quiere explicar el fenómeno mediante el cual determinadas estructuras se adaptan cambiando en superficie algunos de sus componentes con objeto de permitir su pervivencia en el tiempo y en el espacio. Algo, en suma, que nos permite explicar el cómo y el por qué de la conservación folklórica.

Pasemos ahora a la última parte de este trabajo que tratará de la problemática de la inserción folklórica en los textos literarios de diversos autores.

Antes de nada deseo aclarar que no es mi intención el demostrar que en los textos literarios son numerosas las veces que se incluyen textos de la tradición folklórica, ni el problema de filiación y fuentes de estas inserciones. Los trabajos de M. Chevalier y de varios colegas, algunos presentes en esta reunión (14), son suficientes en calidad y cantidad para hacer inútil semejante demostración por su misma evidencia. Lo que pretendo es tratar de analizar cómo se realiza esta inserción partiendo del criterio de antítesis que me parece de suma importancia en lo que se refiere a la narrativa folklórica.

---

13)   Luis Cortés, *Leyendas, cuentos y romances de Sanabria,* Salamanca, 1976.

14)   Sirvan de ejemplo solamente Maxime Chevalier, *Cuentecillos tradicionales en la España del Siglo de Oro; Folklore y Literatura,* etc.. M. Molho, *Cervantes: raíces folklóricas.* Entre los presentes citemos los trabajos de J. Joset, M. Joly y A. Redondo.

En su artículo *Introduction a la critique générative* (15) expone Jean Paris, de manera a la vez poética y precisa, el problema de los orígenes del universo según diversas mitologías como una disyunción entre el Uno nombrable solamente a partir del Dos. Dos que puede ser el Silencio necesario para hacer audible el Verbo del Uno, en el principio era el Verbo, o que puede ser una creación debida al Uno que se niega como Uno al instaurar al Dos como realización del propio deseo de sí. Contradicción que se realizará sea mediante una división metafórica en mitades simétricas, cielo-tierra, sea por emanación metonímica, de soplo, de sangre, de saliva del propio Uno. Aparece así una dualidad de tipo antitético en el que el Bien encuentra su propia justificación en su negación por el Mal, lo alto en lo bajo, Dios en el Diablo, la Palabra en el Silencio.

V.V. Ivanov, en el artículo antes citado, lleva a cabo el análisis de una serie de contraposiciones paradigmáticas de dos (o más) series de signos socialmente importantes y comunes a una grandísima parte de sociedades arcaicas o elementales y propone, a la vez, la tarea urgente de la determinación del complejo universal que rige las contraposiciones que organizan los sistemas de clasificación simbólica de dichas sociedades. Las contraposiciones que analiza en detalle son central-periférico, masculino-femenino, derecha-izquierda y anciano-joven, señalando que existen bastantes otras que podrían analizarse con igual detalle y precisión.

Encontramos, pues, que una dualidad de tipo contrapuesto parece regir una gran parte de las imágenes mitológicas universales comunes a la mayoría de las mitologías, y dadas las relaciones que existen entre mito y narración folklórica, atendiendo sobre todo el carácter prelegal de ambas, nada tiene de particular que en ésta también aparezca el mismo tipo de binarismo que es lo que entendemos por antítesis.

Quizá la forma más primitiva y frecuente de antítesis en la narración folklórica sea la de Bien-Mal dado que es ahí donde se inscribe el principio de autoridad de la ley que rige tanto para las sociedades como para los individuos en los que adopta la conocida forma de la ley del padre lacaniana. Los ejemplos de esta antítesis están en la mente de todos y no necesitan mencionarse. Señalemos que junto a esta antítesis básica se desenvuelven otra serie de acciones privativas de los distintos tipos de sujetos bastante bien descritos por Propp y que revierten en uno de los campos de la antítesis como ayudantes y favorecedores del Bien o como sus oponentes. Ninguno de los elementos que componen la narración folklórica es innecesario o arbitrario. Pero no debemos pensar que la antítesis del tipo que sea una vez establecida es inmutable. Como todos los elementos de la narración folklórica está sujeta a transformaciones con vistas a su adaptabilidad y conservación en los distintos momentos y lugares en los que la narración se desenvuelve. De tal manera que, en determinadas circunstancias, uno de los polos de la antítesis puede aproximarse al otro e invadir momentáneamente su campo. Un punto, en suma, dominado por el concepto de ambigüedad que como vemos es así complementario del de antítesis. Creo que un buen ejemplo de esta variabilidad antitética nos lo proporciona el caso del cuento de Caperucita Roja insertado por Goytisolo en *La reivindicación del Conde don Julián* que analizará nuestro colega Peter van Esseveld y otros varios ejemplos semejantes que serán analizados por Hub Hermans con respecto a la obrita de Alberti *Radio Sevilla*. Claro que tanto en un ca-

---

15) In *Change de Forme, Biologies et prosodies, Colloque de Cérisy*, 10/18, Unión générale d'éditions, París, 1975.

so como en el otro no tenemos que perder de vista que se trata no de problemáticas folklóricas en su estricto sentido, sino de problemáticas folklóricas inscritas y utilizadas en un texto literario y por un escritor.

Y llegamos con esto a la cuestión específica del folklore o mejor, de las resonancias folklóricas, en ciertas obras de la literatura española y su contribución a la valoración estética generalmente admitida. Sin entrar en detalles que exigirían un espacio y esfuerzo mayor del que aquí tenemos y se hace veamos algunos ejemplos concretos más como sugerencias de trabajo que habría que desarrollar que como conclusión.

Aplicado el concepto de antítesis tal y como lo acabamos de exponer al *Cantar de Mío Cid*, texto aparentemente poco folklorizado aunque sí bastante mítico, observaremos que el personaje central se encuentra perdido entre dos actitudes antitéticas para la época: la del caballero con todos los atributos inherentes y la del mercader que gana su pan con el sudor de su espada como podría hacerlo con una reata de mulas. El tan comentado engaño a los judíos Raquel y Vidas, mercaderes usurarios por excelencia, es el indicativo preciso de la opinión que sobre la actividad de mercader se tenía. Y en este sentido el engaño del Cid bate todos los records del comercio productivo. ¡Qué diferente del heroico combatiente de la morisma presentado por los románticos! Así pues, heoricidad medieval y mercantilismo moderno hiperdesarrollado se encuentran reunidos en el mismo personaje sin que éste pierda nada de su interés. Todo lo contrario.

¿Qué es Celestina? ¿Un personaje despreciable por su maldad o elogiable por su inteligencia? O, lo que es más sutil aún: personaje admirable por la fínisima mezcla de inteligencia y maldad, estoicismo y epicureismo.

¿Y Lázaro? ¿Un inocente digno de piedad o un cínico?

Maurice Molho en su libro *Cervantes: raíces folklóricas* dedica toda una parte a analizar el personaje de Sancho como una mezcla basada en la dualidad tonto-listo o listo-tonto de origen eminentemente folklórico. No voy a hacer aquí ningún resumen y los interesados pueden dirigirse a dicho libro por tantos conceptos interesantes. Indicaré sin embargo, que la dualidad en el Quijote no es privativa de Sancho. También Don Quijote vacila entre idealismo y prosaismo con frecuencia aunque su locura haga de él un personaje particular. En el Quijote encontramos una dualidad múltiple. Por una parte don Quijote Sancho, por otra parte dos Sanchos y dos Quijotes, y es curioso observar cómo al final del libro los papeles parecen invertirse y don Quijote se sanchifica mientras Sancho se quijotiza.

JOSE LUIS ALONSO HERNANDEZ
Universidad de Groningen

BIBLIOGRAFIA

J.L. ALONSO HERNANDEZ: *Algunas claves para el reconocimiento y la función del símbolo en los textos literarios y folklóricos*. In *Teorías semiológicas aplicadas a textos españoles* (Actas del 1º Symposium Internacional del Departamento de Español de la Universidad de Groningen: 21, 22 y 23 de Mayo de 1979). Groningen, 1981.
  El Tema de "Hero y Leandro" en la poesía sefardí. In *I Congreso sobre la España Olvidada: Los Judíos. Fundación Ramos de Castro* (Zamora, 18, 19 y 20 de Junio de 1981). Próxima aparición.

M. BAKHTINE: *L'oeuvre de François Rabelais et la culture populaire au Moyen Age et sous la Renaissance*. Gallimard, París, 1970.

R. BENMAYOR: *Romances judeo-españoles de Oriente. Nueva recolección*. Gredos, Madrid, 1979.

M. CHEVALIER: *Cuentecillos tradicionales en la España del Siglo de Oro*. Gredos Madrid, 1975.
  Folklore y literatura: El cuento oral en el Siglo de Oro. Crítica, Barcelona, 1978.

COLLOQUE DE CERISY 1: *Change de forme. Biologies et prosodies*. 10/18. Union génerale d'éditions, Paris, 1975.

L. CORTES: *Leyendas, cuentos y romances de Sanabria*. Salamanca, 1976.

M.E. HOLLANDER: *Reliquias del Romancero judeo-español de Oriente*. U.M.I. ann Arbor. Michigan, U.S.A.. London, England, 1978.

V.V. IVANOV: *La semiótica de las oposiciones mitológicas de varios pueblos*. Vid. Lotman y Escuela de Tartu.

J. KRISTEVA: *Recherches pour une sémanalyse*. Seuil, Paris, 1969.

J. LACAN: *Ecrits I, II*. Seuil, París, 1966.

J.M. LOTMAN y ESCUELA DE TARTU; *Semiótica de la Cultura*. Cátedra. Madrid, 1979.

J.M. LOTMAN, ECOLE DE TARTU: *Travaux sur les systèmes de signes*. Complexe, P.U.F., Bruxelles, 1976.

MARAZUELA ALBORNOS: *Cancionero segoviano*. Jefatura Provincial del Movimiento, Segovia, 1964.

MILA: *Romancerillo catalán*. Barcelona, 1882.

M. MOLHO: *Cervantes: raíces folklóricas*. Gredos, Madrid, 1976.

Z. NAHON; *Romances judeo-españoles de Tánger*. Cátedra-Seminario Menéndez Pidal, Madrid, 1977.

J. PARIS: Vid. Colloque de Cerisy.

V. PROPP: *Las raíces históricas del cuento*. Fundamentos, Madrid, 1979.

  Morphologie du conte. Seuil, Paris, 1970.

CUENTO FOLCLORICO VS CUENTO ARTISTICO: TENTATIVAS DE DELIMITACION

MICHAEL METZELTIN - CHRISTEL VANDERMAELEN
Universidad de Groningen

CUENTO FOLCLORICO VS CUENTO ARTISTICO: TENTATIVAS DE DELIMITACION

M. Metzeltin/Ch. Vandermaelen

1. Posibles concepciones del fenómeno de la intertextualidad

El fenómeno de la intertextualidad se puede concebir de tres distintas maneras: como intertextualidad de tradición, vital o tipológica.

La intertextualidad de tradición se da cuando el productor de un texto oral o escrito T2 utiliza elementos o fragmentos de un texto preexistente T1. Como dice Manfred Naumann, "Kein Werk ist —in einem absoluten Sinn— originär; es ist immer auch das Ergebnis einer Auseinandersetzung mit anderen Werken und anderen Autoren. Zwischen den Werken besteht ein Zusammenhang, der die zentrale Achse dessen bildet, was wir den *Literaturprozess* nennen... Die Ursachen dafür hat Engels in dem Hinweis angedeutet, dass die "politische, rechtliche, philosophische, religiöse, literarische, künstlerische, etc. Entwicklung" zwar *"in letzter Instanz"* durch die sich verändernden Verhältnisse an der ökonomischen Basis bedingt ist, dass die Basis aber auf diesen Gebieten nichts "a novo" schafft, sondern dass sie "die Art der Änderung und Fortbildung des vorgefundenen Gedankenstoffs", des vorhandenen Materials bestimmt, "das die Vorgänger geliefert haben" und auch das meist nur indirekt, da es vor allem die Wechselwirkungen der Überbau-Erscheinungen untereinander sind, die die Entwicklung innerhalb der einzelnen geistigen Produktionszweige beeinflussen" (1).

La intertextualidad vital se basa en el hecho de que la vida de un hombre puede ser vista como un texto. Galdós decía que "por doquiera que el hombre vaya lleva consigo su novela" (2). Bajo esta perspectiva un texto sería una especie de caja de resonancia para hacer vibrar la intrahistoria de su productor (y eventualmente de sus receptores) (3).

La intertextualidad tipológica es, contrariamente a las primeras dos, aparentemente ahistórica. Uno puede preguntarse qué es lo que dos textos tienen en común o lo que los diferencia, prescindiendo de sus posibles reales relaciones de dependencia. Esta perspec-

---

1) M. Naumann & al., *Gesellschaft, Literatur, Lesen,* Berlin/Weimar 1976³, p.80.

2) B. Pérez Galdós, *Fortunata y Jacinta,* I/3/3.

3) Cf. J. Kristeva, *Semeiotike,* Paris 1969, p. 278 y ss.

tiva trata de poner en evidencia las características diferenciales de dos o más textos o de dos o más tipos de textos y de dar de ellas una explicación antropológica. Cabe por ejemplo estudiar las eventuales diferencias entre los cuentos populares y los literarios y ver hasta qué punto son significativas. Es lo que vamos a intentar hacer.

2. Skaska vs rasskaz, sprookje vs verhaal

Hay lenguas que conocen dos lexemas cohiponímicos que permiten de buenas a primeras distinguir dos tipos de narración: la de tipo popular y la de tipo "artístico". En otras lenguas, como la española, esta distinción es terminológicamente más difícil: donde el ruso dice *skaska* y el holandés *sprookje* el español tiene que utilizar un sintagma como *cuento de encantamiento, cuento maravilloso* o *cuento de hadas* (4), mientras que para traducir el ruso *rasskaz* o el holandés *verhaal* el español tiene que escoger entre *relato, cuento, narración, novela*, etc.

Esta con-fusión volvemos a encontrarla en el estudio de la narrativa. Algunos aplican al estudio de la novelística clásica y moderna (Lazarillo, Galdós, etc.) los métodos elaborados por investigadores como Propp y Greimas para el análisis de los cuentos de hadas y los mitos (5). Otros usan el instrumentario de la poética tradicional para describir los cuentos folclóricos (6). Esto parece presuponer que entre los dos tipos de narración no habría diferencia *fundamental*.

Bien es verdad que hay tentativas de delimitar estas dos modalidades narrativas. Friedrich von der Leyen cita como característicos de los cuentos folclóricos, entre otros, los siguientes rasgos: "Fülle der Abenteuer und Wunder, in buntem Wechsel, auch in Spiel und Ernst durcheinander stehend, doch nicht um ihrer selbst willen, sondern um des Erlebers willen werden die vielen Erlebnisse erzählt. Den Erleber führt das Märchen durch alle Gefahren und Aufgaben, oft abirrend, immer von neuem ansetzend, hindurch, am Ende lacht ihm der Erfolg, oder seine Feinde werden gestraft. Die Erlebnisse selbst gliedern und steigern sich, Ähnliches reiht sich aneinander oder verstärkt seine Wirkung durch Wiederholung und Variation, am liebsten folgen drei Verwandlungen, Versuchungen, Erprobungen, Forderungen einander, die dritte ist die stärkste. Vierzahl, Sechszahl, Siebenzahl werden seltener gewählt. Auch der Erleber ist oft der dritte, gegen alle Erwartung löst er die Aufgabe und gelangt ans Ziel. Die Gegenübersetzung der Erfolgarmen und Erfolgreichen, der Dummen und Klugen, der Bösen und Guten, der Älteren und Jüngeren bringt den Kontrast in das Märchen und damit einen uralten Hebel der Ordnung und Unterscheidung. Der Kontrast teilt sich auch der Handlung mit: ernste und heitere, diesseitige und jenseitige Szenen stellen sich dann eine gegen die andere. Die einzelnen Vorgänge der

---

4) A.M. Espinosa en sus *Cuentos populares españoles*, Madrid 1946, usa el término de *cuentos de encantamiento*, la traductora española de Propp (*Morfología del cuento*, Madrid, Editorial Fundamentos, 1971) el de *cuentos maravillosos*, la traductora de Bettelheim el de *cuentos de hadas* (B. Bettelheim, *Psicoanálisis de los cuentos de hadas*, Barcelona 1977).

5) Cf. por ejemplo A. Ruffinato, *Struttura e significazione del 'Lazarillo de Tormes'*, Torino 1977; E. Miralles, *La novela española de la Restauración (1875-1885): sus formas y enunciados narrativos*, Barcelona 1979.

6) Cf. F. Karlinger (Hg.), *Wege der Märchenforschung*, Darmstadt 1973, p.345.

Handlung und die Gruppen der Handelnden heben sich dann klarer gegensätzlich voneinander ab, das heisst gleichzeitig: die Spannung erhöht sich. Neben der Trennung wirkt die Verbundenheit anregend und verdichtend: zwei Brüder oder Geschwister müssen sich helfen oder die Eltern helfen den Kindern, der dunklen und übermächtigen Gewalt des gemeinsamen Blutes unbewusst folgend. Einfache Formeln, die auf die Besonderheit des Erzählten hinweisen oder sich an ihr freuen, stehen auch schon in recht alter Zeit am Anfang und Ende dieser Geschichten" (7).

Contrariamente a lo que podría parecer a primera vista estas características valen también para muchos relatos no folclóricos como *La vida de Lazarillo de Tormes y de sus fortunas y adversidades* o *El amante liberal* de Cervantes. Por otro lado, según el *'Kratkii slovar' literaturovedčeskich terminov* un *rasskaz* sería "una pequeña forma de la literatura narrativa en que se describe algún episodio de la vida de un héroe. El limitado desarrollo temporal de los acontecimientos representados y el número reducido de actuantes constituyen la particularidad de este género " (8). Nos parece que bajo una definición tan amplia como esta pueden caer también los cuentos de hadas. Por lo visto una delimitación científica de estos dos géneros encuentra serias dificultades.

Y sin embargo cuando el conserje Adrian Adrianovič, en el *rasskaz Maja* de la escritora rusa Vera Michailovna Inber, le pregunta a su sobrina Maja si le gustan los *skazki* y esta le contesta positivamente citándole el conocido *rasskaz Taškent, la ciudad del pan*, de A. S. Neverov (1923), el tío la corrige diciéndole: "No, chiquilla, eso es un *rasskaz*" (9).

Si confiamos en la sensibilidad narrativa de una autora como Inber debe haber por lo tanto, pese a las dificultades que encuentra el análisis descriptivo, una diferencia fundamental entre las dos clases de narración.

3. Los problemas del análisis

Gracias a los impulsos venidos de la etnología (Propp, Lévi-Strauss) y de la lingüística (estructuralismo, transformacionalismo, etc.) en los últimos años la teoría del texto ha experimentado un notable desarrollo. Mas las tentativas de análisis presentadas hasta ahora para captar la esencia de los textos desatienden en general la indagación de la substancia semántica o tienden a reducirla a unas "macroestructuras" demasiado simplificadoras. La teoría tradicional de los géneros (literarios), como se encuentra por ejemplo expuesta en la *Estética* de Hegel (10), nos ofrece uno de los más desarrollados modelos de semántica textual; pero por un lado le falta el instrumentario metalingüístico hoy necesario para describir la semántica de un modo explícito, por otro lado está limitada por su normativismo. La perspectiva de Lämmert y de Genette (11) enfoca no la substancia semántica de

---

7) F. Karlinger, *op. cit.*, p.75.

8) Moskva 1978, s.v. *rasskaz*.

9) *Novellen der sowjetischen Schriftsteller*, Moskau s.a.^{2}, p.22.

10) Cf. G.W.F. Hegel, *Vorlesungen über die Asthetik. Dritter Teil. Die Poesie*, Stuttgart, Reclam, 1971.

11) E. Lämmert, *Bauformen des Erzählens*, Stuttgart 1955; G. Genette, *Figures III*, París 1972, p.65 y ss.

por si, sino su distribución y presentación sucesiva a lo largo de la superficie del texto. Los modelos narrativos (Greimas, Labov-Waletzky, Bremond, Niel, etc. (12)) tienden a reducir la substancia semántica a los tres momentos principales *colisión - lucha - solución*, ya reconocidos por la dramaturgia tradicional. En fin, la lingüística textual se concentra en el estudio de las relaciones transfrásticas intratextuales, es decir en la substancia lexemática del texto (13).

Si tomamos como punto de partida para el estudio de un texto el examen de su estructura, se puede dar la preferencia a la investigación del plano del contenido o del plano de la expresión. La sociocrítica nos enseña que 'De *betekenisstructuur* kan ... als het ordenende principe worden gezien, als de beslissende factor, die van de (literaire) tekst een samenhangend geheel maakt" (14). Nosotros también creemos que un texto es fundamentalmente una unidad semántica y que por eso para su estudio hay que concentrarse en su substancia semántica.

4. Un modelo para la representación de la substancia semántica de un texto

El contenido de un texto se puede estructurar independientemente de su constitución superficial en frases. El plano de la expresión y el del contenido no son isomorfos.

Quien quiera producir un texto para un acto comunicacional tiene que utilizar ciertos tipos de conceptos y relacionarlos de cierta manera. Para ser inteligibles los textos deben contener coceptualizaciones acerca de los objetos de la realidad; acerca de los procesos o las propiedades de esos objetos; acerca de los seres a quienes se destinan eventualmente esos procesos o cualidades; acerca de la situación de esos objetos en el espacio y en el tiempo; acerca del grado de probabilidad que el emisor atribuye al proceso o a la cualidad de un objeto en cierta situación espacio-temporal; acerca del emisor y de su modalidad de emisión; acerca del receptor; acerca de la cuantificación de los objetos, de los procesos, de las cualidades, de las espacialidades y de las temporalidades; acerca del grado de identificación de los objetos, los procesos, las cualidades, las espacialidades, las temporalidades y las cuantificaciones. Estas informaciones pueden ordenarse tomando como núcleo un concepto que remite a un objeto de la realidad (= sujeto = S), al cual se agregan sucesivamente las indicaciones de la respectiva cualidad o proceso (= predicado = Q), del eventual destinatario de esta cualidad o proceso (= D), del lugar (= L), del tiempo (= T), del grado de probabilidad (= ^{o}/o), del emisor y de su modalidad de emisión (= E,e), del receptor (= R), de las cuantificaciones (= m) y de los grados de identificación (= i). Un conjunto como éste nos parece representar de manera más adecuada el contenido semántico de lo que tradicionalmente corre bajo el nombre de proposición. Simbolizando las relaciones de determinación con paréntesis, conviniendo que el elemento externo determine el interno y los índices los elementos indexados, podemos representar una proposición (= P) me-

---

12) A. Greimas, *En torno al sentido*, Madrid 1973, p.185 ss.; W. Labov/J. Waletzky, *Narrative analysis; oral versions of personal experience*, in: J. Helm (Ed.), *Essays on the verbal and visual arts*, Seattle 1967; C. Bremond, *Logique du récit*, Paris 1973; A. Niel, *L'analyse structurale des textes*, París 1976.

13) Cf. H.P. Althaus/H. Henne/ H.E. Wiegand (Hg.), *Lexikon der Germanistischen Linguistik*, Tübingen 1980^2, cap. 20.

14) P.V. Zima, *Literatuur en maatschappij*, Assen 1981, p. 22.

diante la siguiente fórmula:

$$P = (((((((((S_{m,i}) Q_{m,i}) D_{m,i}) L_{m,i}) T_{m,i})^{o}/o) E_{m,i})^{e}_{m,i}) R_{m,i})$$

La relación entre dos o más proposiciones radica en la relación de sus predicados o de sus modalidaes de emisión. Estas conexiones pueden ser de tipo tautológico, acumulativo, sucesivo, causal o disyuntivo.

Todo texto puede transformarse normalmente en una serie de proposiciones. Estas pueden dividirse, conforme a su función, en básicas y amplificativas. Las proposiciones básicas contienen la información relevante para el texto, las otras varían y embellecen esta información.

En muchos textos las proposiciones básicas forman configuraciones especiales. A tales configuraciones, que volvemos a encontrar en diferente presentación en los textos más variados, llamamos textoides. Las proposiciones de los textoides, cuyo número es en algunos limitado y en otros (por lo menos teóricamente) ilimitado, tienen en general un orden lógico/cronológico, que en la superficie del texto puede aparecer invertido.

Los menos estructurados son los *textoides descriptivos:* sus proposiciones forman un conjunto porque sus predicados se refieren al mismo sujeto proposicional; están ligadas por acumulación, es decir no se especifican sus interdependencias; sus temporalidades coinciden.

La narratividad de un texto estriba por lo regular en los *textoides sucesivos* y *transfomativos.* Los sucesivos constan de una serie de proposiciones cuyos predicados se refieren al mismo sujeto proposicional y que están conexionadas mediante una relación de sucesión, formando sus temporalidades una sucesión cronológica ordenada.

Los textoides transformativos, debido a la presencia de una situación inicial y una final, presentan una estructura mucho más específica. Constituyen el esquema básico no sólo de muchos textos literarios y folclóricos, sino también de reportajes, conversaciones diarias, etc. Teóricamente consisten en ocho proposiciones con los siguientes contenidos:

P1   una persona X se encuentra en una situación neutra $(=S_0)$
P2   un acontecimiento perturba esta situación $(=$causa $=C)$
P3   (debido a esto) X llega a encontrarse en una situación desagradable $(=S_1)$
P4   X quiere salir de S_1 para alcanzar una situación agradable S_2 $(=$intención $=I)$
P5   X actúa de una manera determinada para salir de S_1 y alcanzar S_2 $(=$transformación $=T)$
(P6) una persona Y ayuda a X en su actuación $(=$ayuda $=A)$
(P7) una persona Z estorba o trata de estorbar a X en su actuación $(=$dificultad $=D)$
P8   X alcanza la situación agradable deseada $(=S_2)$

Las proposiciones P1, P3, P4, P5 y P8 tienen el mismo sujeto. La situación S_2 deseada puede coincidir con S_0. Si X no alcanza su fin, puede producirse una situación inesperada S_3 que lleva en general a su desaparición (por partida, enclaustración, encarcelamiento, muerte, etc.). También puede acontecer que S_2 sea alcanzada sólo pasajera o parcialmete, lo que puede originar toda una secuencia de transformaciones. Las proposiciones A y D pueden multiplicarse, representar actitudes voluntarias o involuntarias, activas o pasivas; también pueden faltar. Las primeras dos proposiciones, S_0 y C, pueden estar sólo presupuestas, es decir no aparecer explícitamente en el texto. El contraste entre S_1 y S_2 es esencial: la diferencia entre las dos indica lo que le falta a X para poder recobrar su equilibrio.

Otro textoide que desempeña un papel importante en la estructuración de los textos narrativos es el *textoide compensatorio*. En su forma plena, consta de seis proposiciones que informan una contracción mutua de un compromiso por dos personas: X promete prestar un servicio a Y (P1) y pide a Y una compensación (P2), Y confirma la aceptación del servicio (P3) y su obligación a la compensación (P4), a lo que siguen la ejecución del servicio (P5) y la de la compensación (P6). También para este textoide son posibles variantes. Por ejemplo, una persona puede sentirse obligada a otra por la actuación favorecedora de ésta, sin haber habido acuerdo previo, a veces ni intención compensatoria.

Sobre todo en los textos de carácter persuasivo aparecen *textoides argumentativos*. Los más frecuentes son el *silogismo* y la *fábula*. Esta última consta teóricamente de 10 proposiciones (para mayor claridad explicitamos donde necesario los sujetos (X = sujeto indeterminado, A/B = sujetos determinados), los predicados (hacer x = cierta actuación), los grados de probabilidad, el emisor y el receptor) agrupadas como sigue:

P1 (X, hacer x) por eso P2 (X, en situación agradable)
P3 (X, no hacer x), por eso P4 (X, en situación no agradable)
P5 (A, hacer x), por eso P6 (A, en situación agradable)
P7 (B, no hacer x), por eso P8 (B, en situación no agradable)
P9 (Emisor querer situación agradable de Receptor), por eso P10 (Emisor aconsejar a Receptor hacer x)

P1-P4 constituyen la hipótesis, P5-P8 la ejemplificación y P9-P10 la moral.

Los conceptos que forman la substancia de un texto pueden sucederse sin que sea posible individuar un núcleo alrededor del cual se agruparían tautológica, sinonímica, hiponímica y/o asociativamente algunos de ellos. Sin embargo, por lo regular se puede encontrar por lo menos un concepto central del cual dependen varios otros. En *La muerte de la emperatriz de la China* por ejemplo una gran cantidad de semantemas se relacionan con los núcleos *belleza, amor, alegría* y *tristeza*. Al conjunto de un núcleo central y de sus depedencias llamamos *isosemía*. En la estructuración de la substancia semántica de los textos se puede observar la tendencia, tal vez condicionada antropológica (tenemos dos manos, dos ojos, etc.) y cognitivamente (aprendemos mejor oponiendo los elementos a aprender), a formar grupos antonímicos, como las isosemías *alegría* vs *tristeza* del texto rubeniano citado. Particularmente rico en posibilidades antonímicas es el textoide transformativo en que la oposición entre S_1 y S_2 y entre A y D permiten desarrollar isosemías bipolares basadas en el relleno semántico de sus sujetos, predicados, lugares y tiempos (15).

5. Cuento artístico vs cuento folclórico

El instrumentario expuesto en el parágrafo precedente nos parece bastante potente para explicitar las diferencias estructurales de las substancias semánticas de la narración artística y folclórica. Como objetos de análisis hemos escogido dos textos típicamente literarios y uno declaradamente folclórico: *La muerte de la emperatriz de la China* de Rubén Darío, *El amante liberal* de Cervantes y *Blanca Flor, la hija del diablo* (Espinosa n[o].

---

15) Para más detalles acerca del modelo aquí expuesto cf. M. Metzeltin, *Introdução à leitura do Romance da Raposa. Ciência do texto e sua aplicação*, Coimbra 1981; H. Jaksche/M. Metzeltin, *A Model for Representation of Semantic Text Structure*, in: *Tutorial in Text Processing. Proceedings of the Fribourg International Symposium on Text Processing*, Amsterdam 1982).

123). Para no alargar demasiado nuestra ponencia nos limitaremos a indicar las estructuras fundamentales.

El eje del relato rubeniano está constituido por un textoide transformativo que podemos representar de manera esquemática y ligeramente formalizada como sigue:

S_0 Suzette vivir feliz con Recaredo
C Recaredo adorar al busto de la Emperatriz
S_1 Suzette tener celos de la Emperatriz
I Suzette querer vivir feliz con Recaredo
T Suzette destruir el busto de la Emperatriz
D Recaredo no comprender: Emperatriz ser rival de Suzette
A Recaredo permitir: Suzette destruir el busto de la Emperatriz
$S_2 = S_0$

Se trata por lo tanto de una historia de amor y de celos. El contenido semántico de S_1 y de T nos indica una oposición entre el sujeto 'Suzette' y el destinatario de los sentimientos y las acciones de ésta, la Emperatriz. De hecho esta oposición se desarrolla en forma de isosemías, como la bipolaridad de las localizaciones ('saloncito de Suzette' vs 'gabinete del busto'), de los colores (simbólicos: 'azul' vs 'amarillo') y de las bellezas ('belleza humana' vs 'belleza artística'), oposiciones todas desarrolladas por los textoides descriptivos secundarios centrados en las figuras de Suzette y de la Emperatriz. Otra irradiación isosémica es la originada por la oposición de los predicados de $S_{0,2}$ y S_1 ('felicidad/alegría': *triunfo, riente, alborotar, gozar del gozo del amor, calor dichoso, idilio nupcial, alegre,* etc, vs. 'infelicidad/tristeza': *triste, no querer comer, serio, llorar, voz de queja, lágrimas,* etc.) cuyo polo positivo connota la parte inicial y final del texto, en tanto que el polo negativo caracteriza la parte central; esta bipolaridad está marcada además por las sucesivas reacciones del mirlo cuyos cambios de humor coinciden con los varios estados de ánimo de Suzette.

La novela cervantina, aunque no muy larga, consta de un gran número de textoides (19), de los cuales 15 son transformativos y 4 compensatorios. Cinco de los transformativos se refieren al amante liberal Ricardo. Tanto el título como la extensión relativa indican los siguientes textoides como los centrales:

a) C Leonisa ser muy hermosa
   S_1 Ricardo estar enamorado de Leonisa
   I Ricardo querer: Ricardo estar casado con Leonisa
   T Ricardo servir a Leonisa
   D1 Leonisa no querer: Leonisa estar casada con Ricardo
   D2 corsarios cautivar a Leonisa
   D3 corsarios cautivar a Ricardo
   D4 Yzuf exigir: cristianos pagar un enorme rescate por Leonisa
   D5 Ricardo creer: Leonisa haber muerto
   S_3 Ricardo estar desesperado

b) S_1 Ricardo estar enamorado de Leonisa
   I Ricardo esperar: Ricardo estar casado con Leonisa
   T Ricardo servir a Leonisa
   A1 Mahamut ayudar a Ricardo
   A2 Leonisa pedir la mano de Ricardo
   S_2 Ricardo estar casado con Leonisa

En realidad se trata de un arquitextoide escindido por una dificultad imaginaria (D5) y una S_3 transitoria de tal manera que se cuenta dos veces la misma historia, pero una vez con final negativo y la otra con desenlace positivo. En relación con los varios textoides el autor ha instituido varias irradiaciones isosémicas: 'viaje laberíntico', 'belleza', 'desdicha' vs 'dicha', 'desdén' vs 'remedio'. 'cautiverio' vs 'libertad', 'cuerpo' vs 'alma'. En la primera parte de la novela predomina la connotación de la desdicha (y las escenas de tormentas), en la segunda la dicha (y el tiempo sereno) (16).

Al contrario de los dos cuentos precedentes, el de *Blanca Flor* no presenta configuraciones proposicionales especiales. Empieza con algo que se podría asimilar a una S_1 desagradable ("Este era un muchacho que tenía novia y *riño con ella*"), pero no aparece ninguna S_0 o C que explique esta $^+S_1$. También se podría destilar una vaga Intención ("dijo que se iba al Castillo de Irás y no Volverás") que provocaría una primera posible Transformación ("Y se fué en busca del castillo"), pero que no justifica las "Transformaciones" siguientes. A lo largo del texto encontramos muchas actuaciones del muchacho facilitadas por Blanca Flor y dificultadas por el Diablo, sin que éstas lleven a una S_2. En medio del texto surge una Intención del muchacho ("Y entonces el mozo le dijo a Blanca Flor que ya que habían salido bien de todo que quería que se casara con él y marcharse los dos de allí") que al final del texto se realiza ("Y entonces se casaron y fueron muy felices"), pero esta I no procede de ninguna situación desagradable, el personaje principal no actúa para conseguir su fin (es más bien Blanca Flor que actúa) y no hay ninguna relación semántico-lógica entre el final y el principio del texto. De todo esto resulta que no es posible encontrar una configuración textóidica. Bien es verdad que, por sus actuaciones, se oponen el muchacho y la novia y el Diablo y su hija, lo que podría generar isosemías bipolares, cosa que empero no acontece. Lo único que se puede individuar son tres grandes bloques "superficiales" surgidos por el paralelismo de las actuaciones y las isotopías (17) de los lugares (el castillo, los lugares de la huida, el pueblo):

   a) Muchacho ir al castillo
      Diablo mandar al muchacho: muchacho hacer cosas imposibles (5x)
      Blanca Flor ayudar al muchacho (5x)

   b) Muchacho huir con Blanca Flor
      Diablo perseguir al muchacho y a Blanca Flor (3x)
      Blanca Flor ayudar al muchacho (3x)

   c) Muchacho ir al pueblo
      Abuela abrazar al muchacho
      Muchacho olvidarse de Blanca Flor
      Blanca Flor aparecer al muchacho en varias formas (n veces)
      Muchacho acordarse de Blanca Flor
      Muchacho casarse con Blanca Flor

Verificamos, pues, que la diferencia fundamental entre los cuentos literarios y los folclóricos estriba en la estructuración de la substancia semántica: aquéllos están informados

---

16) Para un análisis más detallado de esta novela cf. M. Metzeltin, *Cohesión y estética en la narrativa fantástica,* in: J.L. Alonso (ed.), *Teorías semiológicas aplicadas a textos españoles,* Groningen 1981, p. 85 ss.

17) Por *isostopía* entendemos las relaciones semánticas que instauran la coherencia entre las sucesivas frases de un texto.

por configuraciones textóidicas e isosémicas (predominantemente bipolares), éstos se estructuran más "superficialmente" por medio de fenómenos de paralelismo y de isotopía (18). La consecuencia de estos hechos es una aplicabilidad denotativa (19) relativamente fácil de desentrañar en los primeros, pero no en los segundos. Así en *La muerte de la emperatriz de la China* las configuraciones textóidicas e isosémicas indican que estamos en presencia de una simbolización de la rivalidad que en la sociedad de fines del siglo existe entre la vida burguesa y el arte. El análisis de la substancia semántica de *El amante liberal* nos lleva a ver en este texto una simbolización, en forma de viaje, de la purificación espiritual necesaria al que quiera conseguir el sumo bien (20). En el caso de *Blanca Flor* la aplicabilidad se hace más difícil. Utilizando el tipo de interpretaciones de Bettelheim (21) podríamos ver en la historia del muchacho la narrativización de una especie de rito iniciático que le llevaría del estado soltero al de casado. Pero este género de atribución denotativa, no bien apoyada por la estructuración semántica, nos parece dudoso.

6. Semántica textual y estructuras sociales

Comprobadas estas diferencias fundamentales entre la narración literaria y la folclórica cabe preguntarse por sus causas. Ahora bien, hoy todo el mundo sabe "dass auch das Ideelle, das in der Kunst in Erscheinung tritt, "nichts anderes als das im Menschenkopf umgesetzte und übersetzte Materielle" ist; dass auch diejenigen "Begriffe unseres Kopfes", die bei der Formierung von Kunstwerken eine Funktion haben, "die Abbilder der wirklichen Dinge" sind; dass auch die Menschen, die Kunstwerke schaffen, mit Empfindungen, Wahrnehmungen, Vorstellungen, Begriffen, Ideen, Urteilen usw. operieren, die "komplizierte, widerspruchsvolle Uebersetzungen von Materiellem in Ideelles" darstellen; dass also auch Kunstwerke keine Schöpfungen "ex nihilo" sind, sondern Leistungen der auf der Grundlage ihrer praktischen Tätigkeit entstandenen Fähigkeit der Menschen, die Aussenwelt ideell widerzuspiegeln, mit den dabei hervorgebrachten Abbildern ideell zu operieren und diese in einem neuen Objekt zu vergegenständlichen" (22). Si aceptamos la hipótesis de que los textos reflejan de manera directa o indirecta el mundo que rodea al hombre y que le sirven para orientarse en el mundo que le rodea debemos concluir que los cuentos folclóricos reflejan un tipo de sociedad todavía poco desarrollado, en que lo importante son las reparticiones míticas del espacio y los relativos ritos de pasaje (23), mientras que las novelas literarias se deben a sociedades industriales en que lo

---

18) Estos fenómenos también se dan en la narración literaria, pero no constituyen los principales medios de estructuración.

19) Para este concepto cf. M. Metzeltin, *Introdução à leitura do Romance da Raposa,* Coimbra 1981, p. 117-118.

20) Para más detalles cf. el estudio citado en la Nota 16.

21) Cf. la obra citada en la Nota 4.

22) M. Naumann, *op. cit.*, p. 39-40.

23) Cf. E. Cassirer, *Philosophie der symbolischen Formen. Zweiter Teil. Das myhthische Denken,* Darmstadt 1977, p.104 ss.

importante es la estructuración convencional —piénsese por ejemplo en el textoide compensatorio— de las actuaciones del hombre en su complicado ambiente social. Con otras palabras, cuentos y mitos reflejan estructuras sociales bastante sencillas, estáticas y ritualizadas, mientras que la narración "moderna" le ofrece al hombre modelos para poder orientarse y actuar en las sofisticadas sociedades capitalistas y socialistas.

Si nuestra explicación es cierta, el cuento folclórico no puede servirle al hombre de hoy de modelo de actuación. Sí puede usarse como un intertexto y antitexto incrustado en otro a fines contrastivos. Así en el *rasskaz* de Inber citado arriba Adrian Adrianovič le cuenta a su sobrina el mito de Proserpina cómo ésta educa al hijo de una reina. Pero Maja, educada en la nueva sociedad surgida de la Revolución, ya no entiende el mito y aplica el modelo de actuación propuesto al pie de la letra poniendo a su hermanito en las brasas. Este, en vez de tonarse invulnerable, se quema. Adrian refiere lo acontecido a un amigo poeta comentando: "Todo cambia... hasta los niños. Lo que para nosotros estaba bien redunda en su perjuicio. Y viceversa..." (24).

MICHAEL METZELTIN/CHRISTEL VANDERMAELEN
Universidad de Groningen

------

24) Cf. la obra citada en la Nota 9, p.32.

ALGUNAS OBSERVACIONES AL METODO DE PROPP NACIDAS DE SU APLICACION A UN CORPUS DE CUENTOS RECOGIDOS EN CHILE

CARLOS FORESTI SERRANO
Universidad de Göteborg

ALGUNAS OBSERVACIONES AL METODO DE PROPP NACIDAS DE SU APLICACION A UN CORPUS DE CUENTOS RECOGIDOS EN CHILE

Carlos Foresti S.

Propp considera el resultado de su trabajo como una morfología:

> "El resultado de este trabajo será una morfología, es decir una descripción de los cuentos según sus partes constitutivas y las relaciones de estas partes entre ellas y con el conjunto" (1).

Esta morfología la convierte en un método de análisis que hemos aplicado a un corpus de cuentos recogidos en Chile.

A medida que avanzamos en el análisis, notamos la necesidad de ir ajustando el concepto de función. La práctica pasó por un trabajo de línea a línea de análisis de varios cuentos. Este fragmentarismo nos fue haciendo perder un poco la visión de conjunto, pero a su vez nos obligó a una mayor precisión.

Veamos cómo moldea el concepto de función.

En el capítulo que titula *Método y materia,* Propp entrega su elaboración teórica, nos muestra el camino recorrido y concluye en cuatro tesis.

No pretende sólo establecer o descubrir un conjunto de formas aisladas. Desea establecer una morfología o estructura del cuento de magia (2).

¿Cuál es el desarrollo de sus argumentaciones para establecer la existencia de las funciones?:

Comparemos entre sí los casos siguientes:

1.- El rey da un águila a un valiente. El águila se lleva a éste a otro reino.
2.- Su abuelo da un caballo a Sutchenko. El caballo se lleva a Sutchenko a otro reino.
3.- Un mago da una barca a Iván. La barca se lleva a Iván a otro reino.
4.- La reina da un anillo a Iván. Dos fuertes mozos surgidos del anillo llevan a Iván a otro reino, etc.

---

1) PROPP, Vladimir: *Morfología del cuento.* Editorial Fundamentos, Madrid 1974. p.31. De ahora en adelante esta obra la citaremos con la sigla P.m.c.

2) Utilizamos la expresión *cuento de magia* en vez de *cuento maravilloso,* porque el cuento de magia nos parece una especie del maravilloso.

En los casos citados, encontramos valores constantes y valores variables. Lo que cambia son los nombres (y al mismo tiempo los atributos) de los personajes; lo que no cambia son sus acciones, o sus funciones. Se puede sacar la conclusión de que el cuento atribuye a menudo las mismas acciones a personajes diferentes. Esto es lo que nos permite estudiar los cuentos *a partir de las funciones de los personajes* (3).

A partir de cuatro casos, Propp ejemplifica la existencia de valores constantes y valores variables. Los valores constantes son las acciones (funciones) y los variables los personajes y sus atributos. Las acciones de los personajes son las funciones y los cuentos se construirían a partir de las mismas acciones atribuidas a diferentes personajes.

Nuestra primera observación es que si las acciones son las funciones, podemos en sus ejemplos establecer tres acciones: a) dar, b) recibir y c) trasladar por medio mágico (dos acciones son explícitas y una tercera implícita que es la de recibir). Pero en la enumeración y sistema creado por Propp sólo existirían como funciones: 1.- recepción de un objeto mágico (F) y 2.- traslado mágico (G). Con esto ya establece, sin decirlo, una categorización de las acciones, puesto que de tres acciones tendríamos dos funciones. Y si a esto agregamos que al tipificar a los personajes habla de un donante, parece contradictorio que existe sin que exista la función de dar.

Sigamos con los pasos de Propp para redondear su concepto de función:

> "Deberemos determinar en qué medida estas funciones representan efectivamente los valores constantes, repetidos del cuento. Todos los problemas dependerán de la respuesta a esta primera pregunta: ¿cuántas funciones puede incluir el cuento?" (4).

Esta preocupación por establecer el número de funciones que serían los valores constantes del cuento, lo lleva más tarde a afirmar que se limitan a 31. Sin duda que el número de funciones dependerá de la forma en que se establezca que una acción es función dentro del relato. Pero continuemos con el redondeamiento del concepto de función y su manera de llegar a fijarlas:

> "Las funciones de los personajes representan, pues, las partes fundamentales del cuento, y son ellas las que debemos aislar en primer lugar.
> Para ello hay que definir las funciones. Esta definición debe ser el resultado de dos preocupaciones. En primer lugar, no debe tener nunca en cuenta al personaje ejecutante. En la mayor parte de los casos, se designará por medio de un substantivo que exprese la acción (prohibición,interrogación, huida,etc.). Luego, la acción no puede ser definida fuera de su situación en el curso del relato. Hay que tener en cuenta la significación que posee una función dada en el desarrollo de la intriga" (5).

Dos son los puntos que deseamos destacar de la cita: 1° que nunca se debe tener en cuenta a los personajes ejecutantes para fijar las funciones y 2° que debe considerarse la función dentro del desarrollo de la intriga.

Con respecto al primer punto, nos parece importante y necesario establecer que cuando Propp se refiere a los personajes piensa en las infinitas posibilidades que un narra-

---

3) P.m.c.: p.31-32.

4) P.m.c.: p.32.

5) P.m.c.: p.32.

dor tiene de actualizar un *tipo de personaje* (6). Un villano puede ser príncipe, rey, ogro, gigante, bruja, niña, etc., etc. Además, es necesario destacar que una función como la fechoría (A), considerada la más importante, tiene una valoración moral un poco peligrosa desde un punto de vista morfológico, porque sólo es fechoría si afecta a una victima central o al héroe-víctima. En caso contrario, carecería de valor funcional. Si el héroe engaña, roba o mata, no se considera funcionalmente fechoría. La aplicación de nuestros valores éticos podría dificultar el análisis morfológico. Sin embargo, el nombre tiene una carga ética inequívoca.

En cuanto al segundo punto, nos parece muy importante que se indique que la función adquiere significado sólo en relación con el desarrollo de la intriga. Así queda de lado toda acción no significativa desde el punto de vista de la intriga. Pero nace inmediatamente la necesidad de un criterio de categorización de las acciones, porque no hay duda que es difícil dejar de lado una acción existente en el relato sin tener un claro criterio de selección.

Por último llegamos a la definición que ya había delineado el autor:

> "Por función, entendemos la acción de un personaje definida desde el punto de vista de su significación en el desarrollo de la intriga" (7).

Hasta aquí podemos observar que Propp intenta superar aquellos trabajos de su tiempo que no ven los elementos mínimos invariables del relato en relación dinámica con el todo, "con el desarrollo de la intriga". Su concepto de función tiene valor sólo dentro del relato.

Propp establece cuatro tesis sobre las que debemos trabajar:

> "1.- Los elementos constantes, permanentes, del cuento son las funciones de los personajes, sean cuales fueren estos personajes y sea cual sea la manera en que cumplen esas funciones. Las funciones son las partes constitutivas fundamentales del cuento.
> 2.- El número de funciones que incluye el cuento maravilloso es limitado.
> 3.- La sucesión de las funciones es siempre idéntica.
> 4.- Todos los cuentos maravillosos pertenecen al mismo tipo en lo que concierne a su estructura" (8).

Estas cuatro tesis las fija nuestro autor luego de redondear su concepto de función en su capítulo *Método y materia*.

Considerando que las funciones están correlacionadas distributivamente (9) y que Propp pretendió establecer un sistema del relato de magia, observamos algunas contradicciones e imprecisiones que desearíamos destacar al mismo tiempo que proponer un principio de solución.

Las contradicciones e imprecisiones se nos hicieron visibles en la práctica concreta del análisis de un corpus de magia recogido en Chile.

----

6) P.m.c.: p.97-99.

7) P.m.c..: p.33.

8) P.m.c.: p.33-35.

9) Nos referimos al concepto utilizado en BARTHES, Roland: Introducción al análisis estructural de los relatos en *Análisis estructural del relato*, p.14. Editorial Tiempo contemporáneo, Buenos Aires 1970.

Tres son los problemas que desearíamos exponer en esta oportunidad y mencionar un cuarto:

1.- Función como secuencia
2.- Función como consecuencia.
3.- Función como abstracción.
4.- Función y cantidad de funciones.

Función como secuencia.

La función es una acción, pero ¿cuál es el límite de una acción para Propp? ¿A qué se refiere o apunta cuando elige el nombre de una acción?.

Sin intenciones de hacer complejo el problema por sutilezas excesivas, examinemos la sucesión de funciones que Propp simboliza con D-E-F. Estas tres funciones simbolizan respectivamente, con palabras de Propp:

D = "**XII.** *El héroe sufre una prueba, un cuestionario, un ataque, etc. que le preparan para la recepción de un objeto o un auxiliar mágico* (definición: primera función del donante, designada con D)"

E = **XIII.** *El héroe reacciona ante las acciones del futuro donante* (definición: reacción del héroe, designada mediante E)".

F = **XIV.** *El objeto mágico pasa a disposición del héroe* (definición: recepción del objeto mágico, designada por F)" (10).

Reducida la secuencia D-E-F a una oración, equivaldría a: *El donante somete a prueba al héroe que la pasa con éxito y así obtiene el objeto mágico.* En esta oración, *D* es: *El donante somete a prueba al héroe, E* es: *que la pasa con éxito* y *F* es: *así obtiene el objeto mágico.*

En nuestro corpus, tenemos el cuento titulado *El Gran Jugador.* En este cuento vemos la secuencia D-E-F comprendida entre las líneas 28 y 68 (11).

Nos parece que no cabría duda sobre la existencia en esas líneas de las funciones D-E-F; es decir, de un donante que actúa (D), un héroe que responde acertadamente a las condiciones del donante (E) y la obtención de la ayuda mágica (F). Sin embargo, no podríamos responder con claridad irrefutable a cualquier pregunta que se refiriera a los límites exactos de cada acción equivalente a una función proppiana. Ni siquiera atribuyendo a un haz de acciones la equivalencia de una función podríamos hacer cortes precisos en el texto.

Nuestro esquema de la secuencia D-E-F, que aunque presentado con cierto detalle ya es un comienzo de abstracción, sería:

D = *interrogación-información* contiene los siguientes pasos:

    a) Joven pregunta por 'novedades'
    b) viejita informa sobre existencia y acción del Gran Jugador.

-----

10) P.m.c.: p.50-53.

11) El cuento está incluido al final.

c) joven pregunta cuál puede ser su actuación para librarse del peligro.

d) viejita le informa qué debe hacer.

E = *actuación del joven según consejo,* contiene los siguientes pasos:

a) Uso del pajar como escondite.

b) Llegada de las tres palomas. Una de ellas con una 'plumita negrita en la cola'

c) Baño de las tres niñas luego de convertirse en tales al sacarse las palomas todas sus plumas.

d) Robo de la 'plumita negra' por parte del joven

e) Pregunta de la joven sobre su pluma y promesa de ayudar a quien la devuelva.

f) Identificación del héroe y tácita entrega de la pluma.

F = *obtención de la promesa de ayuda por parte de la joven que resulta ser la hija del Gran Jugador.*

Fácil es observar que a pesar de la reducción hecha por nosotros, cada función se identifica con un haz de acciones o microsecuencia.

D-E-F de nuestro cuento no es igual a ninguna de las variantes descritas por Propp, pero es difícil dudar de su equivalencia. Este es fenómeno frecuente en el análisis de nuestros cuentos. Debemos incorporar entonces el concepto de microsecuencia o haz de acciones como posibilidad de expresión de una función narrativa.

2.- Función como consecuencia.-

Compartimos el criterio de Larivaille cuando observa que no existe un límite claro entre acción y consecuencia (12). Esta falta de distinción entre acción y consecuencia hace que en el análisis concreto no podamos establecer con claridad dónde, en qué parte precisa del relato se encuentra dada la acción que estaría representando una función. Esta falta de precisión nos puede llevar a falsear el sistema creado o por lo menos a entorpecer su aplicación.

En el cuento *El Tidrón* de nuestro corpus, el héroe ha obtenido unos perritos que pueden derrotar a cualquier enemigo. En el trozo que pasamos a reproducir no tenemos duda de la presencia de H-J-K:

"– ¡*Mátenla!*– *les dijo él-Rompecabezas, Sur y Norte: ¡Maten la serpiente!*

Y los perros no se demoraron nada. ¡Y tan chicos y la mataron!

Como la serpiente tenía prisionera a la princesa y amenazaba comerla, la secuencia H-J-K está contenida en las dos últimas líneas y además nos informan que el combate fue muy breve y fácil a pesar de que los perritos eran ¡...tan chicos...! Sin embargo, la función más importante para dar solución a la fechoría, a la función que puso en movimiento al cuento, no está mencionada. Es el contexto el que no nos permite duda.

---

12) LARIVAILLE, Paul: L'analyse (morpho) logique du récit, en poètique revue de théorie et d'analyse littéraires, V, 19, p.368-389; 1974.

Esto es una prueba de la falta de equivalencia total entre la lengua del relato y el lenguaje, como dice Barthes (13). Pero a su vez muestra el cuidado con que debemos trabajar en la aplicación de las funciones.

Si antes hemos dicho que era necesario incorporar el concepto de microsecuencia como posibilidad de la presencia de una función, ahora debemos agregar el concepto de consecuencia de una acción.

Función como abstracción.-

El concepto de función es una abstracción hecha para poder operar en el análisis de los cuentos de magia. Todo proceso de abstracción se realiza para seleccionar el conjunto de características que constituyen una clase. Este proceso está condicionado por el objetivo que se pretende.

Desde el momento que cree descubrir acciones reiteradas, Propp realiza un proceso de abstracción, pues cada función que establece no es más que el género de una variedad infinita de especies. Además, la lista de especies no es cerrada, puesto que corresponde sólo a las existentes en el corpus estudiado.

Pero al dar nombre a las funciones, las fosiliza o anquilosa, pues *muy a menudo pierden el sentido de funcionalidad dentro de una intriga. El nombre y la descripción dejan a medio camino el sentido de la funcionalidad dentro de la intriga.*

Veamos algunas funciones y sus nombres. La función IV: *interrogatorio*, corresponde a una o varias preguntas para averiguar algo. Puede interrogar el agresor o la víctima. Sin embargo, una interrogación tiene el valor de función sólo si es previa a la fechoría o la carencia (*A* o *a*). Esto lo deducimos después de ver que pertenece a las funciones preparatorias. Cualquier otro interrogatorio que haya en el relato no es función. ¿Qué es?.

La función *interrogatorio* tiene una relación causal con *A*, pero su nombre apunta al hecho de preguntar algo para averiguar algo. Esto se puede repetir en cualquier parte del relato. Sin embargo, sólo es función antes de *A*. El nombre no apunta a la funcionalidad ni a la relación causal, además que entorpece el análisis el que ese nombre no tenga un valor individualizador.

Quisiéramos referirnos a un ejemplo concreto de los citados por Propp. Entre las especies de su género interrogatorio menciona la pregunta de una princesa:

> *"Dime, Iván, hijo de mercader, ¿dónde*
> *reside tu sabiduría?" (14)*

Si esta interrogación es interrogación-función solamente en el caso que dé paso a una fechoría ¿debe menospreciarse como función si Iván es el agresor y su respuesta le abre el camino al héroe para llegar a la solución (K)?

La solución tal vez sería asimilar el interrogatorio con su respuesta como una parte o etapa de la secuencia combate-victoria (H-J). En ese caso, podrá observarse entonces que

---

13) BARTHES, Roland: op. cit.

14) P.m.c.: p.40.

se está en otro grado de abstracción: la acción interrogatorio significa luchar o integra la secuencia que abarque *H-J*.

Ahora, la función fechoría (A) sólo es fechoría si la acción de canibalismo, asesinato, robo, violencia, rapto, etc., la realiza el *dramatis persona* agresor; porque cualquiera de estas acciones que sea realizada por el héroe o en favor de él, no es fechoría. Así se hace inconveniente para un modelo estructural por su tinte moral.

Por otra parte, la fechoría es mucho más importante que las otras funciones porque: "... es ella la que da al cuento su movimiento" (15).

El tratamiento que da Propp a las funciones *interrogatorio* y *fechoría*, muestra con clridad que existe dentro del relato una diferencia jerárquica entre las funciones. El hecho de indicar que hay varias funciones preparatorias es un principio de jerarquización, principio que deja hasta el nivel de decir que son preparatorios de *A* o *a*. ¿No existe un nivel jerárquico con respecto a las funciones que van después de *A*?

Para seguir con las dos funciones elegidas (*fechoría* por su importancia e *interrogatorio* tomada al azar entre las preparatorias) podemos compararlas en su grado de complejidad y el resultado será obvio. La función *interrogatorio* es simplísima y fácilmente identificable como acción. La función *fechoría* es una acción que causa daño desde el punto de vista del héroe (la víctima siempre está del lado del héroe, como es fácil de comprender), pero son muchas las formas de causar daño y a pesar de hacer una larga lista, se ve en la necesidad Propp de agregar una función paralela desde el punto de vista del movimiento de la intriga: la *carencia*. Y esta función la agrega, porque frente a los cuentos donde ha notado que no existe fechoría para dar "al cuento su movimiento" ni "... la intriga va ligada al momento de la fechoría" hay otra función totalmente distinta a una acción que cause daño, y es la que llama *carencia*.

¿Por qué coloca estas dos funciones como una sola? Porque tienen el mismo valor funcional dentro del relato. Con ello llena el vacío causal que se produce cuando no hay fechoría, pero muestra lo necesario que es hacer una reducción donde no haya dificultad para incluir la gran cantidad de especies de fechorías y carencias. Creemos que el significado de esta observación lleva a la necesidad de someter todo el esquema a una ordenación superior, a una abstracción comprensiva que dé cuenta del fenómeno "relato de magia".

Por último, queremos dar el ejemplo de las dificultades que se nos presentan en el análisis del cuento *El Gran Jugador*. ¿Es una fechoría o una carencia la que da movimiento total al relato? La respuesta tendría que mostrar el centro funcional. En el contexto total del cuento, tenemos *casi* la certeza de que el trozo comprendido entre las líneas 11 y 25 es el centro motor del relato y en él tendría que estar la respuesta a ¿cuál es la fechoría? o ¿cuál es la carencia? o, mejor ¿qué quedará resuelto con *K* (función que resuelve una de las dos cosas).

Lo que pone el cuento en movimiento es la situación crítica de deber la vida. Es esa deuda la que hay que resolver. Y eso no es carencia ni tampoco fechoría.

En nuestros cuentos es la fuerza motriz que se desarrolla entre una crisis y una anticrisis lo que pone los elementos característicos del cuento de magia en movimiento.

———————

15) P.m.c.: p.42.

Existen otros problemas en la aplicación concreta del método de Propp, como es la afirmación rotunda de que sólo hay 31 funciones en el cuento de magia. El análisis hecho en las páginas anteriores ya deja en claro, nos parece, que el número de las funciones dependerá siempre del criterio de selección de las acciones como funciones y del grado de abstracción que se alcance. Sin embargo, Propp trata de solucionar esta dificultad a través de su concepto de asimilación de las funciones. Aunque no entremos en su análisis en este trabajo, nos atrevemos a afirmar que no se resuelve totalmente el problema.

En cuanto a la inalterabilidad de la ubicación de las funciones, existe contradicción cundo descubre que "... ciertos elementos propios del centro del cuento son trasladados al principio" (16). La contradicción tiene la posibilidad de aparecer debido a un esquema demasiado rígido y con un grado de abstracción insuficiente.

Proposiciones para un nuevo esquema de las funciones.-

Más que proponer un nuevo esquema, pretendemos resolver, hasta donde nos sea posible, algunos puntos que no consideramos suficientemente desarrollados en la teoría de Propp. Sería difícil estar en desacuerdo con los principios de que parte, pero la definición y las diferentes descripciones de función, nos parecen insuficientes y de elaboración teórica incompleta.

Para proponer un esquema de funciones, debemos empezar por una delimitación lo más clara posible de lo que entendemos por función. Sin embargo, al intentar definir la unidad función según las observaciones que hemos hecho más arriba, nos damos de frente con la imposibilidad de lograr una definición al mismo tiempo sintética y completa Por ello, nos parecen más importantes los supuestos que la definición misma. Esos supuestos son:

1.- La función es un segmento narrativo en relación de causalidad.
2.- La función es una unidad distribucional del relato.
3.- La función es dinámica y significativa en el acontecer del relato.
4.- La función se expresa en una acción, un haz de acciones (microsecuencia), en una consecuencia o situación de algún personaje.
5.- La función sólo tiene valor en el contexto del relato.

La definición que nos atrevemos a proponer, es: *Función es un segmento narrativo con significación en el acontecer del relato, relacionado causal y dinámicamente con las acciones y situaciones que conforman ese relato.*

Si exceptuamos la advertencia de Propp con respecto a las funciones preparatorias y A (o a), todas las funciones aparecen al mismo nivel de importancia. Pero si sometemos los diferentes segmentos del acontecer narrativo a un proceso de jerarquización, veremos que en cada relato donde el nivel de la acción es dominante, existen dos polos entre los cuales se desarrolla la fuerza narrativa.

En los cuentos de magia y en términos de Propp, los dos polos serían fechoría (A) y eliminación de la fechoría (K):

---

16) P.m.c.: p.47.

El primer polo representa una situación de crisis de la víctima; el segundo, representa la eliminación de esa crisis (anticrisis). Algo adverso provoca la crisis y algo favorable la resuelve.

Planteada la situación adversa o crisis, el lector o auditor espera el modo en que se ha de resolver, es decir, espera una función que solucione la crisis. Esta función, en el cuento de magia, nace del objeto mágico (F).

Así nuestro esquema elemental y básico queda planteado gráficamente de la siguiente manera:

—————— crisis ——————solución ——————— anti- ——————
                                                    crisis

      A   F   K

Las tres funciones básicas del relato en que prima la acción, son: *crisis, solución* y *anticrisis* que pasamos a simbolizar, para su manejo más cómodo, con: Cr, S, y Acr:

Cr ————————S ———————————Acr

En el cuento de magia, la solución nace del objeto mágico y en él radica el elemento caracterizador de este tipo de relato de acción.

Sobe el esquema básico propuesto (Cr-S-Acr), aparecen las otras funciones que se encuntran en indudable relación de causalidad con alguna de las tres funciones básicas. Al conjunto de esas funciones que se agregan y que proporcionan un mayor desarrollo al acontecer narrativo, que lo expanden, las llamamos de *Expansión* (V). El esquema queda así:

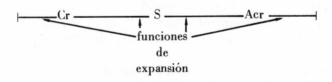

Dentro de las funciones de expansión, distinguimos las *preparatorias* (Vp) que aparecen antes de Cr, las *intermedias* (Vi) entre Cr y Acr y las *de desenlace* (Vd), posteriores a Acr. Entre las intermedias es conveniente distinguir las que aparecen antes de la obtención del objeto mágico (Vi-s) y las que aparecen después (Vis).

El esquema modelo podría representarse así:

MODELO FUNCIONAL DEL RELATO DE DOS EJES NARRATIVOS OPUESTOS

1er plano de descripción

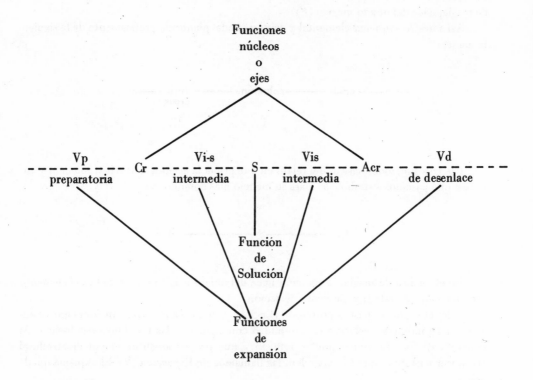

Este esquema o modelo funcional pretende describir las funciones en relación causal. Nos parece necesario mantener las funciones de Propp como plano intermedio de descripción entre lo que hemos propuesto como funciones y la actualización de ellas en un cuento concreto.

A las funciones de Propp proponemos llamarlas *alofunciones*. Son formas particulares ubicadas entre la *actualización* y lo que hemos denominado *funciones*.

Mantenemos las funciones de Propp, pero sin considerarlas como un conjunto acabado, ni tampoco como dadas en una secuencia inconmovible. Estas alofunciones las podremos encontrar a cualquier altura del relato, identificando una función núcleo, preparatoria o de desenlace, etc. A su vez, el número treinta y uno como total de las funciones, desaparece, porque aceptamos la posibilidad de que en alguna ocasión pueda presentarse la necesidad de llenar un vacío de análisis con una nueva alofunción. En ese caso, no habrá de plantearse como un hallazgo, sino como la necesidad de incluir un elemento más a la descripción del cuento de magia.

Vale decir, entonces, que las alofunciones quedan representadas por las funciones proppianas como una serie abierta, como una serie móvil y susceptible de completarse.

Distinguimos entonces, tres planos de descripción (dos abstractos y uno concreto):

1.- plano de las *funciones*
2.- plano de las *alofunciones*
3.- plano de las *actualizaciones.*

Los tres planos los dejamos planteados como un medio operatorio que debe adquirir mayor precisión con la práctica del análisis.

El análisis debe abarcar los tres planos. Los dos planos abstractos, el de las funciones y el de las alofunciones, son herramientas del análisis que han de permitir comprender mejor las múltiples actualizaciones del cuento de magia.

CARLOS FORESTI SERRANO
Universidad de Göteborg

Ejemplificación del esquema en el cuento

EL GRAN JUGADOR

PORMENORIZACION DE LAS ACCIONES	Líneas	ALOFUNCIONES		FUNCIONES
0.- presentación motivadora	1-6	α		
1.- decisión de ir a jugar con el Gr. Jugador	6-10			
2.- ida	10-12			
3.- juego	12-			
4.- derrota	12	θ (δ)	Complicidad o transgresión	complicidad
5.- desafío con la vida en juego	13-16			
6.- aceptación	17			
7.- juego	18	H neg	lucha	
8.- derrota	18	j neg	derrota	
9.- orden y amenaza	19-25	A	consecuencia crít.	fechoría o carencia
10.- autointerrogación	27	B	momento conectivo	
11.- "... y se fue"	28	↑		
12.- encuentro con una viejita	29			
13.- interrogación	30	ϵ	interrogación	primera función D del donante
14.- respuesta información	31-36			
15.- petición de consejo	37			
16.- consejo	38-44	ξ	información	respuesta del héroe
17.- ejecución del consejo	45-			
18.- éxito del consejo (promesa de ayuda)	53-54 y 66-68	F	promesa ayuda mágica	obtención ayuda mágica
19.- presentación ante Gran Jugador				
20.- exigencia de trabajo imposible			tarea difícil	

Vp · Cr · Vi-s · S

A N E X O II

EL GRAN JUGADOR

Esquema final

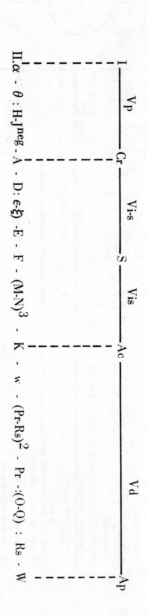

I ——— Vp ——— Cr ——— Vi-s ——— S ——— Vis ——— Ac ——— Vd ——— Ap

II.α - θ : H-J^{neg} - A - D : e-ξ) -E - F - (M-N)^3 - K - w - (Pr-Rs)^2 - Pr -:(O-Q) : Rs - W

I = nivel de funciones
II = nivel de alofunciones

Texto de base para la conferencia de Carlos Foresti Serrano.

EL GRAN JUGADOR

Era un... un caballero muy jugador. Se llamaba el Gran Jugador y era el más jugador que... más, el mejor jugador que había. [1] Jugaba. Hasta la vida. Jugaba la gente, porque él jugaba. Pasaba en eso no más: jugando. Era profesional, era él. Le pusieron el Gran Jugador porque pasaba puro jugando. Y ahí venia gente. Tenían fun-
5 dos, jugaban los fundos. Jugaban sin nada. Jugaban hasta la vida. Entonces un día dijo un príncipe (se llamaba el príncipe Juan), entonces le dijo:

—Yo— -le dijo- voy a ir -dijo- a ver el Gran Jugador -dijo- a ver si es verdad
10 -dijo- que es tan bueno.

Entonces se fue adonde el Gran Jugador y llegó una tarde donde el Gran Jugador y... a jugarle. Jugó tanto hasta que quedó sin nada. Entonces le dijo él:

—Te juego la vida -le dijo.
15 —No -le dijo.

—No, si... -le dijo- te juego la vida -le dijo.

—Ya, pues, juguémosla.

Y lo ganó también. Entonces...

—Bueno -le dijo- ahora -le dijo- soy dueño yo -le dijo- Si quiero -le dijo- te mato
20 y hago lo que quiero con vos, porque yo te jugué la vida. Y mañana -le dijo- tenís que -le dijo él- llegar -le dijo- adonde yo, adonde yo te digo que vais -le dijo-. Tenís que andar todo el día -le dijo- y llegar donde estoy yo y tenís que llegar en la tarde.
25 Y si no llegáis -le dijo- yo te salgo a buscar y te como.

Entonces...

— ¿Qué voy a hacer?— dijo él entonces.

Y se fue; Llegó a casa de... una casa sola que ahí había una viejita. Llegó a la casa de la viejita. Le dijo:
30 — ¿Qué novedades hay por aquí, abuelita?— le dijo.

—La novedad que hay por aquí, pues... -le dijo- es un caballero -le dijo- que se llama El Gran Jugador -le dijo- y a él le juegan todos y hay tanta gente -le dijo- que él los mata -le dijo-. El sale -dijo- a veces los mata -le dijo-. Cuando no, les da unos
35 trabajos difíciles -le dijo- qué el no los puede hacer -le dijo- y después los mata.

— ¡Buena cosa! ¿Y que haría yo, abuelita? -le dijo.

—Mire -le dijo- ahí, en ese pajonal que hay ahí, -le dijo- en ese pajal, ahí llegan tres palomas -le dijo. De las tres palomas ahí -dijo- tiene una palomita -dijo- que
40 tiene la plumita negrita en la cola -le dijo. Entonces viene Ud., -le dijo- escoge esa paloma -le dijo- y le esconde la pluma -le dijo. Cuando ya ella -le dijo- no pueda volar -le dijo- y haga propósito ella de que le puede ayudar más tarde, le -dijo- sale Ud. y le entrega la pluma.

45   Así lo hizo él, pues. Se escondió en el pajal. Cuando llegaron tres palomas, se
sacaron todas las plumas y paran ahí las hijas de El Gran Jugador, y eran brujas también. Y entonces le dijo... Se sacaron todas las plumas y se bañaron. Se volvieron
tres niñas y dejaron todas las plumas. Ya cuando después ya fueron a colocarse las
50   plumas y vino él le escondió la plumita, la que tenía la plumita negra en la cola. Se
la escondió y... y cuando sale ella no pudo volar. Volaron las otras dos, menos ella.
Dijo ella:
        — ¿Quién me tendrá mi pluma? -dijo ella. Yo -dijo- lo ayudaré en lo que pueda
-dijo- si me entrega mi pluma -dijo.
55   Entonces viene él y le dice:
        —Señorita, -le dice- yo soy. Le tengo la pluma -le dice.
        —¿Y quién...? -le dice.
        —Yo soy el... yo -le dijo- soy el Príncipe Juan, señorita -le dijo.
60   — ¡Aaah...! -le dijo- mi padre te... -dijo- hoy en la tarde te iba a salir a buscar -le
dijo- para... para matarte -le dijo- cuando llegárais -le dijo. Pero, mira... -le dijo.
        — ¿Qué irá a hacer? -le dijo.
Entonces le dijo:
65   — ¡No! -le dijo. Bueno... -le dijo- llega a la casa -le dijo. Yo te ayudaré en lo que
pueda, -le dijo- porque mi padre -le dijo- te va a dar unos trabajos tan difíciles -le di-
jo- para poderte matar.
        Se fue ella para la casa.
70   —Por suerte -le dijo- queda una semana -le dijo. Me toca a mí la cocina. Otra semana mi hermana, otra semana la otra -le dijo- y esta semana me toca a mí -le dijo.
Yo te voy a ayudar como pueda.
75   Cuando llegó en la tarde, cuando llegó allá adonde él, el Príncipe Juan.
        —Bueno, llegaste -le dijo. Yo te iba a salir a buscar -le dijo.
Entonces cuando llegó, le dijo:
        —Bueno, ahí descansa. Tres días va a descansar Ud. y después -le dijo- le voy a
40   dar los trabajos que le voy a dar -le dijo.
        Entonces un día le dio una... y al otro día le dijo:
        —Ud. tiene que trabajar.
        Le dio una pala, le dio un... le dio una pala y le dio un chuzo. Entonces le dijo
cuando llega entonces le dijo:
45   —Bueno, Ud. ve este chuzo y esta pala -le dijo. Ud. me va a cambiar -le dijo-
aquella laguna que hay allá -le dijo- me la va a cambiar al otro cerro -le dijo.
        — ¡Ay! -dijo él. ¿Qué voy a hacer? -dijo él.
        No, primero de veras que le dio el trabajo... le dio el chuzo y la pala. De veras
50   que le dijo:
        —Ud. me va a cambiar -le dijo- aquel parrón -le dijo- que hay allá -le dijo. Me lo
va a cambiar ahí al otro lado y ahí va a hacer un horno -le dijo. Mañana en la mañana -le dijo- tiene que traerme unas uvas maduras -le dijo- y pan caliente,... enton-
55   ces... y plantar el parrón en la tarde y al otro día tenía que cortar las uvas y llevárselas. Entonces, le dijo:
        — ¿Qué voy a hacer?
        Se puso a llorar él, pues. Entonces le dijo (Margarita se llamaba ella), entonces

le dijo Margarita:

60 — ¿Por qué llora, Príncipe Juan?

— ¡Qué no voy a llorar! -le dice. En cuando -le dice- el caballero me da un trabajo -le dijo- tan difícil -le dijo- que yo tengo que plantar ese parrón, -le dijo- cambiar-
lo allá -le dijo- y mañana llevarle uvas maduras -le dijo- y pan caliente.

65 —Bueno, -le dijo- no se le dé nada -le dijo. Acuéstese a dormir no más -le dijo-
que mañana amanecerán las uvas maduras -le dijo.

Entonces se acostó el, pero ¡qué iba a dormir! No durmió nada pensando. ¡Al
otro día cuando estaba el parrón negrito de uva! Entonces ya el Príncipe Juan toma
70 el canasto y ella le dice:

— ¡Anda a cortar las uvas! Pero si mi padre -le dijo- te las pide que las pasís en
la mano, no se las pasís. Tíraselas. Le decís que el pan se te quema. No le pasís ni
una cosa en la mano vos.

75 Así que fue él y cortó las uvas, un canasto lleno, y se las fue a dejar.

—Ya, señor -le dijo- están las uvas -le dijo.

— ¡Pásamelas en la mano, pues hombre! -le dijo.

— ¡No señor! -le dijo. ¡Si se me quema el pan! -le dijo.

80 Y le tiró el canasto con uva no más. Se lo dejó. Entonces al otro día.

— ¡Se me quema el pan!

Fue y sacó el pan caliente y le dijo:

— ¡Ya, señor! -le dijo. Recíbame el pan.

— ¡Pásamelo en la mano! -le dijo.

85 — ¡No! -le dijo- recíbalo no más si quiere -le dijo.

Llegó y se lo tiró. Ya había hecho el trabajo. Eran tres trabajos que tenía que
hacer. Dijo:

— ¡Buena cosa! -dijo él entonces- Ya este trabajo -dijo.

Y al otro día:

90 — ¿Cómo te fue, Príncipe Juan? -le dijo ella.

—Lo más bien, pues, -le dijo- señorita -le dijo-, Margarita -le dijo- lo más bien.

—Bueno, -le dijo- vais a descansar este día. Mañana tenís que hacer otro trabajo.

95 Entonces, al otro día, le volvió a.... le dio otra vez una pala, un chuzo, que fuera a hacer una laguna, a cambiarla de un cerro allá... a cambiar la laguna al otro cerro. Y al otro día tenía que amancer la laguna en el otro cerro.

100 Entonces... cuando al otro día que... ahí está llorando él otra vez.

— ¿Qué te pasó Príncipe Juan?

—Fíjese que yo aquella laguna -le dijo- tengo que cambiarla al otro cerro -le di-
jo- y amancer la laguna allá.

—Bueno, -le dijo- no se te dé nada, Príncipe Juan, acuéstate -le dijo- pero tenís
105 que ahora -le dijo-, tenís que matarme a mí -le dijo. Me matáis -le dijo- y me cortáis
-le dijo- me vais cortando por pedacitos -le dijo- y me vais a dejar -le dijo- allá al cerro -le dijo. Y mañana en la mañana -le dijo- no te quedís dormido, -le dijo- porque
tenís que ir a dejarme. Cuando venga una sardinita por encima del agua -le dijo- ésa
110 soy yo -le dijo.

Entonces así lo hizo él, pues, llorando... Y la mató. La cortó en pedacitos, la

envolvió en una sábana y la fue a dejar al cerro. Y cuando al otro día mira para el
cerro estaba la laguna que llegaba a olear la... el agüita por encima. Y venía... fue él
115   ... había una sardinita por encima. Viene, la saca y la envuelve en un paño y se la
trae a la cocina. Cuando después mira... ¡trajinando ella por la cocina!

Entonces...., bueno... se levantó el viejo, le dijo:

—¿Me hiciste el trabajo?
120   —Sí, señor -le dijo. Está la laguna allá.

Dijo:

—Este tiene que saber algo -dijo el viejo o la Margarita le ha ayudado a éste.
¿Cómo puede ser? -dijo. Mire dónde amaneció la laguna.
125   Entonces ya al otro día:

—Bueno, te queda un solo trabajo -le dijo y si acaso me lo hacís -le dijo- te voy
a dar una de mis hijas para que te casís.

Entonces, al otro día le hizo, le dijo al otro día:

—Bueno, aquí hay esa... nosotros vamos a salir -le dijo- en eso, en ese cuarto -le
130   dijo- van amanecer -le dijo- montura, freno, de todo apero. Entonces, y ahí en el corralón -le dijo- va amanecer un macho -le dijo- ése tenís que amansarlo, darle bien
mansito -le dijo. Es el único trabajo que te queda.

Cuando llegó y le dijo:
135   —Bueno. ¿Qué trabajo te dio mi padre que venís tan contento? -le dijo.

—¡Qué! -le dijo él. Me dio un trabajo de amansar un macho -le dijo- y eso yo
tengo costumbre -le dijo. ¿Qué me va a costar de amansar un macho?
140   —¡Ay, Juan! -le dijo. Ese es el trabajo más difícil -le dijo- que hay, porque ése
-le dijo- yo no te voy a ayudar -le dijo. Ese es el trabajo más difícil. Va a ser donde
te va matar mi padre. Mira, -le dijo. Haz -le dice, le dijo-... la montura -le dijo- va ser
-le dijo- mi mamá -le dijo- el macho va a ser mi padre -le dijo- los estribos, una de
145   mis hermanas -le dijo- el freno otra de mis hermanas -le dijo- y las espuelitas soy yo
-le dijo. Estas trátalas con cariño -le dijo- mira que soy yo. Cuando... ¡Toma este palo! -le dijo. Dale palos hasta que lo botís al suelo, -le dijo- porque si no... antes que
te coma -le dijo.
150   Cuando entró al corralón sacó las monturas, las agarró a golpes. ¿Esas cochina-
das de monturas me dejó? Y las tiraba. Con las costillas todas quebradas la, la mamá, la señora, las niñas, adonde él las tiraba para fuera. Entonces le dijo:

—¡Ah, las espuelitas valen más caro!
155   Se las echó al bolsillo. Entonces cuando vio adentro el corralón, sale el macho a
comérselo, manoteándole todo. Viene con un palo él. Le da hasta que lo botó al
suelo.

¡Qué!... el viejo todo quebrado por todas las partes, ya no pudo, no podía caminar, pues. Así que lo dominó y lo dejó mansito. Ya ahí al otro día cuando fue a
160   verlo, le dijo que le iba a entregar el trabajo. Entonces le dijo:

—Bien, pues -le dijo. ¿Y lo amansaste?

—¡Claro, señor! Quedó mansito ahí.

—¡Bien, hombre! -le dije. Está bueno.
165   ¡Qué! El enfermo en la cama.

—Estoy tan enfermo -le dijo- ¡Buena cosa! -le dijo. Déjalo ahí no más.

Entonces le dijo la... la Margarita:

—Juan, -le dijo- te pasaste en pegarle a mi madre -le dijo. Amaneció con la ca-
170 beza rota. Ahora mi padre, todo quebrado -le dijo.

—Bueno, -le dijo ahora te voy a ir a ofrecerte una de mis hijas -le dijo. Tenís
que casarte. Con la que te casís -le dijo... .

—No, Tatito -le dijo- tenemos que matarlo no más. Si escoge a la novia -le dijo-
175 a los dos los matamos.

Entonces vino, le vendó la vista y puso las tres niñas debajo de una higuerita.

—Bueno, -le dijo- aquí vais a escoger.

—Yo te voy a punzar con el dedito -le dijo- que tengo un dedito chueco. Con
ése te voy a punzar para que me escojáis a mi -le dijo.

Empezó él:

— ¿Cuál agarraré? ¿Cuál agarraré? Esa -dijo.

La halló a ella. Dijo:

185 —Esa, esta agarraré más que mejor.

Y agarró a Margarita y se casó con ella.

Dijo ahora:

—Bueno, se van a casar -le dijo.

Se casaron y dijo él:

190 —En la noche los vamos a matar -dijo. A los dos los vamos a matar por mala
que fue ella -dijo. Lo ayudó tanto a él. Los vamos a matar en la noche -le dijo.

—Mira, Juan -le dijo. Nos van a matar. Mi padre -le dijo- nos va a venir a matar.
Anda al corralón -le dijo- y pilláis un caballo de ese que corren -le dijo- siete le-
195 guas por ahora -le dijo- y nos mandamos cambiar -le dijo. ¿Qué nos va a hacer?.

Entonces vino él, fue al corralón y sacó un caballo que corría siete leguas por
hora y vinieron... le dijo:

—Mira, saliva ahí en ese hoyito -le dijo- echáis toda tu salivita y yo acá y esa va
200 responder -le dijo- cuando nos llame mi madre.

Entonces le dijeron...

—Bueno, -dijo él.

Dejaron arregladita la cama la almohada para que dijeran que estaba durmiendo
205 y se la echó a ella al anca y arrancaron. Entonces, cuando venía y le dijo:

—Mira -le dijo.

Cuando...

— ¡Mar...! -le dijeron ¡Margarita!
210 — ¿Papá? -gritaba.

Y era la salivita del hoyito no más, pues. Hasta que se terminaba la salivita iban
a responder.

— ¡Juan!

— ¿Señor?
215 —Todavía están despiertos.

Y era la saliva que respondía. Cuando ya se terminó la salivita, ya no respondie-
ron más. Se fueron [1].

— ¡Anda y síguelos! -le dijo la.... la mamá por el Juan.
220 Y los siguió. Cuando viene, entonces le dijo ella al... al marido:

—Mira, Juan -le dijo- mi padre nos sigue -le dijo.

—¿Qué hacemos?

Entonces dijo ella:

—Del caballo una piedra -dijo- Juan, un molinero... que... éste... del caballo
225 -dijo- un molino -dijo- yo una piedra y Juan el molinero.

Entonces cuando pasó, dijo el viejo:

—¡Este molino! -dijo. Tantos años que he andado por aquí -dijo- nunca lo había visto, dijo él.

230   Entonces le dijo:

—Mira ¿no has visto pasar -le dijo- un joven con una niña en ancas?

—Picando la piedra estoy, picando la piedra estoy.

235   —¡Este es tonto! -dijo- ¿Cómo puede ser -dijo- "picando la piedra estoy"?

Se devolvió, pues. Entonces le dijo la... la señora:

—Oye ¿no los alcanzaste? -le dijo.

—¡Qué los iba a alcanzar! -le dijo. Y había molino -le dijo- y había un tonto
240   picando una piedra -le dijo. Le preguntaba, decía: "Picando la piedra estaba".

—¡Esos son ellos, pues, tonto! -le dijo ella.

Entonces:

—¿Y no se te ocurrió? -le dijo. Son ellos, pues. Síguelos otra vez. Ahora los voy
a seguir yo.

245   Entonces subió ella y era más bruja ella. Los siguió. Cuando llega, entonces:

—Ahora sí, Juan -le dijo, dijo ella. Mi madre nos sigue ahora.

Entonces dijo:

—Del caballo -dijo- un ojo de mar -dijo ella. Yo, el vapor y Juan el marinero,
250   -dijo.

Se... se volvió un... entonces,.... un ojo de mar el caballo. Ella un.... un vapor y
él un navegante. Entonces cuando...¹

—¡Ah -le dijo- ingrata! Te guiste -le dijo ella. Saliste con la porfía de irte -le dijo. Anda -le dijo- que al primer -le dijo- reinato que llegue tu... al pueblo que llegue²
255   -le dijo, entonces le dijo- tu marido te olvidará para siempre -le dijo. A la primera
que abrace tu marido, te olvidará para siempre -le dijo.

Cuando le dijo él... llegó, le dijo:

—Yo voy a llegar -le dijo- con mi señora- le dijo- donde mi padre -le dijo-, así,
260   no más -le dijo- voy a ir a buscar un auto -le dijo- para llevarla.

Entonces llegó a la casa de él. Le dijo:

—¿Sabe -le dijo- que yo vengo con señora, pues padre? -le dijo.

—Bueno, pues, hijo -le dijo él- entonces anda a traerla.

265   Y iba a buscar un auto. Llega una que era primo hermana de él y lo abraza. El
le pidió que no lo abrazara, porque era maldición que le había echado la mamá, que
la primera que lo abrazara lo iba a quitar. Le dijo, le pidió por favor que no lo abrazara, cuando llega una prima hermana y lo abraza. ¡Qué! No la quiso más, la olvidó,
270   no se acordó más ese ingrato! Ahí quedó ella sufriendo no más. Llegó donde una
viejita.

Y ahí le decían:

—¿Que no venías a...? ¿Qué no tenías señora?

—¡No! ¿Cuándo? -decía él. Si nunca he tenido señora yo.

275 Ya se iba a casar con la prima hermana. Le dijo:

—¡Qué! Yo me caso -le dijo él. ¡Me caso!

Ya cuando se iba a casar con ella, llegó a casa de una viejita ella. Entonces le dijo:

—¿Qué novedades hay por aquí, abuelita? -le dijo.

280 Entonces:

—La única novedad que hay por aquí, pues -le dijo ella- estamos con casamiento -le dijo. ¿Es buena para cantar, usted... cuentos -le dijo- así..., en los casamientos?

—¡Claro, pues, abuelita!

285 —¿Vamos las dos? -le dijo.

—¡Claro!

Entonces se vistió ella con el mismo vestido que él la había visto. ¡Y era linda ella! Con el mismo vestido que a ella la había visto. Y se fueron a casamiento. En-

290 tonces ella llevó dos huevitos de paloma ahí. Cuando llegaron allá, le dijo:

—¿Sabe -le dijo- que yo traigo unas travesuritas?- le dijo ella- ¿Y pueden ser antes que reciban las bendiciones los novios?

—¡Cómo no! -le dijeron a ella.

Entonces lo que le dijo ella:

295 —Abuelita, yo vengo con una... con una niña. Entonces sacó los huevitos y los puso encima de la mesa. Cuando puso los huevitos, salieron dos palomos. Una paloma y un palomo. La paloma era más...

—¿Qué pasaba...? -le dijo-, le preguntaba.

300 Y el palomo triste, cabeceando el palomo. Y le decía:

—¿Te acordáis, palomo ingrato -le decía- cuando mi padre te iba a matar y yo te hacía los trabajos?

—Nada me acuerdo -decía el palomo.

—Oye, palomo ingrato, ¡qué sois ingrato! -le decía ella. ¿Te acordáis -le decía-

305 cuándo yo en todo te ayudaba? -le dijo- y... y vos -le decía- ¡tan ingrato que sois!

—Nada me acuerdo -le decía el palomo.

Y la gente ahí mirándolos, porque los palomos conversaban y él callado no más, pues. Y entonces le dijo:

310 —¡Mira! ¿Te acordáis, palomo ingrato -le dijo- cuando mi padre nos siguió y yo dije -dijo- del caballo un molino y vos el molinero [1] -le dijo- y yo era la piedra y decíais, cuando mi padre nos preguntaba decíais: "picando la piedra estoy"?

— Nada me acuerdo.

315 —¡Ah, palomo ingrato! -le decía ella. ¿Te acordáis cuando mi madre nos siguió -le dijo- y yo dije que del caballo un vapor. Tú erais el marinero -le dijo- y yo navegando, y mi madre me maldició que al primer punto que encontrárais -le dijo- cuando tú llegaras -le dijo- tú me ibais a olvidar?

320 —¡Ahora sí que me acordé! -dijo él.

Entonces le dijo:

—Esta es mi señora.

Y a él se le vino a la memoria y volvió con ella.

Ella le dijo que él... dijo la... la prima...

325   —Bueno, ya, para no perderlo todo, seré la madrina, -dijo- ¡Qué vamos a hacer!
          Al fin se casó con ella. Ya de tanto hacerlo acordar al palomo, le vino a la me-
          moria y se casó con ella. ¡Y que la madre la había maldecido!.

ESTADO ACTUAL DE LA TRADICION ORAL EN CASTILLA Y LEON

JOAQUIN DIAZ GONZALEZ
Valladolid

ESTADO ACTUAL DE LA TRADICION ORAL EN CASTILLA Y LEON

J. Díaz González

Castilla y León han tenido y siguen teniendo una abundante colección de temas que, conservados por tradición, representan una notable aportación a la cultura e idiosincrasia de las gentes que habitan la zona. Durante años de trabajo de campo hemos perseguido una doble finalidad: de una parte, recopilar, anotar y estudiar todo el material tradicional aún vivo en el medio rural; de otra, convencer a la gente que todavía vive en pequeños pueblos para que no abandone o desprecie sus propios valores. Es innegable que entre los más jóvenes existe una tendencia-provocada muchas veces por los medios de comunicación- a despreciar o minusvalorar lo autóctono frente a un tipo de cultura más espectacular que les llega por conductos como la Televisión o la radio. Entre las personas que tienen más de 50 años (y que siguen apreciando lo heredado de sus mayores) hay una especie de "vergüenza" o inhibición en los procesos de transmisión, de modo que, aunque no sienten ningún recelo en cantar o narrar un cuento a un investigador que se lo pida, sí lo aparentan en cambio a la hora de hacerlo a sus hijos o nietos, tal vez porque esperan de ellos una reacción negativa; reacción que, efectivamente se ha producido y se produce (si bien en menor medida que hace unos años) por creer los jóvenes que todos estos conocimientos "no están de moda".

Hay diferentes comarcas o zonas naturales en las que espontáneamente la tradición ha seguido manteniendo su fuerza y vigor; otras, a veces las más apartadas de núcleos urbanos, sienten el terrible zarpazo de la despoblación con lo que el elemento joven —principal aliciente en la cadena de transmisión— abandona la localidad y no vuelve a ella; otras, en fin, más cercanas a villas en que la industrialización ha creado puestos de trabajo, mantienen el acervo tradicional gracias a que sus habitaciones viven en el campo y trabajan en la ciudad.

En muchas ocasiones hemos expuesto con cierta amplitud los géneros y estilos más característicos del folklore en Castilla y León. En esta ocasión seguiremos —aunque no somos muy partidarios de las clasificaciones— la siguiente división:

ROMANCES. Abundantísimos en la zona y fuente inagotable para el recopilador; aunque no es un hecho común, éste todavía puede encontrarse con textos recitados o cantados acerca de personajes o acontecimientos que tienen cuatro o cinco siglos de antigüedad. En general, los romances de tradición oral (no incluimos a todos los de pliego, cuya génesis y evolución participan de diferentes vías) poseen las siguientes características:

1. **Estructura dramática**; esto es, división en tres partes del argumento a comunicar. Estas tres partes son:

A) Exordio o iniciación(en el que se habla de los personajes que intervienen y su vinculación; tales personajes tienen en los romances de pliego o ciego sus nombres propios y lugares de origen bien especificados, como sucede en las leyendas, para dar más verosimilitud al relato).

B) Nudo(en que, a través de diálogo se desarrolla la parte central y más viva del texto).

C) Desenlace o epílogo(en que a través de una moraleja —no siempre coincidente con la moral "oficial"— se cierra la narración con premio o castigo para los protagonistas).

2. **Sintetismo.** El hecho de que hayan sido durante cientos de años las madres las abuelas y abuelos quienes han transmitido los romances ha dejado en ellos ciertas huellas. El cantor-ciertamente especializado, aunque no profesionalizado— acostumbraba a seguir con atención en veladas o reuniones familiares (donde habitualmente se transmitían los romances) las "deserciones" de su auditorio, circunstancia que le obligaba en ocasiones a acortar o eliminar los versos o grupos de versos en que el interés de la audiencia decaía. Esta costumbre se convirtió, con el tiempo y el uso, en una característica de estilo, al depurar y limpiar los textos de elementos superfluos y dejar sólo aquellos elementos arquetípicos que daban vida al romance. Estos arquetipos han sido, a lo largo de la andadura romancística los verdaderos pilares fundamentales del edificio. Los principales son aquellos que se refieren a los personajes y su relación con el 'contexto" en que el romance se interpreta: No es infrecuente que el "padre" de los romances vaya unido al concepto de "rey"; la "madre" a la "reina", y los hijos a los príncipes, princesas e infantas que llenan las páginas de la literatura romancística. Los hijos, que representan el papel de héroes por lo general, suelen ser víctimas del poder (muchas veces opresor) de los padres, quienes intentan coartar su voluntad con amenazas o castigos físicos. La contienda o el conflicto de intereses suele tener un final plenamente vitalista: los hijos, pese a sufrir en ocasiones la muerte o el padecimiento físico, triunfan moralmente sobre sus opresores llegando en algunos temas a tomar venganza (recordemos el caso de la Infanta en "El conde Olinos") sobre aquellos. Otros arquetipos como la fuerza de la sangre, el honor o incluso algunos de tipo anecdótico como las campanas que doblan solas, el recién nacido que habla, etc, aparecen con profusión en muchas versiones.

3. **Interpretación peculiar.** Los intérpretes de romances son, por lo general, de do tipos: Especializados y profesionales. De los primeros hemos hablado ya; viven en el medio rural, y en él (a través de veladas, reuniones familiares o trabajo diario) van transmitiendo el corpus romancístico. De los segundos, por lo común ciegos o vendedores ambulantes de pliegos, cabría reseñar la incidencia que han tenido sobre la tradición oral, al haber contribuido con su literatura —de mayor o menor calidad— a injertar una nueva vitalidad (de carácter culto o pseudoculto casi siempre) en el árbol tradicional. Tanto unos intérpretes como los otros participan generalmente de dos estilos interpretativos que po-

dríamos definir como "melódico" y "melopeico". El primero, el más abundante, es aquél en que el romance se interpreta con una melodía de estructura más o menos complicada, para cuya ejecución se hace uso de dos formas diferentes: Silábica (en la que cada sílaba coincide con una nota musical) y melismática (donde una sílaba puede ir acompañada de varias notas de adorno o melisma, frecuentemente en la cadencia). Esta última forma puede conducir a error al recopilador que considere siempre tales notas de floreo como características de la zona, cuando no se trata, a veces más que de la burda flamenquización de una melodía originalmente silábica.

Respecto al segundo estilo, el melopeico, está cercano a algunos cauces interpretativos renacentistas y se basa en la repetición de dos o tres notas en forma de melopea, de modo similar a como sabemos se podía interpretar "El conde Claros" en la época de fijación por escrito del romance.

Respecto a escalas y modos utilizados en la zona son abundantes y sólo su estudio excedería el espacio propuesto para esta ponencia.

CANCIONES

Siguen un orden preciso a través de los ciclos del año que, con asombrosa facilidad, van engarzando las fiestas precristianas con las posteriormente cristianizadas o las propiamete cristianas. Así, desde el día de Reyes, "la primer fiesta del año" comienza una especie de rosario cuyas cuentas se irán desgranando festivamente a lo largo de los doce meses del calendario. De alguna de estas cuentas o hitos nos ocuparemos brevemente a continuación.

San Antón (el diecisiete de enero, San Antonero) solía reunir alrededor de la iglesia los animales de tiro o domésticos que se habían de bendecir. Tal bendición iba acompañada de una costumbre que, con el tiempo y la consiguiente mecanización del campo, es la única que se ha conservado: La de los "refranes" o "verdades"; con ellos los mozos obsequiaban a las mozas que les gustaban, aunque si se sentían contrariados por alguna razón desaparecía el tono elegíaco para dar paso a notas humorísticas de diverso calibre

> Ay, glorioso San Antón,
> el diecisiete de enero,
> ¿qué hacen ahí esas chicas
> que se las quema el puchero?.

Como ejemplo de carácter erótico ofreceré el siguiente que recogí en Muciente (Valladolid)

> Adiós San Antón bendito
> y hasta el año venidero,
> que me guardes a esa chica
> para taparle el "bujero",
> si no lo tapo con barro
> lo taparé con cemento;
> para hacer esos "chapuces"
> necesito poco tiempo,
> tener un buen nivel de bolas
> y llevar un buen barreno.

Las Candelas, el día dos de febrero, fiesta de la Presentación de María en el templo, con su ritual de las velas y las tórtolas, aún se mantiene en muchos pueblos de Castilla y León, si bien en otros ha quedado reducida a mero pórtico de la fiesta de las Aguedas:

> El día de las Candelas
> el día dos de febrero
> sale la princesa a misa
> María, madre del Verbo.

En la fiesta de Santa Agueda, con su ritual de inversión tantas veces estudiado, donde las mujeres toman el mando en el pueblo, ocupándose las cofradías de solteras y casadas de preparar la fiesta, e incluso de "ajustar" con los dulzaineros los bailes.

Las marzas apenas se interpretan ya, aunque existen todavía, fundamentalmente en la zona norte. Por lo general han disminuido las costumbres que significasen comunicación vecinal aunque muchos de los temas que acompañaban tales rituales se haya conservado en la memoria individual.

> Esta noche entraba marzo/de media noche pa abajo.
> Sale marzo y viene abril/con las flores relucir...

Carnaval y Cuaresma, indefectiblemente unidos pese a su antagonismo, se celebran con diverso tratamiento en la región: Las murgas y hasta los entierros de la sardina han vuelto a hacer acto de presencia desde hace unos años, mientras que la Semana Santa tiene un repertorio peculiar que se basa en dos sólidos pilares: Los catorce Romances de la Pasión (en realidad textos de Lope de Vega y Valdivielso que la gente tiene ya por anónimos o tradicionales) y la Pasión día a día de la semana, ingente colección de quintillas que va describiendo paso a paso la muerte y resurrección de Cristo.

En abril comienzan por San Marcos las rogativas que estarán presentes hasta San Isidro. Cada pueblo tiene sus propios textos y melodías, de tono suplicante y respetuoso:

> El agua de gracia/todos te pedimos
> hombres y mujeres/ancianos y niños.

Los pueblos que no tienen su rogativa utilizan una letanía popular para salir por los campos y reclamar el final de la sequía.

Mayo, mes de exaltación de la primavera por excelencia, contempla una gran diversidad de ritos cuya génesis diversa se ha entremezclado dando origen a costumbres de curiosa índole. Así, el mayo clavado como símbolo de fertilidad en la plaza del pueblo y de cuya venta obtienen los mozos dinero suficiente para una merienda común; y la maya, o representación cristiana de la primavera que va por las calles pidiendo, acompañada de sus damas:

> A pedir venimos/tengan buenos días
> la hostia y el cáliz/la Virgen María,
> himnos de alabar
> derramó su sangre/por la Cristiandad.
> A pedir venimos/cuatro pandorgonas,
> tó lo que alleguemos/todo pa nosotras...

Son múltiples los temas de quintos —tanto los específicos de cada año y pueblo, como los peculiares dentro de la tradición "Ya se van los quintos madre, ya se va mi cora-

corazón, ya se va quien me tiraba, chinitas a mi balcón"— que se conservan aún en toda la zona. Son precisamente estos quintos quienes mantienen muchas tradiciones, fundamentalmente las de carácter petitorio.

En San Juan, centro del año, aún se ven hogueras y se escuchan canciones a lo largo y ancho de la geografía castellano-leonesa. Lo mismo se podría decir del resto de las fiestas que componen el calendario anual: La Virgen de Agosto y San Roque (con sus bailes de procesión delante de la imagen hasta caer extenuados los danzantes); la vendimia (con sus lagarejos y bromas todavía en uso en muchos pueblos), las bodas (generalmente celebradas después de la cosecha, con dinero reciente) con sus antiguas y venerables galas:

> A la gala de la bella rosa
> A la gala del galán que la goza.

O

> Esa sí que se lleva la gala
> esa sí que se lleva la flor...

Las "ánimas" aún recuerdan la costumbre de salir en cuestación por el pueblo para suplicar una limosna por las almas del purgatorio.

La matanza conserva toda su vitalidad al ser un rito cargado de funcionalidad; son pocas las familias en el medio rural que no críen un cerdo para después sacrificarle en el invirno entre canciones y "probaduras".

Finalmente, ya en el periodo de Navidad abundan no sólo los romances y villancicos referentes al tema sino incluso representaciones que se llevan a cabo en los templos, generalmente a cargo de pastores, y que por su texto y melodías reflejan una enorme antigüedad. Son las llamadas "Pastoradas", "Corderadas" o "Nacimientos" en los que se acostumbra ofrecer una cordera a la Virgen o al Niño, con el fin de conseguir un favor o después de haberlo logrado. Alrededor de un sabroso diálogo en que el mayoral convence a sus pastores de que abandonen los rebaños y vayan a Belén a adorar a Jesús se van acumulando romances y villancicos de distinto carácter.

En conclusión se podría afirmar que el material existente en la actualidad en el medio rural es mucho más abundante de lo que se piensa en la ciudad. Que ese material es utilizado según convenga y cuando conviene hacerlo. Que las llamadas de alarma de algunos folkloristas románticos sobre la posible desaparición de las manifestaciones o expresiones más habituales de la cultura popular han sido tan inútiles como ineficaces para la propia gente del medio rural que es quien, al fin y al cabo conserva o abandona ese material. Que el trabajo de campo es eficaz en este aspecto siempre que vaya acompañado de ese intento por dar confianza y seguridad en los propios valores y en la validez de la tradición a los habitantes del medio rural.

JOAQUIN DIAZ
Valladolid

LA CAZA DEL "REY CHARLO" EN VILLANUEVA DE LORENZANA

JOSE LUIS PENSADO TOME
Universidad de Salamanca

LA CAZA DEL "REY CHARLO" EN VILLANUEVA DE LORENZANA

José Luis Pensado Tomé

Villanueva de Lorenzana es una pequeña villa gallega, situada al norte de la provincia de Lugo, no lejos de la antigua sede episcopal de Mondoñedo, sucesora de la antigua Bretonia o Bretoña.

Se halla enclavada en una región de rasgos arcaizantes, no solo en el léxico sino también en sus tradiciones. Su base étnica, seguramente de pueblos célticos, se vio reforzada, cuando aun no estaba muy afirmada la romanización, sacudida además por la invasión sueva, por la llegada de emigrantes bretones, salidos de Inglaterra, huyendo de las invasiones de los anglos, sajones y escotos, como hicieron los actuales bretones franceses que se asentaron por entonces en la antigua Armorica de la Galia.

A esos bretones se debe la fundación de la sede episcopal de Britonia (hoy Bretoña) uno de cuyos obispos llamado Mailoc, asistió al primer concilio Lucense en el año 569.

Villanueva de Lorenzana tiene una antigua abadía benedictina, fundada por Don Osorio Gutiérrez, el famoso conde Santo, en 969 y dotada magníficamente hasta el punto de qu siempre fue objeto de rapiñas por parte de no solo los poderosos nobles colindantes sino también de los obispos mindunienses. Ello dio lugar a una continua serie de pleitos que terminarían con la incorporación del monasterio a la Congregación de San Benito el Real de Valladolid.

Y como si la historia se repitiese, esta vez escapando de la Revolución Francesa, salió de Brest una embarcación llena de sacerdotes y religiosos, que después de desembarcar en Ribadeo, se refugiaron en la diócesis de Mondoñedo y el Monasterio de San Salvador de Lorenzana.

Entre las costumbres tradicionales del monasterio había una, llamada la "*Solta do paxaro*, por la libertad que en determinadas fiestas daban los monjes a un pájaro, ofreciendo un premio a quien lo capturase". "Esto —dice H. de Sá Bravo— era causa de atropellos, correrías y destrozos en los sembrados y plantaciones, de aquí las quejas de unos y otros, llegándose en ocasiones a recurrir a la justicia" (1).

---

1) Hipólito de Sá Bravo, *El Monacato en Galicia* I, la Coruña 1972, pág. 466.

Es esta la más moderna manifestación del rito que vamos a estudiar y se reduce a soltar un pájaro (sin especificar clase) en determinadas fiestas (no en una concreta) y dar un premio (no se dice en qué consistía) al que lo capturase.

No sabemos cuales son las fuentes directas de esta información, ni si han sido recogidas *in situ*, cosa que hubiese sido muy interesante, para saber hasta que extremo se ha desdibujado el rito.

Porque, hacia comienzos de siglo, El Lence-Santar y Guitián, en su folleto sobre el Monasterio de Villanueva de Lorenzana, relata el mismo hecho de la manera siguiente:

> "Y porque es razón no pasar en silencio una ceremonia muy poco practicada entre vasallos y señores, se pone en este lugar el modo con que los vecinos de dicha villa de Villanueva de Lorenzana *reconocen el vasallaje y dependencia* que tienen *del abad.*
>
> El día primero de cada año se juntan los *dos alcaldes ordinarios con los escribanos* de número y en compañía de los vecinos van a la celda del P. Abad, llevando un *pajarillo* vulgarmente llamado *Rey* (Regaliorum), preso con una cinta en una lanza, y la lanza en hombros de dos vecinos que eligen los alcaldes, se lo ofrecen al abad diciendo: *"Señor, este pájaro os ofrecemos en señal de vasallaje".* Recíbele el abad de mano del alcalde de hidalgos, y con la ceremonia de cortarle algunas plumas con unas tijeras, diciendo justamente que le recibe en señal de tal vasallaje, le da libertad. Después de esto van los vecinos al Concejo y eligen otros nuevos alcaldes, cuya elección se presenta al abad para que, si le parece, la confirme, y no pareciéndole, decreta: *"No viene en forma";* para lo cual les manda formen nueva elección, que haciéndola de sujetos timoratos, la firma y confirma, mandando que hagan la jura en manos de la justicia mayor, y que les tengan por tales con obligación a dar residencia al juez que señalase el abad. Si acaso no cumplen con la ceremonia del pájaro el día dicho por no poderle coger, tienen obligación de cumplir con este reconocimiento el día de Reyes, pena de cierta cantidad de maravedis, que pagan si hay falta en su ejecución" (2).

Estamos ante una fórmula de reconocimiento de vasallaje que parece descrita como si todavía se practicase, cosa difícil de creer, pero que es posible que se haya tenido noticia de ella por vía libresca o porque no hiciese mucho tiempo que se hubiese abolido.

El pájaro es llamado *Rey* y el nombre latino entre paréntesis (*"Regaliorum"*) parece dar a entender que toma la narración de una fuente en latín, y que es de pequeño tamaño. No dice dónde ni cuándo hay que cazarlo, sí solamente que hay que llevarlo al abad el día de año nuevo, preso con una cinta en una lanza, y acompañado por los dos alcaldes y escribanos. El abad recibe el pájaro de manos del alcalde de hidalgos, le corta algunas plumas y le da libertad. Después van los vecinos al concejo y eligen dos nuevos alcaldes, que el abad puede confirmar o rechazar, si no son de su gusto. Si no han podido coger el pájaro para dicho día, tienen que cumplir el requisito el día de Reyes, y si no pagar cierta multa en dinero.

No es arriesgado pensar que tal práctica duraría hasta la época de la desamortización, y que en el tiempo en que fue recogida no quedase ya más que en el recuerdo y sesenta años después lo vemos reducido a la absurda ceremonia de dar caza a un pájaro que soltaba el abad, sin que ya se tenga noticia de su significado concreto.

Poseemos todavía una descripción mucho más antigua que la suministrada por E. Lence-Santar, y es del año 1527 y se describe de esta suerte:

---

2) Citamos según M. Amor Meilán, *Geografía General del Reino de Galicia. Provincia de Lugo,* Barcelona, s.a., pág. 535. La cursiva es nuestra.

"Que todos los vecinos de este concejo en el día de Año Nuevo están obligados a ir a buscar el pajaro que en este pais llaman *rey Charlo* a la pumarega de la fuente, y allí lo ponen en un palo grueso, y traen preso desde allí todos juntos hasta el *Palacio* y *Sala Vella* del señor abad, y se lo entregan con toda reverencia, quien lo recibe, y despúes les manda dar y repartir un pan de trigo y una vez vino entre cada cuatro, y dos veces vino a los que lo quisieren. Después van a la casa del Concejo y nombran cuatro sugetos para alcaldes hordinarios y el abad escoge dos para dicho oficio, quienes hacen juramento en su mano de exercerlo fielmente..... Quando no podían hallar el *pajaro Rey* para traherlo al abad el dia de Año Nuevo, venian todos juntos a pedirle por mercerd, les diere término para buscarlo, y en caso que no lo trajeren estaban obligados a dar seiscientos marav. al monasterio y traher las luctuosas de aquel año".

Está recogida en el libro *Señores y Campesinos en Galicia, Siglos XIV-XVI*, Santiago de Compostela 1976, pág. 199, de Mª Xosé Rodríguez Galdo.

Frente a la descripción anterior salen aquí otros pormenores más interesantes. El pájaro que sé ha de entregar recibe el nombre de *rey Charlo* y abreviadamente *pajaro Rey*. Tiene que ser cogido el dia de Año Nuevo, y en un lugar llamado la *pumarega* de la fuente. La caza del pájaro parece ser el elemento más destacado de la ceremonia y ha de llevarse a cabo por *todos los vecinos*. En el relato precedente se desvirtua este hecho en favor del acompañamiento de *alcaldes* y *escribanos* dejando a los vecinos y captores del pájaro reducidos a mera comparsa. Aquí se lo entregan, no dice quien al abad, en la *Sala Vella*, con toda la reverencia. En el anterior lo recibe de manos del *alcalde de hidalgos*. Aquí manda dar y repartir pan de trigo y vino a todos o por lo menos a quienes hacen la entrega. En el relato decimonónico ya no se alude a ese premio, inverosímil para los dos alcaldes y escribanos, que se sentirían deshonrados con tal recompensa. Aquí se percibe bien el derecho que se adquiere por la caza y entrega del *rey Charlo*, el de presentar *cuatro* sujetos para alcaldes ordinarios de los que el abad ha de escoger *dos*. Allí se eligen *dos* nuevos alcaldes, que pueden ser rechazados por el abad y entonces se nombran *otros dos*, que siendo más timoratos son aceptados por el abad. Aquí vemos que si el pájaro no se conseguía el día de Año Nuevo, se pedía plazo para intentar conseguirlo. Allí vemos que dicho plazo era de seis días, en la fiesta de los Reyes Magos era el día de la ofrenda, y de no poderlo realizar entonces pagaban no solo seiscientos maravedis, sino también la luctuosa durante todo aquel año, dice la versión más antigua, porque por entonces aun duraba aquel tributo; en cambio en la moderna éste ha desaparecido y queda reducido a la pena pecuniaria únicamente. La narración moderna nos dice qué se hacía con el pájaro entregado al abad: éste le cortaba unas plumas y lo soltaba, sin embargo la más antigua no juzgó oportuno mencionar este último detalle.

Al leer el texto del siglo XVI nos llamó la atención el nombre del pájaro y nuestros propósitos iniciales fueron los de explicarlo y consecuentemente tratar de explicar qué ave designarían.

Lo que últimamente era un simple *paxaro* (en el sintagma *"a solta do paxaro"* como si después de entregárselo al abad éste lo soltara y los vasallos tuviesen que cogerlo, cosa fácil pues iba con las plumas de las alas recortadas) en el relato decimonónico era un *rey* y en el del s. XVI podía ser esto último y también *rey Charlo*.

Es natural que este nombre fuera el que más nos llamase la atención, y no es arriesgado conjeturar que *rey* sea abreviación del sintagma *rey charlo*, como acaso el simple *paxaro* lo sea del *pajaro rey* que vemos en el texto más antiguo.

La primera impresión que produce el sintagma rey *Charlo* es la de que estamos ante un galicismo, ante un reflejo de un francés ant. *rei Charles* o el *Charles li reis* de la Chanson de Rolland, el emperador de la barba florida que conquistó la Península de mar a mar. Incluso podríamos estar ante el caso régimen *Charlon*, que, ya en el s. XVI, dada la pérdida de las nasales finales en gall., pasase a *Charló*, como *ladrón, lambón*, etc., pasan a *ladró, lambó*, etc. No puede pensarse de otra forma ya que el equivalente gallego de *Charles* es *Calros*; por tanto de ser forma autóctona aparecería como rey *Calros*. La palatalización de la *C—* en *Ch—* no puede explicarse más que por influencia francesa. Lo malo de esta idea es que no hay ningún nombre de pájaro en francés que pueda dar cuenta del que estudiamos y E. Rolland en su *Faune Populaire de la France*, aunque presenta bastantes sintagmas formados con un *rei/roi* en ningún caso hay alguno asimilable al nuestro (3). Por otra parte, habría que justificar el porqué de ese sintagma e incluso demostrar las razones que lo uniesen a la figura del famoso emperador. No hay ninguna conocida, y aunque sabemos que *Charles* podía ser apodo que lleva una mujer en un doc. gallego del s. XIV, lo que nos daría idea de la penetración del galicismo en gall. (4), nos será difícil justificar esa asociación entre el pájaro cazable de Villanueva de Lorenzana y el respetable emperador, bien es verdad que la reacción contra el imperialismo medieval francés, imaginario conquistador de España, podría cuajar en convertir al famoso emperador en un humilde pajarillo el que por añadidura se le recortan las alas para que no vuele tan alto. Es una posibilidad que queda abierta, al borde mismo del camino de Santiago, porque Villanueva de Lorenzana está precisamente en el camino francés, el que va por la via costera cantábrica y desciende hacia el interior desde Ribadeo (5) hasta Villalba para alcanzar en Lavacolla la via más corriente que viene de Puerto Marín o de Lugo. El hecho de que hoy lo ignoremos no quiere decir que haya que negar en redondo su existencia. Algún día hablaremos de las leyendas carolingias y del ciclo artúrico que han quedado reflejadas en la lengua o en las tradiciones populares gallegas. Bastaría recordar al *Rey Artús,* que está encantado en la Laguna de Antela en la Limia con sus soldados convertidos en cínifes de que nos habla P. González de Ulloa (6) para ver hasta que punto han calado en las mentes rústicas esas leyendas o ver cómo se reflejan en su léxico los personajes de la épica como el *Almirante Balán, Galafre,* etc. y en la onomástica medieval, las *Ouroanas*, los *Vivianes*, los *Tristanes*, las *Iseus*, los *Galaores*, los *Augerios*, etc.

Por eso aunque abandonamos esa vía, no la damos por definitivamente cerrada. Y vamos a operar con el primer elemento del sintagma, con el *rey*, para a través de él tratar de identificar conjeturalmente el animal en que se encarna el rito de la caza para el abad.

¿Qué pájaro era el *pájaro rey*? El rey o mejor la reina de las aves es el *águila* pero no

3) Allí se recogen: *roi des oiseaux, roi de froidure, rei petaret, rey de bele, roi Bertrand, roi Bertot, roy béry, roi bedelet* ou *roi couchet* (II, pags. 288-292 y 301-302, y X, pág. 166-172 y 178-179).

4) Cf. E. Duro Peña, *Catálogo de Documentos Privados en Pergamino de la Catedral de Orense,* Orense 1973, pág. 153, n° 550.

5) Cf. L. Vázquez de Parga, J.M. Lacarra y J. Uría, *Las Peregrinaciones a Santiago de Compostela,* Madrid, 1949, C.S.I.C. II, pág. 576.

6) *Descripción de los Estados de la Casa de Monterrey en Galicia.* Santiago de Compostela, Cuadernos de Estudios Gallegos, 1950, pág. 139.

parece lógico que se pueda cazar en la *pumarega* (manzanar) de la Fuente ni que se dejase
cazar si allí iba (cosa rara, pues suele andar por las alturas) y los labriegos de Villanueva de
Lorenzana raras veces se verían libres de pagar los 600 maravedíes y las luctuosas. Por eso
hay que descartar ese *rey* y el que lleva tal nombre es pájaro que no emigra en invierno ya
que el 31 de diciembre es la fecha en que se caza. Inmediatamente viene al recuerdo el
otro rey de las aves, el que siendo el más débil y pequeño por su ingenio y picardía supo
ascender al trono de las aves. Es el que los griegos llamaron *basileus*, los latinos *regulus*,
los franceses *roitelet*, los españoles *reyezuelo* y los gallegos *rey* (como vemos ahora) o *carrizo* que es la denominación más conocida. Y su nombre alude a la fábula que cuenta cómo esta ave, cuando se procedió a la proclamación del rey de la especie, que debería ser el
que más alto volase, se escondió bajo el ala del águila, y cuando esta ya no pudo remontar
más el vuelo, salió de su escondrijo el reyezuelo voló aun más alto, y hasta, para escarnio,
se le posó encima de su cabeza. Así con trampa quedó proclamado rey de las aves el reyezuelo, y la fábula queda reflejada en las designaciones antes recordadas: *basileus*, *regulus*,
roitelet, *reyezuelo*, *rey*, etc. Al fondo de la fábula duerme el deseo de los débiles de alcanzar el poder, igual que los fuertes, o de los inteligentes e ingeniosos para conseguir lo mismo frente a los romos y zoquetes.

O por la veneración debida a los reyes, o por razones más oscuras y profundas, difíciles de apreciar, el hecho es que el *reyezuelo* es un animal sacralizado en muchas regiones
de Europa, como nos recuerda J.G. Frazer:

> "El ejemplo [de sacralidad animal] mejor conocido es la *caza del reyezuelo*. Por muchos
> pueblos europeos, griegos antiguos y romanos, italianos modernos, franceses, españoles,
> alemanes, daneses, suecos, ingleses y galeses, el *reyezuelo* ha sido llamado *rey de los pá-
> jaros* o el *rey de los setos*, y otros muchos nombres más y ha sido englobado entre los
> pájaros que dan muy mala suerte si se les mata. En Inglaterra se ha supuesto que si al-
> guien mata a un reyezuelo o saquea su nido, infaliblemente se rompera algún hueso y
> tropezará con alguna desgracia espantosa aquel año; algunas veces se creyó que las vacas
> darían leche ensangrentada. En Escocia, al reyezuelo le llaman el "ave de la señora del
> cielo" y los muchachos cantan:

> > "Maldiciones, maldiciones, más de diez,
> > al que moleste al ave de la Señora del Cielo". .

> "En San Donan, en Bretaña, la gente cree que si los chicos tocan en su nido a los pollue-
> los del reyezuelo, padecerán del "fuego de San Lorenzo", esto es, de pustulitas en la ca-
> ra, piernas, etc. En otros lugares de Francia se piensa que si alguien mata un reyezuelo
> o moles su nido su casa será tocada por el rayo o que los dedos con que hizo la haza-
> ña se le secarán y caerán o por lo menos quedará zopo o su rebaño enfermará de las
> pezuñas.
>   "No obstante estas creencias, la costumbre de matar una vez al año al reyezuelo ha
> prevalecido mucho en este país y en Francia. En la isla inglesa de Mann, hasta el siglo
> XVIII se observaba la costumbre el día de Nochebuena y mejor aun en la mañana de
> Navidad. El 24 de diciembre, hacia el atardecer, todos los sirvientes vacaban; no se iban
> a dormir sino que callejeaban hasta que las campanas de todas las iglesias tocaban a me-
> dianoche. Cuando terminaban los rezos, *marchaban a la caza del reyezuelo y en cuanto
> encontraban uno de esos pájaros, le mataban y ataban en el extremo de una vara larga
> con las alas extendidas.* Así le llevaban en procesión por las casas cantando las siguien-
> tes coplas:

> > "Nosotros cazamos el reyezuelo para Petirrojo el Carrete,
> > nosotros cazamos el reyezuelo para Jacobo de la Lata,
> > nosotros cazamos el reyezuelo para Petirrojo el Carrete;
> > nosotros cazamos el reyezuelo para todos.

"Después de visitar todas las casas y de recoger todo el dinero posible, tienden al reyezuelo sobre unas andas y le llevan en procesión al cementerio parroquial, donde abren una fosa y le entierran "con la mayor solemnidad cantándole responsos en el lenguaje mank, que ellos llaman su toque de difuntos; después de esto empieza la Navidad". Terminado el entierro salen los acompañantes del cementerio y formando un círculo bailan a compás de la música" (7).

El deseo humano de verse libre, aunque sea por un día del imperio de un rey, por muy pequeño que sea es evidente. y la liberación del miedo al pájaro y su captura se acerca bastante al tiempo de la caza del *rey Charlo* de Villanueva de Lorenzana. Aquí nos encontramos con un rito menos sanguinario, no termina con la muerte y el entierro del ave, sino que se contentan con algo menos brutal, es decir, con la captura y prisión del reyezuelo, para, luego de recortarle las plumas de las alas soltarle.

Para encontrar prácticas semejantes a la aquí estudiada hay que trasladarse a Francia:

"Al castillo de la mardelle (cerca de Chatillon-sur-Indre) antes de la Revolución, estaba ligada una servidumbre que consistía en la obligación que tenían los habitantes de una aldea vecina de llevar a su señor, cierto día, un *roi bertaud* atado con una cuerda nueva encima de una carreta uncida con cuatro bueyes negros" (8).

Nos encontramos con la misma fórmula de expresión del vasallaje, y el nombre de pajaro es también un *roi*, pero no *Charlo* sino *Bertaud* y equivale al *roitelet, reyezuelo, rey* o *carrizo*.

En el dominio provenzal esta misma costumbre llevaba el nombre de *la petousso*, que describe así F. Mistral:

"La *petousso* en algunas aldeas de Vaucluse y de la Drôme, era una ofrenda que hacía la juventud al prior diezmero del país la víspera de *Navidad* o del *primero de enero*. En Mirabeau, en el momento en que el sacerdote venía a celebrar el oficio divino de la noche de Navidad, los jóvenes le presentaban un troglodita vivo diciéndole: *Toma el petousso*. A cambio de este homenaje recibían del cura la cantidad de tres libras tornesas. El cazador que pillaba el *petousso* se convertía en "abad de la juventud" (9).

Aquí vemos también la oferta de un reyezuelo como símbolo de reconocimiento de vasallaje y como consecuencia la adquisición de ciertos privilegios que pertenecen al "abad de la juventud".

Con todo no existen paralelos exactos a la práctica que se realizaba en el s. XVI en Villanueva de Lorenzana. Y es interesante observar que quizás sea esta una de las menciones más antiguas que poseemos del rito. Las inglesas, francesas, etc., son todas mucho más modernas, a lo más remontan al siglo XVIII o XIX, y por eso el rito se ha convertido en algo lúdico, en una diversión, y de la expresión de vasallaje no queda más que el recuero. En contraste lo que nos describe el documento de Villanueva de Lorenzana tiene poco de lúdico y mucho de práctico, ya que en el fondo la caza del *rey Charlo* da a los vecinos el

7) *La Rama Dorada*, Magia y Religión, México, Fondo de Cultura Económica, 3ª ed. 1956, págs. 605-606.

8) E. Rolland, *Faune Populaire de la France*, II, Les Oiseaux Sauvages. Paris 1879, pag. 297.

9) *Lou Tresor dou Felibrige* ou *Dictionnaire Provençal-Français*, II, Aix-en-Provence, s.a. pág. 561, s.v. "petousso".

derecho a proponer cuatro sujetos para alcaldes a fin de que el abad elija dos y de no pillar al pájaro, no sabemos qué pasaría con los alcaldes, acaso se quedarían sin ellos, pero sí era seguro que tenían que pagar los seiscientos maravedíes y las luctuosas. Lo accidental era el reparto de pan y vino a los concurrentes.

Por otro lado el recortamiento de las alas del pájaro es detalle que no se cuenta en los paralelos europeos.

En la práctica gallega vemos incidir varios ritos. En primer lugar la *caza del reyezuelo.* Y también tenemos pruebas de su sacralidad en Galicia, baste para ello aducir este testimonio del P. Sarmiento:

> "Los muchachos tienen unas devotas supersticiones en virtud de las cuales casi veneran al *carrizo* y no le harán daño ni desharán su nido. Si en una vara de avellano, que haga de asador, se pone un *carrizo* muerto a asar, se irá volviendo por sí solo el asador, sin que alguno le mueva" (10).

La misma superstición se documenta igualmente en Francia:

> "Un reyezuelo cazado el dia de Reyes (6 de enero) enfilado en una vara de avellano, puesta al fuego, dará vueltas por sí sola" (11).

Por tanto el *rey charlo* o *rey* es un *reyezuelo* sin la menor duda. Está sacralizado como en los casos similares europeos. Su caza supone la ruptura de un culto continuado por razones difíciles de precisar. Su nombre está asociado a la fábula popular de la proclamación del *rey de las aves,* y psicológicamente representa el triunfo de la astucia sobre la fuerza. Es posible también que medie aquí un rito de posesión o dominio que se simbolizase por la aprehensión del ave, como representante de los cielos, de modo similar al que por la cogida de un *terrón,* de unas pajas, etc., se significaba la posesión de la tierra, que asoma muy frecuentemente en los documentos gallegos medievales. El rendimiento de vasallaje al abad de Villanueva de Lorenzana, representado en el *reyezuelo* era como un sano aviso a los levantiscos que, con el recorte de alas, les estaba indicando la misma posibilidad de recortarles en sus aspiraciones. El abad no sacrificaba al *rey Charlo* pero sí lo recibía preso para luego limitarle sus posibilidades de vuelo.

Otro problema digno de atención es el de saber si el rito de vasallaje es autóctono o importado. La frecuencia del mismo en los países célticos podría hablar de un fenómeno autóctono en la región e incluso podría haber venido con la emigración de los bretones del siglo VI; pero la situación del monasterio de Villanueva de Lorenzana en el camino de Santiago podría hacer pensar en una importación medieval, asociada a la orden benedictina y a las costumbres feudalizantes de los cluniacenses. Así también el *Charlo* podría integrarse en la explicación del galicismo adoptado o aclimatado.

Pero como fijo queda el *rey,* sin diminutivo, que sin duda trata de referirse al *regulus* o *reyezuelo,* como nombre del ave en cuestión; hoy no queda huella de este uso, la voz *carrizo* se ha generalizado en casi todo el dominio gallego. Sin embargo, podría aun que-

---

10) Fr. M. Sarmiento, *Obra de Seiscientos Sesenta Pliegos,* Tomo XIV de la Col. Dávila, ms. 20391 de la B.N., fol. 152 r.

11) E. Rolland, *Faune Populaire de la France,* X, Oiseaux, 2ème partie, Paris 1915, pág. 173.

dar un recuerdo de este nombre en un *"reische"* recogido también por Sarmiento (12) que designa el pájaro *mosqueiro* de Pontevedra, pequeño como un *carrizo*, pero de color azul. *Reische* remontaría a un **reise*, singular analógico formado sobre el plur. *reises*, y con palatalización de la —S— intervocálica.

Finalmente podría intentarse una explicación dentro del dominio hispánico. Aquí desde el aragonés *"charlo*. Charro, pájaro como el tordo" y *"charla*. Ave. Turdus pilaris" (13) hasta el gallego que conoce *"chalra*. Charla, drena o tordo vulgar" (14), pasando por otros dialectos y llegando hasta el *Diccionario* de la Real Academia Española, que da a *charla* el sentido de "cagaaceite" (ave) en su 2ª acepción, puede encontrarse un justificante del *charlo* del sintagma gallego. Lo malo es que tiene los siguientes inconvenientes: 1° no se aplica al *reyezuelo* sino al *tordo* por lo que las cualidades mágicas, la sacralización del ave, y demás circunstancias concurrentes quedan sin justificar, por no concurrir en esa otra ave; 2° *charlo* si tiene algo con *charlar* o *charla*, explicado como italianismo, es difícil creer que aparezca usado popularmente para designar un ave que nada tiene de parlera o alborotadora, y además en una zona tan alejada de las comunicaciones como Villanueva de Lorenzana. Por eso nos parece muy arriesgado identificar ambos *charlo*. Y lo más prudente será dejar pendiente la cuestión.

JOSE LUIS PENSADO TOME
Universidad de Salamanca

---

12) *Obra de Seiscientos Sesenta Pliegos*, Colecc. Dávila, XIV, ms. 20391 De la BN., fol. 152 r.

13) Cf. J. Pardo Asso, *Nuevo Diccionario Etimológico Aragonés*, Zaragoza 1938, p. 117.

14) Cf. M. Valladares, *Diccionario Gallego-Castellano*, Santiago 1884, pág. 146.

LITERATURA JUDEOESPAÑOLA ORAL (CANTAR, CONTAR Y "REFRANEAR")

HAÏM VIDAL SEPHIHA

Universidad de Paris VIII

LITERATURA JUDEOESPAÑOLA ORAL
(CANTAR, CONTAR Y "REFRANEAR")

Haïm Vidal Sephiha

A pesar de lo anunciado en el resumen de mi ponencia, tengo que limitarme por falta de tiempo. Cada uno encontrará los elementos de la cultura judeoespañola en mi ensayito *L'agonie des Judéo-Espagnols* (1).

A partir de los tres géneros literarios orales: *romancero, contero* y *refranero* (véase bibliografía en (1) que no puedo presentar aquí, quisiera subrayar la solidaridad que —muy a menudo— existe entre dichos géneros y abrir así camino a un nuevo tipo de investigación: el contexto cantado, contado y "refraneado" de una época determinada, lo que no excluye el estudio de los chistes.

En castellano *poner en coplas a alguien* significa 'le chansonner' y en francés uno puede ser *la fable du voisinage* ('ser la irrisión de la vecindad') o *avoir une bonté proverbiale*. La *copla* se canta o se declama —la *-fábula* se cuenta o se declama— el *refrán* puede ser la moraleja de ambos géneros y los humoristas modernos saben cantar, contar y sacar refranes de la actualidad con virtuosidad.

Con esta introducción me ahorré los dos primeros puntos de mi resumen. Y pasamos al punto Nº 3.

El romance de la mujer adúltera tal como me lo cantaba mi abuela (q.e.p.d.).

a) CANTAR

ROMANCE QUE ME CANTO MI NONA (abuela) en 1961 (2)

Yo m'alavanti un lunes — i un lunes por la manyana
tomi mi arko i mi fletcha — i en la mi mano deretcha.

---

1) Editions Entente, collection "Minorités", Paris, 1977. Segunda edición corregida y aumentada, 1979.

2) Graffa de la asociación VIDAS LARGAS, para la defensa y la promoción de la lengua y de la cultura judeoespañolas, cuyos miembros son en su mayoría francófonos (B.P. 470 — 75830 PARIS CEDEX 17).

Ande ke la fuera a tanyer? — A puertas de mi namorada.

-Avridme vos, Biju mi byen — avridme vos, Biju mi vista.

Los pyezes tengo en la nyeve — i la kavesa en la yelada.

- Komo vos avrire, mi byen? — komo vos avrire, mi alma?

Al fijito tengo en el petcho — i al marido en la kama.

- Ken vos avlo, Biju, mi byen? — ken vos avlo, Biju, mi alma?

- El moso del panadero — el ke los malos anyos aya;

Arina no tengo en kaza — i levadura me demanda.

Levantech vos mi marido — andadvos para la kaza.

El salyendo de la puerta — el namorado por la ventana.

Por en medyo del kamino — la kachika ke olvidara.

Eya se topo en apreto — lo entro eryentro la kacha.

La kacha era de pimyenta — el namorado sarnudava(estornudaba)

- Ken sarnudo, Biju, mi byen? — Ken sarnudo, Biju, mi alma?

- El gato de la vizina — el ke los malos anyos aya.

Dyo una dada en la kacha — i rompyo la linda kacha.

- Venid, verech, las mis vizinas — las de abacho i las d'arriva.

- Venid verech gato ko barva - i mostatchikos retursidos.

Ken tyene mujer ermoza — ke la tenga byen guadradra.

b) Moraleja/refrán

Sin analizar dicho romance saquemos y subrayemos la moraleja:

KEN TYENE MUJER ERMOZA, KE LA TENGA BYAN GUADRADA

c) Refrán suelto

Esta moraleja se da en el *Refranero* de Enrique Saporta como refrán suelto (3) mientras que para otros refranes el mismo autor nos cuenta *consejas*.

d) Refranes sacados de cuentos

Por ejemplo el refrán de Saporta que reza: LA GATADA NO ESTAVA ESCRITA y el comentario:

> "El origen de esta frase es muy antiguo y se encuentra en la siguiente historieta popular.
> Se cuenta que una vez un judío quiso salir de la judería. Sus familiares y amigos trataron de desanimarle, enumerándole toda una larga serie de afrentas, agravios y calamidades con las que, con toda seguridad, iba a ser tratado. El judío, tras anotar en un cuaderno todas las vejaciones anunciadas, salió de su barrio. En efecto, no se hicieron esperar las ofensas que le adelantaron: Insultos, atropellos morales y físicos... incluso le tiraron un gato muerto. Ante esto, el judío abrió su cuaderno y dijo simplemente: "La gatada no estava escrita". Y ésta fue su reacción. Con lo que se demuestra que, cuando alguien quiere satisfacer un capricho, nada le desanima" (p.92).

Y éste otro: SUEGRA, NI DE BARRO BUENA que Saporta comenta así:

> "Se cuenta de un hombre casado que, deseando que su madre viviera con el matrimonio y no consentir esto su esposa, mandó hacer una estatua que representaba a su madre y que

---

3) *Refranes de los judíos sefardíes* y otras locuciones típicas de los judíos sefardíes de Salónica y otros sitios de Oriente. Ameller ediciones, Barcelona, 1978,

colocó en su casa. Un día, la esposa tropezó con la estatua y cayéndosele encima le hirió, por lo que la esposa dijo: "Suegra, ni de barro buena". La frase, como tantas otras señala lo difícil que resulta la convivencia de suegras y nueras. En castellano existe una expresión parecida:"Fulano no es bueno ni en pintura" (p.180).

Pero son pocos los cuentos dados por Saporta o por R. Benazéraf (4) y uno se pregunta ¿cuántos son los cuentos perdidos? y, a la inversa ¿cuántos son los cuentos y consejas sacados o escritos a partir de refranes sueltos o considerados   como sueltos por no conocer el cuento que está subyacente?.

Sólo los de la primera clase nos interesan aqui. Lo que nos lleva al subpunto e) del resumen.

e) *Ken tyene mujer ermoza, ke la tenga byen guadrada* es la moraleja del romance cantado por mi "nona".

Pregunta: ¿Tenemos en judeoespañol una conseja que podría tener la misma moraleja?.

No la encuentro.

A ver si no existe en la literatura medieval española, ya que nuestra cultura judeoespañola tiene sus raíces en dicha época.

Aquí está:

b) CONTAR

DE COMO LA MUGER MIENTE JURANDO E PERJURANDO (*Corvacho*, Parte II, cap. 10) – 1438 (Alfonso Martínez de Toledo o Arcipreste de Talavera) (5)

> "Contarte he vn enxiemplo e mill te contaria: Una muger tenia vn ombre en su casa, e sobrevino su marido e óuole de esconder tras la cortina. E quando el marido entró, dixo: "Que fazes, muger?". Respondio: "Marido, syéntome enojada". E asentose el marido en el banco delante la cama, e dixo: "Dame a çenar". E el otro que estaua escondido, non podia nin osaua salir. E fizo la muger que entraua tras la cortina a sacar los manteles, e dixo al ombre: "Quando yo los pechos pusyere a mi marido delante, sal, amigo, e vete". E assy lo fizo, e dixo: "Marido, non sabes como se ha finchado mi teta, e rauio con la mucha leche". Dixo: "Muestra, veamos". Sacó la teta e diole vn rayo de leche por los ojos que lo cegó del todo, e en tanto el otro salio. E dixo: " ¡O fija de puta, como me escuece la leche! "Respondio el otro que se yva: "¿Qué deue fazer el cuerno? E el marido, como que sintio ruido al pasar e como non veya, dixo: "Quien paso agora por aqui? Paresçiome que ombre senti". Dixo ella: "el gato, cuytada, es que me lieua la carne". E dio a correr tras el otro que salia, faziendo ruydo que yva tras el gato, e cerró byen su puerta e tornose, corrio e fallo su marido, que ya byen veya, mas non el duelo que tenia. Pues assy acostumbran las mugeres sus mentiras esforçar con arte".

Y en efecto.

f) Estudio comparado
cotejando ambos textos nos encontramos con una serie de semejanzas no sólo en el tema

4) *Refranero, recueil de proverbes judéo-espagnols du Maroc*. Imprimerie Continentale, Paris, 1978.

5) Grafía de E. Kohler, *Antalogía de la literatura española de la edad media (1140-1500)*. Librairie C. Klincksieck, Paris, 1957.

de la mujer adúltera sino en muchos pormenores: madre amamantante - pecho - teta -
amante - llegada del marido - el gato - etc. Sólo difiere la solución, lo que da otra moraleja, pero la del romance judeoespañol hubiera podido finalizar nuestro cuento medieval.
Lo que importa aquí es que en fin de cuentas vamos reconstituyendo un "puzzle" desgas-
tado a lo largo de los siglos.

OTROS EJEMPLOS

El refrán se refiere a una situación determinada; Dicho referente puede ser una canción o un cuento. *Djoha muryo, la kantiga le kedo* reza un refran judeoespañol (6) referente al contero de este personaje. En un libro en preparación (7) el romancero viene a ser
el referente de la persona que me lo canta. *Ken tuvyera el mazzal ('suerte') de Djerineldo*
dice la Señora Azen que canta y vive lo que canta, que se dejó penetrar de todo lo que le
trasmitió su madre, de todo lo que hoy va desapareciendo en este mundo loco de moder-
nismo.

El referente de la Señora Azen es a la vez la realidad cotidiana y su transmisión oral.
¿Cómo separar ambos referentes? Con esto se plantea el problema del realismo literario
oral o escrito. Pero este es otro cantar.

                                                    HAIM VIDAL SEPHIHA
                                                    Paris VIII

---

6) Para pormenores véase mi artículo "La société judéo-espagnole à travers ses proverbes ou Dis-moi
   tes proverbes, je te dirai qui tu es" in Colloque de Parémiologie, Lille, 6-8 mars, 1981. De próxima
   aparición.

7) *Le romancero d'Henriette Azen*, Editions VIDAS LARGAS. De próxima aparición.

FRAGMENTOS Y HUELLAS DE CUENTOS FOLKLORICOS EN TEXTOS DEL SIGLO DE ORO

MAXIME CHEVALIER
Universidad de Burdeos

FRAGMENTOS Y HUELLAS DE CUENTOS FOLKLORICOS EN TEXTOS DEL SIGLO DE ORO

Maxime Chevalier

Los contemporáneos de Juan de Valdés, de Cervantes y de Calderón, que con tanto esmero coleccionaron los refranes, no se cuidaron de recoger cuentos folklóricos, acaso por el sencillo motivo de que aún no se había forjado la palabra *folklore*. Pero indudablemente conocían los que llamaban ellos "patrañas", "consejos" o "cuentos de viejas". Estos relatos andan desparramados en los textos de la época: refraneros, colecciones de relatos chistosos, comedias, entremeses y novelas. A nosotros nos incumbe la tarea de reunirlos, si queremos formar concepto aproximado, si no exacto —lo cual resulta imposible—, de lo que pudo ser la cultura oral de hombres cultos y de analfabetos en la España de los Austrias.

He emprendido este trabajo y formado una colección que asciende a un total de unos 260 cuentos folklóricos; me parece razonable afirmar que unos 140 de ellos pertenecieron efectivamente a la tradición oral del Siglo de Oro. Excusado es decir que esta colección es incompleta, por dos motivos. El primero salta a la vista, y es que no he leído todos los textos de la época. El segundo, no tan obvio, me impresiona cada día más, y es la cantidad de cuentos folklóricos que se nos escapan a la lectura de los textos. Estos cuentos están aquí, muy a la vista; y no los vemos, o tardamos en verlos. Reconocer un cuento folklórico disfrazado de novela corta nos cuesta gran trabajo; observar la presencia de un fragmento de cuento en un texto suele ser tarea más ardua; identificar un cuento folklórico que asoma como relámpago en una frase es cosa francamente difícil. Por eso no valoramos lo bastante la presencia del cuento oral en los textos, fenómeno tan frecuente y natural dentro de una civilización de tipo tradicional. Sobre esta realidad latente quisiera llamar la atención de mis oyentes.

Dicho fenómeno se da con frecuencia en el refranero: ya he tenido la ocasión de citar ejemplos de él. Permítaseme aducir dos casos más, que se me habían escapado. Si abrimos el *Vocabulario de refranes* de Correas, nos topamos con la frase siguiente:

> "Tres eran, tres: un mozo y un viejo y un fraile después".

Y comenta el maestro Correas:

"Fíngese del sonido del tejer, que parece lo dice, y que eran tres amigos de la mujer; el, con esto celoso, ella le sosegó con esto: que él mismo era cuando mozo, y despúes viejo, y poniéndose un hábito de fraile, venía a ser todos tres" (1).

Identificamos el cuento en seguida: se trata del conocido relato del marido confesor, la historia del marido celoso que se viste de fraile para confesar a su mujer. El — ¡pobre iluso!— se imagina que la va a engañar su disfraz; ella, más lista, le conoce en seguida y confiesa que tuvo tres amantes, aclarando a continuación que estos tres amantes —mozo, viejo, fraile— se confunden en la persona de su marido (2). Pero inquieta un detalle que apunta Correas, lo del sonido del tejer. ¿De dónde procederá tal detalle? y por qué lo trae el paremiólogo? Son preguntas que aclara en seguida la lectura de un cuento apuntado por Fernán Caballero:

"Había un hombre que era tejedor; tenía una mujer muy buena y muy viva, pero le había dado la manía de ser celoso y de figurarse que su honrada mujer le podía faltar. Una mañana, sabiendo que su mujer había ido a confesar, y queriéndose cerciorar de si sus sospechas eran ciertas, se puso un hábito de fraile y se sentó en el confesionario. Llegó la mujer, que lo había conocido, y le dijo:

— Acúsome, padre, que he tenido amores con un mozo, después con un viejo, y despúes con un fraile.
— Vete de aquí -le dijo el fingido fraile- ino hay absolución para tales delitos!.

Fuese en seguida a su casa y se puso a tejer; pero como estaba tan rabioso, empezó a cantar para que lo oyese su mujer:

Acúsome, padre, con mucho descoco,
que he tenido amores con un hombre mozo,
despúes con un viejo, después con un fraile;
y teje que teje, y dale que dale.

A lo cual ella, en la misma tonada, contestó de esta suerte:

Si te lo dije, fue por ser verdad,
puesto que te quise en tu mocedad,
ayer siendo viejo, y hoy siendo fraile;
y teje que teje, y dale que dale.

Con lo cual se quedaron tan amigos por ciento un años" (3).

La misma referencia a la máquina de tejer, recordada por Correas, se mantiene en la tradición andaluza del siglo XIX, lo cual demuestra que el cuento se refirió con extraordinaria fijeza a través de los siglos: fenómeno impresionante y conmovedor.

Veamos otro ejemplo, sacado del mismo refranero. Apunta Correas el siguiente proverbio:

"Teritar, carnes malditas, que mañana estaréis en tángano",

proverbio que comenta en la forma siguiente:

"De una vieja que se había de casar estotro día. *Tángano* por *tálamo*" (4).

---

1) *Vocabulario de refranes,* ed.Louis Combet, p.511b.

2) Antti Aarne-Stith Thompson: *The Types of the Folktale* (Helsinki, 1964), 1410.

3) *Cuentos y poesías populares andaluzas,* B.A.E., 140, p.117b.

4) *Vocabulario de refranes,* p.496a.

Tángano será, pues, prevariación del buen lenguaje. Pero ¿qué significa el refrán? Unicamente lo conseguimos entender apelando a la tradición portuguesa y brasileña que conserva en forma perfectamente clara el cuento de *La vieja enamorada* (5), cuyo asunto es como sigue:

> "Una solterona rica desea casar con un mozo. Este acaba por aceptar el proyecto,imponiéndole a su novia la condición de pasarse una noche fuera de casa, bajo la lluvia o la nieve. La vieja se somete a la prueba, repite durante toda la noche las palabras del refrán, enferma de gravedad y se muere a los pocos días".

El refrán que nos ha conservado Correas demuestra que este cuento folklórico, que todavía no se ha recogido en tierras de lengua española, vivía en la tradición oral española del Siglo de Oro: parece en efecto indudable que un cuento que cuajó en forma de proverbio fue cuento plenamente tradicional.

Dejemos el terreno fecundo del refranero. Idénticos fenómenos se dan en muchos textos. Y primero la emergencia de fragmentos de cuentos. Ocurre con cierta frecuencia que un elemento desgajado de un cuento goce de fortuna especial y siga viviendo aparte. Veamos algún ejemplo. Un entremés de fines del siglo XVII, *La burla del sombrero*, desarrolla, según Cotarelo, la acción siguiente:

> Un soldado engaña a un pobre mozo que con dos mil reales se retira a su pueblo, asegurándole que con el sombrero soldadesco puede comer de balde en cualquier parte. Se lo vende en los dos mil reales, y, sin salir de la misma venta en que la burla se hace, enterase el pobre corito de que el sombrero no posee ninguna virtud (6).

Esta burla, plenamente folklórica, procede de un cuento extensamente difundido en el área española e hispanoamericana (7), que se imprimió —por casualidad excepcional— en dos pliegos sueltos del siglo XVI. Es la historia del aldeano astuto que consigue vender a unos tontos unos animales u objetos supuestamente maravillosos: el asno que caga monedas, el conejo que lleva recados, el pájaro adivino, la olla que cuece sin fuego, la trompeta (la guitarra) que resucita a los muertos —o el sombrero que paga las cuentas—. El elemento del sombrero maravilloso aparece en una versión salmantina (8) y en una versión mejicana (9). La existencia del aludido entremés permite afirmar que el sombrero que paga las cuentas es motivo del cuento que pertenecía a la tradición oral del Siglo de Oro.

Más importantes todavía resultan las huellas de cuento que asoman en la novela, la comedia o la épica culta. Afirma Guzmán de Alfarache que el escribano únicamente por casualidad inmerecida consigue meterse por las puertas del cielo:

---

5) *Contos populares e lendas*. Coligidos por J. Leite de Vasconcellos, Conimbriga, I(1963)-II(1969), núm. 481; Luis de Câmara Cascudo: *Contos tradicionais do Brasil*, Rio de Janeiro, 1967, pp.332-333; Lindolfo Gomes: *Contos populares episodicos, cyclicos e sentenciosos*. Colhidos da tradiçao oral no Estado de Minas, Sâo Paulo, s.a., I. pp.36-38. Aarne-Thompson, 1479*.

6) *Colección de Entremeses...* N.B.A.E., XVII, p. CXIXa.

7) Aarne-Thompson, 1539.

8) Luis Cortés Vázquez: *Cuentos populares salmantinos*, Salamanca, Librería Cervantes, 1979, 2 vol. núm. 95.

9) Juan B. Racl: *Cuentos populares de Colorado y Nuevo México*, Second Edition, Santa Fe, 1977, 2 vol, núm. 360.

"Y así me parece que cuando alguno se salva —que no todos deben de ser como los que yo he llegado a tratar—, al entrar en la gloria, dirán los ángeles unos a otros llenos de alegría: *"Laetimini in Domino.* ¿Escribano en el cielo? Fruta nueva, fruta nueva" "(10).

La sorpresa de los ángeles alemanianos refleja muy concretamente una convicción tradicional, que enlaza con un cuento folklórico (11), recogido en Andalucía por Fernán Caballero (12) y en Brasil por Lindolfo Gomes (13). El cuento es como sigue:

"Un pobre viejo, por haber albergado a Nuestro Señor y a los doce apóstoles, pide y recibe una baraja maravallosa que le permite ganar siempre que juega. Al morirse y al irse hacia el cielo, se encuentra con unos demonios que llevan camino del infierno el alma pecadora de un escribano. Tan caritativo como es el pobre, ofrece a los demonios una partida de naipes en la cual va apostada alma de tan poco valor. Sale ganando, como era de esperar, y consigue colarse en el cielo con el alma del escribano a pesar de las protestas indignadas de San Pedro"

Segundo ejemplo, sacado de una comedia de Lope. En *Amar sin saber a quien* leemos el siguiente diálogo:

DON JUAN
Yo he visto
todo el mundo en ese rostro.

LIMON
Así dijo Velasquillo,
y estaba por preguntarte
por un rocín que he perdido (14).

Unicamente toman sentido estos versos si recordamos el cuento del tonto que, buscando su haca, interviene a deshora en el diálogo apasionado de dos amantes (15). El cuento vivió sin ninguna duda en la tradición oral del Siglo de Oro, y lo atribuían los españoles, según quiere Limón, a Veslasquilo, bufón de los Reyes Católicos. Véase el texto de este relato familiar, copiado del manuscrito de *Dichos graciosos españoles* (n 86), que poseyó Antonio Rodriguez-Moñino:

"... Se cuenta que Velasquillo, truhán del rey don Fernando el Católico, había perdido una haca y no la podía hallar. Subióse acaso encima de un árbol de donde se descubría el rey y la reina que estaban burlando y diciéndole el rey que le mostrase las piernas, la reina lo hizo, y dijo el rey:

— Paréceme, señora, que veo a todo el mundo.

Oyéndolo Velasquillo, dijo desde el árbol donde estaba:

— Decid: ¿Vistes por allá mi haca?

La reina recibió de esto gran enojo, y teniéndolo por caso de traición, mandólo ahor-

10) *Guzmán de Alfarache*, I, I, 1, ed. Francisco Rico: *La novela picaresca española*, "Clásicos Planeta", p.117.

11) Aarne-Thompson; 330.

12) *Clemencia*, B.A.E., 137. pp.97b-98b.

13) *Contos populares brasileiros*, Sâo Paulo, 1948, pp.210-212.

14) *Amar sin saber a quién*, II, Acad. N., XI, p.306b.

15) Aarme-Thompson, 1355B.

car, y juntamente por otras cosas que de éste había semejantes —lo cual al fin más fue por ponerle miedo que por ejecutar en él sentencia de muerte, según era donoso y acepto al rey y a todos los de su corte—. Estando así haciéndole que se echase de la escalera, acometiólo tres veces a hacer, y díjole el alguacil:

— Acaba ya, que los has acometido tres veces, y nunca acabas.

Díjole él:

— Pues tomadlo vos de cuatro (16).

Tercer ejemplo, tomado del *Quijote* apócrifo de Avellaneda. Sancho, desafiado por un escudero negro que le infunde un miedo cerval, imagina cómo podría aventajarse a su adversario:

> ... Pienso ir prevenido a la pelea llevando en la mano zurda una gran bola de pez blanda de zapatero, para cuando el negro me vaya a dar algún gran mojicón en las narices, reparar el golpe en dicha bola. Pues es cierto que dando él el golpe en ella, con la furia que le dará, se le quedará la mano pegada de manera que no la pueda desasir; y así, viéndole yo con la mano derecha menos y que no se pueda aprovechar de ella, le daré a mi salvo tantos y tan fieros mojicones en las narices que de negras se las volveré coloradas a pura sangre (17).

De darse en efecto tan burlesca pelea, sería puro trasunto del relato folklórico en el cual un animal molesto, un ladrón o un valiente arrogante se queda pegado a un muñeco de brea del cual no consigue deshacerse, cayendo en manos de sus enemigos. Se trata de un cuento extensamente difundido en la tradición española e hispanoamericana (18).

El cuarto ejemplo procede de un poema del siglo XVII, muy olvidado a pesar de su extraordinaria belleza, *El Bernardo* de Balbuena. Me refiero al episodio en el cual el rey Orimandro ve por primera vez a la hermosa Angélica, a quien ha de amar con tanta constancia. Recordemos este fragmento maravilloso (*Bernando*, XI, 42-66). Orimandro, arrojado por una tormenta a las riberas de la isla de Creta, se interna en una selva en la cual pronto se encuentra frente a un monstruo, extraño monstruo cuyo cuerpo de dragón queda rematado por un rostro delicado. La fiera se lleva a la princesa del Catay. Orimandro quiere salvar a la bella, pero el dragón se apodera de él y lo carga a la espalda. El valeroso soberano procura en vano herir un raptor invulnerable, hasta el momento en que se percata de que una flor misteriosa corona la cabeza del monstruo. Movido por oscuro presentimiento, toca esta flor maravillosa:

> En la cabeza, entre guedejas de oro,
> que coronadas de arrayán traía,
> ¡milagro extraño! su mayor tesoro
> en el engaño de una flor tenía:

---

16) Unicamente la segunda parte del relato —la astuta réplica de Velasquillo— aparece, por motivos que fácilmente se entenderán tratándose de un texto impreso, entre los *Doce cuentos* de Juan Aragonés que se incluyeron en el *Alivio de caminantes* (B.A.E., III, p. 168b). Pero la prudente fórmula empleada por Juan Aragonés —"habiendo hecho un enojo Velasquillo a la reina"— da de sospechar que no le era desconocida la primera parte del cuento.

17) "Clásicos castellanos", núm. 176, pp:139-140.

18) Sobre el cuento de *El muñeco de brea*, véase Aurelio M. Espinosa, *Cuentos populares españoles*, C.S.I.C., 1946, núm. 35.

si un poco con la maño la desdoro,
cebado en la beldad que en ella vía,
aún no bien la he tocado, y asombrada,
por tierra cae la fiera desmayada.
   Vuélvese a levantar torpe y marchita,
y en el hombro me arroja cual primero;
vuelvo a tocarla, muere y resucita;
mejor me trata cuando más la hiero:
¡extraño combatir, guerra exquisita
de un bulto así fantástico, hechicero!
Por hija de la tierra la tenía,
que al caer, nuevas fuerzas la investía.
   Más, despúes que me dijo la experiencia
que era la flor la fuente de su brío,
y que en una atrevida diligencia
el más fértil rosal queda vacío,
hallando fingida resistencia
el muro principal de su desvío,
cierro la mano, y al furor violento
flor, guirnalda y rigor deshizo el viento.
   Cavó la fiera por el verde suelo,
vuelta, de ágil y diestra, perezosa,
y ya descoyuntada en mortal hielo,
fría se halló en la tierra polvorosa.....

   ¿Quién no ha de reconocer en esta flor extraña "el alma exterior" del monstruo, objeto o animal que basta con destruir para que el mostruo —que suele ser gigante— se muera en el acto? Este elemento aparece con frecuencia en el folklore, y más concretamente en el folklore hispánico. En la tradición hispánica suele alojarse el alma exterior del monstruo en un huevo (19); pero también puede hallarse metida en el cuerpo de un animal: ave, abeja o serpiente (20). Unicamente, que sepa yo, un cuento egipcio antiguo encierra el alma del mago en una flor (21). ¿Habremos de concluir que la tradición folklórica del Siglo de Oro conociera la versión del alma exterior del monstruo alojada en una flor? ¿o que la imaginación poética de Balbuena haya metamorfoseado en flor el huevo prosaico de las versiones hispánicas? Mientras no hayamos descubierto versiones hispánicas que presenten la variante de la flor como asiento del alma exterior, la segunda hipótesis me parece más plausible. Pero, cualquiera que sea el sentimiento de cada uno de nosotros sobre el detalle, la reminiscencia del cuento no me parece dudosa en estos versos del Bernardo. Y la reminiscencia resulta tanto más interesante cuanto que no tenemos otro indicio fehaciente de la vida de este cuento en la España del Siglo de Oro (22).

   Alguna vez asoma un cuento en un texto de manera apenas perceptible. Casos privilegiados éstos, puesto que demuestran la difusión que alcanzaron unos cuentos — ¿quién creerá que no fueran familiares a los lectores los cuentos a los cuales remite un escritor en

---

19) Aurelio M. Espinosa: *Cuentos populares españoles*, núm. 141-142.

20) Aurelio M. Espinosa: *Cuentos...*, III, p.42.

21) Ibid, p. 41.

22) La *Novela del torneo* del licenciado Tamariz, que refleja el mismo cuento folklórico (Aarne-Thompson, 302), no incluye el motivo del alma exterior.

forma tan elíptica?—, y también porque proyectan nueva luz sobre unos textos que creíamos entender pefectamente; casos en los que la investigación sobre un estado antiguo del folklore puede prestar algún servicio a la filología. Aduciré hoy dos ejemplos.

En *La desdicha por la honra* escribe Lope de Vega:

> "... vino a ser Felisardo no menos que bajá del Turco, que parece de los disfraces de las comedias, donde a vuelta de cabeza es un príncipe lagarto, y una dama, hombre y muy hombre..." (23).

Todos conocemos comedias en las cuales salen al escenario unas lindas muchachas disfrazadas de hombres. Resulta más inédita la aparición de un príncipe lagarto en las tablas; no parece que se dé en ninguna comedia del Siglo de Oro, y el hecho no es de extrañar: no bastaban las tramoyas a presentar a los espectadores metamorfosis tan radicales. Evidentemente Lope está burlando. La expresión "príncipe lagarto" no es pura creación jocosa; al emplearla recordó Lope, consciente o inconscientemente, el cuento del príncipe animal a quien ha de desencantar su amada. En este cuento folklórico tan conocido el príncipe puede vestir varias formas animales: la variante del príncipe lagarto es una de las que mejor documentadas están en el área de lengua española y protuguesa (24). Demuestra el texto que Lope no escogió por pura casualidad la expresión de "príncipe lagarto"; demuestra también, a mi entender por lo menos, que el cuento del *El príncipe lagarto* era relato familiar a los españoles del siglo XVII.

Más complicado resulta el texto cervantino en el cual don Quijote explica a Sancho que Roldán:

> "... era encantado, y no le podía matar nadie si no era metiéndole un alfiler de a blanca por la planta del pie, y él traía siempre los zapatos con siete suelas de hierro (25)".

La frase sorprendió a los comentaristas del *Quijote*. Explica Clemencín que don Quijote confunde aquí "lo que Ariosto cuenta de dos distintos personajes: Ferragús y Orlando. Lo de las planchas de hierro es del primero, y del segundo el no poder ser herido sino por la planta del pie" (26). Nadie, que sepa yo, volvió sobre la interpretación de este fragmento: la investigación sobre fuentes anda muy desprestigiada, y es de temer que nadie lea *Orlando furioso*. Si consultamos el aludido fragmento del poema italiano (XII, 48-49), observamos que Ariosto nos presenta a Ferragús y Roldán como igualmente encantados, pero de manera distinta: Roldán únicamente podía ser herido en la planta del pie, mientras que el cuerpo de Ferragús sólo era vulnerable en el ombligo, parte que siempre llevó

---

23) *Novelas a Marcia Leonarda*, ed. Francisco Rico, "Alianza Universal", p.90.

24) Se encuentra en especial en las versiones siguientes: Joan Amades: *Folklore de Catalunya. Rondallística*, Editorial Selecta, Barcelona, 1974, núm. 147; Luis Cortés Vázquez: *Cuentos populares salmantinos*, núm. 123;   Aureliano M. Espinosa: *Cuentos populares españoles*, núm. 130; Juan B. Rael: *Cuentos españoles de Colorado y Nuevo México*, núm. 155; Howard T. Wheeler: *Tales from Jalisco, México*, Philadelphia, 1943, núm. 91; Luis da Camara Cascudo: *Contos tradicionais do Brasil*, pp. 81-85.

25) *Quijote*, I, 26, ed. Rodríguez Marín, 1947-1949. II, p.288.

26) Texto citado por Francisco Rodríguez Marín, *ibid*.

protegida por siete planchas de hierro. Puede ser en efecto que Cervantes se haya equivo-
cado y haya trocado los atributos de ambos héroes: la cosa nada tiene de imposible. También puede ser que los equivocados seamos nosotros: la cosa tampoco parece inverosímil.
Porque se ofrece otra explicación del texto, distinta de la que sugiere Clemencín, y es que
la expresión de "los zapatos con siete suelas de hierro" proceda de un cuento folklórico.
En el conocido cuento de *La búsqueda del esposo perdido*, el mismo que hemos recorda
do ya, se le impone a la esposa desgraciada la prueba de irse por el mundo buscando a su
marido hasta que haya gastado un par de zapatos de hierro (27) o siete pares de zapatos de
hierro (28): el detalle es frecuentísimo en las versiones modernas del relato tradicional. Si
es correcta esta interpretación del texto cervantino, conviene concluir que el novelista,
muy lejos de sufrir una equivocación, saltó voluntariamente en la misma frase de la representación literaria y erudita de un Roldán invulnerable a la representación tradicional y
oral de un personaje familiar. Tal cruce de planes distintos no sorprendería en un escritor
que pasa en un diálogo suyo (*Quijote*, I, 17) de la figura literaria del gigante de las novelas
caballerescas al personaje folklórico del moro guardador de tesoros. Estos desplazamientos sutiles constituyen un aspecto del humorismo cervantino que mal hemos percibido
hasta la fecha.

He comentado hoy unos textos del Siglo de Oro. Pero erraríamos el camino si pen-
sáramos que los análisis de este tipo han de quedar reservados a los escritos antiguos. Corre el tiempo con rapidez, con tanta rapidez que ya no entendemos plenamente los textos
de fines del siglo XIX y de primeros años del presente, porque se nos escapan unas alusiones que resultaban clarísimas para nuestros abuelos, o para nuestros padres. Citaré un
ejemplo del hecho. En su novela *Boy* alude Luis Coloma a "la tan famosa *nieve asada* que
apeteció la princesa Antojadiza" (29) Tal princesa es un personaje familiar de los cuentos
andaluces: las heroínas de unos cuentos recogidos respectivamente en Granada y en Cádiz
(30) también ellas desean comer *nieve asada*. Luis Coloma, que tan bien enterado estuvo
de la tradición del campo andaluz, conocía el personaje, del cual se habrán olvidado ya la
enorme mayoría de los españoles. Por eso conviene apelar al estudio del cuento folklórico; por eso es de esperar que las investigaciones sobre cuentos y huellas de cuentos puedan ser una aportación no despreciable a las tareas de la filología.

MAXIME CHEVALIER
Universidad de Burdeos

---

27) Aurelio M. Espinosa: *Cuentos populares españoles*, núm. 128.

28) Aurelio M. Espinosa: *Cuentos populares españoles*, núm. 130.

29) Luis Coloma: *Obras completas*, "Razón y Fe", 1947, p.1415b.

30) Aurelio M. Espinosa: *Cuentos populares españoles*, núm. 4; Arcadio de Larrea Palacín: *Cuentos
       populares de Andalucía. Cuentos gaditanos*, I, C.S.I.C., Madrid, 1959, núm. 20.

DE MOLINOS, MOLINEROS Y MOLINERAS. TRADICIONES FOLKLORICAS Y LITERATURA EN LA ESPAÑA DEL SIGLO DE ORO

AUGUSTIN REDONDO
Universidad de la Sorbonne Nouvelle

DE MOLINOS, MOLINEROS Y MOLINERAS. TRADICIONES FOLKLORICAS Y LITERATURA EN LA ESPAÑA DEL SIGLO DE ORO

Augustin Redondo

El molino —y más directamente el molino de viento— ha venido a ser el símbolo de la civilización rural tradicional. Basta con tener en las manos un tomo de la *Revista de Dialectología y Tradiciones Populares* para notar que figura en la cubierta, a modo de verdadero emblema. Y sin embargo, lo extraño es que en dicha revista no han salido trabajos sobre el tema, si se exceptúa el artículo pionero, de carácter general y técnico, escrito por Julio Caro Baroja en 1952 (1). Tampoco parece que en España se haya dado a la estampa ningún libro sobre el particular, como el que Claude Rivals, con un enfoque socio-etnológico, preparó a partir del dominio francés y publicó en 1976 (2). De la misma manera, muy poco se ha escrito en castellano sobre las tradiciones folklóricas unidas al universo del molino, del molinero y de la molinera (3).

Nuestro trabajo intenta pues echar alguna luz sobre dichas tradiciones y poner de relieve, a través de varios textos españoles de los siglos XVI y XVII, las huellas que han dejado y la elaboración literaria a que han dado origen.

x   x

x

---

1) Cf. "Disertación sobre los molinos de viento" (*R.D.T.P.*, VIII, 1952, pp. 212-366). Véanse también unos cuantos elementos interesantes en otro artículo de Julio Caro Baroja publicado en la misma revista: "Sobre maquinarias de tradición antigua y medieval" (*R.D.T.P.*, XII, 1956, pp. 114-175).

2) Claude Rivals, *Le moulin à vent et le meunier dans la société française traditionnelle* (Ivry, Ed. Seg, 1976). El interés por los molinos ha ocasionado la creación de un término nuevo ("molinología") y la reunión de varios congresos internacionales: cf., por ejemplo, *Transactions of the secons international symposium on molinology* (Brede, Danske møllers venner, 1971).

3) Cf., con relación al ámbito francés sobre todo, el libro de Paul Sébillot, *Légendes et curiosités des métiers* (Marseille, Laffitte Reprints, 1981; ed. que reproduce la de París, 1894-1895). Acerca del molinero, cf. pp. 1-32.

El molino va ligado a las civilizaciones agrarias. Pero en el área mediterránea, el que ha dominado durante largo tiempo ha sido el de agua (la "aceña"). El de viento ha correspondido más bien a tierra de amplias perspectivas, como las llanauras del Norte de Europa. Ello no quiere decir que este último tipo de ingenio no existiera en las zonas meridionales; sin embargo, hay que reconocer que servia sobre todo para compensar la falta de corriente de los ríos (4). Por lo que hace a España, la extensión de los molinos acompaña el desarrollo agrícola y urbano del siglo XVI. No obstante, las *Relaciones topográficas* de 1575-1578 ponen de manifiesto que en esa época todavía imperaban las aceñas en Castilla ya que pocas veces se mencionan molinos de viento y el número de éstos resulta insignificante comparado con el de los de agua, aún en sectores en que los ríos, durante varios meses del año, tenían poca corriente para moler (5). Además no se señalan en diversos pueblos manchegos donde han existido. Esta situación ha dejado rastros en varias adivinanzas que corren por tierras ibéricas, como la siguiente:

> Bebe agua
> porque no tiene agua,
> que si tuviera agua,
> bebiera vino.
>
> (El molinero y el molino) (6).

Así pues los molinos de viento sólo se extendieron por Castilla en los últimos veinte años del siglo XVI (7).

Por su importancia económica vital —no hay que olvidar el papel desempeñado por el trigo en las civilizaciones agrarias— como por su implantación en un lugar aislado al cual, sin embargo, tenía que ir la gente, el molino (y el oficial que trabaja en él) originó la formación de una serie de creencias y leyendas que se ampliaron con la aparición del ingenio de viento.

Envuelto en un ruido infernal (el de la rueda y las muelas), muy concurrido y por ello frecuentado por mujercillas, centro de comentarios y de hablillas, el molino, a la par que el horno, tenía muy mala fama (8). Bien los subrayan varios refranes:

---

4) Cf. J. Caro Baroja, "Disertación sobre los molinos de viento", pp.300-301.

5) *ibid.*, pp. 293-296.

6) Cf. Aurelio M. Espinosa (hijo), "Algunas adivinanzas españolas" (*R.D.T.P.*, VIII, 1952, pp. 31-66), p.47 n° 108. Cf. también: "Vino no bebo,/porque agua no tengo,/que si agua tuviera,/vino bebiera" (El molinero y el molino): p.47 n° 109. Ambas adivinanzas las recogió Espinosa en Castilla.

7) Posteriormente, llegarían a dominar (recordemos que el emblema de la *Revista de Dialectología y Tradiciones Populares* es un molino *de viento*).

8) Jacques Le Goff bien se ha dado cuenta de la importancia y de la mala fama del molino ya que escribe en su libro *La civilisation de l'Occident médiéval* (Paris, Arthaud, 1964, p.385): "A la campagne, le moulin où le paysan doit porter son grain, faire la queue, attendre sa farine, est un lieu de recontre. J'imagine volontiers que les innovations rurales s'y sont commentées souvent, et à partir de là diffusées, que les révoltes paysannes y ont couvé. Deux faits nous prouvent l'importance du moulin comme foyer de rassemblement paysan. Les statuts des ordres religieux du XIIᵉ siècle prévoient que les moines iront y queter. Les prostituées hantent leurs parages au point que saint Bernard, pret à faire passer la morale avant l'intérět économique, incite les moines à detruire ces foyers du vice".

— Ni horno ni molino tengas por vecino (9)
— Guarte de molino por confín y de puerco por vecín (10).

De la misma manera, el molinero era un personaje malvado y ladrón. Verdad es que tenía mala reputación pues se le acusaba de quedarse con más grano de lo que merecía su trabajo (la maquila). De ahí una serie de refranes despectivos:

— No fíes en makila de molinero ni en rrazión de despensero (11).
— Zien sastres i zien molineros i zien texedores son trezientos ladrones (12).

Ese robo específico del molinero llevaba el nombre de *sangría*, como lo indica Gonzalo Correas:

Sangrar: por hurtar parte de algo, sisar; aplíkase a los molineros que sangran los kostales (13).

Este motivo aparece con suma frecuencia en el folklore europeo (14). Según varias tradiciones estudiadas en Francia por Paul Sébillot, el molinero ladrón se halla condenado a quedarse en la luna expuesto a la mirada de todos y lleva con frecuencia en los hombros la talega con la cual ha cometido el hurto (15). En Castilla, el motivo ha cuajado en "el cuento del molinero ladrón" recogido por Aurelio M. Espinosa en que el dueño del molino compra trigo con una medida algo grande. San Pedro le condena a restituir lo robado y a usar para ello una medida escasa. Pero el hombre se transforma entonces en tabernero y

---

9) Cf. Luis Martínez Kleiser, *Refranero general ideológico español* (Madrid, Real Academia Española, 1953), n° 31.536. Cf. también: "Ni mulo, ni molino, ni señor por vecino" (*ibid*, n° 44.356), etc...

10) *Ibid.*, n° 41.040. Este refrán ya lo había registrado Hernán Núñez.- Notemos de paso que, para burlarse de la mesonera Sancha la Gorda (la cual se llamaba Sancha Gómez), el autor de *La Pícara Justina* (1ª ed.: 1605) hace derivar el apellido Gómez de "los goznes de un arquetón de un *molino*" (utilizamos la ed. de Antonio Rey Hazas. 2 ts., Madrid, Editora Nacional, 1977; cf. II, p. 556).

11) Cf. Gonzalo Correras, *Vocabulario de refranes y frases proverbiales* (ed. Louis Combet, Bordeaux, Institut d'Etudes Ibériques et Ibero-Américaines, 1967), p.233a Cf. también: "Bendígote, sako, i un zelemín te sako; buélvote a bendezir, i sakote otro zelemín; kuando te molieres, pagarás lo ke devieres" (*ibid.*, p.351b), lo que Correas comenta de la manera siguiente: "kon esta chanzoneta makilan tres vezes los molineros; da a lo menos a entender ke algunos son largos en makilar, i más fuera si no uviera peso".

12) *Ibid.*, p.300a. Cf. además: "Molinero y ladrón dos cosas suenan y una son" (L. Martínez Kleiser, *Refranero general...*, n° 42.071).

13) *Vocabulario de refranes*, p.666b. Cf. también: "Molinero y sangrador algo parecidos son: éste sangra a los mortales, y aquél sangra los costales" (L. Martínez Kleiser, *Refranero general...*, n° 42.074).

14) Cf. Sthith Thompson, *Motif-Index of Folk-Literature* (2ª ed., 6 ts., Bloomington & London, Indiana University Press, 1966). Los elementos reunidos son abundantes.

15) Cf. Paul Sébillot, *Le folklore de France* (4 ts., Paris, Ed. Maisonneuve et Larose, 1968), I, p. 11. Cf. también I, pp. 15-22; I, p.67; III, p.66; etc...

vende vino, de manera que sigue hurtando (16). El molinero malvado y ladrón también figura en el cuento aragonés de "medio pollico" (17).

El tema ha sido muy utilizado en la literatura de los diversos países europeos. Se encuentra tanto en el cuento del mayordomo de Chaucer como en los escritos de varios autores italianos de los siglos XV y XVI (18). Por lo que hace a España, pasa lo mismo. El caso más conocido es tal vez el del *Lazarillo de Tormes* en que el padre del héroe "tenía cargo de proveer una molienda de una aceña" y se ve castigado "por ciertas sangrías mal hechas en los costales de los que allí a moler venían" (19). Pero el motivo también lo emplean en el siglo XVI diversos escritores como Diego Sánchez de Badajoz en la *Farsa del molinero* (20) o Alejo Venegas en la *Agonía del tránsito de la muerte* (21). En el siglo XVII, hay permanencia del tema. Cervantes, por ejemplo, al evocar a una de las rameras con las cuales topa don Quijote en la venta en que ha de armarse caballero, dice socarronamente: "era hija de un *honrado* molinero de Antequera" (22). De la misma manera, en el *Entremés del·molinero y de la molinera*, atribuido a Quiñones de Benavente, en que el autor pone frente a frente a la mujer del molinero y a la del sacristán que viene a reclamar un costal, aparece el diálogo siguiente:

> **Molinera:** me ha tratado de *ladrona,*
> diciendo que yo tenía
> un costal suyo; esto es ser
> ladrona, es decir amiga
> de hacerme con cosa agena.

---

16) Aurelio M. Espinosa, *Cuentos populares españoles* (3 ts., Stanford University, California, 1923-1926), cuento n° 56.- Juan de Timoneda, en *El sobremesa y alivio de caminantes* (ed. B.A.E., Madrid, Atlas, 1944), inserta un cuentecillo parecido (cf. I, 48, p.173b). Para la clasificación del cuento, cf. Ralph Boggs, *Index of Spanish Folktales* (Helsinki, Academia Scientiara Fennica, 1930), n° 1800.- Para otro tipo de cuento, cf. *ibid,* n° 1720.

17) Cf. Arcadio Larrea Palacín, "Cuentos de Aragón" (*R.D.T.P.,* III, 1947, pp.276-301), pp.276-278.

18) Utilizamos la traducción francesa de los cuentos de Geoffrey Chaucer: *Les contes de Cantorbéry* (Paris, Le livre de poche, 1974), pp.137 y sigs. Cf. también el prólogo en que se indica que el molinero era buen ladrón ya que cobraba tres veces la maquila (p.62), como en la "chanzoneta" recogida por Correas (cf. *supra* nota 11).- Acerca de los narradores italianos, véase D.P. Rotunda, *Motif-Index of the Italian Novella* (Bloomington, Indiana University Publications, 1942), n° 211.

19) Cf. *Lazarillo de Tormes* (ed. Alberto Blecua, Madrid, Castalia, 1972), tratado 1° pp.91-92.- Sobre el particular, véase Fernando Lázaro Carreter. "*Lazarillo de Tormes*" en la picaresca (Barcelona, Ariel, 1972), p.104.

20) Cf. *Recopilación en metro (Sevilla, 1554)* (ed. de Frida Weber de Kurlat, Buenos Aires, Facultad de Filosofía y Letras. Instituto de Filología y Literaturas Hispánicas 1968). La *Farsa del molinero,* que tal vez corresponda al año 1508, está entre las pp.403 y 411. Véase lo que dice el molinero, al salir al escenario con el rostro enharinado: "¿Reýsos de verme ansina?/Ya dirá algún adevino:/"*De hurtar vien del molino*" (p.403, vs. 1-3). Acerca de su penoso oficio, añade: "si no huese *el maquilar*/ ya tuviera dado el cuero./ [...] que al maquilar no ay dolores:/ ¡si no uviese secutores/ ya ell ombre estuviera rico!" (*ibid.,* p.404, vs. 39-40 y 46-48).

21) *Agonía del tránsito de la muerte* (la ed.: 1537; Madrid, Bailly-Baillère, 1911; N.B.A.E., XVI), p. 181b: "A los molineros pone delante [el diablo] cuantas veces entremetieron arija para suplir la falta que ellos hicieron".

22) Citamos por la edición de Francisco Rodríguez Marín, llamada "edición del Centenario" (10 ts., Madrid, Atlas, 1948). Cf. I, 3; t. I, p.144.- Lo mismo había dicho Chaucer en el prólogo de sus cuentos, ya que, después de haber presentado al molinero como un gran ladrón, lo calificaba de "honrado molinero" (cf. ed. citada, p.62).

Mujer
(del escribano): *Esa es verdad conocida* (23).

Además, en *La gitanilla*, Cervantes desarrolla el motivo con características que hacen pensar en una de esas tradiciones estudiadas por Paul Sébillot (24). Una noche en que los gitanos han puesto el aduar entre unas encinas oyen ladrar a sus perros con mucho ahínco. Van a ver lo que pasa y he aquí cómo describe la escena don Miguel:

... vieron que se defendía dellos [los perros] *un hombre vestido de blanco,* a quien tenían dos perros asido de una pierna; llegaron y quitáronle, y uno de los gitanos le dijo:

—¿Qué diablos os trujo por aquí, hombre, a tales horas y tan fuera de camino?*¿Venís a hurtar* por ventura? Porque en verdad que habéis llegado a buen puerto [...]

Hacia la noche clara *con luna,* de manera que *pudieron ver* que el hombre era mozo de gentil rostro y talle; *venía vestido de lienzo blanco, y atravesada por las espaldas y ceñida a los pechos una como camisa o talega de lienzo* (25).

Andrés, que se teme que este personaje sea un rival enamorado de la gitanilla Preciosa, le suelta poco después a ésta, al hablar del recién llegado:

—¿Qué puedes imaginar, Preciosa?. Ninguna otra cosa sino que la misma fuerza que a mí me ha hecho gitano *le ha hecho a él parecer molinero* y venir a buscarte (26).

Como puede notarse, todas las particularidades evocadas por Sébillot (molinero ladrón, luna que permite mirar al autor del robo, vestido blanco, talega ceñida al cuerpo) salen a relucir en el texto cervantino. Tal vez tenga que ver también la inserción de este motivo en el relato con otro aspecto del molinero, visto como personaje amoroso (ya lo vemos).

El aspecto del molinero enharinado suscitaba la risa —el teatro se ha valido a menudo de este recurso (27)— pero también cierto malestar, cierta aprensión. Es lo que siente don Quijote en el episodio del barco encantado al ver a los operarios de las aceñas situadas en el Ebro:

como salían enharinados y cubiertos los rostros y los vestidos del polvo de la harina, representaban una mala vista.

Por ello exclama de manera significativa:

Mira qué de malandrines y follones me salen al encuentro; mira cuántos vestiglos se me oponen; mira cuántas fea cataduras nos hacen cocos... (28).

23) *Entremés del molinero y de la molinera* (publicado en *Colección de entremeses, loas, jácaras y mojigangas,* ordenada por Emilio Cotarelo y Mori, Madrid, Bailly-Baillère, 1911; N.B.A.E., 17-18; II, pp. 689-690), p.690a.

24) Cf. *supra* nota 15 y texto correspondiente.

25) *Novelas ejemplares* (ed. de Mariano Baquero Goyanes, 2 ts., Madrid. Editora Nacional, 1976), I, pp. 142-143.

26) *Ibid;* I, p.144.

27) Cf., de manera significativa, la *Farsa del molinero,* ya citada (véase nota 20). Cf., sobre todo, el libro de Noël Salomon, *Recherches sur le thème paysan dans la "comedia" au temps de Lope de Vega* (Bordeaux Institut d'Etudes Ibériques et Ibéroaméricaines, 1965), pp.23-25.

28) *Don Quijote,* I, 29; t. V, p.301.

"Hombre del diablo" le llaman al molinero en el entremés que hemos citado ya (29) y en efecto varias leyendas le unen al mundo diabólico (30). Es lo que refleja también el cuento de "Siete Rayos de Sol" en que el héroe, ayudado por la hija del demonio, ha de habérselas con éste. Una de las pruebas que le impone consiste en construir un molino con siete piedras moliendo a la par de modo que el ruido le despierte (31). Ya sabemos que el ruido del molino es infernal. Bien lo experimentan Sancho y don Quijote en la aventura de los batanes —verdaderos molinos utilizados para desengrasar los paños— ya que oyen, en medio de la noche,

> unos golpes a compás con cierto crujir de hierros y cadenas, acompañados del furioso estruendo del agua (32).

El estrépito es tal que un gran miedo se apodera de Sancho y le hace "ver las cosas debajo de tierra" (33).

Estas relaciones del molinero con el universo demoníaco explican por qué en algunos sitios tenía fama de ser brujo (34). No es pues de extrañar que en ciertas ocasiones defendiera ideas netamente heterodoxas. Este fue el caso de Menocchio, ese molinero friulano de la segunda mital del siglo XVI, cuya insólita cosmogonía (vinculada a ritos agrarios) ha estudiado Carlo Ginzburg hace unos años, a partir del proceso inquisitorial (35). Y para justificar su posición, Menocchio afirmó varias veces que era el diablo el que le hacía creer en lo que decía (36). Tampoco extraña ya que en un grabado francés del siglo XVII asocie al molinero y al protestante (37).

Pero el descrédito del molinero se hallaba reforzado por el marco en que se efectuaba la molienda. El ingenio aislado en el campo o instalado a orillas del río, no lejos de la parte baja y vil de la ciudad, allá donde radicaban las tenerías y residían Celestina y sus hi-

---

29) *Entremés del molinero y de la molinera*, p.689a.

30) Cf. Stith Thompson, *Motif-Index of Folk-Literature*, motivos A 677 (molinero del infierno), G 303 (el diablo construye un molino), F 615 y F 106 (el diablo en el molino). Cf. también Paul Sébillot, *Le folklore de France*, II, p.332.

31) Cf. Aurelio M. Espinosa, *Cuentos populares españoles*, cuento n° 122.

32) *Don Quijote*, I, 20; t. II, p.86.- Acerca del batán, cf. el artículo ya citado de Julio Caro Baroja, "Sobre maquinarias de tradición antigua y medieval", pp.115-116.

33) *Don Quijote*, I, 20; t.II, p.93.- Notemos una adivinanza sobre el ruido del molino apuntada por Aurelio del Llano Roza de Ampudia: "Qué cosa tiene el molino/precisa y no necesaria,/no puede moler sin ella/y no le sirve de nada" (Es el ruido que hace al moler). Cf. *Cuentos asturianos recogidos de la tradición oral* (Oviedo, Ed. La Nueva España, 1975), n° 146, p.265.

34) Cf. Paul Sébillot, *Légendes et curiosités des métiers*, p.16.

35) Cf. Carlo Ginzburg, *Le fromage et les vers. L'univers d'un meunier du XVIe siècle* (Paris, Flammarion, 1980). El libro se publicó en italiano en 1976.

36) *Ibid.*, p.63.

37) Cf. Paul Sébillot, *Légendes et curiosités des métiers*, p.5.

jas (38). Al molino venían las mujeres a traer el trigo y entraban en un mundo sospechoso, frecuentado además por rameras. El molinero, personaje más o menos diabólico, no podía sino participar de la lubricidad del demonio. Diversas tradiciones folklóricas lo presentan de tal modo (39) y lo mismo ocurre en la comedia de Lope de Vega *San Isidro labrador de Madrid*, en que se ve a la campesina Constanza salir precipitadamente del molino perseguida por el molinero Bartolo que quiere abrazarla (40).

El molino es indudablemente un lugar de amoríos como Tirso de Molina también lo pone de relieve en *La dama del Olivar* (41). De ahí que el teatro español del siglo XVII haya utilizado con alguna frecuencia el tema del *molino de amor* y que éste, al integrar elementos de la lírica tradicional, haya cuajado en animadas escenas campesinas con rústicos devaneos o refinados galanteos cortesanos (42).

Sin embargo, las metáforas y los juegos verbales unidos al universo de la molienda no eran inocentes. Es lo que demuestra toda una tradición *cazurra*, tanto folklórica como literaria (43). El mundo del molino está relacionado con el simbolismo sexual por varios de sus componentes: movimiento giratorio, agua, harina (blancura y proyección), transformación de una sustancia en otra generadora de vida (pan), etc... El término *molino* es un término "marcado". Es, paralelamente a pan, la palabra clave de un núcleo de metáforas eróticas: molino, molinillo *(cunnus)*, *moler (moveri, futuere)*, cerner *(moveri)*, harina, (*semen*, pero también, a veces, valor femenino), enharinar, cedazo, harnero, etc... (44).

Este sentido figurado bien se desprende de varias frases proverbiales recogidas por Correas:

— Las dos ermanas ke al molino van, komo son bonitas, luego las molerán (45).

_____

38) Cf. *La Celestina* (ed. de M. Criado de Val y G.D. Trotter, Madrid, C.S.I.C., 1965), aucto I, p.41: "Tiene esta buena dueña al cabo de la ciudad, allá cerca de las tenerías, en la cuesta del río, una casa apartada, medio caýda...".

39) Cf. Paul Sébillot, *Légendes et curiosités des métiers*, p.27.

40) Cf. *San Isidro labrador de Madrid* (in *Obras de Lope de Vega publicadas por la Real Academia Española*, 15 ts., Madrid, 1890-1913; t. IV), p.570.

41) En *La dama del Olivar*, el comendador don Guillén requiebra a la campesina Laurencia. Este tiene celos y le dice que está él enamorado de Isabel pues lo ha visto con ella en el molino y la estaba abrazando (Cf. Tirso de Molina, *Obras dramáticas completas*, 3 ts., Madrid, Aguilar, 1969; t. I, p. 1180).

42) Cf. Noël Salomon, *Recherches sur le thème paysan...*, pp.581-588.

43) Cf. Claude Allaigre y René Cotrait, " "La escribana fisgada": estratos de significación en un pasaje de *La pícara Justina*" (in *Hommage des Hispanistes Français à Noël Salomon*, Barcelona, Ed. Lais, 1979, pp.27-47), p.27. Cf. también Claude Allaigre, *Sémantique et Littérature. Le "retrato" de "La loçana andaluza" de Francisco Delicado* (Echirolles, Imprimerie du Néron, 1980), cap. IV, pp.85 y sigs. ("Quatre veines du *cazurrismo*").

44) Sobre los estratos de significación de este vocabulario, cf. Louis Combet, "Lexicographie et sémantique: quelques remarques à propos de la réédition du *Vocabulario de refranes* de Gonzalo Correas" (in *Bulletin Hispanique*, LXXI, 1969, pp.231-254), p. 250 nota 38; Claude Allaigre, *Sémántique et Littérature...*, op.cit.; José Luis Alonso Hernández, *Léxico del marginalismo del Siglo de Oro* (Universidad de Salamanca, 1977) y sobre todo: Pierre Alzieu, Yvan Lissorgues, Robert Jammes, *Poesía erótica del Siglo de Oro* (Toulouse, France-Ibérie Recherche, 1975). Esta última obra, que hemos de citar bajo la forma *P.E.S.O.*, lleva un utilísimo índice.

45) *Vocabulario de refranes*, p. 210b.

— El abad y su vezino, el kura y el sakristán, todos muelen en un molino (46).
— Molinillo, kasado te veas, que ansí rrabeas (47).

También se desprende del delicioso villancico glosado por Juan de Molina en 1527:

Muele molinico,
molinico del amor,
que no puedo moler non (48),

así como de los dos estribillos apuntados por Correas:

— Molinero sois, amor,
i sois moledor (49).

— Molinillo, ¿por ké no mueles?
— Porke me beven el agua los bueies (50).

Se podrían aducir muchos casos del ejemplo ambiguo del vocabulario unido al mundo de la molienda, tanto en el romancero como en la comedia. Lectores y oyentes no podían sino comprender el significado cazurro de tales empleos. Sólo daremos unos cuantos ejemplos breves de esta utilización (51).

En la *Farsa del molinero*, el operario dice a las mujeres que vienen a traer el trigo al molino:

Andá, andá, que *cernís* mucho
para her *bollos abades*

Las campesinas bien entienden lo que sugiere y por ello comenta el molinero:

Algunas se van riendo,
otras me dizen "vellaco" (52).

En una glosa burlesca del romance "Tiempo es el caballero...", escrita hacia finales del siglo XVI, aparecen los siguientes versos:

———

46) *Ibid.*, p.85a. Cf. también: "El abad i su vezino, todos muelen en un molino" (*ibid.*)

47) *Ibid.*, p.538a. Cf. otra variante: "Kasado te veas, molino" (*ibid.*). Según José Luis Alonso, el *rabeo* es "el hecho de andar de una parte a otra sin parar" (*Léxico del marginalismo*, p.651b). Como *rabo* tiene el significado de *culus* (véanse varios ejemplos en *P.E.S.O.*), *rabear* cobra el sentido específico de *movere*.

48) Cf. *Cancionero* de Juan de Molina (1ª ed.: 1527; utilizamos la ed. de Eugenio Asensio, Valencia, Castalia, 1952), p.49.

49) *Vocabulario de refranes*, p.558a.

50) *Ibid.*

51) Por lo que hace a la comedia, remitimos al estudio de Noël Salomon (*Recherches sur le thème paysan...*, pp.581-588), aunque este autor no pone de relieve la ambigüedad del vocabulario y de los giros utilizados. Es necesario, pues, leer los textos citados de una manera diferente.

52) *Farsa del molinero*, vs. 71-74, p.405. Sobre el sentido erótico de *pan* o *bollo* y las relaciones de estos términos con el mundo de la clerecía, cf. Louis Combet, "Lexicographie et sémantique...", pp.247-248.

Un fraile y dos sacristanes
concertaron de *moler*
más *trigo* que dos gañanes
y sobar muy bien los *panes*
y hazer el *horno arder...* (53).

El *Romancero general* de 1605 encierra una canción erótica cuyo estribillo es significativo:

Déxeme *cerner mi harina*
no porfíe, déxeme,
que le *enharinaré* (54).

Quevedo no podía sino jugar con este vocabulario. Así pone estas quejas en boca de una cortesana que se ve ociosa:

Y viendo que ganan otras
con lo mismo que ella pierde,
aplicando la letrilla,
cantaba de esta suerte:

"*Molinico, ¿porqué no mueles?
Porque me beben el agua los bueyes*"
[...]
Agua viniera al *molino
de los canales corrientes,*
si los casados celaran
las que les dieron en suerte (55).

Y en otro lugar escribe:

Y mirando a su *molino,*
donde *la espiga se muele*
y de los granos se saca
la harina blanca de leche... (56).

En tales condiciones, ¿cómo no iba a ser lasciva la que vivía en el molino, *enharinada* a lo largo del año, o sea la molinera?. En efecto, así la presenta el folklore europeo

---

53) Cf. Blanca Periñán, *Poeta ludens. Disparate, perqué y chiste en los siglos XVI y XVII* (Pisa, Giardini, 1979), p.143. Esta glosa no puede sino hacer pensar en las dos frases proverbiales recogidas por Correas (cf. nota 46 y texto correspondiente).- Acerca del significado erótico de *horno* (hornaza) y *arder,* cf.*P.E.S.O.,* pp.72 y 273-276.

54) Cf. *Romancero general* (ed. de Angel González Palencia, 2t., Madrid, C.S.I.C., 1947), II, p.310. Véase también este texto con el comentario que le acompaña en *P.E.S.O.,* pp.142-143.- El manuscrito 15.765 de la B.N. de Madrid incluye un *Baile del molinero* (de letra del siglo XVII) que acaba por los expresivos versos siguientes: " ¡Abaté, abaté!/Que soy molinerillo/y te enharinaré" (cf. Noël Salomon, *Recherches sur le thème paysan...*p.581).

55) Francisco de Quevedo, *Obras completas. I. Poesía original* (ed. de José Manuel Blecua, Barcelona, Ed. Planeta, 1963), pp.928-929.- Sobre el sentido erótico de *agua, canal* y *correr,* cf. *P.E.S.O.,* pp. 98, 282 y 164.

56) Quevedo, *Poesía original,* p.887.- El significado erótico de *leche (semen)* es evidente. Cf. *P.E.S.O.,* pp.70 y 155.

(57) y bajo tal aspecto aparece en la literatura occidental (58). Por lo que se refiere a España, también ocurre lo mismo.

La madre de Lázaro de Tormes viene a ser mujer amancebada y una de las dos prostitutas que don Quijote ve en la venta en que ha de armarse caballero es hija de un molinero. Lleva el significativo nombre de *La Molinera*, símbolo casi del oficio. Cervantes acentúa todavía más el carácter burlesco del apelativo ya que el hidalgo le ruega que se ponga "don" y se llame "doña Molinera" (59). En el ya citado *Entremés del molinero y de la molinera*, la mujer le engaña al molinero con el sacristán (60) y en un villancico del siglo XVII, la molinera comete el adulterio con el cura (61).

La situación es parecida en un romance recogido de la tradición oral, *el molinero y el cura*. Sólo que al llegar el oficial al molino, el clérigo tiene que esconderse en un costal. Lo descubre el molinero y su venganza consiste en obligarle a trabajar para él durante unas horas, de manera que el cura desiste de sus amoríos con la molinera (62).

Es interesante notar, además, que en la *Comedia del molino*, escrita por Lope de Vega, Laura, la hija del molinero, coquetea sucesivamente con tres hombres, aunque la cosa no pase a más, antes de casarse (63). De la misma manera, cuando se verifica la boda de la joven y de su hermana, al final de la obra, los del molino salen cantando una canción, cuyo carácter ambiguo, con relación a las dos mujeres, llama la atención a causa de los juegos verbales sobre *moler* (64).

57) Cf. Paul Sébillot, *Légendes et curiosités des métiers*, pp.27-28; Id., *Le folklore de France*, IV, pp. 391-392; Ch. Marcel-Robillard, *Le folklore de la Beauce. I. Moulins et meuniers du pays beauceron* (Paris, Maisonneuve et Larose, 1965), pp.62-64; etc...

58) Es el caso, por ejemplo, del cuento del mayordomo de Chaucer en que la molinera y su hija "muelen" durante buena parte de la noche con dos clérigos (cf. *Les contes de Cantorbéry*, pp. 142-145).

59) *Don Quijote*, I, 3; t. I, p.144.

60) Al llegar a casa de la molinera, el sacristán le pregunta, "¿dónde está tu marido? a lo cual contesta la mujer: "En el molino". El galán replica entonces: "Pues *a moler* también me determino" (p. 689b).

61) Cf. *P.E.S.O.*, pp.172-173. He aquí los versos que nos interesan: "Al cura fui a demandar/cierto costal de harina,/y él metióme en la cocina/para haberse de pagar" (p.174).

62) Cf. la versión publicada por Narciso Alonso Cortés en *Revue Hispanique*, L, 1920: "Romances tradicionales", pp.198-268. El romance al cual aludimos se titula *El cura burlado* (pp.241-242) y se recogió en Reinosa (Santander). Véase otra versión presentada por Juan Martínez Ruiz: Romancero de Güéjar Sierra (Granada)" (in *R.D.T.P.*, XII, 1956, pp.495-543), pp.514-515. Este lleva por título *El molinero y el cura*. Paul Benichou también dio una versión muy parecida en la *Revista de Filología Hispánica*, en 1944: "Romances judeo-españoles de Marruecos"; se trata del romance LIII.

63) Cf. *Comedia del molino* (in *Obras de Lope de Vega publicadas por la Real Academia Española. Nueva edición*, 13 ts., Madrid, 1916-1930, t. XIII, pp.60-94).

64) Cf. p.93 b: "Esta novia se lleva la flor,/que las otras no./ Bendiga Dios el molino/que tales novias sustenta./*Muelen su harina sin cuenta,* /a costa de tal padrino./Del trigo que *muele amor*/ estas muelen de lo fino,/que las otras no.

Esta visión de la molinera casquivana ha de llegar hasta el siglo XIX (65). Es Pedro Antonio de Alarcón quien, a finales de ese siglo, va a invertir la perspectiva en la literatura al hacer de ella, en *El sombrero de tres picos*, un modelo de fidelidad conyugal (66).

X   X

X

Frente a todos estos motivos negativos del tema del molino y del molinero o de la molinera, aparecen otros más bien positivos.

El carácter erótico y diabólico del universo de la molienda está presente en las festividades de Carnestolendas.

Sabido es que el Carnaval, fiesta "primaveral" de *renovación* del hombre y del mundo, permitía, gracias a disfraces y máscaras, una expansión que se traducía por comidas y bebidas abundantes así como por el recrudecimiento de la actividad *sexual* en el marco de un breve período de inversión. Pues durante los tres días que correspondían al paroxismo de los festejos carnavalescos se tiraba harina sobre la gente, y ante todo sobre las mujeres. Este rito está perfectamente documentado en la España de los siglos XVI y XVII (67) —y en los demás países de Europa también (68)—. Se trata de un rito de fertilidad y abundancia en que la harina, sustancia regeneradora por excelencia, es el elemento básico.

Por otra parte, en ciertos Carnavales, salían los *molineros* enharinados arrojando harina (69), como verdaderos símbolos de renovación. Además, por su aspecto, representaban tal vez el contacto con el mundo de los muertos, con el mundo "infernal". En efecto, los fantasmas, los espíritus de los difuntos aparecen envueltos en un largo manto blanco (no hay que olvidar que durante mucho tiempo el color blanco fue el de la muerte). Y según diversas tradiciones, la semana del martes de antruejo era "la semana infernal"

---

65) En 1859 ha de publicarse en Barcelona una *Canción del Corregidor y la Molinera. Chanza sucedida en Xerez de la Frontera* y poco después, en 1862, en la misma ciudad, un *Sainete nuevo: "El Corregidor y la Molinera"*. En ambos textos, el Corregidor comete el adulterio con la molinera que accede a ello, gustosa. Lo nuevo es que el molinero se venga, obrando de la misma manera con la corregidora. Sobre estos textos, cf. Raymond Foulché-Delbosc. "D' oú dérive *El sombrero de Tres Picos"* (in *Revue Hispanique*, XVIII, 1908, pp.468-487).

66) El texto salió a luz en 1874.

67) Cf. Julio Caro Baroja, *El Carnaval (análisis histórico-cultural)*, (Madrid, Taurus, 1965), pp.67-68 y 114. En Galicia, esta costumbre llevaba el nombre de "correr a fariña": cf. Xesús Taboada Chivite, *Etnografía galega* (Vigo, Ed. Galaxia, 1972), p.57.- En los siglos XVI y XVII, hubo en España varias prohibiciones de los ritos carnavalescos, entre los cuales figuraba el de tirar harina (cf. nuestro artículo, "Tradición carnavalesca y creación literaria. Del personaje de Sancho Panza al episodio de la ínsula Barataria en el *Quijote"* in *Bulletin Hispanique*, LXXX' 1978, pp.39-70, y más directamente p.48).

68) Cf. Arnold Van Gennep, *Manuel de folklore français*, tome premier; III: *Cérémonies périodiques cycliques*. 1: *Carnaval-Carême-Pâques* Paris, A. et J. Picard et Cie, 1947), pp. 1051 y sigs.; André Varagnac, *Civilisation traditionnelle et genres de vie* (Paris, Albin Michel, 1948), pp.89-91; etc...

69) Cf. Robert Jalby, *Le folklore du Languedoc* (Paris, Maisonneuve et Larose, 1971), p.143; Daniel Fabre, *La fête en Languedoc* (Toulouse, Privat, 1977), pp.162-163.

(70). En época de Carnestolendas, el *pneuma* circula (71). Sería éste el período privilegiado en que los vivos pueden entrar en contacto con el espíritu de los difuntos. La vida supone la muerte; la renovación fundamental del cuerpo y del mundo implica una relación con la muerte, con el reino de abajo, el del "infierno". Es acaso lo que significaba la actuación de los molineros en el Carnaval de Limoux, en Francia. Esos molineros circulaban en fila india y cada cual, con un fuelle dirigido hacia la parte trasera de su predecesor, parecía captar las ventosidades o sea el *pneuma* que llenaba el cuerpo de éste, y convertirlas luego en una rociada de harina (72).

Otro aspecto positivo del tema que venimos estudiando es el que corresponde al motivo del "molino a lo divino". Este motivo, muy difundido por tierras germánicas e italianas, tuvo menos extensión en España, pero también existió y ha llegado hasta nuestros días en el folklore oral catalán (73). Presenta dos variantes: el molino de los pecados y el molino místico.

La primera modalidad nace en la Edad Media y la ilustra una obrilla de devoción escrita en lengua catalana hacia finales del siglo XIV o principios del siglo XV por fray Antonio Canals, cuyo título es *Tractat del molí espiritual* (74). El autor utiliza una serie de metáforas. El molino es el lugar de la verdadera contrición. El alma dolorida se presenta con sus pecados, pero gracias al canal de la confesión, el agua la conduce hacia la gracia de la pasión de Cristo. La rueda es la memoria de los beneficios divinos, las dos muelas son el temor del Juicio y la esperanza del perdón. Por fin, el grano de trigo es el alma, llena de contrición, que se deshace en dolor. Este molino de los pecados figura todavía en unas estampas italianas de los siglos XVI y XVII (75) y hasta hace unos años se hallaba representado en una pintura mural del antiguo convento franciscano de Petra, en España, en que se veía a varios personajes venir al ingenio a descargar los costales de sus culpas (76). Además perdura el tema en el romance popular mallorquín (que también existe en Cataluña) llamado *El molinet* (77).

La segunda modalidad se desarrolla en los albores del siglo XVI. El molino místico in-

---

70) Cf. A. Varagnac, *Civilisation traditionnelle..*, p.90.

71) Cf. Claude Gaignebet, *Le Carnaval* (Paris, Payot, 1974), pp.117-130; A. Redondo, "Tradición carnavalesca...", pp.47-48 y 63.

72) Cf. Robert Jalby, *Le folklore du Languedoc*, p.143; Daniel Fabre, *La fête en Languedoc*, p.163.- Existieron tales ritos en otras partes de Francia: cf. A. Van Gennep, *Manuel de folklore français... Carnaval-Carême-Pâques*, pp.1051-1061.

73) Para esta parte de nuestro trabajo utilizamos las aportaciones de Gabriel Lompart, "*El molinet*. Aspectos religiosos de un popular romance mallorquín" (*R.D.T.P.*, XXV, 1969, pp.251-272); "Addenda al artículo *El molinet*" (*R.D.T.P.*, XXVI, 1970, p.63); "Otra nota sobre el molino místico" (*R.D.T.P.*, XXIX, 1973, pp.163-168).

74) G. Llompart, "Otra nota sobre el molino místico", pp.164-165. El tratado figura en el apéndice, pp. 166-168.

75) *Ibid.*, pp.163-164. Cf. la reproducción de una estampa del siglo XVI enfrente de la p.164.

76) G. Llompart, "Addenda al artículo *El molinet*", p.63.

77) Id., "*El molinet*. Aspectos religiosos...", pp.251 y sigs.

siste sobre la pasión de Jesús y exalta la Eucaristía. Se transforma en verdadera alegoría dramática que evoca la venida de Cristo, el pan eucarístico (78). El tema aparece en una composición de Chacón, organista de la catedral de Córdoba entre 1531 y 1545. Se trata de una pieza a seis voces titulada *El molino* y publicada en Praga en 1581 en el libro de ensaladas de Mateo Flecha el Viejo. Es posible que la compusiera Chacón para la capilla de música del duque de Calabria, virrey de Valencia (79). También surge en la *Farsa del colmenero* de Diego Sánchez de Badajoz, que es ya una prefiguración del auto sacramental, como puede verse en los siguientes versos:

> Ves, hermano, por los ojos,
> cómo nascio Christo trigo
> y creció tan si abrigo
> hasta segarlo en manojos;
> al tiempo de sus despojos
> que del huerto fue sacado
> y con açotes trillado,
> con mill ynjurias y enojos,
> ¡o, qué paciencia divina!
> molido, hecho harina heñido,
> en horno de amor cozido
> con fuego de sus dolores,
> ¡o, dichosos labradores,
> que tal pan avéis comido! (80).

Un motivo diferente de los precedentes, que debió de divulgarse sobre todo con la extensión de los molinos de viento es el del molino de la locura.

El loco tiene la cabeza vacía, llena de aire. No es extraño pues que Sebastián de Horozco haya asociado locura y molino de viento, "motejando a uno de loco y vano":

> Es lo que yo de vos siento,
> que pisáis tan de liviano
> que podéis dar bastimento
> a dos molinos de viento,
> aunque fuese en el verano (81).

Tampoco es extraño que Velázquez haya representado al truhán Calabacillas, uno de los "locos" del rey, con un molinete en la mano (82).

Por otra parte, si la cabeza es un molino, como lo afirma la pícara Justina, la de un

---

78) *Ibid.*, pp.260-262.

79) *Ibid.*, pp.257-259.

80) Cf. *Recopilación en metro (Sevilla, 1554)*, pp.235-236, vs. 377-392. La *Farsa del colmenero* corresponde a las pp. 227-242.

81) Cf. Sebastián de Horozco, *El Cancionero* (ed. de Jack Weiner, Bern und Frankfurt, Herbert Lang, 1975), p.73b.- Cf.también lo que escribe sobre el particular Francisco Márquez Villanueva, "La locura emblemática en la segunda parte del *Quijote*" (in *Cervantes and the Renaissance*, Papers of the Pomona College Cervantes Symposium, Easton, Pennsylvania, Juan de la Cuesta, 1980), pp. 105-106.

82) Cf. el retrato en José Moreno Villa, *Locos, enanos, negros y niños palaciegos. Siglos XVI y XVII* (México, La Casa de España en México, 1939).

loco no puede ser sino un molino de viento. El célebre episodio cervantino de los molinos de viento está íntimamente relacionado con la locura de don Quijote (83). Es lo que dice Sancho a su amo después de la aventura:

> ... no eran sino molinos de viento, y no lo podía ignorar, sino quien llevase otros tales en la cabeza (84).

x   x

x

Tiempo es ya de intentar reunir los diversos elementos presentados en un sistema que permita dar una explicación global y coherente de las particularidades evocadas. Este sistema es el de la iniciación; los diversos temas que hemos estudiado con relación al universo de la molienda remiten al simbolismo iniciático.

Baste con recordar que la iniciación supone la separación del mundo ordinario y el paso a un sitio diferente aislado, que permite el acceso al mundo del más allá, al otro mundo. Pero ese viaje dificultoso implica la muerte iniciática y varias pruebas, única manera de alcanzar un nuevo saber antes de renacer, de resucitar renovado (85).

En muchos cuentos maravillosos estudiados por Vladimir Propp, en que aparece el motivo de la iniciación, ésta se verifica en una cabaña *aislada* que en varias ocasiones es una cabaña *giratoria* (86). Además la muerte iniciática se acompaña de *ruidos espantosos*, los del *infierno* y de un *descuartizamiento sangriento* (87). Por otra parte, a los novicios se les echa encima, muchas veces, una capa de cal para que estén *completamente blancos* y se parezcan a los espíritus de los muertos (88).

El apartamiento del molino giratorio, el ruido, el descuartizamiento del grano, según un proceso típico que supone muerte y resurrección, la transformación de una sustancia en otra generadora de vida, el enharinamiento del operario, todo indica que el mundo de la molienda está regido por el simbolismo iniciático.

Ahora se comprenderá mejor por qué el molinero puede estar en contacto con el universo diabólico y en algunos casos tener fama de ser brujo, por qué también puede inspirar cierto malestar. Y las *sangrías* que hace a los costales, ¿no tendrán nada que ver con el descuartizamiento sangriento que hemos evocado? Merece la pena señalar que uno de los

---

83) Cf. nuestro artículo: "El personaje de don Quijote: tradiciones foklórico-literarias, contexto histórico y elaboración cervantina" (in *Nueva Revista de Filología Hispánica*, XXIX, 1980, pp. 36-59), pp. 52-53.

84) *Don Quijote*, I, 8; t.I, p.250.

85) Sobre el tema de la iniciación, cf. por ejemplo: Mircea Eliade, *Initiation, rites, sociétés secrètes. Naissances mystiques* (Paris, Gallimard, 1976). Cf. también lo que hemos escrito: "El proceso iniciático en el episodio de la cueva de Montesinos del *Quijote*" (in *Iberoromania*, 13, 1981, pp. 47-61).

86) Cf. Vladimir Propp, *Las raíces históricas del cuento* (Madrid, Ed. Fundamentos, 1974), p.79.

87) *Ibid.*, pp.85, 101, 132.

88) *Ibid.*, p.102; Mircea Eliade, *Initiations...*, p.90.

motivos folklóricos recogidos por Stith Thompson, vinculado a un mito irlandés, es el del molino sangriento (89). De la misma manera, ya se comprenderá más fácilmente por qué el erotismo desempeña un papel tan importante con relación al molino que viene a ser un centro de iniciación sexual.

Por fin, el mismo simbolismo iniciático permite la utilización "a lo divino" del tema de la molienda con referencia a la pasión, a la muerte y a la resurrección de Cristo.

AUGUSTIN REDONDO
Universidad de la Sorbonne Nouvelle

---

89) Stith Thompson, *Motif-Index of Folk-Literature,* motivos S 116 y Z 141.

HACIA UNA DELIMITACION EMPIRICA DE LA LIRICA POPULAR

M.J.P. ELBERS
Universidad de Nimega

HACIA UNA DELIMITACION EMPIRICA DE LA LIRICA POPULAR

M.J.P. Elbers

En primer lugar quiero exponerles mis puntos de partida. Me parece necesario justificar el procedimiento seguido, porque el método cuantitativo, aunque ya ha pasado por la fase experimental, todavía no está tan conocido y aceptado como quisiéramos los partidarios. Luego les hablaré de unos resultados obtenidos hasta ahora, ilustrándolos por medio de dos ejemplos concretos.

1. El problema principal: ¿qué textos pueden considerarse "de tipo popular"?.

En los últimos años han sido publicados algunos estudios sistemáticos sobre la lírica popular: el de José María Alin y sobre todo el de Antonio Sánchez Romeralo sobre la estructura del villancico; el de Margit Frenk Alatorre sobre la estructura de las glosas (1). Otros, partiendo de unos pocos poemas, estudiaron fenómenos estilísticos como la aliteración y el paralelismo y la temática (2). Sin embargo, el problema básico con el que se topan cuantos trabajan sobre esta poesía, sigue siendo el de siempre: ¿qué textos pueden considerarse "de tipo popular"? Hasta la fecha no se ha podido encontrar una contestación satisfactoria a esta pregunta. Las dificultades radican en el origen y la evolución de este tipo de textos.

Un poema popular puede surgir de varios modos: puede ser un poema de un músico o poeta culto y erudito, de un trovador (entre popular y culto), o el poeta puede ser alguien del pueblo.

No obstante el origen, el poema luego pasa a incorporarse en la tradición oral, co-

---

1) José María Alin: El Cancionero español de Tipo tradicional. Madrid, 1968. Antonio Sánchez Romeralo: El Villancico. Madrid, 1969. Margit Frenk Alatorre: Glosas de tipo popular en la antigua lírica. NRFE 1958.

2) p.e. J.G. Cummins: The spanish traditional lyric. Oxford, 1977. F. Crespo: Temas de poesía lírica popular. En: Estudos de Castelo Branco. 15, 1965. M. Frenk Alatorre: Estudios sobre lírica antigua. Madrid, 1978.

menzando al mismo tiempo que el proceso característico del cambiar, añadir, omitir palabras, versos y hasta estrofas, o bien por influencia de la música correspondiente (regiones
distintas tienen sus propias interpretaciones musicales de un solo poema), o bien por
acontecimientos determinados, o la preferencia personal de los cantantes. Desde el nacimiento de este tipo de lírica hasta hoy día, su función primordial ha sido el entrenimiento
de los labradores, pero en casi cada siglo la moda literaria requirió la atención de un público más erudito hacia ella, lo que en cada caso dió lugar a colecciones de poesías populares
e imitaciones por poetas eruditos y literarios, que muchas veces en cuanto a la forma, el
estilo y el contenido son difíciles de distinguir de los poemas originales. Pensamos en los
poemas de p.e. Lope de Vega y Gil Vicente en el Siglo de Oro; en García Lorca y Rafael
Alberti en la Edad Moderna. Estas imitaciones luego muchas veces son asimiladas por la
tradición oral, como pasó también con un poema de Alberti en "El alba del Alhelí":

> Aceitunero que estás
> vareando los olivos,
> ¿me das tres aceitunitas
> para que juegue mi niño?

que según el autor mismo (3), se cantó "con algunas variantes .... por toda España como
de autor anónimo".

Pues, de esta influencia mutua entre la lírica popular y la lírica culta proviene el problema susodicho de qué textos pueden considerarse "de tipo popular". Puesto que no conocemos los límites originales de la tradición, no podemos detectar con seguridad los ensanchamientos de temas y procedimientos procedentes de la lírica cortesana y de la inven-
tiva personal de los poetas. Por consiguiente, como nos dice Margit Frenk Alatorre (4), en
buena medida seguimos basándonos en lo que "nos suena" a popular, eliminando por lo
pronto cuanto texto tenga claros resabios de la poesía cortesana. Sin embargo, una gran
parte de las poesías escapa a toda posibilidad de comprobación, ya que entre un cantarci-
llo al estilo antiguo y un pastiche evidente hay un sinnúmero de posibilidades intermedias.
De ahí también las divergencias entre los especialistas: junto a los poemas que todos de
común acuerdo consideran de tipo tradicional, hay los que unos aceptan y otros rechazan.
Nos puede servir como ejemplo el poema que dice:

> ¡Ay!, triste de mi ventura,
> que el vaquero
> me huye porque le quiero.

considerado "villancico popular" por Menéndez Pidal y Romeu Figueras (5), mientras que
Margit Frenk tiene dudas: el tema y el encabalgamiento no le parecen típicos y le hacen
pensar más bien en la poesía pastoril a lo Juan del Encina.

Todavía nos faltan, pues, unos criterios objetivos para poder determinar qué es la lí-

---

3) R. Alberti: La Arboleda perdida. Barcelona, 1975. p.235.

4) M. Frenk Alatorre: Problemas de la antigua lírica popular. Incluido en: Estudios sobre lírica antigua. véase n.2. p.140.

5) idem, p.141.

rica popular y qué características tiene un poema popular, y nos dejamos guiar por la intuición. La intuición, sin embargo no es algo totalmente arbitrario, sino que parte de unas indicaciones que se registran más o menos inconscientemente.

Por lo tanto, para poder llegar a una delimitación de la lírica popular, hay que inventariar estas indicaciones lo más objetivamente posible. Partiendo de que la lírica popular existe como género, estos textos forzosamente tendrán que tener unas características comunes que no aparecen o que aparecen en un grado menor en otros grupos de poemas afines. En efecto ya se han demostrado algunas de estas características, como la preferencia por el anisosilabismo y la rima asonante, y la insistencia en ciertos temas. Pero resulta que no son suficientes estas características, ya que seguimos basándonos en lo que "nos suena".

2. El objetivo de mi investigación.

Ya hace algunos años que estoy preparando un trabajo en que me propongo descubrir y describir qué es lo que nos suena, es decir, intento redactar una lista de las características de la lírica popular, objetivar el carácter propio de este tipo de poemas, sin lo cual perdería su esencia.

Una lista semejante puede ayudarnos a eliminar los poemas que no son populares. Por cierto, una sola característica no puede ser determinativa para cada poema de por sí, pero una estructura que en varios aspectos sale de los márgenes de la lista, muy bien podrá proporcionarnos indicaciones de que el poema injustificadamente fue considerado popular; lo demostraré después por medio de unos ejemplos.

Condición para este procedimiento será probablemente que el poema tenga cierta extensión, esté acompañado de una o más glosas. Ya que las más veces un villancico suelto está compuesto de una sola oración, a lo sumo por dos oraciones, resultaría ser muy incompleto un análisis de la construcción estructural y temática de un poema compuesto por un villancico solamente. Por supuesto cabe decir lo mismo de aspectos formales como el paralelismo y la repetición de palabras y sonidos.

3. El método: la estilística cuantitativa.

En la literatura muchas veces todavía se contraponen indebidamente dos tipos de investigación estilística. Por un lado la investigación de índole lingüístico, que tiene por objeto la obtención de datos objetivos y verificables sobre las características sintácticas y formales de textos: la investigación cuantitativa. Por otro lado la investigación cualitativa: el método subjetivo e impresionista procedente de una rica tradición literaria. Muchos especialistas de la estilística cualitativa se muestran escépticos ante lo que consideran una aportación restrictiva y muchas veces superflua de la lingüística.

Pero, como se sabe, se puede emprender la investigación de una obra de arte de varias maneras: son igualmente posibles, por ejemplo, un estudio monográfico del texto, una investigación de la historia literaria, una investigación tipológica comparativa, etc. En su totalidad todos estos estudios nos proporcionarán una descripción completa de la estructura artística de la obra. Sin embargo, el investigador, quiera que no, forzosamente tiene que limitarse eligiendo un solo aspecto de la obra. En mi caso me he limitado a la investigación de los textos "desde la primera palabra hasta la última": una investigación de las estructuras sintácticas, las estructuras formales, como la rima, el número de sílabas, la repetición y el paralelismo, y las estructuras temáticas como los campos de palabras, la retórica, etc. Una investigación como ésta no nos enseñará mucho, quizá nada, de la función social del texto, ni de la historia de las interpretaciones, ni de la evolución, ni de otras muchas cuestiones, pero sí podrá contestar a preguntas como: ¿cómo está construido el texto y por qué está construido de este modo? Podrá separar lo que forma parte de la esencia misma de la obra, sin lo cual deja de ser lo que es, de las características, a veces muy importantes, pero prescindibles hasta tal punto que en caso de su alteración, el carácter específico de la obra se conserva.

Cuando, por medio del método cuantitativo, logramos encontrar unas características lingüísticas o formales, los defensores del método cualitativo pueden decir que el resultado es trivial o que ya era sabido, pero entonces olvidan el objetivo de la investigación que consiste precisamente en el objetivar y verificar de los juicios subjetivos e impresionistas. Además, de tal estudio resulta a veces que algunos juicios impresionistas no pueden ser confirmados, como veremos más adelante.

Después de esta explicación teórica pasamos al procedimiento utilizado en el caso concreto de la lírica popular.

En seguida nos encontramos con un problema: era necesario juntar un corpus de poemas, pero todavía no era nada seguro cuándo un poema puede considerarse un poema popular. El corpus debía componerse de poemas de una extensión lo suficientemente grande, es decir, acompañados de una o más glosas y que pudiesen considerarse populares. Para poder juntar este corpus, partí de cuatro antologías comparándolas entre sí: las de José María Alín. José Manuel Blecua, Margit Frenk Alatorre y Antonio Sánchez Romeralo (6).

La de Alín resultó ser muy extensa. Contiene muchas poesías con glosas, pero falta una justificación de la elección de las poesías. En la introducción sólo presta atención al villancico por medio de un análisis formal-estructural.

La de Blecua también contiene muchos poemas con glosas, pero sólo da una justificación implícita. Dice " no todos los poemas escogidos son estrictamente tradicionales, aunque si obedecen a una evidente tradicionalidad. Algunos son "glosas" cultas a canciones viejas. Pero al glosar Camoens o Lope una cancioncilla no hacen más que continuar una fórmula muy española" (7). Sin embargo, incluye algunas glosas que no "nos suenan", p.e. el número 57, en que el villancico no parece ofrecer problemas, pero la glosa sí:

> A sombra de mis cabellos
> se adurmió:
> ¿si la recordaré yo?
> . . . .

6) Para J.M. Alín y A. Sánchez Romeralo, véase n. 1; Para la obra de M. Frenk remito a la recopilación de artículos citada bajo n. 2 D. Alonso y J.M. Blecua: Poesía de tipo tradicional. Madrid, 1956.

7) obra citada. p. LXXXV.

Peleó con el Amor
de su gran fuego inflamado;
por su siervo se le ha dado
para siempre en su favor (8).

Margit Frenk Alatorre es la única que ha hecho un estudio de las glosas populares. Como apéndice a su artículo "Glosas de tipo popular en la antigua lírica" (9), nos propor ciona una lista de poemas con glosas populares.

También en la antología de Antonio Sánchez Romeralo falta una justificación. Además varias veces sólo reproduce el villancico, mientras que otras antologías reproducen todo el poema, es decir la glosa inclusive (10).

Por cierto nos proporciona unos datos cuantitativos sobre varios detalles sintácticos, pero no puedo servirme de sus resultados, ya que el corpus que usa no cumple con las condiciones formuladas; su antología por la mayor parte consta de villancicos que, como ya hemos dicho, difieren de las glosas en cuanto a la estructura. También incluyó algunas glosas en la antología y en sus datos cuantitativos, pero la proporción entre glosas y villancicos está bastante desequilibrada y por lo tanto en muchos casos no me parecen completamente fiables sus conclusiones, como demostraré después.

Así pues que la lista de Margit Frenk compuesta de poemas que todos tienen al menos una glosa, vino a ser mi punto de partida, excepción hecha de las poesías en gallego, por su estructura idomática distinta. Luego tenía que buscar un grupo de poemas que nos pudiera servir como grupo de control para que fuese posible eliminar los rasgos no esenciales. Este grupo de control debía cumplir con dos condiciones: tenían que ser poemas cultos, ya que queremos detectar los ensanchamientos de temas y procedimientos procedentes de la lírica cortesana; tenían que ser poemas en cierto grado afines para poder obtener unos resultados lo más fiable posibles.

Decidí utilizar dos tipos de poemas del Cancionero de Juan del Encina de 1496 (11): por un lado los villancicos pastoriles en que se acerca consciente o inconscientemente a la lírica popular, por otro lado los poemas líricos en arte menor en que, sobre todo en cuanto a las glosas, no tiene esta inclinación (12).

---

8) Del Cancionero Musical de los Siglos XV y XVI, de F. Asenjo Barbieri.

9) En "Estudios sobre lírica antigua" recoge este artículo, pero sin la lista, aunque sí es posible reconstruirla a base de las alusiones en el texto. Podría extrañarnos el que no figuran todos los poemas mencionados en su antología de 1978, pero la autora misma lo explica cuando dice: "La mayoría de los cantares que se examinarán figura en mi antología de 1966....... para algunos cantares remito a otras antologías". p.274.

10) Son los poemas: Ardé, corazón, ardé; De las dos hermanas, dose; Descendid al valle, la niña; Entra mayo y sale abril; No puedo apartarme; Peynadita traigo mi greña; ¿Por qué me besó Perico?; Pues bien, para ésta; Salteóme la serrana; Señor Gómez Arias; Señora la de Galgueros; Si el pastorcico es nuevo.

11) Edición facsímil de la RAE de 1928.

12) Se hará caso omiso de los poemas en arte mayor, ya que son totalmente distintos de los octosílabos y por lo tanto ya no pueden considerarse poemas afines a la lírica popular: son poemas ambiciosos, llenos de alusiones eruditas y escritos en un lenguaje culto, compuestos por encargo con ocasión de ciertos actos oficiales o para impresionar a los protectores.

4. Unos resultados de la investigación.

Ya he terminado la investigación cuantitativa de las estructuras sintácticas y de algunas de las formales, la rima y el silabismo. Quedan por estudiar los casos de paralelismo y repetición y las estructuras temáticas, como los campos semánticos, los temas principales y secundarios, y la retórica. Aunque todavía no está terminada la investigación ya ha dado algunos resultados interesantes.

Ciertos juicios sobre la lírica popular muchas veces formulados intuitivamente, pueden ser verificados objetivamente. Citaré unos ejemplos. Dos características siempre son señaladas: la simplicidad y el realismo de los poemas populares. Ambas características pueden ser concretizadas por medio de los datos objetivos sobre la estructura sintáctica de los poemas: la simplicidad de la lírica popular se refleja en una sintaxis menos complicada que la de tanto los villancicos pastoriles como los poemas líricos de Encina. El primer indicio es el número de palabras por oración, ya que un número muy bajo suele ser indicio de un estilo sencillo y primitivo (13). Resulta que la lírica popular tiene una mayor preferencia por oraciones de menos de 11 palabras, aunque es seguida con poca distancia por los villancicos pastoriles. La diferencia con los poemas líricos de Encina, sin embargo, es notable: en éstos un $45^o/o$ de las oraciones contiene menos de 11 palabras, en aquella es un $75^o/o$. Los villancicos pastoriles tienen un porcentaje bastante alto de $71^o/o$. Otro indicio de un estilo sencillo es la frecuencia del copulativo "y", el enlace más elemental. En la lírica popular lo encontramos relativamente más veces que en los poemas de Encina (14).

Además, los poemas de Encina contienen muchas más oraciones subordinadas que la lírica popular. La proporción entre subordinadas y oraciones principales es de 1:2 para la lírica popular, y de 1:1 para la lírica de Encina, mientras que los villancicos pastoriles constituyen una una fase intermedia.

Otra característica de un estilo complicado es la preferencia por estructuras complicadas como el "arrestment" (una o más oraciones subordinadas preceden a la oración principal) y el "selfembedding" (en una oración principal o subordinada se introducen una o más subordinadas) (15). En la lírica popular un $14^o/o$ de las subordinadas está en una construcción de arrestment o selfembedding, en los villancicos pastoriles es un $15^o/o$, en los poemas líricos de Encina un $25^o/o$. Así que otra vez los pastoriles saben acercarse a la lírica popular.

El primer indicio para la segunda característica, el realismo, es el porcentaje muy elevado de sustantivos concretos: en la lírica popular un $72^o/o$ de los sustantivos es concreto; en los pastoriles un $53^o/o$, y en los poemas líricos un $25^o/o$ solamente. Por otra parte,

---

13) W. Fucks y J. Lauter: Mathematische Analyse des literarischen Stils. En: Mathematik und Dichtung. München, 1969. R. Wells: Nominal und verbal Style. En: D. Freeman: Linguistics and literary Style. Massachusetts, 1970. A. Sánchez Romeralo: obra citada bajo n. 1.

14) En la lírica popular un $86^o/o$ de todos los coordinantes; en los villancicos pastoriles un $84^o/o$; en la lírica de Encina un $81^o/o$.

15) W. Gibson: Styles and Statistics: a model T style machine. en D. Freeman, obra citada bajo n. 13. R. Ohmann: Literature as sentences. en: S. Chatman y S. Levin: Essays on the language of literature. Boston , 1967.

la lírica popular contiene más sustantivos, que además en su mayoría están totalmente determinados y concretizados ya que un $52^o/o$ está precedido de un artículo determinado, un posesivo o un demostrativo (16). Todo esto refuerza aún su carácter concreto y realista. Otro indicio es el de que en la lírica popular aparecen relativamente más adjetivos pospuestos y por tanto especificativos, lo cual le concede cierta objetividad, reforzada aún por el porcentaje menor de adverbios que los acompañan, adverbios que suelen intensificar el significado inherente del adjetivo, al mismo tiempo introduciendo más emoción en el lenguaje. Otra característica que muchas veces es señalada, es el sentido dramático que aparece en la lírica popular. Una serie de indicios, deducibles de la estructura sintáctica y temática del texto, facilitan una división en géneros (17). Inventariando los indicios presentes en los grupos de poemas, llegamos a la conclusión de que la lírica popular más bien es épica quizá con algunos rasgos dramáticos. Se acerca a lo épico por las características sintácticas siguientes: en cuanto al verbo, la preferencia por los pasados y por la 1^a y 3ª persona. También por el número muy bajo de verbos auxiliares y oraciones atributivas, el porcentaje muy bajo de adjetivos precedidos por un adverbio y el uso frecuente del artículo determinado. Sin embargo, los coloquios bilaterales encontrados, sí pueden ser indicios de un posible dramatismo, aunque también se dan muchos casos de coloquios unilaterales, otra vez propios de lo épico.

Antonio Sánchez Romeralo, en su libro sobre el villancico nos habla de la escasez del adjetivo. Dice: "La profusión de adjetivos es siempre indicio de mano culta. Por este solo rasgo es posible determinar cuándo nos encontramos ante una imitación culta o una glosa culta popularizantes" (18). Pero mis resultados no coinciden con esta opinión suya. Cierto que su antología popular como mi corpus de la lírica popular llega a un porcentaje de un $5^o/o$, pero, mientras que sus antologías popularizantes contienen respectivamente un $6^o/o$ y un $8^o/o$ de adjetivos, los villancicos pastoriles y la poesía lírica de Encina no sobrepasan un $4^o/o$. Así que la lírica popular hasta resulta utilizar más adjetivos que Encina. Especificando más, los porcentajes para los tres grupos de poemas estudiados muestran que los porcentajes de los sustantivos calificados por un adjetivo o una frase adjetiva (no incluídas en los porcentajes sobredichos) llegan a ser un $25^o/o$ para la lírica popular, un $22^o/o$ para los pastoriles y un $20^o/o$ solamente para la lírica de Encina, lo que está en contradicción con los datos de Sánchez Romeralo.

Otras conclusiones suyas, sin embargo, son confirmadas por mis resultados, como p.e. el uso del diminutivo que no aparece en la lírica de Encina; en los villancicos pastoriles sí lo encontramos, pero en un grado menor que en las poesías populares.

Como ya he dicho, las características sintácticas tomadas aisladamente no pueden ser determintativas, pero si la estructura sintáctica de un poema difiere en varios aspectos, entonces sí nos puede indicar que es dudoso que este poema pertenezca a la lírica popular.

Un ejemplo concreto: en la lista que acompaña el artículo de Margit Frenk sobre las

---

16) Para los villancicos pastoriles es un $38^o/o$; para la lírica de Encina un $46^o/o$.

17) W. Ruttkowski: Die literarischen Gattungen. Bern, 1968. E. Staiger: Grundbegriffe der Poetik. München, 1978. H. Urrutia Cárdenas: Situación comunicativa y texto literario. Revista Española de Lingüística. 9.1, 1979.

18) Obra citada bajo nota 1. p.241.

glosas populares, encontramos este poema que de un modo u otro no "nos suena":

> Pues que no me quereys amar
> como soleys,
> si de otra me enamoraré
> no me culpeys.
>
> Pues que no me quereys amar
> y assí me quereys olvidar
> sin quererme remediar
> como soleys,
> si de otra me enamoraré
> no me culpeys.
>
> Pues que no me quereys oyr
> y ansí me quereys despedir
> sin un día me servir
> como soleys,
> si de otra me enamoraré
> no me culpeys (19).

En varios aspectos la estructura sintáctica del poema sale de los márgenes de la lista de características: todas las oraciones son muy largas. La primera oración cuenta 16 palabras, la segunda 24 y la tercera 26 palabras, mientras que un 75% de las oraciones de la lírica popular cuentan menos de 11 palabras.

El poema sólo contiene un sustantivo que además es abstracto. En la lírica popular un 21% de las palabras son sustantivos de los cuales un 72% son concretos.

El poema contiene muchísimos verbos y verbos auxiliares, característica de tanto los villancicos pastoriles como los poemas líricos de Encina (20). La proporción entre oraciones subordinadas y principales es de 1:0.3; en la lírica popular es de 1:2 y en los poemas de Encina de 1:1.

Hay muchos casos de arrestment en construcciones muy complejas: una vez 3 subordinadas y dos veces hasta 4 subordinadas que preceden a la oración principal.

Las estructuras temáticas que todavía no han sido estudiadas probablemente nos proporcionarían más información.

Las estructuras formales caben dentro de los límites de la lírica popular: encontramos tanto el anisosilabismo como la rima combinada de consonancia y asonancia.

Un último ejemplo:

> Falalalanlera,
> de la guarda riera.
>
> Cuando yo me vengo
> de guardar ganado,
> todos me lo dicen:
> Pedro el desposado.
> A la he, sí soy
> con la hija de nostramo
> qu'esta sortijuela
> ella me la diera.
> Falalalanlera,
> de la guarda riera.

---

19) M. Frenk Alatorre: Cancionero de galanes. Valencia, 1952.

20) Los porcentajes de los auxiliares: la lírica popular un 13%; los villancicos pastoriles un 17%; la lírica de Encina un 24%. Los porcentajes de verbos conjugados son resp. 16%, 19% y 16%.

Allá rriba, rriba,
en Val de Roncales,
tengo yo mi esca
y mis pedernales,
y mi çurroncito
de ciervos cervales;
hago yo mi lumbre,
siéntome doquiera.
Falalalanlera,
de la guarda riera.

Viene la cuaresma,
yo no como nada:
ni como sardina,
ni cosa salada;
de cuanto yo quiero
no se hace nada;
migas con aceite
hácenme dentera.
Falalalanlera,
de la guarda riera (21).

En la introducción al Cancionero de Uppsala (22), Querol Rosso recuerda la sospecha de Rafael Mitjana de que este poema pueda tener como autor a Encina basándose en la semejanza temática con el poema de Encina de "Ya soy desposado". Además en los dos poemas encontramos la palabra "sortija", sin diminutivo en el poema de Encina, pero con diminutivo en éste.

En cuanto a las estructuras sintácticas y formales este poema cumple con las características de la lírica popular. Pero tanto como los poemas de Encina nos sirven como grupo de control para la lírica popular, esta lírica a su vez sirve de grupo de control para los poemas de aquél: al mismo tiempo conseguimos una lista de características de Encina. Aplicando el mismo método y comparando este poema con los poemas de Encina, encontramos estas diferencias:

Las dos primeras glosas son anisosilábicas, la tercera es isosilábica, pero en ella hay 2 rimas en "nada"; con una sola excepción todos los poemas de Encina son isosilábicos que a lo sumo contienen algún que otro verso de pie quebrado y no hay ningún caso de palabras que riman con la misma palabra; además Encina mismo, en su Arte de poesía castellana (23) condena expresamente este procedimiento.

Hay rima en los pares, que se da con mucha frecuencia en la lírica popular, mientras que Encina nunca usa este tipo de rima.

En la 1ª estrofa encontramos rima combinada de consonancia y asonancia, ausente en las glosas de Encina.

Espero que les haya podido demostrar que los métodos de la estilística cuantitativa pueden aportar nuevos datos importantes para la delimitación de la lírica popular.

M.J.P. ELBERS
Nijmegen, 1981

---

21) Cancionero de Uppsala. Madrid, 1979.

22) idem, estudio introductorio.

23) Obra citada bajo n. 11.

EL ROMANCERO TRADICIONAL Y LA HISTORIOGRAFIA

PEDRO ALFONSO FERRE DA PONTE
Universidad de Lisboa

EL ROMANCERO TRADICIONAL Y LA HISTORIOGRAFIA

P.A. Ferré da Ponte

En el día 14 de septiembre de 1500 el rey D. Manuel de Portugal confirma, mediante carta, la aprobación del matrimonio del IV Duque de Bragança, D. Jaime, con la hija del III Duque de Medina Sidonia, D. Juan de Guzmán, D. Leonor de Mendoza (1).

Señalemos que en esa fecha no había nacido todavía el príncipe D. Juan, siendo D. Jaime, en aquel entonces, presunto heredero de la corona portuguesa (2).

Con gran empeño el Duque de Medina Sidonia tramitaba esta boda determinando que, caso muriera D. Leonor antes de que se consumara el enlace, se casaría dicho hidalgo portugués con su hija segunda, D. Mencía.

Los favores concedidos por el monarca D. Manuel, con motivo de la boda, relevan también el interés de la casa real lusitana. Solo a D. Jaime no le satisfacía el enlace.

Como es sabido, a los pocos años, 1512, el Duque de Bragança asesinó a su mujer teniendo de esta unión dos hijos: D. Teodosio que le sucederá en el ducado y D. Isabel que se casará con el infante D. Duarte, hijo de D. Manuel.

---

1) D. Antonio Caetano de Sousa en sus *Provas da Historia Genealógica da Casa Real Portuguesa,* Tomo IV, I parte, Coimbra 1950, pág. 14 transcribe:

> "Dom Manuel &c. A quantos esta nossa Carta daprovaçao e Confirmaçam de Contrato virem. Fazemos saber que por parte de D. James Duque de Bragança e de Guimareos &c. meu muito amado e prezado sobrinho, e do muito honrado e magnifico D. Joaõ de Gusmaõ Duque de Medina Sydonia em os Regnos de Castella per Pero destopinhaõ Comendador da Ordem de Santiago seu Cavaleiro como seu suficiente Procurador nos foi aprezentado o Contrato do Cazamento dotte e arras abaixo escrito antre os sobreditos feito e contratado por eles afirmado com o dito Duque de Bragança e Dona Leonor de Mendoça filha delle dito Duque de Medina do qual o theor tal he como se segue".

2) "Pertendia este [D. Jorgue, Duque de Coimbra] preceder ao Duque pela perogativa do seu nascimento como filho del Rey D. Joaõ II (...) o prudente Rey [D. Manuel] lhe respondeo, que averiguasse qual dos Duques lhre era mais propinquo, e chegado em sangue, e qual a pessoa, que nao tendo elle filhos lhe houvesse de succeder no Reyno, dizendo mais: *o Duque de Bragança he filho de minha irmã, e o Duque de Coimbra filho de meu primo com irmão, e desta sorte he sem duvida o primeiro parente o Duque D. Jayme, e assim lhe he sem controversia debido o primeiro lugar, como a herdeiro presumptivo da Coroa"*. *Historia Genealógica da Casa Real Portuguesa,* Tomo V, Coimbra, 1948, pág. 279-280.

Del asesinato de D. Leonor tenemos tres versiones romancísticas, si descontamos el romance "remendado" por Lope de Vega, inserto en *El más galán portugués, duque de Berganza* (3) de la que hablaremos posteriormente.

Citaremos las tres versiones por orden de publicación:

— "Romance de la Duquesa de Bergança", *Segunda Parte de la Silva de Varios Romances.* Zaragoza, 1550, Lxxx v.

— "Romance del Duque de Bergança" *Cancionero llamado Flor de Enamorados.* Barcelona, 1562, 50 v.

— "Romance de como el duq. dé Bergança mato a la duquesa su muger" *Rosa Española. Segunda Parte de Romances de Joan Timoneda,* 1573, lxxv v.

En el segundo tomo del *Romancero General* publicó Agustín Durán la versión estampada en 1562; a su vez albergará la *Primavera y Flor,* con los números 107 y 107 a., las tres versiones hasta ahora conocidas. Pero, como ya señaló Menéndez Pelayo (4) en su *Antología de Líricos Castellanos,* tomo VII, pág. 202 "Ni Durán ni Wolf acertaron, a mi juicio, con la recta interpretación del romance de la muerte de la duquesa de Braganza". Con efecto, para estos autores, la duquesa asesinada sería Maria Teles, esposa del infante D. Juan de Portugal y no, como correctamente afirma D. Marcelino, D. Leonor de Mendoza. Al grupo de equivocados deberá agregarse Milá i Fontanals (5) y, recientemente, Margit Frenk (6).

En lo que concierne a la antigüedad de dichas versiones, se forjaron tesis de las más opuestas. Para Wolf, por ejemplo, la versión de la *Silva* seria la más arcaica; lo mismo consideran Milá y Menéndez Pelayo. Según Milá (7):

"Romance 48. *Un lunes a cuatro horas* (pág. 410): Ia. segunda mitad del siglo quince. Romance 48a. *Lunes se decía lunes* (pág. 410): Ia., primera mitad del siglo XVI a sexta o séptima década del mismo".

Para Menéndez Pelayo (8):

"El texto más antiguo, pero no el más completo de este romance viejo, y, seguramente, no muy posterior a la catástrofe que narra, se halla en la segunda parte de la *Silva* de Zaragoza (1550), y tiene el número 107 en la *Primavera* de Wolf".

Sin embargo, Menéndez Pidal creyó ser, la versión más breve, fruto de la tradicionali-

---

3) Parte VIII de las Comedias de Lope (1617).

4) Cito por la edición de las *Obras Completas.*

5) MILA y FONTANALS, Manuel, *De la poesía heroico-popular castellana.* Barcelona, 1959. pág.410.

6) En la nota n° 41, pág. 274, del *Cancionero de Romances viejos,* México 1972, juzga Margit Frenk como.protagonistas, una vez más al infante D. Juan y a María Teles, asesinada en 1379, estableciendo además una confusión cronológica al situar el suceso en 1512.

7) *op. cit.,* pág.591.

8) *op. cit.,* pág. 202.

zación de la versión más larga (9).

Pese a todos estos pareceres considero más lógico enfocar estas lecciones como resultados que guardan una cierta independencia entre sí, estableciendo dos grupos que se organizarían del siguiente modo:

— un primer grupo constituido por las versiones de la *Rosa Española* y *Flor de Enamorados;*

— otro, del que tendríamos como representante el texto de la *Silva.*

1. LAS VERSIONES DE LA ROSA ESPAÑOLA Y FLOR DE ENAMORADOS.

Como ya había notado Menéndez Pelayo, entre estas dos versiones, hay "variantes de poca monta" (10) y creo poder afirmar que ambas se encuentran emparentadas.

He aquí las dos versiones:

Lunes se dezia lunes,	18 y cortole la cabeça
tres horas antes del dia	aunque no lo merescia
2 quando el duque de Bergança	buelue el duque a la duquesa
con la duquesa reñia	otra vez la persuadia
el duque con gran enojo	20 morir teneys la duquesa
estas palavras dezia	antes que viniesse el dia
4 traydora me soys duquesa	en tus manos estoy duque
traydora falsa maligna	haz de mi a tu fantasia
porque pienso que traycion	22 que padre y hermanos tengo
me hazeys y aleuosia	que te lo demandarian
6 no te soy traydora el duque	y avn questen en España
ni en mi linaje lo hauia	ella muy bien se sabria
echo mano de su espada	24 no me amenazeys duquesa
viendo que assi respondia	con ellos yo mauernia
8 la duquesa con esfuerço	confessarme dexeys duque
con las manos la tenia	y mi alma ordenaria
dexes la espada Duquesa	26 confessaos con Dios duquesa
las manos le cortaria	con Dios y santa Maria
10 por mas cortadas el duque	mirad duque estos higicos
a mi nada se daria	quentre vos y mi hauia
sino veldo por la sangre	28 no los lloreys mas duquesa
que mi camisa teñia	que yo me los criaria
12 socorred mis caualleros	reboluio el duque su espada
socorred por cortesia	y a la duquesa heria
no ay ninguno alli de aquellos	30 diole sobre su cabeça
a quien la fauor pedia	y a sus pies muerta caya
14 queran todos Protugueses	quando ya la vido muerta
y nadie no lo entendia	y la cabeça boluia
sino era vn pagezito	32 vido estar sus dos higicos
que ala mesa la seruia	en la cama do dormia
16 dexes la duquesa el duque	que reyan y jugauan
que nada te merescia	con sus juegos a porfia
el duque muy enojado	34 quando assi jugar los vido
detras el paje corria	muy tristes llantos hazia

9) *Revista de Filología Española,* III, 1916, Págs. 256 y 281.

10) *op. cit.,* pág. 203.

con lágrimas de sus ojos
les hablaua y les dezia
36 hijos qual quedays sin madre
ala qual yo muerta hauia
matela sin merecello

con enojo que tenia
38 donde yras el triste duque
de tu vida que seria
como tan grande pecado
Dios te lo perdonaria?

Cancionero llamado Flor de Enamorados, 1562.

Lunes se dezia Lunes
tres horas antes del dia
2 quando el Duq̃ de Bergaçã
con la Duquesa reñia:
el Duque con grande enojo
estas palabras dezia
traydora me soys Duquesa,
traydora falsa enemiga
porque entiedo que trayció
mehazeys y alevosia.
6 No vos soy traydora el Duq̃
ni en mi linage lo hauia
Echo mano de su espada
viendo que assi respondia
8 La Duquesa con effuerço
con las manos la tenia.
Dexeys la espada Duquesa.
las manos hos segaria,
10 Por mas segadas el Duque
a mi nada se daria,
si no veldo por la sangre
que mi camisa teñia:
12 socorred mis Caualleros
socorred por cortesia,
no ay ninguno alli de aq̃llos
a quien socorro pedia,
14 que todos son Portugueses
ninguno no la entendia
si no era un Pagezico
que a le mesa la servia:
16 con muy grande compassion
estas palabras dezia..
Dexeys la Duquesa Duque
pues que nada merescia .
18 Con un grande enojo el duq̃
detras el Page corria,
y cortole la cabeça
cierto no se lo devia
20 cuytada de la su madre

que mas que [?] le queria
Buelve el Duq̃ a la Duq̃sa
otra vez la persuadia
22 A morir teneys Duquesa
antes que viniesse el dia.
En tus manos estoy Duque
haz de mi a tu fantasia,
24 que padre y hermano tengo
que te lo demandaria.
No me amenazeys Duquesa
con ellos yo me avernia.
26 Confessar me dexeys Duq̃
con Dios y sancta Maria.
Mirad Duque estos higitos
que entre vos y mi hauia.
28 No los lloreys vos duquesa
que yo me los criaria
Reboluio el Duq̃ su espada
y a la Duquesa heria,
30 diole sobre su cabeça
y a sus pies muerta cahia,
Quando ya la vido muerta,
y la cabeça boluia,
32 vido estar sus dos higitos
en la cama do dormia
que rehian, y jugauan
con sus juegos a porfia.
34 Quando assi jugar los vido
muy tristes llantos hazia,
con lagrymas de sus ojos
les hablua, y les dezia
36 hijos qual quedays sin madre
a la qual yo muerto hauia,
matela sin merescerlo
con enojo que tenia.
38 Donde yras el triste Duque
de tu vida que seria
como tan grande peccado
Dios te lo perdonaria.

Rosa Española, 1573.

Anotaré en primer lugar las variantes de tipo analógico o sinonímico para posteriormente señalar otros tipos de variación; en especial una aglutinación muy importante para determinar las relaciones que mantienen entre sí estas dos versiones (11).

Flor de Enamorados (1562)		Rosa Española (1573)	
3a.	gran		grande
4b.	maligna		enemiga
5a.	pienso		entiendo
6a.	te soy traydora el duque		vos soy traydora el Duq̃
9a.	Dexes		Dexeys
9b.	le cortaria		hos segaria
10a.	cortadas		segadas
13b.	la fauor		socorro
14a.	queran todos		todos son
14b.	y nadie no lo entendia		ninguno no la entendia
16a.	Dexes la duquesa el duque	17a.	Dexeys la Duquesa Duque
16b.	que nada te	17b.	pues que nada
17a.	El duque muy enojado	18a.	Con un grande enojo el Duq̃
18b.	aunque no lo merescia	19b.	cierto no se lo devia
20a.	Morir teneys la duquesa	22a.	Amorir teneys duquesa
22a.	hermanos	24a.	hermano
22b.	demandarían	24b.	demandaria
27a.	higicos	27a.	higitos
28a.	mas	28a.	vos
32a.	higicos	32a.	higitos.

Como se puede observar las variantes anotadas ratifican por completo la expresión de D. Marcelino. Sin embargo otro tipo de variación ocurre en estas versiones. Me refiero, a los versos 25 y 26 de la versión α que en β, mediante una aglutinación, se transforman en un único verso (v.26).

Donde se decía:

    25 —Confessarme dexeys duque y mi alma ordenaria.
    26 —Confessaos con Dios duquesa con Dios y Santa Maria.

por la supresión de 25b. y 26a. se reduce a:

    26 —Confessar me dexeys Duq̃ con Dios y sancta Maria.

En χ después de solicitar la duquesa tiempo para confesarse se transcribía el parecer

---

11) Aunque la terminología recuerde a Braulio do Nascimento en sus "Procesos de Variação do Romance" no la utilizo del mismo modo.

favorable del duque; al contrario, en β, sólo se anota el pedido formulado por Da. Léonor por lo que no se nos informa si accedió el duque al deseo o si no pasó de un artificio de la duquesa para demorar el golpe fatal.

En lo que concierne a los versos 16 y 20 de β y sin correspondencia en α , dos teorías se podrían establecer:

       a)α y β derivarían de una versión anterior omitiendo α dichos versos, o

       b) los agregaría el refundidor de 1573, tesis que me parecería más razonable.

Las razones que me inclinan a sostener esta segunda opinión se fundan en el considerar la versión β derivada de α . La aglutinación observada en el romance de la *Rosa Española* prueba claramente esta filiación; asimismo fácil se tornara admitir que los versos 16 y 20 de β no pasan de versos introducidos por Timoneda a expensas de fórmulas que abundantemente se encuentran en la tradición romancística. De este modo el verso 16 constituye, empero, una fórmula narrativa que fácilmente introdujo el compilador de forma a establecer con mayor precisión el *quien* enunció las palabras pronunciadas. En cuanto al 20 poco debo agregar; es, sin más explicaciones, un verso enfatizador que hace sobresalir la piedad que deberá conmover al lector del romance. Inversamente β omite el verso 23 de α . Para sostener la prioridad de la versión publicada en 1562 también este verso fue tenido en cuenta. Poco o nada interesaría máxime si se considera el proceso de novelización que acompaña la vida tradicional de cualquier romance, informar donde se encontraba la familia de la duquesa. Por ello Timoneda lo suprimió.

2. LA VERSION DE LA SILVA DE ROMANCES

>   Un lunes a las quatro horas
>   ya después de medio dia
> 2   esse duque de Bergança
>   con la duquesa reñia
>   lleno de muy grande enojo
>   daquesta suerte dezia
> 4   traydora soys la duquesa
>   traydora fementida
>   la duquesa muy turbada
>   desta suerte respondia
> 6   no so yo traydora el duque
>   ni en mi linage lo hauia
>   nunca salieron traydores
>   de la casa do venia
> 8   yo me lo merezco el duque
>   en venir me de Castilla
>   para estar en vuestra casa
>   en tal mala compañia
> 10   el duque con gran enojo
>   la espada sacado hauia
>   la duquesa con esfuerço
>   en vn punto a ella se asia
> 12   suelta la espada duquesa
>   cata que te cortaria

```
        no podeys cortar mas duque
        harto cortado me hauia
14      viendose en este aprieto
        a grandes vozes dezia
        socorredme caualleros
        los que truxe de Castilla
16      quiso la desdicha suya
        que ninguno parecia
        que todos son Portugueses
        quantos en la sala bauia.
```

Bastante más complejo será determinar la relación entre esta versión, γ, y los romances precedentes. Por de pronto sobresalen grandes semejanzas entre esta lección y las dos anteriormente referenciadas; sin embargo se nota ya, en esta versión, un otro tipo de variación, producto de un mayor trabajo tradicional que no se encontraba en α y β. El mismo "incipit" ya difiere

1 Un lunes a las quatro horas ya después de medio dia por,
1 Lunes, se decía lunes tres horas antes del dia.

Asímismo se nota en γ una mayor condensación en sus enunciados, supliendo practicamente los aspectos redundantes o con espíritu retardador que abundaban en los demás textos. Véase por ejemplo cómo la versión de la *Silva*, en un único verso, plantea la acusación del duque omitiendo el 5º verso (común a α y β) que nada agregaba a la significación. Lo mismo sucede con el verso 13 que condensa las palabras pronunciadas por la duquesa en los versos 10 y 11 de las versiones α y β.

El trabajo tradicional construyó esta versión. En γ domina la condensación en vez de la aglutinación, etapa claramente ulterior en la vida de cualquier romance.

Lamentablemente para el estudio de la génesis, aunque afortunadamente para el romacero, el fragmentismo de γ nos impide el ir más allá tan sólo basándonos en elementos textuales; otros elementos concurrirán para establecer la evolución probable de estos romances.

3. LA VERSION DE LOPE DE VEGA

Partiendo del mismo suceso, compuso Lope de Vega la comedia intitulada *El más galán portugués, duque de Berganza aprobada* en 1616 y compuesta muy probablemente entre 1610 y 1612 (12). En esta obra, Lope, intercaló versos de las tres versiones del romance, cambiando sin embargo el rumbo de los hechos. Resumo con palabras de D. Marcelino la trama de la comedia: "Supuso que el paje, a quien llamó Mendocica (sin duda por reminiscencia del apellido Mendoza, que era realmente el de la duquesa), y que por sus intimidades con ella despierta los rabiosos celos del duque, era una dama de pocos

---

12) GRISWOLD MORLEY y COURTENEY BRUERTON, *Cronología de las comedias de Lope de Vega*, Madrid, pág. 352.

años y muchos brios, que por travesuras de amor andaba en hábito de hombre. Con esto, y con detener a tiempo el brazo del duque, y hacer que sus víctimas se pongan en salvo, todo se arregla del mejor modo posible: queda patente la inocencia de la duquesa; su hermano, el Gran Prior, que viene de Castilla a retar al marido (como en efecto lo hizo. D. Pedro Girón), obtiene el desagravio más cumplido y cordial; y la doncellita andariega, que tuvo la culpa de todo el embrollo, encuentra al burlador perjuro que la había dejado sola en el monte, le reclama la palabra de esposa y se casa con él en haz y en paz de la iglesia" (13).

Sobre el porque de esta novelización, señalaré más adelante las razones; por ahora detengamonos en el texto.

Lope conocía harto bien el romancero, utilizando, muchas veces, versiones de romances recordadas por el público que lo seguía logrando con sus glosas y remedos, una adhesión mucho más amplia. En la versión del comediógrafo se encuentran versos idénticos o semejantes a las versiones, α , β y γ .

He aquí la versión de Lope:

Medio dia era por filo,
eclisado el sol salía,
2 (que en los eclises del Sol
siempre suceden desdichas,
que puestos que sus efetos
para lexos pronostican,
4 que no hará quando padece
quien todas las cosas cria)
quando el duque de Vergança
con la Duquesa reñía.
6 Comiendo una vez estava,
quando arrojando una silla
el Duque se levantó
con la cara denegrida.
8 Dexan la mesa los dos,
capa y espada pedía:
—"Traidora me sois, Duquesa,
falsa, aleve y fementida".
10 A quien con valor responde
que su sangre imita:
—"Yo no soy traidora, Duque,
ni en mi linage lo avía;
12 mira si alguna traición
si al caso el tuyo la estima".
Quando aquesto oyera el Duque,
fuego echando por la vista,
14 empuñando la su espada
desembaina la cuchilla,
y como si fuera un moro
para la Duquesa se iva.
16 La Duquesa con las manos,
parece se defendía,
aunque eran de mármol blanco
el rostro con celosía,

---

13) *op. cit.*, pág. 211-212.

18   y viendo que la matava
ágrandes vozes dezía:
="¡Valedme, mis escuderos,
los que traxe de Castilla!"

20   Todos eran protugueses
ninguno el habla entendía,
no porque no la entendiessen,
sino porque no querían,

22   sino fuera un pajeçuelo,
que llamavan Mendoçica,
que porque áDoña Mayor
con mucha lealtad servía

24   de ver el Duque con ella
zelos el Duque tenía;
pero como vido el paje
entra con lengua atrevida

26   diziendo sin tener miedo
á su muerte ní á su vida:
—"Suelta Duque á la Duquesa,
que ella nada te dezía."

28   El Duque fué contra el paje,
por los corredores iva.
El paje como es ligero
por la escalera corría,

30   pidiendo justicia al cielo;
pero el Duque le seguía.
Estando en aqueste punto,
llegué yo con osadía

32   donde la Duquesa estava,
y entre los brazos asida
la saqué por una puerta
que por el jardín salía,

34   y hazia un pedazo de monte,
entre unas verdes encinas,
y a las ancas de un cavallo
que bolava y no corría

36   la puse á los pies del Rey
donde le pide justicia.......... (14).

Lope sigue, como ya afirmamos, las tres versiones que hoy dia conocemos. El verso 5 reproduce textualmente el 2 de las versiones α y β ; lo mismo podemos afirmar en 9a. (4a. de α y β), sin embargo en 9b., de los tres adjetivos utilizados, el primero, *falsa*, es común a α y β , el segundo, *aleve*, también ocurre en dichas versiones (5b.), aunque en su forma sustantivada, y el tercero, *fementida*, en γ . El verso 10 de la versión de la comedia recuerda el "la duquesa muy turbada desta suerte respondia" de γ ; a su vez, en 11, se reproduce de nuevo casi textualmente el verso 6 de α y β . Vuelve la comedia a inspirarse en γ con el hemistiquio 19b. El verso 20 próximo de β más se acerca de α al utilizar el imperfecto; sin embargo se acerca de γ en el verso 21 ya que creo ser también esa información que pretende establecer el verso 17 de γ .

---

14)*Octava parte de las comedias de Lope de Vega*, Madrid 1617 f° 85 c. Variantes de la edición de la Academia: 10b. ella que; 17a. aunque era de; 25a. pero conmovido.

No creo necesario seguir cotejando; con el verso 17 cesa la versión γ, y, en adelante, las semejanzas serían solo obviamente verificables con relación a α y β. ¿Por qué razón Lope prefiere las versiones de Linares y Timoneda, menos tradicionales, casi desechando la mejor de estas versiones?

Concurre para este hecho una razón fundamental: el punto de vista.

II

En un magnífico artículo publicado en 1978, escribió Diego Catalán:

> "el "estoriador" no se limita a escudriñar los hechos pasados en busca de "saber cierto", sino que se preocupa, en cada momento, de la enseñanza que de la historia sacará el lector".

Lo que se dice para el "estoriador" se aplica totalmente al romancero. El mismo Catalán lo afirma:

> "El estudio de las variantes cronísticas, como el estudio de las variantes romancísticas, o el de otros géneros "abiertos" nos evidencian que la variación del texto y de la estructura de una crónica no es (salvo casos excepcionales) un accidente en el proceso de la transmisión, sino algo consustancial al modo de reproducirse el modelo, dependiente de la capacidad del transmisor de comprender y utilizar el "lenguaje" de la estructura que reproduce y de su conocimiento del programa virtual que la crónica que copia pretende realizar" (15).

En síntesis, en el romancero, como en la historiografía, la variación es una propiedad congénita regida por leyes propias que condicionan y limitan las posibilidades de apertura.

Al precisar de este modo estos textos "abiertos", cabe destacar que, entre las leyes reguladoras de la variación, se encuentra el punto de vista; la opción seleccionada por el *autor* en conformidad con el juicio a formular sobre el hecho que se describe.

Un género "abierto", en su vida tradicional, no se siente obligado a rehacer totalmente el texto del que parte, para emitir otra opinión, reconstituir los sucesos o enfatizar ciertos aspectos; al contrario, se revela con derechos de propiedad sobre la estructura que hereda introduciendo alteraciones, tantas cuantas sean necesarias, para conciliar lo *suyo* con lo recibido.

Este romance hereda algunos de los versos del Conde Alarcos. Por el número de pliegos conservados y fechables en tiempos muy próximos al del asesinato de la duquesa se puede comprobar que era uno de los textos tradicionales más conocidos. Claro que no solo por razones de moda se echó mano del Conde Alarcos. La semejanza de algunas escenas y en especial las consideraciones de los hemistiquios 421 y 422 (Assi murio la condessa/ sin razon y sin justicia) permitieron el aprovechamiento mencionado. En otro estudio que preparo sobre dicho tema volveré al asunto.

Cuando páginas atrás proponía una revisión de las teorías hasta ahora elaboradas sobre la génesis de estas tres versiones estudiadas, lo hacía con plena conciencia de las impo-

---

15) "Los modos de producción y "reproducción" del texto literario y la noción de apertura" in *Homenaje a Julio Caro Baroja,* Madrid, 1978, Pág. 266.

sibilidades que, a mi juicio, una filología positivista siente al intentar resolver este problema. Enfoquémoslo pues de otro modo (16).

Volvamos a los textos y comparemos las informaciones facultadas con la documentación existente sobre el asesinato de D. Leonor.

Se reune gran parte de la documentación sobre la muerte de la duquesa de Bragança, en la ingente labor de compilación de D. Antonio Caetano de Sousa citada en la nota número 2 de este trabajo. Imprime por vez primera un fragmento del auto sumarial Ignacio Pizarro de Moraes Sarmento en su *O Romanceiro Portuguez*, Tomo I (17).

La edición completa de esta inquisición sumarial aparecerá por intermedio de Luciano Cordeiro en 1889 (18). Gran parte de las referencias bibliográficas, aunque con errores, al suceso del 2 de noviembre de 1512, podrán consultarse en el catálogo de Diego Barbosa Machado, *Bibliotheca Lusitana*, Tomo II, publicado en Lisboa en 1747 (19).

Como ya había notado Menéndez Pelayo los historiadores "callan cuidadosamente las circunstancias de su muerte" (20). Damião de Gois, por ejemplo, en la edición definitiva de su *Crónica do Felicissimo Rei D. Manuel* que se publicó en cuatro partes en Lisboa en 1566, en la capítulo referente al matrimonio de D. Jaime con D. Leonor afirma:

> "Dom Iaimes dvque de Bragança filho do Duque dom Fernando, foi homẽ mẽ prudente, & muito dado a religiam, mais desejoso de nella servir a Deos, que nam em outro estado. Pelo que cõtra sua vontade, & com desgosto, por comprazer a elRei, & a Rainha donna Leanor seus tios & á Duquesa dõna Isabel sua maĩ, posto que naquelle tempo andasse muito doente de humor malẽconico casou em idade de vinte, & hum annos, no anno de Mil, & quinhẽtos, & hum, com donna Leanor de mendoça, filha legitima de dom Ioam de Guzman, terçeiro Duque de Medina sidonia, Conde de Niebla, com ha qual senhora lhe deram grãde dote de dinheiro, baixellas, & ornamẽtos de sua casa, & ha trouxeram a Portugal no anno de Mil, & quinhentos, & dous, moça sem ainda ter idade pera se entrelles poder consumar ho matrimonio".

Sigue Damião de Gois narrando el accidentado viaje hecho por el duque, consejo de unos frailes franciscanos, hacia Jerusalén a fin de dedicarse a la vida religiosa. En cuanto el rey D. Manuel lo supo ordenó su búsqueda siendo hallado en Calatayud y obligado a regresar:

---

16) Sobre este punto una vez más debemos recurrir a Diego Catalán que en un interesante y amenísimo trabajo incluido en un libro de homenaje a D. Ramón Menéndez Pidal intitulado *¡Alça la voz pregonero!* afirma que en las páginas 92-93: "En mis estudios sobre la historiografía de los siglos XIII, XIV y XV he podido comprobar que ciertos relatos "novelizados" de las crónicas ciertas "variantes" de una leyenda épica no se explican a partir de refundiciones poéticas —según pensaba Menéndez Pidal—, sino que responden a nuevas formas del arte de historiar o a manipulaciones de la narración por parte de los cronistas en función de razones artísticas, éticas o políticas.

17) Publicado en Lisboa en 1841 (páginas 202-203) y no en Oporto en 1846 como afirmó Menéndez Pelayo.

18) CORDEIRO, Luciano, *A Senhora Duqueza*, Lisboa, 1889, páginas 299-311.

19) Seguí la edición de Coimbra de 1966.

20) *op. cit.*, pág. 205.

"& dahi se tornou hao regno, & fez vida cõ sua molher, de que houue dõ Theodosio q̃ ho sucçedeo, & donna Isabel que casou cõ ho Infante Dom Duarte filho delRei dom Emanuel. Depois da morte da qual senhora oito annos, elle se casou no de Mil, & quinhentos, & vinte, per vontade del Rei dom Emanuel, com hũa dama fermosa, prudente, & discreta, per nome dõna Ioanna de Mẽdoca, de que houue filhos, & filhas" (21).

Lee Menéndez Pelayo en estas palabras un juicio de Gois sobre la culpabilidad de doña Leonor, al sobrevalorar las excelencias de su segunda mujer. Aunque no pretendo discutir las razones que movieron al duque, ya que no conozco documentación suficientemente imparcial que nos informe al respecto, juzgo demasiado ligera la opinión de D. Marcelino. Damião de Gois sufrió enormes presiones a lo largo de su vida, acabando por morir asesinado, según recientes versiones; la *Crónica de D. Manuel* es también producto de fuertes coacciones y creo poder probar que este suceso, de tan intocable, obligó, en su época, al mismo Gois a una cuidadosa formulación que impidiera cualquier interpretación desfavorable al duque. Quizás Menéndez Pelayo no supiera que este humanista portugués se vió obligado a retirar de su texto las siguientes informaciones:

"ha qual Duquesa dona Leonor elle matou ás punhaladas com hun seu page de sobrenome Alcoforado, com quem tinha suspeita que lhe fazia adulterio,"

Con la expurgación de estos renglones, pese al cortés y diplomático estilo con que Damião de Gois nos informa del asesinato de D. Leonor —casi poniendo en práctica lo que propugnaba sobre el oficio del historiador en la *Crónica do Príncipe D. Joao*, en su crítica a la forma deshonesta y poco prudente con que Nebrija refirió la impotencia de D. Enrique, por el respeto que merecen figuras de alto linaje (22)— tenemos la más clara prueba de que se le interditaba a cualquier cronista no solo informar sino también aludir a este hecho.

Retomando el texto primitivo, vemos que D. Jaime apenas sospechaba de las relaciones adulterinas entre Alcoforado y D. Leonor. Asimismo no quedan dudas que los privilegios reales concedidos al duque y las relaciones entre D. Manuel y los Reyes Católicos obligaron a una política de prudencia que calló los cronistas de la Casa de Niebla y, como ya se vió, los historiadores portugueses.

D. Antonio Caetano de Sousa aunque implacable crítico de Gois —las relaciones con la casa de Bragança hacen sospechosas las palabras de D. Antonio sobre el cronista del renacimiento— se muestra un firme conciliador. Afirma la inocencia de la duquesa pero, mediante la apología de la vida del duque conduce el lector a un saldo favorable del Bragança

---

21) *Crónica do Felicíssimo Rei D. Manuel,* nova edição conforme a primeira de 1566 anotada e prefaciada pelo prof. Joaquim Martins de Carvalho e David Lopes, Coimbra, 1926, páginas 137-139.

22) En la edición crítica de la *Crónica do Príncipe D. Joao,* preparada por Graça Almeida Rodrigues, de la Universidade Nova de Lisboa, Lisboa, 1977, páginas 83-84 se lee: "No qual passo nam vsou bem ho offiçio de historiador, porque se bom historico fora, lhe abastara fallar com honestidade na impotençia delrei dom Anrrique, o della induzir per palauras corteses, e deuidas a pessoas tam Reaos, ha sospeita que alguns tinham da Infante donna Ioanna nam ser sua filha, porque deste modo, como bom, e honesto artofiçio, dera a entender sua tençam, que era persuadir quomo a sucçessam dos Regnos de Castella pertençia ha Infante domna Isabel".

(23). Esta, en el fondo, fue, hasta cierto punto, la postura oficial. Pese a que la inquisición hecha diera por clara la culpabilidad de la duquesa, no fue cabalmente aceptada al ser los testigos miembros dependientes de la casa de D. Jaime, por lo que si por un lado no hubo osadía para condenar al duque tampoco, públicamente, se pregonó la inocencia de la víctima.

Fue la literatura el único medio que en aquellos tiempos logró tomar partido. En 1516, en el *Cancionero Geral* de García de Resende (24), sobre la partida de D. Jaime hacia la conquista de Azamor afirmó Luys Anrryquez:

19 que foy emviallo sobre Azamor
20 pola maldade do erro passado (24).

El romancero tuvo idéntico papel y el romance noticioso que estamos estudiando, en una de sus versiones emitió el juicio que quizá un Barrantes Maldonado no pudo enunciar.

En las cuatro versiones que componen el "corpus" de este tema nos encontramos ante tres maneras distintas de enfocar el problema. Para las versiones de Linares y Timoneda, sin dejar de ratificar la inocencia de D. Leonor, se nos presenta al final un duque arrepentido por su crímen y aunque el "tan grande pecado" solo Dios sabe si se le perdonará; la razón de honor, fomentadora del "enojo", justificaría, para la justicia humana al menos, acto tan brutal. Al contrario la versión de la *Silva* enfatiza la inocencia de la duquesa y, proporcionalmente, desplaza a D. Jaime al puesto de vulgar homicida. Asimismo —y estos versos solo los encontramos en esta versión —insiste en la única razón que pudo permitir el que se llegara a tal situación; la duquesa es la única "culpable", no por el delito de adulterio sino por "venir me de Castilla// para estar en vuestra casa/ en tal mala compañia". Por fin, Lope, al no permitir que se concreten los intentos del duque y al transformar el desenlace sin inocentes porque no hubo culpables (todos se aunan en la felicidad del final), nos introduce un nuevo elemento que hará decir: ¿Qué razones engendraron tan distintas situaciones en tan pocas versiones?

III

Comparemos estas versiones con algunos documentos que seleccionamos para cotejo, verificando lo que hay de ficción y de Historia en dicho romance.

En α , β y γ se señala como siendo un lunes el 2 de noviembre de 1512. Lope a su vez nada dice sobre el día de la semana prefiriendo el formulaico incipit "Medio dia era

---

23) En las páginas 334 de la mencionada obra de Caetano de Sousa se puede leer: "Dom Francisco Manoel de Mello referindo este successo, diz: *Pudiera ser contado por felicissimo Príncipe a no averse cazado nunca, segun afirman fue siempre su deseo. Dio muerte à su primera muger D. Leonor; ay fama que sin otro fundamento, que su antojo. Dicese por cierto, que Jayme participando en su mocedad del propio beruaje, que su mayor hermano D. Felipe, ya que no peligró de vida, adolesió del seso, cuyos intervalos le fueron continuos, y a tiempos le oprimían, agora de subita colera, agora de indeterminable malencolia*".

24) *Cancionero Geral de Garcia de Resende*, vol. III, Lisboa, 1973 pág. 104.

por filo". En realidad, el 2 de noviembre de 1512, fue un martes. Las razones que establecen esta coinciencia en las tres versiones son muy claras. Todos sabemos que el lunes, en el romancero, traduce los días aciagos no existiendo otra alternativa para las versiones con desenlace fatal. ¿Prefirió Lope por ello otra lección?

En lo que concierne a la hora, α y β se aproximan del auto sumarial que dice:

> "Anno do Nascimento de Nosso Senhor Jesus Christo de Mil quinhentos doze annos, aos dous dias do mez de Novembro do anno sobredito duas oras ante manhãa pouco mais ou menos em Villa Viçoza" (25).

Se aparta sin embargo γ que situa el crimen a las cuatro de la tarde.

La escena de la discusión, semejante en todas las versiones se acerca del testimonio de Pero Vaz: "e achara o Duque estar estoriando com a Senhora Duquesa (...) e que a dita Senhora Duqueza se desculpava" (26).

Las palabras pronunciadas no nos las dan los testigos, pero Caetano de Sousa, en el relato que nos brinda de esa madrugada, escribe:

> "Entrou ou Duque, a quem a Duqueza animosamente perguntou, porque a queria matar? E dizendolhe o Duque, porque lhe fora traidora, ella lhe respondeo: nem eu sou traidora, nem meus avos o foraõ nunca;" (27).

Confieso que afanosamente busqué las fuentes de esta información y en parte alguna se describían estas razones, por lo que me inclino a creer que Caetano de Sousa debió conocer el romance y en él se basó para narrar la plática.

Esta escena es, como ya señalamos, uno de los momentos de variación más notable de la versión γ. Es la única versión que, de forma llana y sin cualquier ambigüedad, relega a un nivel inferior uno de los cónyuges; no solamente se afirma que en el linaje y en la casa de D. Leonor no había traidores, sino que se marca de modo terminante, con matices que casi llamaríamos didácticos, la superioridad de Castilla sobre Portugal.

A fin de introducir un mayor movimiento y a la vez confirmar la inocencia del paje, el romance —en adelante solo cotejaremos las versiones de 1562, 1573 y 1610-12?— hace con que entre en escena Alcoforado (Mendocica para Lope, sin nombre en las demás versiones) intentando librar la duquesa, mientras defendía su inocencia; célere, el duque, sin tiempo para reflexionar, como conviene a las versiones α y β, lo persigue y lo mata (logra huir en la versión de Lope). Precisamente al revés según los informes consultados sucedieron los hechos. Retomemos las palabras de Pero Vaz:

> "o dito Antonio Alcoforado estava ahy na dita camara, honde a dita Senhora tinha a sua cama e dormia, porem que quando elle testemunha já chegou, pela tardança que fizera cá em baixo, achara já estar o dito Senhor com a dita Duqueza as estorias na sua guarda roupa da dita Senhora, e o dito Antonio Alcoforado na dita camara, como dito he, e Jorge Lourenço falando com elle, e o dito Alcoforado estava de giolhos encommendando-se a Deos, e como elle testemunha entrara dhy a hum pouco o dito Antonio Alcofo-

---

25) CORDEIRO, *op. cit.*, pág. 299.

26) idem, *op. cit.*, pág. 302.

27) CAETANO DE SOUSA, *op. cit.*, tomo V, pág. 332.

rado lhe pedira pelo amor de Deos que lhe perdoase, se lhe alguma cousa tinha feito (...) lhe pedia [Antonio Alcoforado al duque] pelo amor de Deos que lhe perdoase a trayçam que lhe fezera, que lhe mandase fazer bem pela alma, e que o dito Senhor lhe respondeo que se abraçace com Deos, que o corpo avia de padecer, que mais passara Nosso Senhor por nós outros.

Entam viera Lopo Garcia Capellam do dito Senhor, e confessara o dito Antonio Alcoforado, e asy confesara a Senhora Duqueza, e acabado de confessar o dito Antonio Alcoforado, mandou o Senhor Duque que lhe atassem as mãos e o dito Antonio Alcoforado lhe pedio por mercè que lhe mandase cobrir o rosto, o qual lhe cobriram com hum lençol (...) entrara hum negro com hum manchil e o degolara" (28).

He aquí como de aprisionado, suplicante, atemorizado, teniendo tiempo para confesarse y muerto por un verdugo se transforma, por novelización romanceril, en mártir, víctima de su acto heroico, digno de un caballero defensor de dama agraviada; en cuanto al duque, le retira el romancero toda su morosa y meditada actuación, convirtiéndola en apasionada y enloquecida por los celos. Sin embargo la vuelta del duque al cuarto de sus hijos, en donde se encontraba la duquesa, coincide con el relato histórico; aunque en este punto, y según los documentos, el duque ordenó al capellán Lopo García que confesara a la duquesa al revés de lo que informa x y f.

Dice Jorge Lourenço, escribano del duque:

"e que emquanto se isto fez se confesou a Senhora Duquesa ao dito Lopo Garcia, e que vio tomar ao Duque hum traçado e se fora para a dita Senhora, e lhe dissera esta era a minha doença destes dias, dayvos a Deos, e que lhe começara de dar com o dito traçado levando-a pellos cabellos elhe deu as feridas contheudas no Auto, de que loguo morreo" (29).

Semejante es el testimonio de Joam Gomes:

"e que nesto o dito Senhor mandou a ell testemunha que fosse chamar Lopo Garcia Capellam que viesse pera huma doentes que elle testemunha o foy chamar e trouxe consiguo (...) e que tanto que o dito Antonio Alcoforado foy acabado de confesar, o dito Senhor mandara ao dito Lopo Garcia que confesase a dita Senhora Duqueza sua mulher, (...) e que emquanto se a dita Senhora confesava ho dito Senhor mandou ao dito Antonio Alcoforado, e depois de todo feyto o Duque foy duas ou tres vezes honde a dita Senhora estava confesandose perguntar e saber se se acabava de confesar e que ella tardava na confissão e a dereadeira vez que foy disse acabay, Senhora, absolveya Padre, que nam ha mister mais, e que o Padre asolveo e o dito Senhor se fora para ella com hum treçado que levava e lhe dissera que se encomendasse a Deos e se lembrase de sua alma, e que a dita Senhora ouvindo-lhe isto dera certos gritos, e o dito Senhor lehe dera com o treçado as feridas contehudas no dito Auto" (30).

Podríamos multiplicar los testimonios aunque nada de nuevo se agregaría.

En lo que concierne al final del romance, en el que se nos describe a D. Jaime arrepentido por el yerro cometido, compárense estos sentimientos señalados, con las informaciones que se transcriben a continuación:

28) CORDEIRO, *op. cit.,* págs. 302-303.

29) CORDEIRO, *op. cit.,* pág. 315.

30) idem, *op. cit.,* pág. 318.

"Conta-se também, que o Duque depos reflectindo no caso, sentio com extremo a fatalidade da morte da Duqueza, e com tanto arrependimento, que com asperas penitencias pedia a Deos perdaõ daquella culpa, e que por muitas vezes perguntava a pessoas, que tratava de abalisada virtude, se se salvaria a Duqueza".

y más adelante:

"Levado de lembrança daquella culpa, implorando a Divina Clemencia, aonde se vê huma casa, que por ser retirada escolhia o Duque, em que fez asperas penitencias. Era naturalmente pio, e bom Catholico; e reconhecendo o seu delicto buscava com fervoroso arrependimento o perdaõ" (31).

La coincidencia entre el biógrafo, defensor incondicional del duque y las versiones x y β del romance no pueden significar otra cosa que, sin borrar su crimen, afanosamente se busca el remordimiento que minoraría la culpa.

Contra estas versiones, tendenciosas por cierto, se eleva la cristalina voz del documento. En la obra citada de Menéndez Pelayo figuran palabras del testamento de D. Jaime retiradas del importante libro de Fernando Palha *O Casamento do Infante D. Duarte,* estampado en Lisboa por la Imprensa Nacional en 1881, que demuestran a la saciedad que el duque "conservó su rencor hasta la hora de la muerte" reiterando su odio hacia D. Leonor asi como la culpabilidad de su comportamiento.

IV

Retomando las afirmaciones expuestas hasta ahora las resumiríamos en tres incisos principales:

a) Las versiones del romance a la muerte de la duquesa de Bragança x y β se encuentran emparentadas derivando la segunda de la primera.

b) La versión de Lope condicionada por la trama que impuso a su comedia, siguiendo las tres versiones, opta prioritariamente por α y β.

c) Las versiones conocidas enuncian juicios muy distintos sobre los sucesos. Desde el desenlace feliz del romance de la comedia, a la hostilidad hacia los Braganças, pasando por las que, defendiendo a la duquesa, encuentran modo de no condenar al duque.

¿A qué responden entonces estos tan distintos puntos de vista?

Creo que muy cerca del suceso se compuso un romance que refirió estos hechos. Hasta la fecha es imposible asegurar si favorable o desfavorable a una u otra casa, o conciliador de las partes; de todos modos, con versos comunes a las versiones hoy conocidas. No obstante, dos tendencias se forjaron enseguida. A esas tendencias corresponden los romaces de Linares y Timoneda, por un lado, y el de la *Silva* por otro.

En α y en β encontramos el parecer "oficial" sobre los hechos. La armonía de las coronas de Portugal y Castilla no podía romperse con este crimen. Los enlaces matrimoniales entre Don Manuel y las infantas Castellanas respondían a una diplomacia que a toda

---

31) CAETANO DE SOUSA, *op. cit.,* tomo V, págs. 337-338.

costa tenía que continuar. A su vez γ nos revela que en Castilla hubo un movimiento desfavorable a la actuación del duque de Bragança y con decir Castilla no quiero excluir la posibilidad de que las versiones hostiles no hayan nacido o por lo menos recibido aprobación en Portugal. Recuérdese la rivalidad entre el Duque de Coimbra y D. Jaime. Asímismo la política de acercamiento con Felipe II, entablada por la viuda de D. Juan III de Portugal, pese a la hostilidad del Cardenal D. Enrique justifica que en España las versiones Linares y Timoneda sean como son.

La versión de Lope nace ya en un periodo de fusión ibérica, bajo Felipe III, en un momento en que los Braganças parecían apoyar al rey español. Recuérdese que tres años después de la aprobación de la comedia Felipe IV fue jurado sucesor de la corona en Olivenza, en acto al que asistieron el Duque de Bragança D. Teodosio y su hijo Juan.

Lamentablemente el número de versiones conocidas nos obligan a un juicio provisional y sin grandes seguridades. Es muy natural que este romance al igual que ocurrió con el romancero del rey D. Pedro, bajo el periodo Trastámara, haya sido víctima de una fuerte represión. ¿Se deberá a ella su inexistencia en la tradición oral?.

PEDRO FERRÈ
Universidad de Lisboa

FOLKLORE Y ESTRUCTURA EN LA OBRA DE CERVANTES

LOUIS COMBET
Universidad de Lyon II

FOLKLORE Y ESTRUCTURA EN LA OBRA DE CERVANTES

Louis Combet

I

El objeto de esta ponencia es indagar la naturaleza y la función de un tipo de relación que puede darse entre el *folklore* (o la materia folklórica) y el *texto literario* —más precisamente el texto literario de calidad, tal como se nos presenta en el Siglo de Oro español en las obras de no pocos escritores creadores de formas y de mitos. Por razones obvias, me limitaré aquí al estudio de un autor -Cervantes-, y dentro de su producción literaria, al examen de algunos textos sacados de obras que todas pertenecen a dos grandes géneros literarios: la narrativa y el teatro— formas particularmente adecuadas para la inserción del material folklórico.

Dicho material no escasea en la obra de Cervantes. Especialmente en el *Quijote*, donde constituye una singularidad que ha llamado la atención de muchos comentaristas. Desde luego, viene a la mente la figura de Sancho Panza. Examinaremos dentro de poco el caso de este personaje tipo. Pero la obra de Cervantes no se limita al *Quijote*. En otros escritos suyos surge también la materia folklórica española. Vamos a analizar unos cuantos casos de esta emergencia. Previamente, quisiera sin embargo, para que las cosas queden bien claras, indicar a grandes rasgos la tesis que voy a defender. Esta tesis es la siguiente:

La utilización de la materia folklórica, por abundante que aparezca en los escritos del autor del *Quijote*, no puede por ningún concepto ser considerada como un *fin*: es solamente un *medio estilístico* que la tradición cultural y nacional pone a disposición del autor para la elaboración de su obra *literaria*. Y, justamente, por ser ésta una obra literaria, su elaboración no puede ser fruto del azar o del capricho: obedece primero a una *dinámica* específica que organiza sus varios elementos en una serie de *sistemas* o *estructuras* fácilmente observables —luego descriptibles. En claro, digamos que entre todas las significaciones producidas por una obra literaria de cierta extensión, algunas, por su carácter recurrente y aún obsesivo, acaban por imponerse en tanto que verdaderos sistemas funcionales. La existencia de tales sistemas constituye la prueba de un hecho que ha sido señalado hartas veces por la crítica y que conviene recalcar aquí, pese a su banalidad: a saber que toda obra de valor tiene una *unidad* y que, en definitiva, los grandes escritores siempre escriben más o menos *lo mismo,* a pesar de la aparente diversidad de los medios y moldes expresivos de que pueden hacer uso a lo largo de su producción. Esta sencilla observación dió origen al estudio que publiqué el año pasado sobre Cervantes y el *deseo* que se manifiesta a través de su obra (1). En este libro, trato de mostrar cómo una de las grandes estructuras que organizan toda la obra de Cervantes puede ser designada con el nombre de *psicoestructura,* o sea un conjunto de formas y de relaciones descriptibles según la terminología de la psicología moderna. En efecto, casi todos los escritos de Cervantes (prosa narrativa, teatro en verso o en prosa, poesía lírica o satírica, crítica literaria, etc.) aparecen protagonizados por *personajes* de carácter y personalidad muy *semejantes,* que actúan en el marco de situaciones muy *perfiladas* y notablemente *recurrentes.* Así, por ejemplo, se nos presenta muchas veces una situación tipo en la que una mujer inteligente, activa y emprendedora, a veces algo cruel y sádica, es amada por un hombre a todas luces menos inteligente que ella, de carácter algo débil y borroso. Y sin embargo, ese amante dócil parece experimentar un extraño placer ante el desprecio y los malos tratos que se le infligen.

Estamos aquí en presencia de una situación y de una "psicología" que suponen una como inversión de la representación *tradicional* de los rasgos que definen respectivamente a los individuos de sexo masculino y de sexo femenino. En la obra de Cervantes, es pues la mujer la que se puede calificar de "varonil", mientras que el hombre sufre un proceso de feminización evidente.

Además, no pocas veces esa situación binaria se complica con la aparición de un tercer personaje masculino: por lo regular, un *amigo* del amante, quien ama a la misma mujer que éste. Sin embargo, dentro de esta configuración triangular, ese segundo personaje no se diferencia mucho de su rival: antes bien, ambos se parecen —psicológicamente— de un modo asombroso (un ejemplo bien conocido: Anselmo y Lotario, los "dos amigos" de la novela del *Curioso impertinente* que figura en el *Quijote*), y quien quisiera echar mano de la terminología de los etnólogos y mitólogos pudiera decir que ese rival del amante es su *Doble* fraternal y hasta gemelo. Más precisamente diremos que estos dos personajes funcionan recíprocamente como dos Dobles, infligiéndose mutuamente los sufrimientos propios del "mal de amor": sospechas, celos y varios tormentos que la amada se recrea al parecer en hacer más crueles. Pero hay que recalcar que tales tormentos no desagradan a esos amantes algo masoquistas. Antes bien, parecen anhelarlos: lo cual, naturalmente, produce el fracaso final de su pretensión amorosa. Un fracaso que, al fin y al cabo, están buscando inconscientemente. A este tipo de conducta llamo en mi libro citado el "fracaso masoquista": estructura fundamental, a mi parecer, de las ficciones cervantinas, incluido el *Quijote.* En efecto, si bien don Quijote parece escapar —de modo parcial— a esa situación triangular dentro del marco de la relación amorosa, queda bien claro que esa búsqueda porfiada del fracaso se traslada al plano de su comportamiento social global. Don Quijote es el héroe que fracasa en todas sus empresas, porque se coloca constantemente en situación de fracasar. Porque es el héroe del *deseo* humano, por definición irrealizable.

---

1) L. Combet, *Cervantes ou les incertitudes du désir,* Presses Universitaires de Lyon, 1980.

II

Abordemos ahora la segunda parte de esta ponencia, o sea la naturaleza y la función de la relación entre los varios elementos folklóricos cervantinos y el texto en que se hallan incrustados. He insinuado ya cómo esos elementos distan mucho de ser meros aditamentos o adornos cuya presencia sería motivada por algún afán de "realismo" o "pintoresquismo". Por el contrario, se integran perfectamente en la *psicoestructura* que acabo de describir *a* grandes rasgos y de la cual constituyen otros tantos *rasgos pertinentes* de singular interés. Para dar a entender mejor lo que quiero exponer aquí, adelantaré en primer lugar un ejemplo algo marginal, pero por eso mismo particularmente significativo. Se trata de un pasaje de la comedia de *Pedro de Urdemalas*.

Partamos de la psicoestructura cervantina, y más especialmente de uno de sus elementos más curiosos: la importancia concedida, en el retrato físico de la mujer bella, a dos elementos corporales: el cabello y el pie. Hasta se puede hablar en este caso de verdadero fetichismo (2). Sólo apunto ahora la existencia de esta obsesión, sin tratar de esclarecer sus motivaciones profundas. Lo que es cierto, es que tal fenómeno produce a veces efectos insólitos y aun cómicos. Eso es lo que ocurre en el primer acto de *Pedro de Urdemalas* donde se nos revela una extraña costumbre popular. Un joven aldeano, Pascual, está enamorado de Benita, pero no se atreve, por timidez, a hacer su declaración a la muchacha. Es entonces cuando el astuto Pedro de Urdemalas decide socorrer a ese torpe amante. Se aproxima el verano y estamos en vísperas de la noche de San Juan. Ahora bien, le explica Pedro a Pascual, existe entre los aldeanos una tradición que viene como de perlas para favorecer las pretensiones de éste. Durante la noche de San Juan, las mozas todavía solteras salen a la calle y allí, sentadas en una silla, desatan sus cabellos y ponen el pie izquierdo en un recipiente lleno de agua. El primer mozo que acierte a pasar por la calle y diga su nombre será su marido (3).

¿Porqué Cervantes creyó necesario evocar tan peregrina costumbre? Notemos primero que entre las numerosas creencias populares que se relacionan con la noche de San Juan, la superstición descrita en el primer acto de *Pedro de Urdemalas* no parece haber tenido gran difusión en la España de la época de Cervantes. También hay que observar que, desde el punto de vista de la acción dramática, la utilidad de esa evocación no es evidente. Se puede pensar entonces que su inclusión en el texto podría justificarse por un afán de realismo o de color local. Explicación poco convincente. Todo se aclara, en cambio, si acudimos a la interpretación psicoestructural y a la función que desempeña en la obra de Cervantes la obsesión fetichista por los cabellos y el pie de la mujer. Entonces se entiende por qué Cervantes escogió este elemento folklórico entre tantos otros de igual o superior

---

2) Véase L. Combet, *op. cit.*, IX, 3, p. 299-311.

3) Cf. el texto correspondiente de la comedia: "*Pedro.-* Esta noche de San Juan/ ya tú sabes cómo están/ del lugar las mozas todas/ esperando de sus bodas/ las señales que les dan./ Benita, el cabello al viento,/ y el pie en una bacía/ llena de agua, y oído atento,/ ha de esperar hasta el día/ señal de su casamiento;/ sé tú primero en nombrarte/ en tu calle, de tal arte,/ que claro entienda tu nombre".

interés. Y para quienes duden todavía de la validez de mi lectura, les remito a las páginas que dedico a la cabellera y al pie en mi estudio ya citado.

o

o   o

Un segundo ejemplo, sacado éste del *Persiles (Los Trabajos de Persiles y Sigismunda)*. En el Primer Libro de esta novela figura (cap. 10) la triste historia de don Manuel de Sosa Coutiño, un gentil hombre portugués enamorado de una noble y hermosa doncella llamada Leonora. Esta no rechaza el amor de don Manuel, pero ostenta una reserva que no deja de desconcertar a su respetuoso y algo tímido amante. Don Manuel no se atreve a hacer patente a Leonora todo el fuego de su pasión. Además, un acontecimiento imprevisto acaba de desanimarle: tiene que salir del reino por mandato del rey, que le confía una importante misión en tierras lejanas de ultramar. Sin embargo, el padre de Leonora le confirma que Léonora será su esposa al cabo de los dos años que ha de durar su ausencia. Transcurren los meses y, por fin, regresa don Manuel. Pide en seguida noticias de su amada. Le dicen que justamente ésta le está esperando en un monasterio cercano, donde se han de celebrar las nupcias. Don Manuel sale volando hacia el monasterio, donde sale a acogerle casi toda la nobleza del reino, que está reunida allí. Divisa a *"la sin par Leonora, acompañada de la priora y de otras muchas monjas"*. Viste la joven un maravilloso traje adornado de ricas perlas, y trae *"los cabellos sueltos por las espaldas, tan rubios (...) y tan luengos que casi besaban la tierra"*. Leonora sube a un *"a modo de teatro"* edificado en medio de la nave de la iglesia. Sube con ella don Manuel y, poniéndose de rodillas, casi da *"demostración de adorarla"*. Una voz se alza en la iglesia, prometiendo a los *"dichosos y bellísimos amantes"* una larga y dichosa vida, coronada de *"hermosísimos hijos"*. Don Manuel está radiante de alegría. Es entonces cuando Leonora pronuncia un discurso sorprendente. Recuerda primero a su prometido cómo su padre dispuso de ella para dársela como esposa. Admite no haber opuesto resistencia a ese mandato. Sin embargo, prosigue la doncella, esa unión es imposible. Por una razón muy sencilla, que Leonora expone en seguida al desgraciado don Manuel:

> "Yo, señor mío, soy casada, y en ninguna manera, siendo mi esposo vivo, puedo casarme con otro...".

¿Quién es el esposo de Leonora? *"Jesucristo, Dios y Hombre verdadero. El es mi esposo, a El le di la palabra primero que a vos"*. Dejemos ahora a don Manuel relatar el final de la escena:

> "Calló, y al mismo punto la priora y las otras monjas comenzaron a desnudarla y a cortarle la preciosa madeja de sus cabellos. Yo enmudecí, y, por no dar muestras de flaqueza, tuve cuenta con reprimir las lágrimas que me venían a los ojos, e hincándome otra vez de rodillas ante ella, casi por fuerza le besé la mano; y ella, cristianamente compasiva, me echó los brazos al cuello; alcéme en pie, y, alzando la voz de modo que todos me oyesen, dije: *Maria, optimam partem elegit*. Y diciendo esto me bajé del teatro, y (...) me volví a mi casa, adonde, yendo y viniendo con la imaginación en este extraño suceso, vine casi a perder el juicio; y ahora, por la misma causa, vengo a perder la vida".

De hecho, don Manuel no tardará en morir de pesadumbre (v. su epitafio, *Pers.*, III, 1).

Con esto concluye la historia de don Manuel. Pero tal vez se me diga: ¿Qué tiene que ver este episodio con el tema del presente coloquio, con el *folklore*? Vamos, pues, al grano. Algunos investigadores han querido relacionar, en efecto, la muerte lamentable de don Manuel con un detalle interesante de la identidad de este personaje: su nacionalidad. Don Manuel, como lo hemos visto, es portugués. Ahora bien, en la España del Siglo de Oro, los portugueses solían tener fama de ser muy sentimentales, melancólicos y enamorizados. Así que, al perfilar la figura de don Manuel, Cervantes habría querido recordar una tradición popular muy arraigada: la del portugués, perfecto "amante derretido".

No se trata aquí de desechar por completo este tipo de explicación. Pero este culturalismo peca, en mi opinión, de superficial y anecdótico. De hecho, la historia de don Manuel no pasa de ser una mera variante de una situación arquetípica que se halla ejemplificada en un sinfín de intrigas cervantinas de igual tenor, en las que un amante torpe y apocado se ve, como ya hemos dicho, rechazado o rebajado por una mujer fría, dominadora y cruel. Y no pocas veces ese amante acaba por perder el juicio y hasta por morir de dolor. Acuden en tropel a la mente el Cardenio de la Primera Parte del *Quijote*; el infeliz pastor Crisóstomo *(Quij.,* I); Anselmo, el Curioso impertinente *(Quij.,* I); el anciano Felipe de Carrizales *(El Celoso extremeño)*; el violento Ortel Banedre *(Persiles)*; Elicio y Erastro, y los innumerables pastores de *la Galatea*; los valientes Roldán y Reinaldos *(La Casa de los celos)*; el mismo don Quijote, etc. Ahora bien, hay que notar que ninguno de esos desventurados amantes es portugués —Anselmo es italiano; Ortel Banedre, polaco; los demás, españoles. Así, pues, la historia de don Manuel de Sosa Coutiño no puede, de ningún modo, ser considera como un mero intento de ilustrar una creencia tradicional o folklórica. La nacionalidad de don Manuel sólo proporcionó a Cervantes un elemento de la *exterioridad* del personaje: su contorno social episódico. Como en el caso precedente, el folklore, aquí, es sólo un *medio* (entre otros) puesto al servicio de la dinámica estructurante. De la psicoestructura.

o

o   o

Abordemos ahora el caso de un personaje más conocido. Aludo a Sancho Panza, el fiel compañero de don Quijote. Sabemos ahora que este personaje no ha sido creado de la nada por Cervantes, y que éste sacó la mayor parte de sus rasgos distintivos de la tradición y del folklore español y europeo. Todo el mundo conoce los trabajos de F. Márquez Villanueva y de Maurice Molho, y hace algunos años, el crítico soviético Mijaíl Bajtín llamó la atención sobre el trasfondo cultural —el "realismo grotesco"— de esa figura que halla antecedentes en la tradición "carnavalesca" de la Antigüedad y de la Edad Media (4). La tesis de M. Bajtín es bien conocida. Según él don Quijote es un representante de la tradición

---

4) F. Márquez Villanueva, "La génesis literaria de Sancho Panza", en *Fuentes literarias cervantinas*, Madrid, Gredos, 1973, p. 20-94; M. Molho, *Cervantes: raíces folklóricas*, Madrid, Gredos, 1976; M. Bajtín, *La cultura popular en la Edad Media y el Renacimiento. El contexto de François Rabelais*, Barcelona, Barral Editores, 1974.

aristocrática medieval y del ideal ascético y egoísta de la clase nobiliaria, ya decadente en la España del siglo XVI. En cambio, Sancho Panza encarnaría la tradición "carnavalesca", aún viviente en aquel entonces y ejemplificada en la obra de algunos grandes escritores. Tradición que tendría su origen en una cultura popular muy antigua, impugnadora, por medio de la fiesta y de la irrisión, de las instituciones oficiales (aristocráticas). Frente al alto y enjuto don Quijote, la oronda personilla del Escudero significaría pues un proceso de inversión dialéctica de los valores instituidos. Para Bajtín, la barriga de Sancho, su propensión al buen comer y al vino, no tiene un carácter egoísta ni personal: traducen por el contrario un anhelo de abundancia general y constituyen la "alegre tumba corporal" cavada para el idealismo y el individualismo abstracto de su amo.

¿Conviene aceptar sin discusión tal análisis? En mi estudio ya citado, he tratado de mostrar que los juicios formulados por Bajtín pueden ser tachados de incompletos y a veces erróneos (5). En realidad, el personaje de Sancho Panza está muy lejos de ostentar, frente al "egoísta" don Quijote, una "generosidad" y un altruismo a toda prueba. Entre los dos protagonistas principales del *Quijote*, hay más similitudes que diferencias. Pongamos por caso las "abundantes necesidades" corporales que son, según Bajtín, características del comportamiento de Sancho. Esta opinión resulta muy parcial. Puede aceptarse por lo que concierne a la bebida y a la comida. En cambio, es totalmente insostenible si nos fijamos en esta otra faceta de la sensualidad: el comportamiento sexual. De seguir ciegamente a Bajtín en este particular, podríamos en efecto esperar encontrarnos en presencia de un Sancho varonil o disoluto (todo lo contrario del casto e impotente caballero de la Triste Figura). La realidad es muy diferente, y hasta opuesta. Al igual que su amo, el Escudero se nos muestra como un personaje singularmente asexuado, o por lo menos *desvirilizado*. Su castidad es inquebrantable y su apocamiento frente al sexo femenino no se desmiente nunca. El mismo reconoce que no ha andado jamás "*a buscar pan de trastrigo por las casas ajenas*", reservando sus "*castos deseos*" para su mujer Teresa (*Quij.*, II, 67).

Pero hay más. En vista de lo que acabo de insinuar, no se crea que la relación de Sancho con las mujeres sea inexistente. Por el contrario, Sancho parece apreciar bastante la compañía del bello sexo. Pero su actitud, en tal circunstancia, no deja de ser curiosa. En efecto, del mismo modo que don Quijote y la mayoría de los héroes cervantinos, Sancho aparece a menudo como un juguete, y, a veces, una víctima, entre las manos de las mujeres que comparten su vida o cruzan su camino y el de su amo. Pensamos, naturalmente, en su mujer legítima: la enérgica y varonil Teresa. También en la sobrina y el ama de don Quijote, empeñadas en perseguirle; en la juguetona Duquesa de la Segunda Parte de la novela; en la esquiva dueña Rodríguez; también en las mujeres barbudas que aparecen en el burlesco episodio de la Dolorida (Segunda Parte, cap. 38-41).

Hace falta examinar con más detenimiento este último episodio, tan revelador del mecanismo de integración de la materia folklórica en la psicoestructura. Por de pronto, notemos que el personaje o tipo de la mujer barbuda (o bigotuda, o velluda) pertenece con pleno derecho al folklore europeo y especialmente español. El *refranero* tradicional alude algunas veces a ese tipo femenino, que suele ser tenido en mal concepto. Dos ejem-

---

5) Ver L. Combet, *op. cit.*, p.486-487.

plos recogidos por Gonzalo Correas en su *Vocabulario de refranes* (1627):

> "Mujer vellosa, o rica o lujuriosa".
> "Mujer barbuda, de lejos me la saluda, con dos piedras que no con una".

Y sábese que la vieja Celestina de la Tragicomedia era comúnmente tachada de *"barbuda"* (6). Aldonza Lorenzo, *alias* Dulcinea del Toboso, era también, al decir de Sancho Panza, una moza *"hombruna"* y *"de pelo en pecho"* (i, 25). Sea lo que fuere, lo que interesa subrayar aquí es que el vello o las barbas femeninas aparecen muchas veces como el símbolo de la potencia y a la vez de la libertad sexual. En suma, en tanto que emblema significante del falo, de la virilidad.

Sentado esto, resumamos el episodio de la Dolorida.

Durante la estancia de don Quijote y Sancho en el palacio de los Duques (*Quij.*, II), se presenta un día ante don Quijote una venerable dueña, vestida de luto y la cara disimulada por un velo negro. Está acompañada por otras doce dueñas, igualmente vestidas y enmascaradas. La dama pretende llamarse la Condesa Trifaldi, aunque, en vista de sus desgracias, se la dará después el apodo de *la Dueña Dolorida*. La Dolorida, pues, aclara a don Quijote que acaba de llegar del remoto reino de Candaya para solicitar su auxilio. Se trata de un asunto muy grave, como vamos a comprobarlo. En efecto, el reino de Candaya está gobernado por una reina, que tiene una hija: la princesa Antonomasia, de quien justamente era aya la Condesa Trifaldi. La paz reinaba en Candaya, hasta el día en que el gigante Malambruno, que era también encantador, se enamoró de la princesa. Pero ésta había dado su corazón a Clavijo, un joven y hermoso caballero de la Corte. Furioso por ver que la Condesa había favorecido los amoríos de los dos jóvenes, el gigante había tomado una extraña venganza de la dueña y de sus damas, dejándoles *"los rostros todos poblados de barbas, cuáles rubias, cuáles negras, cuáles blancas y cuáles albarrazadas"* (II, 39). Sin embargo, explica la Dolorida, Malambruno no desea hacer perpetuo el encantamiento: exige tan sólo que el famoso don Quijote venga a Candaya a pelear con él en combate singular. Si don Quijote triunfa, quedará disipado el maleficio y los rostros de las afligidas damas recobrarán su primitiva tersura. Pero por estar muy lejano el reino de Candaya, Malambruno pone a disposición del caballero manchego y de su escudero una montura maravillosa: un caballo de madera capaz de volar por los aires con asombrosa velocidad. Ese caballo, llamado Clavileño, ha sido fabricado antaño por el en gran encantador Merlín, que lo prestó a Pierres de Provenza cuando éste robó a la linda Magalona.

Don Quijote acepta en seguida la proposición. Sancho, en cambio, se hace de rogar, tratando de librarse de tan peligrosa aventura. Finalmente se decide, si bien a regañadientes, a acompañar a su amo. Ambos se dirigen hacia el caballo de madera:

> "De mal talante y poco a poco llegó a subir Sancho, y acomodándose lo mejor que pudo en las ancas, las halló (...) no nada blandas, y pidió al duque que, si fuese posible, le acomodasen de algún cojín o de alguna almohada (...) A esto dijo la Trifaldi que ningún jaez ni ningún género de adorno sufría sobre sí Clavileño; que lo que podía hacer era ponerse a mujeriegas, y que así no sentiría tanto la dureza. Hízolo así Sancho, y diciendo "Adiós" se dejó vendar los ojos [otra exigencia de la Dolorida], y (...) tiernamente y con lágrimas dijo que le ayudasen en aquel trance con sendos paternostres y sendas avemarías (...). A lo que dijo don Quijote:

_____

6) Sobre las barbas como distintivo de la alcahueta, v. L. Combet, *op. cit.*, p. 89-90.

> — Ladrón, ¿estás puesto en la horca, por ventura, o en el último término de la vida, para usar de semejantes plegarias? ¿No estás, desalmada y cobarde criatura, en el mismo lugar que ocupó la linda Magalona...?"

La desvirilización de Sancho es patente en toda esta escena. Los cojines y almohadas que está reclamando remiten implícitamente al universo femenino (delicadeza y regalo). Como también la referencia a la postura (*"a mujeriegas"*) que la Dolorida le sugiere tomar sobre Clavileño. Y este último consejo le es dado por una mujer barbuda (una mujer que es en realidad un hombre: el mayordomo del palacio, que hace el papel de la Condesa Trifaldi). El intercambio de las polaridades masculina y femenina alcanza en esta ocasión una casi perfección. Hasta la venda que cubre los ojos de Sancho puede ser interpretada en simbólica intersexual: la ceguera infligida a un varón es un eufemismo de la castración.

Pero podemos ir más lejos aún en la vía que exploramos aquí. En efecto, después que don Quijote y Sancho han subido sobre Clavileño y creen bogar por los aires hacia el reino de Candaya, he aquí que perciben de súbito un calor sofocante. Se trata de una nueva estratagema de los servidores del palacio, que les calientan los rostros *"con unas estopas ligeras de encenderse y apagarse desde lejos, pendientes de una caña".* Sancho, naturalmente, es el que más se asusta:

> "Que me maten —dice— si no estamos ya en el lugar del fuego,o bien cerca; porque una gran parte de mi barba se me ha chamuscado...".

¡Sancho despojado de sus barbas por las artimañas de las mujeres barbudas! Notable inversión, que, sin embargo, no debería sorprender al lector que se hubiera fijado en una frase —al parecer insignificante— pronunciada por el escudero pocas líneas antes, exactamete en el momento en que se decide a subirse sobre el caballo de madera. Sancho, entonces,declara —quizá con cierta hipocresía— que el llanto de las dueñas ha acabado por conmoverle. Dirigiéndose a don Quijote (II, 41):

> "Vamos, señor (...), que las barbas y lágrimas de estas señoras las tengo clavadas en el corazón, y no comeré bocado que bien me sepa hasta verlas en su primer lisura".

Es inútil insistir en las connotaciones sexuales de esta curiosa declaración. Nadie ignora el sentido erótico que puede tomar el verbo *clavar,* y conviene también preguntarse cuál pueda ser el sentido figurado de esas *"lágrimas"* que, con las *"barbas"* de las dueñas, penetran en el *"corazón"* de Sancho. Naturalmente, fuera de todo macrocontexto, tales indicios hubieran pasado inadvertidos. Pero quien enfoque la cuestión desde el punto de vista que he indicado no puede renunciar a profundizar la exégesis en el sentido que sugiero. Tanto más que la actitud de Sancho en otras circunstancias nos incita a ello. Aludo a las situaciones y comportamientos que analizo en mi libro citado, en los capítulos consagrados a los problemas del exhibicionismo (VIII, 6), de la homosexualidad (IX, 3), de la impotencia y del fracaso (XII). Lo cual nos permite concluir que el estatuto *literario* de Sancho nos es fundamentalmente distinto del de los demás protagonistas cervantinos.

Ya se ve, pues, cómo un tema o motivo folklórico encarnado más o menos completamente en un personaje —aquí Sancho Panza; en otros lugares, tal vez, figuras como Sileno, Gargantúa, Falstaff etc., personificaciones del "materialismo" y de la preeminencia del cuerpo y de los sentidos sobre el intelecto— puede ver su primitivo sentido cultural modificado por un autor que quiere poner ese material tradicional al servicio de la obra que está elaborando y que pertenece únicamente a la literatura.

o

o   o

No sé si mi demostración será juzgada convincente. Para serlo del todo, sin duda sería necesario multiplicar los ejemplos y las comparaciones, atando muchos cabos sueltos. Me limitaré, en conclusión, a enumerar unos cuantos temas de índole folklórica que salpican las obras de Cervantes. Pero antes de proceder a esta revista, permítaseme evocar ligeramente el caso del entremés del *Retablo de las maravillas*. Esta preciosa obrita podía haberme proporcionado una ilustración maravillosa de la tesis que defiendo aquí. En *el Retablo de las maravillas*, en efecto, un tema folklórico muy divulgado en toda el área cultural europea ("el objeto invisible para las gentes afectadas por alguna tara individual o social") ha sido utilizado también por Cervantes para fines ajenos a toda preocupación cultural o histórica. Sin embargo, no me he resuelto a presentar aquí un análisis detallado de este documento, ejemplar para mi propósito. En efecto, el examen de los elementos psicosexuales del *Retablo de las maravillas* ha sido objeto de dos libros recientes: el denso y bello estudio que Mauricio Molho ha dedicado al folklore cervantino y en espacial al *Retablo... (Cervantes: raíces folklóricas, op. cit)*; y mi propio estudio sobre el incierto deseo cervantino *(Cervantes ou les incertitudes du désir, op. cit)*. En este trabajo he tratado de hacer patente cómo la sexualización de la trama folklórica narrativa del *Retablo..* (sexualización que se lleva a cabo a través de los nombres de los personajes masculinos y femeninos, de sus comportamientos respectivos, y también a través de la naturaleza de las escenas que componen el espectáculo presentado por los ilusionistas, etc.) tiene por función esencial la integración de la materia tradicional en la psicoestructura (v. por ejemplo los cap. IV, 2; IX, 3). A todas estas investigaciones remito al lector curioso.

o

o   o

Y ahora la enumeración de los principales temas folklóricos   (o etnológicos) que no aparecen en esta ponencia o que han sido mencionados muy brevemente (los números entre paréntesis envían a las páginas correspondientes de *Cervantès ou les incertitudes...*):

1. La Edad de Oro (450-457).
2. La mujer gigante (191-194).
3. Los Dobles (208-211).
4. El cornudo (57, 247, 254, 323).
5. La corrupción de la justicia y de la policía (230-236).
6. El lobo (la licantropía) (393-395).
7. El loco y la locura (401 y sig.).
8. El cambio de nombres y el segundo nacimiento (259-262).
Etc.

LOUIS COMBET
Universidad de Lyon II

DEL CUENTO FOLKLORICO A LA NOVELA PASANDO POR EL PLIEGO DE CORDEL: UN PLIEGO SUELTO DEL XVII Y UN TEXTO DE TIRSO DE MOLINA.

MARIA CRUZ GARCIA DE ENTERRIA
Madrid

DEL CUENTO FOLKLORICO A LA NOVELA PASANDO POR EL PLIEGO DE CORDEL: UN PLIEGO SUELTO DEL XVII Y UN TEXTO DE TIRSO DE MOLINA

Mª Cruz Gª de Enterría

Para empezar será preciso decir que no soy folklorista. Pero mis estudios me han llevado, casi sin darme cuenta, hacia un sector literario próximo a lo folklórico y que en alguna otra parte me he atrevido a denominar género fronterizo. Me estoy refiriendo, claro está, a la literatura de cordel (1). Durante años, siglos mejor dicho, esta parcela fue sistemáticamente evitada —como tantas otras que no voy a enumerar ahora— en el estudio y la investigación de la Literatura española —y de la de otros países. Ha sido este siglo el que ha visto nacer —o quizá renacer... quédese esta precisión para otro momento— el interés por esta parcela fronteriza (y, por tanto, siempre presente, porque los humanos nos movemos entre fronteras), y a la vez tan marginada. Por ello, prefiero incluirla no en la categoría de subliteraturas, infraliteraturas, paraliteraturas, etc., sino en la categoría más amplia de las literaturas marginadas.

Ahí, al margen, estuvo también durante siglos el folklore, aunque éste, su estudio, renació el siglo pasado. Yo pienso que, gracias en parte a los estudios folklóricos, empezó a despertarse gradualmente el interés por los pliegos sueltos, por la novela popular de cordel, por los cuentos y romances conservados en la tradición oral y que, muchos de ellos, procedían de viejas historias impresas en las cuatro hojas de pliegos del XVI o del XVII (2). A algunos de estos cuentos se les ha llamado "cuentos parafolklóricos", y quizá esta denominación (que entra dentro de la literatura marginada) sea la que pueda darnos una

---

1) Respecto a la proximidad de esta literatura a lo folklórico, véase Roger Pinon, *El cuento folklórico como tema de estudio,* Buenos Aires, Eudeba, 1965, pp. 66-67: "Cuento y literatura de cordel". Sobre la denominación de "género fronterizo", cf. mi *Sociedad y poesía de cordel en el Barroco,* Madrid, Taurus, 1973, pp. 28-29.

2) Un ejemplo típico: Frederic Serralta, *La renegada de Valladolid. Trayectoria dramática de un tema popular,* Toulouse, France-Iberie Recherche, 1970; y del mismo, "Poesía de cordel y modas literarias: Tres versiones decimonónicas de un pliego tradicional", *Criticón,* nº 3 (1978), pp.31-47. Y yo conservo el recuerdo remoto de oir cantar a una ciega la historia de "La Renegada", como he referido en otra parte.

orientación bastante precisa en determinadas investigaciones concretas en el campo de la Literatura (3). No quisiera confundir aquí Literatura y Folklore, sino poner una vez más de relieve su vinculación, su influjo mutuo, su interdependencia que, hasta ahora, nadie ha podido negar. Roman Jakobson, en un estudio clásico sobre el tema, ya ponía en guardia abiertamente sobre esta peligrosa confusión. Y creo que sus palabras siguen hoy vigentes, o incluso han adquirido una mayor fuerza. Las recuerdo: "Si bien literatura y tradición oral pueden mezclar intimamente sus destinos y aunque su influencia mutua pueda haber sido cotidiana e intensa, por mucho que el folklore haya tenido que ver con materia literaria, y también a la inversa, nada de esto justifica que confundamos la frontera de principio que separa la poesía oral de la literatura, y ello en nombre de la genealogía" (4).

Porque tal vez remotas, remotísimas fuentes folklóricas se transformaron en Literatura; y esta, a su vez, se dividió en dos ramas —pasaron siglos hasta que se hizo consciente esa división—, la culta y la popular. Esta, la popular, produjo refranes, cantares, narraciones... Pero ese origen común hizo que la literatura popular y la culta estuvieran en relación constante, en intercambio, en flujo y reflujo de una a otra, traspasándose, con las necesarias adaptaciones, temas, ideas, formas y hasta procedimientos retóricos. Es una atrevida simplificación de muchas teorías conocidas la que acabo de hacer, pero la he creído necesaria para entrar decididamente en el tema de esta ponencia que no es más que un somero estudio de un caso concreto de esa interrelación continua entre literatura y folklore, en un movimiento de ida y vuelta que, a causa de la inercia, parece continuar indefinidamete (5). Y en ese camino recorrido una y otra vez, el pliego suelto, precisamente por su pertenencia a un género fronterizo, desempeña a veces un papel, marginal quizá, pero cierto.

Dos obras del primer cuarto del siglo XVII, una culta y otra popular, pueden ponerse en relación. La culta o letrada es la novela de Tirso de Molina, los *Cigarrales de Toledo*, y dentro de ella el "Cigarral Quinto", la famosa novelita "Los tres maridos burlados". La

---

3) Cf. R. Pinon, o.c., p.66.

4) Roman Jakobson, "El folklore como forma específica de creación", recogido en *Ensayos de Poética*, Madrid, FCE,1977, pp. 7-22; el texto citado en p.17. Este ensayo de Jakobson es de 1929; pero véase ahora R. Jakobson, *Lingüística, Poética, Tiempo. (Conversaciones con Krystyna Pomorska)*, Barcelona, Crítica, 1981 (la edición original francesa es de 1980); en pp.20-22, "Los diferentes enfoques del folklore", en donde Jakobson se ratifica, prácticamente, en todo lo dicho el año 1929.

5) Esta nota podría ser interminable. La reduciré a algunas obras bien conocidas: Marc Soriano, *Les contes de Perrault. Culture savante et traditions populaires*, Paris, Gallimard, 1968; J. Bédier, *Le Fabliaux: études de littérature populaire*, Paris, 1925; Robert Mandrou: *De la culture populaire au XVIIᵉ et au XVIIIᵉ siècle*, Paris, Stck, 1965; Arturo Raúl Cortázar, *Folklore y Literatura*, Buenos Aires, Eudeba, 1971; ; Luis da Camara Cascudo, *Cinco livros do povo*, Rio de Janeiro, 1953; María Rosa Lida, *El cuento popular hispanoamericano y la literatura*, Buenos Aires, 1941; Stith Thompson, "Folklore and Literature", *PMLA*, v.5, nᵒ 3 (sept. 1940), pp.866-874; y del mismo su *Motif-Index of folk-literature*, Copenhagen, 6 vols., 1955-1958; Margit Frenk Alatorre, *Entre Folklore y Literatura. Lírica hispánica antigua*, México, 1971; R. Muchembled, *Culture populaire et culture des élites*, Paris, Flammarion, 1978. Etc., etc. Añado una obra inédita, muy interesante, de Idelette Fonseca dos Santos, *Littérature populaire et littérature savante au Brésil. Ariano Suassuna et le mouvement armorial*, Thèse pour le Doctorat d'Etat, présentée par ——, Paris, Sorbonne, 1981 (texto mecanografiado).

popular es un "Cuento en verso", el del arriero Juan Prados, impreso en 1603 en un pliego suelto.

En la extensa bibliografía sobre la obra de Tirso (6), esta novela —ingerida dentro de otra según un procedimiento muy antiguo—, acaso sea una de las más estudiadas, y lo merece. Las fuentes utilizadas por el mercedario para escribir las tres burlas que las tres mujeres hicieron a sus tres maridos (y ya está aquí el número tres, tan abundante en las narraciones folklóricas), han sido profusamente analizadas, estudiadas, variadas, disminuidas o aumentadas. Esta ponencia entrará en ese último apartado: un nuevo elemento que se añade a ese complejo conjunto de influencias, motivos, temas e ideas que animaron a Tirso de Molina a escribir su propia versión de la famosa y antiquísima narración de "Las tres damas que encontraron el anillo del Conde". Cuando Mª Rosa Lida de Malkiel, en 1941, dedicó una nota a este asunto —son sólo trece líneas cargadas de datos decía expresamente: "este *fabliau* es el que Joseph Bédier toma como ejemplo de la ubicuidad del género, prueba de su carácter popular" (7). Y a continuación, la extraordinaria investigadora aporta pruebas de la extensa difusión geográfica del tema popular.

Una aclaración: no conviene ahora meterse en disquisiciones sobre la diferencia entre popular, tradicional, folklórico, etc.; nos llevarían muy lejos y honradamente creo que sin ningún fruto práctico. Sin embargo, y para entendernos, dejaré claro que esos tres conceptos —folklórico, tradicional, popular— están, para mí, muy próximos hasta llegar, *casi*, a la identificación (8).

La hipótesis de unas fuentes lejanas, medievales, de esta novela de Tirso de Molina no era nueva, por supuesto, cuando la planteaba Mª Rosa Lida. Ya en 1845, Hartzembusch lo insinuaba; Cotarelo y Mori, en 1893, insistiendo sobre el carácter boccacciano del cuento, señalaba además una analogía con el ejemplo número 236 del *Libro de los enxemplos*; en 1905, C.B. Bourland lo ponía en relación con el *Decameron* y con obras de Bello y Malespini; Place en 1925 y Fitzmaurice Kelly, en 1928, llamaban de nuevo la atención sobre la relación con el *Mambriano*, de Francesco Bello, el Ciego de Ferrara; Pfandl, en 1933, insistía en que la fuente era el *Decameron*, y en que de la burla tercera lo era la novela octava de la jornada III... Como se ve, el cuento literario era el antecedente que, sin equivocarse, tantos estudiosos señalaban para la obra de Tirso de Molina. Más cerca de nosotros, y siguiendo esta misma línea, dos investigadores especialistas tirsianos llevaron hasta el límite este trabajo de rastreo de fuentes, similitudes, semejanzas y coincidencias del texto de *Los tres maridos burlados* con el cuento literario, de origen italiano sobre todo. Me refiero al profesor André Nougué, y a la profesora Clara Rocchi

---

6) Basta ver, por ejemplo, V.G. Williamsen and W. Poesse, *An annotated analytical bibliography of Tirso de Molina Studies 1627-1977* University Of Missouri Press, Columbia, 1979.

7) Mª Rosa Lida de Malkiel, *El cuento popular y otros ensayos,* Buenos Aires, Losada, 1976, p.60; es una reedición de "El cuento popular hispanoamericano y la literatura", de 1941.

8) Aún cuando no estoy de acuerdo con todo lo que afirma, me parece uno de los más claros y reveladores estudios sobre este tema de terminología el del prof. Maurice Molho, "La noción de popular en literatura", recogido en su libro *Cervantes: raices folklóricas,* Madrid, Gredos, 1976, pp.11-33.

Barbotta (9). El estudio de la profesora italiana es una confrontación cuidadosa, precisa y directa del texto de Tirso con sus fuentes italianas, comparando versiones, variantes y toda clase de detalles. Sus conclusiones, fuertemente probadas (aunque a veces algo ingenuamente, llevada de su entusiasmo) coinciden con las que antes que ella habían afirmado el origen medieval francés (el *fabliau* tratado por Bédier) de *Los tres maridos burlados*, pero sólo a través de las derivaciones italianas de la narración, insistiendo sobre todo en el canto XXV del *Mambriano*, de Francesco Bello (Ferrara, 1509; y noto, de paso, que esta obra se difundió en Italia en ediciones populares, similares a las de nuestra literatura de cordel). Es decir, según Rocchi Barbotta la influencia italiana es la única en *Los tres maridos burlados*. Con su entusiasmo característico, concluye: "¡Es verdad esta que no teme impugnaciones!" (10).

El profesor Nougué más ecuánime, al menos en el modo de exponer, llega a parecidas conclusiones, pero las amplía más: "...el cuento de Tirso de Molina se basa en tradiciones populares y en temas comunes a la mayor parte de países europeos [que] propagados por viajeros y juglares se difundieron en Italia donde obtuvieron un trato de favor muy especial porque estaban en armonía bastante estrecha con el espíritu de la sociedad". Por esto habla Nougué del "italianismo de las fuentes" de Tirso. Con todo, notemos que han aparecido elementos nuevos en este estudio de fuentes: por un lado, Nougué menciona tradiciones populares y temas comunes a los países europeos, y esto es un indicio bien claro de folklorización de un tema (11); por otro, Nougué pone también el acento en fuentes españolas. El ejemplo número 236 del medieval *Libro de los enxemplos* es mencionado como esbozo del marido-monje (12). Y habla también de las *Novelas y cuentos* en verso del licenciado Tamariz, especialmente del *Quento de las madexas* que, según su reciente editor (y único hasta ahora que, además, ha aclardo quién es su verdadero autor), tiene, con *Los tres maridos burlados*, "coincidencias que no se pueden atribuir a la mera casualidad" (13).

Hasta aquí, como es obvio, me he limitado a exponer con un cierto orden lo que se afirma sobre el origen, remoto o próximo, de la novelita de Tirso. Lo curioso es que en los estudios mencionados apenas aparece algo que me parece fundamental para comprender en toda su amplitud el cuento narrado con tanta gracia por Tirso de Molina. Me refiero a la tonalidad fuertemente folklórica con que está escrita la obra. Hay sobre esto sólo algu-

---

9) Maria Clara Rocchi Barbotta, "Fuentes de la Novela del Cigarral Quinto de los *Cigarrales de Toledo*, del Maestro Tirso de Molina", en *Estudios*, 21 (1965), 411-440 y 26 (1966), 81-115; André Nougué, edición bilingüe, *Les trois maris mistifiés*, con introducción y notas, Aubier, Ed. Montaigne, 1966.

10) Art. cit., *Estudios*, 26 (1966), p.111.

11) Cf. R. Pinon, o.c., pp.50 y 54 especialmente.

12) Cf. ed. cit de A. Nougué, p.20. El ejemplo puede leerse en la edición de el *Libro de Enxemplos* en *Escritores en prosa anteriores al siglo XV*, editados por Pascual Gayangos, BAE, tomo 51, Madrid, 1952, pp.443-542; el ejemplo 236 en p.506.

13) Editado por Ivan Lissorgues en "Obras de burlas de Fray Melchor de la Serna: *La novela de las madejas*", *Criticón*, 3 (1978): pp.1-27; la frase citada en p.4.

nas leves alusiones de los estudiosos, como, por ejemplo, de Nougué que dice: "Es claro que a Tirso le gusta hablar y escuchar hablar [...] El lector se creería transportado a una de esas *tertulias* que caracterizan tan bien ciertos aspectos del alma española" (14). Creo que alude ya a un gusto, a medias culto y a medias popular, que, en palabras de Jakobson, es "uno de los géneros orales más universales y más vivos, a saber, los comadreos y, más en general, a *las ficciones en el relato de los hechos...*"(15). Porque no cabe duda —y de ahí mi cursiva— que el Tirso que nos cuenta la historia de *Los tres maridos* parece otro muy diferente del que ha contado las otras historias de los *Cigarrales de Toledo* (salvo las aventuras del criado Carrillo en el "Cigarral Tercero"); se nota que no inventa la esencia de la historia que "cuenta un cuento" —frase tradicional y casi sacramental en nuestra infancia— y que, a medida que lo va narrando, introduce otros elementos, exagera, cambia, adapta a su auditorio, y busca, por todos los medios, provocar la risa. La palabra *risa*, o el verbo *reir* en diferentes formas aparece, en un recuento rápido, once veces en esta breve novela, dejando aparte las palabras que pertenecen al mismo campo semántico, como burlas, pullas, chanzas, etc., que abundan también. Todo ésto, como es sabido, es propio de la narración folklórica en la que está permitido introducir deformaciones, o materiales que acerquen al receptor la obra, haciendo alusiones a costumbres, hechos, personajes que los oyentes conocen bien, en curioso contraste con la antigüedad que a veces reclaman para esos relatos las fórmulas fijas del comienzo y del final (16). Tirso ha situado la acción en Madrid, en barrios conocidos (Lavapiés, Plazuela de la Cebada, Fuencarral), en fechas y fiestas bien precisas (Carnestolendas, Jueves de Compadres), ha utilizado nombres cercanos a tipos literarios pero cargados ya de tradicionalidad o folklorización —Lucas Moreno, que nos recuerda al "marido cartujo" Diego Moreno "que nunca me dijo ni malo ni bueno" (17)—; pone en ridículo a Santillana no sólo por ser un viejo celoso, sino por insistir en su condición de oriundo de la Montaña, lo que llevaba consigo el ser hidalgo y cristiano viejo, según afirmaban a todas horas, viniera o no a cuento, los mismo montañeses.

Junto a todo lo anterior, leemos frases proverbiales, refranes, y hasta esos dichos que, según el profesor Chevalier, podían ser descifrados con facilidad por los contemporáneos como provenientes de cuentecillos tradicionales, aunque para nosotros queden algunos, todavía, demasiado oscuros (18). En una lectura de *Los tres maridos burlados* anotamos,

---

14) p.12 de la introducción a la ed. cit.

15) Cf. *Lingüística, Poética, Tiempo*, ed. cit., p.25.

16) Pueden repasarse las obras que he citado en la nota 5 y en casi todas se encontrará algo de esto que afirmo. Añado, para el tema de la risa, Mijail Bajtin, *La cultura popular en la Edad Media y en el Renacimiento*, Barcelona, Barral, 1974, especialmente el capítulo primero: "Rabelais y la historia de la risa", pp.59-130.

17) Cf. E. Asensio, "Hallazgo de *Diego Moreno*, entremés de Quevedo y vida de un tipo literario", en *Hispanic Review*, XXVIII (1959), pp.397-412.

18) Cf. las obras de Maxime Chevalier, especialmente *Cuentecillos tradicionales en la España del Siglo de Oro*, Madrid, Gredos, 1975; *Folklore y Literatura: el cuento oral en el Siglo de Oro*, Barcelona, Crítica, 1978; "Proverbes et contes folkloriques et historiettes traditionnelles dans les oeuvres des humanistes espagnols parémiologiques", recogido en *L'Humanisme dans les lettres espagnoles*, Paris, Vrin, 1979, pp.105-118.

y muy por encima, frases tales como: "Peor está que estaba"; "echar la soga tras el caldero"; "entraros por mi dote y hacienda como por viña vendimiada"; "despertar a quien duerme"; "buscarán talegueros, que yo matrimonio me llamo"..., que tienen un indudable tono popular y folklórico. Con razón, pienso, decía un estudioso folklorista: "En literatura, el folklore es más un estado que un género" (19).

Por tanto, parece que Tirso, si utilizó fundamentalmente cuentos literarios que le sirvieron de base comprobada para su novela, quiso también dejar en ella secuencias, rasgos, motivos y temas que, claramente, pertenecían al acervo folklórico. Cuando un dato del folklore —sea tema, motivo o secuencia— se integra en un contexto letrado, paga el precio lo folklórico que cambia, no cabe duda, de función (20). Para Tirso, todo lo popular que utiliza en su novela es un procedimiento retórico y estilístico que ha influido en la forma y lenguaje utilizado: diálogo vivísimo, humor chispeante, ironía, juegos de palabras, personajes magistralmente descritos pero cuya psicología no tiene complejidades, es casi elemental aunque bien matizada. Lo culto y lo popular están aquí actuando en influencia recíproca y Tirso logra así una obra maestra por medio de una "amplificatio" de bastantes recursos de la retórica popular.

Pero no era sólo este texto, por lo demás bien conocido, el que hoy quería comentar. Quizá lo central de mi interés se incline a estudiar un pliego suelto de 1603, que casi nadie ha mencionado como posible fuente de la novela de Tirso de Molina y, más concretamente ya, como fuente de la burla tercera de *Los tres maridos burlados* (21). Sólo lo citó el profesor Edward M. Wilson, en 1956, afirmando que "se parece a un episodio de *Los tres maridos burlados*" y también, en parte, al desenlace de la comedia de Lope de Vega, *El castigo del discreto*. Pero no analizó ese parecido y sí, de nuevo, puso de relieve las fuentes italianas de las obras de Tirso y de Lope que suponía fueran también las del pliego suelto (22). La historia, según creo, se remonta más lejos y puede tener otras implicaciones. Mi análisis se ceñirá casi exclusivamente a la relación de la novela de Tirso con el pliego suelto, aunque también aludiré de pasada a la comedia de Lope de Vega.

En primer lugar daré unos datos sobre este pliego suelto cuyo original se conserva en la British Library de Londres y que lleva este título: "Cuento muy gracioso que sucedio a vn arriero con su muger, y fue, que porque no se santiguaua de las mugeres, quando yua fuera, la misma muger la hizo vna burla, dándole vn mal rato, auiendole primero embriagado y rapado la barba toda, y hechole la corona. Y de vna vengança que tomo el marido de su muger por la burla que del hizo. Compuesto por Francisco de Medina impresa con

---

19) R. Pinon, o.c., p.54.

20) R. Jakobson, "El folklore como forma específica de creación", ed. cit., p.17.

21) Además de la nota del prof. Wilson de la que voy a hablar inmediatamente, sólo conozco otro estudio en que se mencionen juntos —sólo eso— el pliego y *Los tres maridos burlados*; me refiero a Alan C. Soons, *Haz y envés del cuento risible en el Siglo de Oro. Estudio y Antología,* Londres, Támesis Books, 1976; ver pp.7, 47, 49; en pp.76-81 se reproduce el texto del peligo de 1603, aunque ya he manejado el original que se encuentra en la British Library. En mi *Catálogo de los Pliegos Poéticos Españoles del siglo XVII en el British Museum de Londres,* Pisa, Giardini Editori, 1977, lleva el nᵒ XLII; su signatura en la British Library es C.63.g.19(4).

22) Edward M. Wilson, "Samuel Pepy's Spanish chap-books", en *Transactions of the Cambridge Bibliographical Society,* Part II, vol. II, 3(1956), pp.246-247.

licencia año 1603. Ya desde el mismo título, el pliego suelto se mueve en unas coordenadas populares y tradicionales, cumpliendo con la exigencia de todo relato folklórico que debe adoptar inevitablemente, "el tipo de composición donde el desenlace precede al relato" (23).

Esta de 1603 es la versión más antigua que hasta ahora conocemos. Tenemos fechados más pliegos con el mismo "cuento del arriero": de 1656 (uno), dos de 1680 (uno impreso en Sevilla y otro en Zaragoza), de 1758, 1846, 1858 y 1876. Sin fecha, conocemos hasta una docena más de versiones, casi todas ellas, sin embargo, impresas en los siglos XVIII y XIX (24). Fijándonos solamente en las ediciones del siglo XVII, encontramos ya que la historia está atribuida a Francisco de Medina en 1603 y 1656; a Benito Carrasco del Mármol en 1680 y a Pedro Malverde en el mismo año (25); otros pliegos del siglo XVIII (de las Bibliotecas Nacionales de Paris y de Madrid) llevan como nombre de autor a Gregorio Carrasco, lo mismo que el fechado en 1758 (en la British Library también). Los más modernos aparecen anónimos.

Nuevas variantes: los pliegos del siglo XVII titulan esta obra "Cuento gracioso...", mientras que en el XVIII paulatinamente el "cuento" pasa a ser "Famosa historia y cuento..." o "Vida del arriero" hasta transformarse en el *Chasco del arriero* que es como se conoce a lo largo del siglo XIX. Sigamos con más variantes: el personaje principal, el arriero, (los arrieros, en la literatura española, tienen casi categoría folklórica), que en 1603 era Juan Prados, verá cambiado su nombre por el de Gil Pardo, mientras que su mujer, que en 1603 se llamaba Juana Gutiérrez, será un siglo y medio después Juana Mingo (en este caso creo que por exigencias de la rima...). La ciudad en la que transcurría la historia será unas veces Valladolid, otra Cuenca y otras Cartagena...

Con esta enumeración de las variantes más aparatosas, he querido llamar la atención sobre un hecho innegable a mi parecer y que contradice teorías que todavía se siguen sosteniendo: la literatura de cordel "vive en variantes", de otro estilo que las de la tradición oral, claro está, pero variantes al fin. La imprenta no fija definitivamente el texto, ni el título, ni el autor, ni los nombres de las personas y lugares, ni siquiera la rima de los versos. Y todo esto, si yo no me equivoco, es síntoma de una folklorización evidente. O al menos es un rasgo real de la literatura tradicional, de honda raigambre popular, porque es "inestable, transformable, funcional, impersonal y colectiva", aunque no sea oral (26).

---

23) R. Jakobson, "El folklore..." ed. cit., p.10.

24) En el trabajo del prof. Wilson recién citado se dan con más precisión bibliográfica, algunos de estos datos yo añado otros en mi *Catálogo*, ed. cit., pp. 154-155; pueden rastrearse más en la obra de F. Aguilar Piñal, *Romancero popular del siglo XVIII*, Madrid; CSIC, 1972, especialmente p. 161. Acaricio el proyecto de preparar un catálogo de las ediciones de este pliego, a ser posible con la reproducción de todos los grabados más divertidos y un estudio de las variantes y de la historia de la difusión del pliego.

25) El primero es el estudiado por Wilson, del Magdalen College de Cambridge; el segundo fue reimpreso por don Antonio Pérez Gómez (a cuya biblioteca pasó como regalo de Don Antonio Rodriguez-Moniño y ahora desconozco su actual paradero) en *Monteagudo*, n°7 (1954), colección "Literatura murciana de cordel".

26) Lo he afirmado en varios lugares, por ejemplo en "El bandido generoso y sus orígenes en la literatura de cordel: Aproximación", en *Berichte* in Auftrag der Internationalen Arbeitsgemeinschaft für Forschung zum romanischen Volksbuc, Seekirchen, 1977, pp.15-44, ponencia leída en el 4° Seminario Internacional sobre el Libro Popular románico, del 13 al 15 de junio de 1977 en Munich. Y ya entonces sentía llevar la contraria a lo que dice, por ejemplo, M. Molho, en su o.c., p. 30, a pesar de mi admiración por sus precisiones en la cuestión de terminología.

En un análisis, ahora más demorado, de la obra popular, podremos ver nuevos rasgos folklóricos. El cuento, en un rápido resumen, es este: Juana Gutiérrez, mujer del arriero Juan Prados, decide burlarse de su marido porque este afirma no temer a las mujeres. Le emborracha y cuando está dormido, ayudada por una vecina, le rapa la barba, le hace una corona en el pelo y le viste un hábito de fraile. Después le llevan fuera de la ciudad y le dejan allí. Al despertar, el arriero no sabe si sueña o aquello es realidad, y no sabe a qué o a quién atribuir tal cambio. En unión de otro fraile con el que se encuentra van a Simancas donde, en plenas fiestas, le comprometen para que actúe de predicador; logra huir a tiempo, regresa a Valladolid y va a su casa en donde su mujer finge no reconocerle hasta que muerta de risa, descubre su engaño y la razón de la burla. Pocos días después, la mujer conoce a un músico del que se enamora. Llevada de su pasión, no cesa de ponderarle a su marido que acaba sospechando la verdad y se niega a invitar al músico a comer como pide su mujer. Pero decide vengarse de la burla y de los previsibles cuernos. Finge un viaje y, de acuerdo con un criado, se queda en las cercanías atento a lo que su mujer haga. En efecto, ésta envía al criado a citar al músico aprovechando la ausencia del marido. Juan Prados, enterado por su ayudante, cita, como si fuera el músico, a su mujer en el campo y acude él mismo disfrazado del presunto amante; allí propina una soberana paliza a Juana sin descubrir su verdadera identidad. Poco tiempo más tarde, el arriero obliga a su mujer a invitar al músico, pero avisa a este de que su mujer está endemoniada. En la comida, a la que el músico acude provisto de un hisopo y agua bendita, aprovechando una ausencia momentánea de Juan Prados, la mujer insulta y golpea al pobre invitado, ignorante de la razón última de tal actitud y atribuyéndola a posesión diabólica. Es tal la furia de Juana, que el músico sale huyendo. Juan Prados, testigo oculto de la escena, sale y le cuenta a su mujer la verdad; y aprovecha la ocasión para volver a apalearla. El cuento termina así: "Ella le pidió perdón/por los enojos pasados/Juan Prados la perdonó/y fueron buenos casados".

Supongo que en este resumen muchos habrán podido identificar una serie de motivos folklóricos y literarios acumulados. Me detengo en algunos.

En el libro de Keller sobre el ejemplo medieval, encontramos el motivo que él incluye, siguiendo la numeración y clasificación de Aarne-Thompson, en el grupo K.1536, y lo describe así: "La mujer transforma a su marido en monje mientras este está borracho para desembarazarse de él" (27). La fuente es el número 236 del *Libro de los enxemplos* que cité antes. Sin embargo no coincide exactamente este motivo con lo que leemos en el pliego. Juana Gutiérrez no quiere desembarazarse de su marido, sólo burlarse de él. Tampoco Juana, en ese momento, aprovecha la situación del marido para reunirse con su amante, como sucede en las versiones italianas, en el *Decameron*, por ejemplo. Creo que hay, o bien que ampliar con variantes el motivo, matizándolo más, o bien admitir un cruce de éste con otros motivos folklóricos, también ya localizados (28). O las dos cosas, como creo

---

27) John, E. Keller, *Motif-Index of Mediaval Spanish Exempla,* Univ. Press, Tennesee, 1949, pp.35: "Woman has husband made monk while he is drunk so as to get rid of him".

28) Stith Thompson en su clásica obra *Motif-Index of Folk-Literature,* Copenhagen, 6 vols., 1955, vol. I p.9, nota 3 ya decía: "Every scholar who has constructed a new catalogue of tales has, of course, been obliged to add types of tales not already to be found in the classficiation...".

que es el caso. Porque el motivo del hombre que, en una borrachera, es transformado en fraile, lo encontramos hasta en la tradición oral contemporánea, en un cuento de Asturias, pero son los vecinos los que se encargan de la burla esta vez, no la mujer (29). En otras versiones, el marido no está borracho, sino dormido *con yerbas* (como en el *Libro de los exemplos*) o con un narcótico, como sucede en varios cuentos de *Las mil y una noches*. Y al mencionar este libro, fuente inagotable de relatos folklóricos, estamos ya ante el *cruce* del que hablaba hace un momento. Me refiero a la "Historia del durmiente despierto", el cuento narrado por Scherezade en las noches 576 a 583 (30), y que se considera una de las fuentes de *La vida es sueño*, de Calderón de la Barca, y de algunas escenas de *La fierecilla domada*, de Shakespeare. Pero este motivo que se podría llamar, como la historia árabe, del "durmiente despierto", varía profundamente en relación al cuento del arriero o del marido-moje. El dormido no despierta como Abul-Hassan, o como Segismundo, en un mundo mejor, en medio de riquezas, honores y placeres puestos a su disposición, sino que se encuentra en un ambiente diferente al suyo normal, pero esta diferencia se da en sentido totalmente peyorativo. (Recordemos los sufrimientos del Santillana-Padre Rebolledo, de Tirso; de Ferondo, en el *Decameron...*). Juan Prados se desconcierta al despertar con frío, fuera de su casa, vestido de fraile; se ve metido en un compromiso tremendo al pedirle que predique en la fiesta de San Marcos en Simancas y tiene que salir huyendo. Hay, por lo tanto, que formular más ampliamente el motivo folklórico del "durmiente despierto" que ya el profesor Michel Moner había esquematizado así:

1. El protagonista —un pobre hombre— es adormecido profundamente.
2. Se le transporta a un palacio donde se le hace creer que es el dueño de todo.
3. Al protagonista, dormido de nuevo, se le devuelve a su primer estado y situación (31).

Hay otros textos españoles que apoyan la modificación de este esquema. Dos ejemplos: En la comedia del siglo XVII, de Rodrigo de Herrera, *Del Cielo viene el buen Rey* (32), con un innegable parecido a *La vida es sueño*, el rey —suplantado por un ángel que trata de remediar las iniquidades de Federico y convertirlo— se encuentra también en situación inferior a la suya propia y humillado por un villano. El P. Félix Olmedo, en su estudio de las fuentes españolas de *La vida es sueño*, cita estas palabras de un sermón de San Luis Beltrán: "Estava vno soñando que contava dineros, y quando despierta hallasse en vna prission con vna cadena; el otro que estava rico, hallasse muerto de hambre. Enten-

---

29) Cf. Constantino Cabal, *Del folklore de Asturias,* Madrid, Voluntad, 1923, p.88.

30) Cito por la edición traducida y anotada por R. Cansinos Assens, *Las mil y una noches,* 3 vols., Madrid, Aguilar, 1969; la historia de que hablo está en vol. III, pp.28-69. También en la "Historia del visir Narudin y de su hermano Schemsudin" (vol. I, pp.524-565) aparece el "durmiente despierto".

31) Cf. Michel Moner, "Le savoir et le pouvoir dans *La vie est un songe* (Comedia) de Calderón de la Barca", en *Hommage des hispanistes français à Noël Salomon,* Barcelona, Laia,1979,pp.625-635.

32) Editada por Mesonero Romanos en el tomo XLV de la Biblioteca de Autores Españoles, *Escritores dramáticos contemporáneos a Lope de Vega,* vol. 2, Madrid, 1951, pp. 237-251. (Debo este dato a mi buen amigo y colega el profesor Antonio Carreira).

ded, hermanos, que todo es sueño lo de esta vida..." (33). Quizá el esquema podría simplificarse más, porque la realidad es que en todos estos relatos encontramos:

1. Sueño profundo producido por embriaguez o por narcótico.
2. Despierta, y el dormido se encuentra otro, transformado él y el ambiente normal en que se desarrolla su vida.
3. Vuelve a su vida y situación habituales (excepción: esto no sucede en el número 236 del *Libro de los exemplos*, pues la mujer consigue su objetivo de encerrar a su marido para siempre en el monasterio...); normalmente, ese regreso a la realidad se da a través de otro sueño (esto no ocurre exactamente así en nuestro pliego: otra excepción).

Como se ve, los motivos folklóricos no pueden limitarse a un esquema demasiado fijo. Pero indudablemente ahí están.

En esta parte del "Cuento del arriero Juan Prados" vemos también algo que tendrá más evidencia en la segunda parte: la misoginia, elemento tan presente en el ejemplo medieval y de ahí, creo, presente también en tantos cuentos de tradición oral y en los "parafolklóricos", como este, aunque más tardíos. El misoginismo llega al relato medieval tardío por influencia oriental (34); y, efectivamente, una rápida ojeada a *Las mil y una noches* nos lleva a textos como este que son palabras puestas en boca de una mujer: "Tú me quieres sin duda con pasión, porque eres un inocente sin pizca de malicia, y no sabes nada de nuestras picardias y nuestras añagazas [...] Ahora te recomiendo que no hables ni te fíes de ninguna de nosotras, ni chica ni grande. Porque eres de pocos alcances y no sabes las artimañas de las hembras, ni sus perfidias y traiciones..." (35).

Juan Prados, con gran indignación por parte de su mujer, era también de pocos alcances, puesto que no se santiguaba de las mujeres como del mal y del diablo, y Juana Gutiérrez quiso ponerle en guardia escarmentándole. Para ello fragua, con la ayuda de una vecina, la burla, el chasco... En la literatura de cordel el subgénero de la burla tiene una larga tradición. En el folklore más puro también, aunque como dice Roger Pinon, "los cuentos burlescos están constituidos por motivos ligados menos íntimamente, a menudo errantes: conforman una especie de masa embrionaria" (36). Dentro de esa masa, la burla adquiere múltiples formas, y una de ellas puede ser la de enfrentar, por ese medio, al hombre con la mujer. Los datos podrían acumularse, pero no lo considero necesario.

Llegamos a la segunda parte del "cuento del arriero", a lo que en versiones tardías de este pliego llaman el "despique del chasco". No es sólo, como afirma Soons, que en la estructura del cuento burlesco (risible, dice él), "el que triunfa es el engañado, a pesar de la

---

33) San Luis Beltrán, *Obras y sermones,* Valencia, 1688; citado por Féliz G. Olmedo en *Las fuentes de "La vida es sueño",* Madrid, Voluntad, 1928, p.22.

34) Cf. María Jesús Lacarra, *Cuentística medieval en España: los orígenes,* Zaragoza, 1979, especialmente pp.162-163.

35) "Historia de Asís y Asisa" en *Las mil y una noches,* ed. cit., p.880.

36) o.c., p.28.

astucia del bribón" (37); además de esto, y quizá sobre todo, es que el fuerte conservadurismo de la literatura de cordel se tiñe de machismo, y no se puede consentir que una mujer se burle del marido sin que este logre después vengarse violentamente, casi siempre por medio de una vara o un garrote. Y ahora, en esta segunda parte, se nos van a mezclar de nuevo los motivos folklóricos y literarios, en una amalgama en la que a veces cuesta abrir un camino de interpretación.

Por otro lado, se plantea también en este momento el problema —no resuelto— de una posible censura, y consiguiente expurgamiento o retirada de la circulación, de la primera edición de este pliego suelto. Porque en él aparece como presunto amante de la mujer de Juan Prados un músico-estudiante (parece una imagen arcaica de nuestros "tunos" universitarios), y no un fraile, como es, en realidad, en las versiones más tardías, de 1680, de Sevilla (no en la de Zaragoza del mismo año), y en las del siglo XVIII y XIX que yo he manejado. Se pensaría que, al igual que sucede con la trasmisión oral de géneros populares, las versiones más modernas son más fieles, generalmente, a las primitivas (38), también en el campo de la literatura de cordel. En el pliego de 1603, sin embargo, quedan clarísimos rasgos de la condición verdadera del músico: los músicos-estudiantes no tienen porqué llevar hisopo y agua bendita; Juan Prados, cuando se disfraza de músico, "se aderezó/con sotana y manto largo/lleuo debaxo/ el manteo..."; tampoco los músicos tienen que saber conjurar al diablo con exorcismos, repitiendo el "asperges" y pidiendo a la "endemoniada" que confiese sus pecados. Todo esto corresponde, en verdad a un fraile el que, según las versiones tardías, después de la violenta pero cómica escena del convite, "se fuere para su convento/con el paso apresurado". La edulcoración del pliego de 1603 no ha conseguido suprimir todas las huellas que apuntaban a una versión primitiva más anticlerical. De todas formas, si ésta ha existido, como creo, yo no he sido capaz hasta ahora de encontrarla en una búsqueda entre papeles de Inquisición e índices de libros prohibidos.

En esta segunda parte, por tanto, es cuando ese amante fraile (con existencia previa, como tal amante, a la burla de la mujer en otros relatos) tiene una función diferente a la que desempeñaba en las más antiguas versiones literarias que conocemos de esta historia. Aquí, el músico-estudiante-fraile es, a la vez, causa y medio, para Juan Prados, de lograr su venganza. Y, nuevamente, más motivos folklóricos y populares. Si a Juan Prados le han hecho pasar por fraile, ahora él se disfrazará de estudiante-fraile-amante. Mimetismo lúdico, si se quiere (39), pero también eco de cuentecillos populares en los que el marido engañado se disfraza para dar su merecido a uno de los amantes. En esos cuentos, normalmente, el marido, a pesar de su disfraz, llevará "sobre cuernos, penitencia" (40). Pero Juan Prados, contra lo que opina su mujer, es más listo y conseguirá burlarse de ella de

---

37) o.c., en nota 21, p.7.

38) Cf. Aurelio M. Espinosa, *La clasificación de los cuentos populares. Un capítulo de metodología folklórica*, Madrid, 1934, p.32.

39) Cf. Allan C. Soons, o.c., pp.49-50.

40) Cf. las citas de M. Chevalier,*Cuentecillos tradicionales...*, ed. cit. pp.220-228.

forma más dura que la empleada con él. De paso, su honor ultrajado quedará también a
salvo. En contra de la venganza sangrienta y asesina de los dramas calderonianos, el marido burlado —aunque sólo sea en la intención— de las narraciones populares consigue vengarse, con violencia, sí, pero con humorismo y sin "dar tres cuartos al pregonero". Como
decía el profesor Fichter en un estudio sobre el tema del honor conyugal en el teatro de
Lope: "En cierta medida, algunos elementos de esta historia [se está refiriendo a *El castigo del discreto*, obra de la que hablaré enseguida] —la ausencia fingida del marido, su disfraz de amante, la paliza a la mujer, etc.— son muy antiguos y han existido en la literatura
popular y tradicional tanto de Oriente como de Europa"; y concluye su estudio diciendo:
"después de todo, la comedia se mantiene dentro de los límites de la concepción popular
del Honor" (41). Exactamente igual que en el "Cuento del arriero Juan Prados y de vna
venganza que tomó de su muger..."

En una última —y procuraré que brevísima— parte de mi estudio, quisiera examinar la
relación, que quizá sea algo más que eso, de este cuento folklórico con la novela de Tirso
de Molina *Los tres maridos burlados*, colocando en paralelo conclusiones extraídas del
análisis por separado de las dos obras. Se puede ver, de entrada, que en la novela de Tirso,
al igual que en el pliego, no aparece previamente a la burla de convertir al marido en fraile,
el amante de la mujer —que sí estaba presente, en cambio, en todas las fuentes literarias.
La insistencia de Juan Prados en preguntarse a sí mismo quién es él cuando despierta con
hábitos de monje es similar a la duda y perplejidad sobre su propia personalidad que, también por medio de continuas preguntas a sí mismo, manifiesta el celoso Santillana al despertar convertido en el Padre Rebolledo. Lo que despierta bruscamente al celoso marido-
monje son las campanas y matracas con un ruido espantoso; a Juan Prados, dormido en
Simancas como fraile predicador, "despertole la campana/que daua grandes golpazos". En
el cuento y en la novela se da el episodio del marido, vestido todavía de fraile, que llega a
su casa y es insultado y amenazado por su propia mujer que finge creerle monje o, como
dice el pliego, un "Padre vigardo", es decir, un clérigo vago y vicioso. A continuación, la
versión del pliego recoge un nuevo motivo folklórico, que no se da en la novela: el reconocimiento del desaparecido por una señal en su cuerpo. La novela, en cambio, recoge
otro: el despertar definitivo del marido fraile en la misma situación en la que quedó dormido, junto a su mujer y en su habitación; este aspecto del motivo antiquísimo está presente en una de las versiones del "durmiente despierto" de *Las mil y una noches* que cité
antes (42).

Recordemos de nuevo la fecha de impresión del pliego suelto: 1603. Un cuidadoso
estudio de Guillermo Guastavino prueba, casi con seguridad, que Tirso escribió *Los tres
maridos burlados* después de 1611, pero cerca de esta fecha; opinión que comparte el profesor Nogué, aunque piensa en unos posibles retoques inmediatamente antes de su publicación que iba a ser en 1621, según la fecha de aprobación de los *Cigarrales de Tole-*

41) W.L. Fichter, su edición de Lope de Vega, *El castigo del discreto*. Together with a study of con-
     jugal honor in his theater, New York, 1925, pp. 22 y 72.

42) Cf. nota 30; en la "Historia de Nurudin y de su hermano...", ed. cit., pp. 560-561.

do (43). Según esto, no es disparatado suponer que Tirso, además de conocer y muy bien las obras de Bello, Malespini, Boccaccio, Poggio, etc., etc., conociera también algo más próximo a él y más entrañable: un humilde pliego de cuatro hojas, con un cuento gracioso atribuido a un tal Francisco Medina... Tal vez lo había comprado en un tenderete callejero, y entró a formar parte de su biblioteca de consulta. Llamo ahora la atención sobre un párrafo del que no he leído comentario alguno, y que está al comienzo de *Los tres maridos burlados*, y dice así: "Fuese el conde, cuya satisfacción abonó la seguridad de la joya, y su codicia les persuadió a cumplir lo sentenciado [hacer una burla a sus maridos, sin tocar a su honra]. Y porque ya la cortedad del día daba muestras de recogerse, lo hicieron todas a sus casas [y ahora subrayo] *revolviendo cada cual de las competidoras las librerías de sus embelecos, para estudiar por ellos uno* que la sacase vitoriosa en la agudeza y posesión del ocasionador diamante" (44). Quizá me exceda en la interpretación, pero creo que aquí Tirso indica con claridad que las tres amigas revolvieron sus bibliotecas para buscar libros, en los que se narraran burlas femeninas a los hombres. Otras alusiones literarias de la novelita (el conde Partinuplés, Urganda la desconocida o Artus el encantador, "libros de caballería que desvanecen mocedades") nos llevan a suponer que estas bibliotecas (librería fue, durante mucho tiempo, la biblioteca o el mueble para libros) son las características del siglo de Oro estudiadas por el profesor Chevalier (45), y en las que, dada la clase social que Tirso describe, predominaría la literatura de entretenimiento, entre la que indudablemente se encuentran los pliegos de cordel, tanto en prosa como en verso. Y en una identificación, quizá abusiva por mi parte, del autor con sus personajes, me atrevo a sospechar que Tirso, antes de escribir *Los tres maridos burlados*, también revolvió las librerías de los embelecos femeninos y consultó libros como las "novellas" italianas, por supuesto, pero también —¿y por qué no?— algún librito o pliego de cordel. Tal vez no éste mismo atribuido a Francisco de Medina, sino cualquier otra versión de la misma historia pero con otro nombre de autor. Porque el que una obra como esta aparezca como he señalado, atribuida a diferentes autores hasta llegar finalmente a la anonimia, puede ser —es, en mi opinión— otro de los muchos rasgos folklóricos (46) que se detectan en el "Cuento muy gracioso que sucedió a un arriero con su mujer"... y que han contribuido a crear esa peculiar tonalidad folklórica que se daba de modo muy parecido a la novelita de Tirso de Molina y en el pliego suelto de 1603.

Dejo para otra ocasión el estudio de la relación entre *El castigo del discreto,* de Lope

---

43) Cf. Guillermo Guastavino, "Notas Tirsianas: sobre la cronología de *"Los tres maridos burlados"* en *Revista de Archivos, Bibliotecas y Museos,* 67 (1959), pp.688-696. Y A. Nougué, su introducción a la edición bilingüe de la novelita ya citada, pp. 11 y 17-18.

44) He manejado siempre la cómoda edición de la colección Austral de Los *Cigarrales de Toledo,* Madrid, 1968, que reproduce la edición de Said Armesto, de 1928. El párrafo citado está en p. 219.

45) Maxime Chevalier, *Lectura y lectores en la España del siglo XVI y XVII* , Madrid, , Turner, 1976.

46) En otro contexto, dice algo similar el profesor Lázaro Carreter en su estudio "Literatura y folklore: los refranes", recogido en *Estudios de lingüística,* Barcelona,Crítica, 1980, pp. 207-217.

de Vega, y la segunda parte de este cuento. Là proximidad de fechas también es notable. Lope escribió su comedia entre 1606-1608 (47). Pero lo es aún más la utilización por el Fénix del concepto popular del honor —muy en la línea de la atracción que todo lo del pueblo ejerció sobre Lope de Vega —que le lleva a castigar a la, sólo en la intención, adúltera, —como en el pliego— disfrazándose el marido de amante —como en el pliego— y a utilizar el rasgo de las alabanzas al amante —esta vez de forma diferente al pliego. Todo está también presente en obras italianas del XVI (Bandello, Cintio, Poggio, Ser Giovanni...) en la novela de Bandello, la mujer se enamora de "el bel predicador de le donne"..., y el marido también le invita a comer (48).

Pero debo ya acabar. La relación entre lo culto y lo popular es continua; varias ponencias de este mismo simposio nos dirán, pienso, que hoy, en 1981, sigue dándose esta interdependencia. Y de la misma forma que se dió en este caso concreto del siglo XVII: uno o varios motivos folklóricos se transformaron en un relato que recogieron, por una parte, los novelistas cultos (italianos, sobre todo) y, por otra, los autores-narradores de la literatura de cordel. Estos redujeron el texto culto —si lo conocieron— eligiendo episodios, mezclándolos con otros, cargando de vitalismo y cercanía la historia y la lengua con que la contaron a sus contemporáneos. El escritor letrado conserva el esquema narrativo popular (el número tres; Pliego: 1. marido-fraile. 2. cita falsa. 3. convite de venganza; Novela: tres mujeres-tres maridos-tres burlas...), cambia las funciones de los personajes, recurre a la "amplificatio" de episodios y motivos, crea nuevos tipos que modifican, a veces, el sentido total del cuento, usa mejor la concatenación y el entrelazamiento (49). Pero un análisis profundo nos muestra que la estructura de estos relatos —populares y cultos— es esencialmente la misma, como he intentado probar en este, temo que pesado, estudio de unos datos concretos.

Mª CRUZ Gª DE ENTERRIA
Madrid

---

47) Cf. José F . Montesinos, "Sobre la fecha de *El castigo del discreto*", en *Estudios sobre Lope de Vega*, Salamanca, Anaya, 1969, pp. 97-99.

48) Cf. el estudio de Fichter citado en la nota 41; y G. I. Dale, "A second source of Lope's *El castigo del discreto*", en *Modern Language Notes*, XLIII (1928), pp.310-312.

49) Cf, T. Todorov, *¿Qué es el estructuralismo?. Poética*, Buenos Aires, 1968.

LAS ARCAS DE ARENA ¿EL MOTIVO FOLKLORICO COMO OCULTACION-ENUNCIACION DEL MENSAJE EPICO?

A Manuel Montoya

GEORGES MARTIN
Universidad de Orléans

LAS ARCAS DE ARENA
¿EL MOTIVO FOLKLORICO COMO OCULTACION/ ENUNCIACION DEL MENSAJE EPICO?

Georges Martin

Al finalizar la primera guerra mundial, en Nimes, un poeta fracasado intenta y logra en parte escribir el *Quijote*. Ambiciosa tarea, desde luego; aunque susceptible de ampliación. De haber demorado unos años su proyecto, y haberse iniciado en el arduo estudio de la semiótica, el poeta hubiera podido idear no sólo los capítulos noveno y trigésimo octavo de la novela cervantina, sino la casi totalidad de los relatos conocidos y, entre estos, el *Poema de mio Cid*. Partiendo de dos estudios sistemáticos de la narración folklórica: la *Morfología del Cuento* de Vladimir Propp (1), y el *Motif-Index of Folk-Literature* de Stith Thompson (2).

En este caso, por cierto, las obras de Pierre Ménard hubieran distado bastante de las de sus precursores: a nivel de la narración, tipificación de los actores, simplificación de las modalidades narrativas y reducción de las instancias de la función narradora; a nivel del texto, aplastamiento de la diferenciación genérica, supresión de los enunciados descriptivos y reflexivos, erradicación del anclaje histórico, uniformación de la escritura. Pero en lo tocante a las funciones básicas del relato, y a los motivos en que actualizarlas, el material brindado por el folklore hubiera bastado quizá para llevar a cabo la disparatada emsa —la cual, a su vez, actualiza un tópico folklórico (3).

Con esta digresiva alusión a un cuento de Borges (4), he querido apuntar el problema

---

1) Vladimir Propp, *Morfologija skazki,* Leningrad, Akademia, 1928. Manejo la edición del Seuil, *Morphologie du Conte,* co. Points, Paris, 1973, la cual traduce la segunda edición de la obra (Leningrad, Nauka, 1969).

2) Stith Thompson, *Motif-Index of Folk-Literature,* Indiana University Press, Bloomington, 1934. Utilizo la segunda edición, revisada (Centraltrykkeriet, Copenhagen, 1955).

3) Serie H1010 del *Index ("Impossible tasks").*

4) "Pierre Ménard, autor del Quijote", in *Ficciones,* ed. Sur, Buenos Aires, 1944.

que se le plantea a quien se propone estudiar las incidencias del folklore en el relato literario en general, y mas aún en la gesta. Por una parte, encontramos en el folklore —históri-
camente han sido inducidas de él las bases de la semiótica narrativa— los modelos funcionales y motivos mayores de la gesta; por otra parte, los rasgos tradicionales de la gesta
—género central de una sociedad regida y representada por tradiciones— y su vocación a
difundirse mucho más allá de los circuitos de la cultura sabia la vinculan estrechamente al
folklore.

I. Folklore en el "Poema de mio Cid".

1. **Criterio.** Aislar los constituyentes propiamente folklóricos del poema épico requiere por lo tanto la formulación de un criterio de diferenciación bastante riguroso. Este no
puede ser sino el de una autonomía tipológica del motivo folklórico con relación a dos sistemas: el género épico, y la semántica específica de la obra en que viene a integrarse. La
identificación y apreciación de los elementos folklóricos integrados al *Poema de mio Cid*
deben pues efectuarse relativamente a su mayor o menor grado de actualización genérica
o semántica.

Bajo este criterio, se destacan tres tipos de integraciones folklóricas.

Elementos totalmente actualizados dentro del género épico, y que por lo tanto han
perdido toda pertinencia folklórica. Así las funciones dramáticas del relato folklórico cuya virtualidad autoriza, en algunos casos, su extrapolación genérica. Aun dejando de lado
las formulaciones cada vez más abstractas de la semiótica del folklore (5), y ateniéndonos
a las de Propp, éstas todavía son demasiado generales. Por ejemplo, podriase formalizar
el episodio de los Infantes de Carrion (la boda interesada, la afrenta de Corpes, la reparación en las Cortes de Toledo) con las funciones siguientes: "el agresor intenta engañar a su
víctima para hacerse con ella o con sus bienes" (η), "la víctima se deja engañar y, a pesar
suyo, ayuda así a su enemigo" (θ), "el agresor daña a un miembro de la familia o le perju-
dica" (A), "la noticia del daño es publicada, llaman al héroe con una petición o una orden, se le envía o se le deja ir" (B), "el agresor es vencido" (J), "el perjuicio inicial es reparado" (K) (6). No por eso se puede afirmar la inspiración en el folklore del episodio de
los Infantes: su esquema funcional es demasiado corriente en la épica, y podría servir para
formalizar, por ejemplo, el episodio de Roncesvalles en la *Chanson de Roland* (víctima:

---

5) Ilustrativas de esta creciente abstracción son las dos antologías de A. Dundes (*The Study of Folklore*, Englewood Cliffs, N.J., 1965, y *Varia Folklorica*, Mouton, The Hague, Paris, 1978), las descom-
posiciones analítica de Claude Brémond (por ejemplo, "Les bons récompensés et les méchants pu-
nis", in *Sémiotique narrative et textuelle*, Larousse, Paris, 1973), y sobre todo las últimas formali-
zaciones lingüístico-matemáticas de Salomón Marcus y sus discípulos (*Semiotica folcklorului: abor-
dare lingvistico-matematica*, Bucuresti, Editoria academei, 1977).
   En la primera obra citada de Dundes, dos interesantes estudios sobre épica y folklore, hechos por
folkloristas (aunque no centrados sobre la epopeya feudal): Axel Olrik, "Epic Laws of Folk Narrative", pp. 129-141 (El autor propone una definición muy integrante de lo épico); y Albert B. Lord,
"Yugoslav Epic Folk Poetry", pp. 265-268 (se trata de un fondo oral de epopeyas populares).

6) *Morphologie du Conte*, "Fonctions des personnages", pp. 35-80.

Roland; agresor: Ganelon; héroe: Carlomagno).

Tampoco pueden ser registrados como propiamente folklóricos motivos que fueron desde siempre o que pasaron a ser durante la Edad Media tópicos del universo épico: los pájaros augurales (7), el voto de cumplir una hazaña (8), el voto de dejarse morir antes que aceptar la gracia de su vencedor (9), el estirón de barba como humillación (10), e incluso el león amansado o vencido por el héroe (11).

Elementos muy actualizados dentro de la semántica del Poema, que han perdido poco o mucho su identidad folklórica, no constituyendo sino huellas más o menos marcadas de un lejano influjo del folklore. Así el motivo del casamiento desigual (12), que corresponde al mayor planteamiento social de la obra, pero también el abandono de la mujer en el monte (13), fuertemente articulado en el sistema ideológico antiaristocrático *Ciudad vs Extra-muros* instaurado por el *Poema,* e incluso la derivación de la comida horrorosa infligida como castigo humillante (14) llamada tanto por el modo en que el

---

7) Motivo B147.2 del *Index ("Birds furnish omens").* Para mayor información sobre la tradicionalidad histórica y literaria del tema, el léxico de Menéndez Pidal, *Cantar de mio Cid,* Madrid, 1908, *"aue",* pp. 485-486.

8) Motivo M155 del *Index ("Vow to perform act of prowess").*

9) Motivo M161.4 del *Index ("Vow rather to die (on a spear) than to accept grace").*

10) Motivo P672 del *Index ("Pulling a man's beard as insult").* En este caso, sin embargo, Thompson remite sobre todo a comentarios dedicados, precisamente al *Poema de mio Cid:* E. Hinojosa, "El derecho en el Poema de mio Cid", *Homenaje a Menéndez Pelayo,* Madrid, 1899, I, p. 568; y a la edición del *Poema* por Menéndez Pidal ya citada, II, "barba", p. 498. Estos, desde luego, dejan bien asentada la tradicionalidad jurídica, folklórica y literaria del tema. Por lo demás, otros motivos del *Index* confirman la pertenencia del tópico al folklore: S327.2 *("Baby ordered killed because it pulls beard of father"),* Q497 *("Beard shaved as punishment of murder"),* P642 *("Only brave may wear beard").*

11) Los motivos folklóricos forman aquí dos series dominantes: la del hombre fuerte que vence al león —A1421.1.1 *("Despite lion's strengh is in man's power"),* F.628.1.1 *("Strong man kills lion with own hands")*— y la del santo ante quien el léon se amansa — B251.2.11 *("Lion lies down at feet of Saint"),* B771.2.1 *("hungry lions do not harm Saint"),* B771.2.3 *("Lion tamed by Moses'rod").* Valen los dos casos para el *Poema,* y el segundo ha sido ampliamente comentado por Cesáreo Bandera Gómez *(El Poema de mio Cid. Poesía, historia y mito,* Madrid, 1969, pp. 83-113). Por supuesto, el motivo constituye un tópico de la gesta. Pidal señala un acontecimiento análogo en la *Berte* de Adenet le Roi. Por otra parte, puede ser emparentado con otro tópico: la pesadilla —nótese el *sueño* del Cid al empezar el episodio— del combate contra la fiera, que avisa al héroe de un trance inminente (en este caso, la afrenta de Corpes). Entre muchos ejemplos, la lucha onírica de Carlomagno contra el leopardo, aviso de la desastrada batalla de Roncesvalles *(Chanson de Roland,* LVII), y después contra el león, augurio de un incierto enfrentamiento con la morisma (CLXXXV).

12) Motivo T72.2. del *Index ("Noble man marries poor girl and then abandons her"),* pero también el genérico T121 *("Unequal marriage"),* y el maravilloso L162 *("Lowly heroine marries prince").*

13) Motivo S441 del *Index ("Cast-off wife abandoned in forest").*

14) Motivo Q478 *("Frightfull meal as punishment").* En el episodio del Conde de Barcelona, el horror no es físico sino moral, debido al rebajamiento que supone la prueba. Por lo tanto también puede ser emparentado el pasaje con los motivos del castigo del orgullo — aunque éstos no incluyan el tema de la comida: L156.1 *("Lowly hero overcomes proud rivals")* y L175 *("Lowly successfull hero invites king and humbles him").*

Conde de Barcelona decide dejarse morir (no alimentarse) como por el repetido juego ana-
gramático al que da lugar: "comed comde" (15).

*Un elemento, por fin, perfectamente extrínseco al género épico medieval como a las
leyes más fundamentales de la semántica del "Poema de mio Cid":* el ardid de las arcas de
arena (16). Su doble autonomía nos lleva a considerarlo como el elemento más propiamente folklórico del *Poema*, y a interrogar más detenidamente la razón y el sentido de su
integración a la obra.

II. El ardid de las arcas de arena.

1. **El tema.** Todos recuerdan el episodio (vv. 78-212) y su contexto inmediato. Desterrado por el rey, despoesído de todos sus bienes, separado de su familia, totalmente falto
de recursos, prohibido de alojamiento y compra, el Cid, ayudado por Martín Antolínez,
un "burgales complido" (V 65), consigue procurarse el dinero suficiente al mantenimiento de su mujer e hijas y al pago de sus vasallos empeñando a Raquel y Vidas, prestamistas
burgaleses, dos arcas pretendidamente llenas de "oro esmerado" (v. 113). En realidad, éstas no contienen sino vulgar arena, recogida a orillas del Arlanzón.

2. **Desconformidad genérica.** Huelga subrayar lo extraño del episodio con relación al
contexto de la épica feudal. Ni en el resto de la epopeya castellana, por ciero fragmentaria, ni en la densa y variada epopeya francesa, encontramos ejemplo alguno de empréstito
contraído por el héroe para llevar a cabo su empresa — menos aún de empréstito fraudu-
lento. Tampoco es cosa corriente intervención tan decisivia —y bienhadada— protagoniza-
da por judíos (en el caso de que sean judíos Raquel y Vidas, lo que no especifica el texto
(17). El papel del judío en la gesta suele más bien reducirse a su edificante conversión al
cristianismo tras haber presenciado un acontecimiento milagroso, o que interpreta como

---

15) *Poema de mio Cid*, vv. 1025, 1033, 1039, y también, con cambio de modo verbal, 1052 y 1054.
La numeración de los versos corresponde a la edición de Colin Smith (Oxford University Press,
1972). Para poner de mayor relieve el anagrama, he conservado el grafismo de Menéndez Pidal.

16) La expresión es de Edmund de Chasca (*El arte juglaresco en el "Cantar de mio Cid"*, Gredos, Madrid, 1967, pp. 127 y s.). Corresponde el episodio al motivo K455.9 (*"Werthless chests offered to
obtain credit"*); además, serie K120 (*"Sale of false treasure"*). El repertorio más completo de las
variantes parece ser el de Nicasio Salvador Miguel ("Reflexiones sobre el episodio de Raquel y Vidas en el *Cantar de mio Cid*", *Revista de Filología Española*, LIX, 1977, pp. 183-223), aunque
el mejor análisis de la naturaleza y sentido de las variaciones sigue siendo el de Lía Noemí Uriar-
te Rebaudi, "Un motivo folklórico en el *Poema de mio Cid*", *Filología*, XVI, 1972, pp. 215-230.
El motivo parece haber sido bastante conocido en la España medieval. ¿Menos, tal vez, de lo que
pretende Menéndez Pidal en su introducción a la edición del *Poema* en los Clásicos "La lectura",
Madrid, 1913; ed. 1966, p. 29?.

17) Los argumentos aducidos hasta aquí para demostrar el judaísmo de los prestamistas, tocando a su
nombre, oficio, o morada, no me parecen totalmente convincentes, y caen uno tras otro conforme avanzan las investigaciones históricas. Paradójicamente, el mejor indicio de su judaísmo resida
quizá en el recurso expresivo que intento destacar en este estudio; lo cual no iría tampoco en contra de que no fueran claramente denotados Raquel y Vidas como judíos. Apúntese de paso que la
palabra *"judíos"* aparece en el *Poema* —una sola vez— en el verso 347 de la oración de Jimena.

tal (18). El largo e íntimo trato al que parece aludir el texto entre Raquel y Vidas y el Campeador (19), el tema de la "epopeya a crédito" que convierte un caballero *de prestar* en héroe "de prestado", son perfectamente inauditos en el marco genérico de la épica.

3. **Desconformidad semántica.** También es insólito el episodio en el propio marco de la semántica del *Poema,* desdiciendo rotundamente sus leyes de funcionamiento de las que rigen el resto del relato. Entre éstas, una de las más destacadas es la del *verismo* económico, social y jurídico de las determinaciones narrativas (20). En este marco, y por mucho que se hayan invocado al respecto las *Partidas* —las cuales, estipulando este tipo de fraude (21), lejos de traducir una realidad traicionan, a su vez, una inspiración folklórica —el episodio se postula como fantasía. La obligación hecha a Raquel y Vidas de no averiguar en un año el contenido de las arcas, la no especificación del interés cobrado, cuya realidad —pese a la prohibición eclesiástica, tantas veces alegada por la crítica— es rotundamente afirmada por todos los protagonistas (22), y por fin la ausencia de confirmación escrita en una obra donde cuentas y escrituras desempeñan papel tan importante que hasta Minaya, principal teniente del Cid, se convierte a las veces en secretario contador

---

18) Michel Darbor ("Le comique dans le *Poema de mio Cid;* l'épisode de Raquel et Vidas", *Mélanges de Langue et de Littérature médiévales offerts à Pierre le Gentil,* Paris, 1973, p. 179), evoca el *Pèlerinage de Charlemagne* (vv. 130-140) en donde un judío, viendo a Carlomagno y a sus doce pares sentados en la mesa que fue de la Ultima Cena, los confunde con Cristo y sus apóstoles (¿no es éste el modelo subyacente de todo el ciclo carolingio?) y corre a que le bautice el Patriarca. En la tradición cidiana (sin ninguna homogeneidad) tenemos un ejemplo parecido, aunque más tardío: el judío que, queriendo profanar con sus manos el cuerpo embalsamado del Cid, conservado en San Pedro de Cardeña, provoca una reación amenazadora por parte del cadáver; se convierte al cristianismo, tomando el nombre de Diego Gil. Nacido quizá en la (hipotética) *Leyenda de Cardeña,* el episodio es piadosamente recogido por la *Primera Crónica General* (§§961-962), y versificado en el romancero erudito y enseñador de Lorenzo de Sepúlveda (*Romances nuevamente sacados...,* Amberes, 1551, *"En Sant Pedro de Cardeña",* p. 167).

19) *"Por Rachel e Vidas vayadas me privado"* (v. 89); que se le ocurra al Cid, espontáneamente, el recurso a los prestamistas, indica que los conoce perfectamente. Por otra parte, aunque quizá con irónica afectación, exclama al entrevistarse con ellos: "*¡Ya don Rachel e Vidas avedes me olbido!"* (v. 155).

20) Huelga recordar los estudios sobre el verismo jurídico y socio-político del *Poema.* Queden apuntados simplemente el primero importante, de E. de Hinojosa, ya citado en nota 10, y el último, de María-Eugenia Lacarra, *El Poema de mio Cid: realidad histórica e ideología,* J. Porrúa Turanzas, Madrid, 1980, cap. I, pp. 1-102. En lo tocante al verismo económico, y a su función semántica, véase mi estudio "Mio Cid el Batallador. Vers une lecture sociocritique du *Cantar de mio Cid". Imprévue,* CERS, Montpellier, 1979, III, 1 y 2, pp. 57-75.

21) VII, 16,9: *"Engañadores hay algunos homes de manera que quieren facer muestra a los homes que han algo et toman sacos e bolsas e arcas cerradas, llenas de arenas o piedras o de otra cosa cualquier semejante, et ponen desuso, para facer muestra, dinero de oro o de plata o de otra moneda...".* Ejemplo altamente ilustrativo de la definición que dan las mismas *Partidas* de la ley: *"Ley tanto quiere dezir como leyenda en que yaze enseñamiento..."* (I, 1,4).

22) En boca de Martín Antolínez: *"por siempre vos fare ricos, que non seades menguados"* (v. 108); en boca de Raquel y Vidas: *"Nos huebos avemos en todo de ganar algo"* (v. 123), y *"o ¿que ganançia nos dara por todo aqueste año?"* (v. 130); en boca del Campeador: *"a lo quem semeja de lo mio avredes algo,/mientras que vivdades non seredes menguados"* (vv. 157-158). La realidad histórica del préstamo con interés, e incluso la usura, ha sido desde hace tiempo establecida por los historiadores (baste recordar lo que escribe al particular L. García de Valdeavellano, *Curso de Historia de las Instituciones españolas,* Revista de Occidente, Madrid, ed. de 1973, pp. 298-300).

(23), no corresponden en absoluto al tratamiento de lo económico en la semántica del *Poema* (24).

Para mayor claridad, diré que nos hallamos ante un disfuncionamiento semántico, o por lo menos ante una difracción tipológica, el motivo folklórico conservando, en contra del sistema en que se inserta, su fuerte arbitrariedad narrativa, tanto en las determinaciones de los acontecimientos como en su posible relación veridictoria con el referente (25).

4. **Desconformidad tonal.** Este disfuncionamiento es igualmente perceptible en el contexto más reducido del planteamiento inicial de la gesta, y de su tono. No olvidemos las circunstancias patéticas en las que se integra, padeciendo el héroe una degradación radical de su situación en todos los niveles, político, social, familiar, económico y hasta moral y afectivo. ¿Cómo no recordar el tono hondamente trágico del Cid al idear la estratagema? *"Espero e el oro e toda la plata,/bien lo vedes que yo no trayo nada,/ e huebos me serie pora toda mi compaña;/ fer lo he amidos, de grado non avrie nada"* (vv. 81-84); *"vealo el Criador con todos los sos santos,/ yo mas non puedo e amidos lo fago"* (vv. 94-95). Y ¿quién podría olvidar la majestuosa gravedad y el dolorido acento de los versos que siguen inmediatamente el episodio? *"La cara del cavallo torno a Santa Maria,/ alço su mano diestra, la cara se santigua:/ ¡A ti lo gradesco, Dios, que çielo e tierra guias/ Valan me tus vertudes gloriosa Santa Maria!/ D'aqui quito Castiella pues que el rey he en ira;/ non se si entrare i mas en todos los mios dias"* (vv. 215-220). Entre estos desgarradores y líricos versos, ¡la jocosa picardía de Martín Antolínez! ¡la precavida mentecatería de Raquel y Vidas! ¡la trivialidad del asunto! ¡la burda risa del engaño!.

5. **¿Desconformidad orgánica?** Ahora bien, parece que la desconformidad del motivo folklórico respecto a la semántica del *Poema* contamine su misma organización interna. Así, el motivo pretextado por el Cid para solicitar el préstamo, el peso excesivo de las arcas que dificultaría su rápida salida del reino (vv. 90-92), es cambiado por el mensajero, invocando éste el temor del héroe a ser *"ventado"* (v. 116), es decir a ser descubierto. Transformación insólita (26). Primero, porque encaja bastante mal con el motivo oficial

---

23) Después de la toma de Castellón, y del consiguiente botín: *"Mando partir tod aqueste aver sin falla/sos quiñoneros que gelos diessen por carta"* (vv. 510-511); después de la victoria sobre el rey de Sevilla: *"Si vos quisieredes Minaya, quiero saber recabdo/ de los que son aqui e comigo ganaron algo;/ meterlos he en escripto e todos sean contados"* (vv. 1257-1259). Para más sobre el papel de Minaya, los versos 1772-1773: *"Minaya Albar Fañez fuera era en el campo/ con todas estas yentes escriviendo y contando"*. No se puede sacar argumento de la situación ilegal del Cid al solicitar el préstamo: también la toma y el rescate de Castellón son ilegales y sin embargo la venta del botín a sus mismos moradores constará en cartas: *"Moros en paz, ca escripta es la carta"* (v. 527).

24) ¿Cómo puede hablar N. Salvador Miguel, a propósito del trato, de *"minuciosidad legalista"* e incluso de *"meticulosa especificación legalista"* (pp. 222 y 203 del artículo citado)?.

25) Amén de la preocupación verista, lo poco marcado de las motivaciones en el cuento maravilloso fue subrayado por Propp (& 5c de su *Morfología*, ud. man. p. 92).

26) No han sido analizados con la debida atención tales trastoques y aparentes incoherencias, por lo demás bastante frecuentes en el *Poema*, y siempre significativos. Un estudio interesante, basado en parte sobre este tipo de apuntes, lo constituye el de Michel Lafon, "Poema de Minaya", *Les Langues Neo-latinos,* n° 232, 1980, pp. 5-23.

del destierro que el propio Martín Antolínez acaba de mencionar ante los prestamistas: precisamente el hurto de las parias (vv. 109-112). Quizá resida la coherencia del asunto en la supuesta voluntad del *"acusado"* (v. 112) de no ser *convicto*; pero, aceptado esto, el trastrueque del pretexto, fundado en la fingida validez de la gravísima y deshonrosa acusación por la que el héroe padece el mayor trance y a la reparación de la cual va a emplear sus días, no deja de parecer impregnado de un raro cinismo, por lo demás perfectamente inútil. Quede apuntado, por lo menos, que en los mismos límites del episodio, el pasaje del texto épico (enunciación del proyecto por el Cid) al tratamiento del motivo folklórico (realización a cargo de Martín Antolínez) se traduce por una agudización de los rasgos más negros y sarcásticos.

Sea lo que sea, el pretexto es recibido por Raquel y Vidas, e incluso pomposa y respetuosamente repetido por ellos: *"Estas arcas prendamos amas,/ en logar las metamos que non sean ventadas"* (vv. 127-128). No sin que los prestamistas hayan pronunciado una sentencia por lo menos enigmática (27): *"(Bien lo sabemos que el algo gaño,/ quando a tierra de moros entro que grandt aver saco;)/* **non duerme sin sospecha qui aver trae monedado"** (vv. 124-126). Esta afirmación de la creencia, por parte de los prestamistas, que las arcas contienen *"aver monedado"*, es repetida al final del episodio, enmarcándolo: *"gradanse Raquel e Vidas con averes monedados"* (v. 172). El latín, los diccionarios, el conjunto de las ediciones críticas nos invitan a interpretar la expresión "haber monedado" como una manera de designar el dinero. En el *Poema* aparece cinco veces, en los versos 126, 172, 1217, 2257, 3236 (28). El estudio de las ocurrencias no esclarece decisivamente su sentido pues en cuatro casos está equiparada con las expresiones *"oro"* u *"oro y plata"* (29), lo que plantea la indecisión de saber si el sentido de "oro" u "oro y plata" se reduce en esos casos a apuntar una realidad dineraria, o si, al contrario, el sentido de "haber monedado" es extensivo al de objetos de oro o plata susceptibles de ser empleados como moneda. De acogernos al sentido normativo generalmente admitido, el trato con los prestamistas, que se resolvería en empeñar dinero por dinero, perdería toda coherencia.

En este caso, no estaría fuera de lugar preguntarnos si quienes caen en una trampa no son los propios oidores o lectores del episodio más bien que unos protagonistas a quienes se les permite manifestar con alguna ironía su total lucidez en cuanto a la realidad del trato.

6. Opacidad tipológica. Antes de ir más allá en este sentido, cifremos lo argumentado hasta aquí. La introducción y el tratamiento del motivo folklórico desdicen del con-

---

27) Entre los estudiosos del episodio, Miguel Garcí-Gómez (*Mio Cid: estudios de endocrítica,* Planeta, Barcelona, 1975, p. 88, n. 2), parece ser el único en haber reparado en la extrañeza del verso, y confesado su incomprensión. Su alusión al sentido de *monetatus* en dos textos latinos no me parece venir al caso.

28) Para los recuentos terminológicos disponemos de una preciosísima herramienta en el exhaustivo léxico de René Pellen, *Poema de mio Cid. Dictionnaire lemmatisé des formes et réferences,* S.E.M.H., Université de Paris XIII, 1979.

29) "aver monedado" (v. 126) y "averes monedados" (v. 172) *vs* "oro esmerado" (v. 113); "aver monedado" (v. 1217) *vs* "el oro e la plata" (v. 1214); "averes monedados" (v. 3236) *vs* "en oro y en plata" (v. 3204).

texto genérico de la épica feudal, de la semántica verista del *Poema,* del tono de la situación narrativa inicial. También se plantean interrogantes en cuanto a la coherencia orgánica del episodio. En resumidas cuentas: aunque vinculado al programa narrativo de la gesta, el motivo folklórico conserva una fuerte autonomía en cuanto a la postulación, al desarrollo y a la tonalidad del micro-relato que constituye, lo que le confiere cierta opacidad tipológica con relación al sistema en que se inserta. Más aún: no es imposible que, deliberadamente, se manifieste como elemento exógeno, susceptible de ser percibido como tal por los oídores o lectores más avispados.

III. Interpretación.

1. **Ayuda.** Estos apuntes, los relacionaré con una observación evidente aunque poco destacada hasta ahora por los estudiosos del tema. Por mucho que se discutan las connotaciones ideológicas externas de la burla de Raquel y Vidas, la verdad es que su indiscutible resultado semántico es bien sencillo: el Cid recibe de dos prestamistas burgaleses el dinero necesario al inicio de su empresa. En términos de semiótica narrativa, Raquel y Vidas son *Ayudantes* que permiten al *Protagonista* salvar la *Degradación* inicial a la que se enfrenta. Su papel es pues, fundamentalmente, positivo. Es cosa extraña que no haya tenido ninguna incidencia sobre la crítica literaria la observación del historiador Ubieto Arteta (30): "El sentido anti-nobiliario aparece más clara y continuadamente a lo largo del *Cantar,* contraponiendo siempre un gesto innoble de un noble a un gesto digno de un burgués, un judío o un labrador. Cuando las autoridades burgalesas cierran las puertas al Cid, un campesino adinerado —Martín Antolínez— entrega abundante pan y vino a la hueste del Cid (versos 66-67); y *los mismos judíos se atreven a desobedecer los mandatos del rey y proveen al Cid de dinero* (verso 90). Y el círculo se cierra; es tanta la reputación de los judíos que Martín Antolínez no pesó los trescientos marcos de plata que le entregaron (verso 184)". Por mi parte añadiré esta precisión, fundamental: que su papel de Ayudantes, los prestamistas lo desempeñan en la modalidad de lo involuntario, que su Ayuda procede del engaño tramado por el Protagonista.

En la comprensión de esta modalización negativa y burlesca de la ayuda aportada por Raquel y Vidas al Cid reside la clave no sólo del sentido del episodio (a este tema se han limitado hasta ahora los críticos) sino también de la misma inserción del motivo folklórico como recurso expresivo.

2. **Contexto ideológico.** Citando a Ubieto Arteta he introducido un nuevo contexto semántico, el de la ideología del *Poema de mio Cid.* En este último marco, no parecería demasiado extraño que la ayuda de los prestamistas, el Cid la consiguiese sin burla ni rodeos, como apoyo voluntario y decidido. Raquel y Vidas, en efecto, no hacen más que llevar a los hechos la ayuda potencial contenida en la penetrada simpatía que rodea al Campeador en la ciudad de Burgos: *"burgueses e burguesas a las finiestras son,/ plorando de*

---

30) Antonio Ubieto Arteta, "El Cantar de mio Cid y algunos problemas históricos", *Ligarzas,* 4, Valencia, 1972, pp. 11-12.

los ojos tanto avien el dolor" (vv. 16b-17), *"Conbidar le ien de grado mas ninguno non osava;/ el rey don Alfonsso tanto avie la grand saña"* (vv. 21-22). Esta simpatía, este virtual apoyo, el Cid los encontrará, efectivos, en otras ciudades: en San Esteban, por ejemplo, cuyos moradores le prestarán un socorro decisivo tras la segunda gran degradación, de su destino, la afrenta de Corpes. El Campeador, por lo demás, corresponde al afecto de los ciudadanos. Sin evocar dilatadamente el tema, que he tratado en dos estudios recientes (31), Ruy Díaz, a lo largo del *Poema*, defiende y representa, frente a los magnates de la Corte del rey de Castilla, los valores económicos, sociales y morales de las ciudades. En los mismos límites del episodio estudiado, la inflexión de la gesta cidiana, que pasa de la tradicional ilustración de los papeles socio-políticos del feudalismo a la nueva enunciación de una protesta burguesa, está inscrita de modo deslumbrante en la dúplice caracterización social y funcional de Martín Antolínez: caballero, pero ciudadano; *"ardida lança"*, posiblemente, como lo afirma el apóstrofe cidiano (v. 79), pero sobre todo genial negociador financiero ¡y lo bastante despreocupado del decoro y de su propia honra como para pedirles a Raquel y Vidas unas *calzas* en recompensa del buen negocio que les ha conseguido (32)!.

3. **Censura burlada.** En realidad éste es el sistema ideológico que se enuncia en el episodio estudiado; so color de una trampa cuya meta no es engañar a los prestamistas, sino burlar una doble censura.

Censura, primero, a la que se expondrían quienes transgredieran la orden del rey de no acorrer al desterrado. No sólo dentro del mero contexto textual, sino sobre todo en el marco de las implicaciones políticas de su significado. Socialmente burguesa, la gesta del Cid es, por consiguiente, políticamente monárquica. ¿Cómo afirmar entonces en ella, desde un principio, la transgresión de la ley real por parte de los ciudadanos? La transgresión no será asumida por la semántica de la obra sino bajo el disfraz de un engaño, quedando así fuera de culpa aquéllos que la protagonizan.

Censura, en segundo lugar, de una ideología materializada en leyes de género literario. La épica feudo-cristiana en cuyo marco genérico se enuncia el mensaje burgués no admite ni una caracterización demasiado plebeya del héroe, ni tampoco —en el caso de que sea efectivo el judaísmo de Raquel y Vidas— la declaración tajante de que los judíos son unos de los principales mandantes sociales de la gesta cidiana. La mecánica del engaño, la distancia introducida tanto por la risa como por la misma tradicionalidad del tema, permiten salvar lo inadmisible de una afirmación directa y rotunda de la honda implicación de la aventura del Cid en el destino del mundo ciudadano y de los agentes de la economía dineraria.

El famoso *"amidos lo fago"*, proferido por Ruy Díaz, ¿no podría cobrar entonces

31) Georges Martin, "Mio Cid el Batallador...", ya citado, y "La marginalidad cidiana. Texto, mitos", *Imprévue,* 1980, 1, CERS, Montpellier, pp. 53-61.

32) Si fuese necesario aducir una prueba del carácter sumamente plebeyo de la práctica medieval de galardonar con calzas, las referencias dadas por N. Salvador Miguel, ar. cit., pp. 200-202: comedia humanística, fueros municipales, la *Celestina*, la *Segunda Celestina*, etc. Incomprensiblemente, el crítico parece considerar como normal la conducta de Martín Antolínez.

un valor metatextual, expresando en este el poeta la necesidad ideológica de la concepción del engaño y de la introducción del motivo folklórico?.

Conclusión.

El episodio de Raquel y Vidas resulta altamente ilustrativo de la distorsión infligida a la tradición épica en el *Poema de mio Cid*, y constituye la fractura semántica apertural cuyo eco se transmite con una vibración continua a lo largo de la obra conforme se van oponiendo un código formal caballeresco y una semántica radicalmente anti-aristocrática. La reaparición de los prestamistas en el Cantar II para reclamar su indemnización, y que da lugar a una respuesta, si no desfachada algo altiva, de Minaya, no constituye sino un rebote del chiste inicial en que es recordado y ratificado (siempre en una modalidad negativa), después de la briosa toma de Valencia, el papel decisivo que en su debido momento desempeñaron los prestamistas.

Para concluir, diré que, abandonando el debate tradicional circunscrito al estudio del episodio dentro de su misma presuposición textual, he intentado enfocarlo a partir de la problemática que plantea su inserción en el *Poema*. Mi hipótesis es que en su opacidad tipológica, el motivo folklórico funciona como ocultador/enunciador del mensaje ideológico transgresivo articulado por el texto épico.

GEORGES MARTIN
Universidad de Orléans

AMOR LOCO, AMOR LOBO. IRRADIACION DE UN DATO FOLKLORICO EN LA PELEA DEL ARCIPRESTE CONTRA DON AMOR

JACQUES JOSET
Universidad de Amberes - U.I.A.

AMOR LOCO, AMOR LOBO.
IRRADIACION DE UN DATO FOLKLORICO EN LA PELEA
DEL ARCIPRESTE CONTRA DON AMOR.

J. Joset

Tres son los momentos de la historia crítica del *Libro de buen amor,* como la da muchas obras medievales castellanas. Imperante e imperialista fue el periodo filológico: se entiende que urgente y compleja era la labor de editar, comprender literalmente y rastrear las fuentes de un texto tan problemático como lo es el *Libro* del Arcipreste de Hita. A este estadio de investigaciones, todavía sin acabar y probablemente sin fin, pertenecen las varias ediciones críticas, las clásicas *Recherches sur le 'LBA'* (1938) de Félix Lecoy y las disquisiciones eruditas de la profesora Margherita Morreale que menciono como ejemplos de rigor y menudencia.

Interpretación de contenido y valoración de la forma llenan el segundo momento que corre paralelo, simultáneo o indisolublemente vinculado al primero y tercero. El artículo básico de Leo Spitzer, *En torno al arte del Arcipreste de Hita* (1934), o el más reciente libro de Anthony N. Zahareas, *The Art of Juan Ruiz* (1965), figurarían con muchísimos otros estudios en esta categoría.

El tercer momento abarca cuantos trabajos de enfoque esencialmente sociocultural o sociohistórico. La visión que del *Libro de buen amor* tenía don Américo Castro ejemplificaría tales aproximaciones al texto del Arcipreste.

La presencia de cuentos tradicionales e historietas folklóricas en el *Libro de buen amor* fue advertida desde hace mucho tiempo por los escrutiñadores de fuentes. Los intérpretes subrayaron la originalidad del tratamiento literario del material y midieron los desvíos estéticos de Juan Ruiz con respecto a lo que se conocía del dato básico.

Pocos son los que interrogaron el funcionamiento del discurso popular en el de Juan Ruiz con miras eventuales a una elucidación del tercer tipo, sociocrítica.

La copla 402 del *Libro de buen amor,* de reconocida raíz folklórica, nos ofrece la oportunidad de recorrer otra vez los tres caminos trazados por las metodologías críticas.

1. Filología y comprensión literal del texto.

1.1. El *texto* punto de partida de este estudio integra la primera parte de la "pelea que con [el Amor] ovo el dicho arçipreste" (1). Entre los múltiples reproches que el desgraciado protagonista le echa en cara al Amor, figura el siguiente:

> De la loçana fazes muy loca e muy boba;
> fazes con tu grand fuego como faze la loba:
> al más astroso lobo, al más enatio ajoba,
> aquél da de la mano e de aquél se encoba.

La letra de la copla 402, reproducida de mi edición de 1974 (2), creo que sigue correcta (3). Lo que sí ha cambiado en mi opinión es el sentido del verso *d*. De las notas a mi edición se deducía que *cd* significaban: "la loba se acopla con el lobo más torpe, más feo; / abandona al más hermoso, se oculta de él". Recogía sin discutirlas las explicaciones de M. Morreale y Joan Corominas (4). Elementos para una *retractatio* me los procuran la misma profesora Morreale y, sobre todo, Jean Lemartinel en sus reseñas a mi edición (5). El significado del v. *d* podría ser: "favorece al más feo y de él queda embarazada". Con cautela y siempre bajo reserva de verificación, hoy me parece más verosímil esta traducción tras el reexamen de los textos testigos de la anécdota folklórica cuya forma canónica sería: "Siempre la loba escoge el lobo más feo", sin alusión explícita al más hermoso (véase 1.2). Queda por explicar el v. 420c, semánticamente vinculado con el 402d,: "del bien eres encobo" que interpretaba como 'el bien se te oculta; te sustraes del bien'. La duda se reduce si *encobo* vale 'impedimento', como sugiere M. Morreale (6). La homogeneidad semántica se salva por el sema 'carga, peso', lo que a nivel interpretativo no carece de interés (véase 3.2).

1.2. Ya no hace falta demostrar el *origen folklórico* de la elección del lobo más feo por parte de la loba. M.R. Lida, G. Chiarini, J. Corominas y yo mismo hemos aducido textos de varias procedencias, medievales y renacentistas, hispánicos, franceses e italianos, bajo forma de historieta o refrán escueto (7). La extensión y variedad de los testimonios ga-

---

1) Epígrafe del ms. S entre las coplas 180 y 181.

2) ARCIPRESTE DE HITA, *Libro de buen amor,* edición, introducción y notas de Jacques Joset, Madrid, Espasa-Calpe, 1974, I, pp. 153-154.

3) Las correcciones de J. Corominas (*Libro de buen amor,* Madrid, Gredos, 1967, p. 199) no me convencieron en 1974, aún menos en 1981. He aquí esa versión: "De la loçana fazes muy necia e muy boba; / fazes con tu grand fuego como faze la loba: / ¿al más fermoso lobo o al enatío ajoba? / a 'quél da de la mano, e de aquél se encoba;".

4) M. MORREALE, "Más apuntes para un comentario literal del *LBA* con otras observaciones al margen de la reciente edición de G. Chiarini", separata del *BRAE*, 1968, p. 236; J. COROMINAS, ed. cit., pp. 178, 180.

5) M. MORREALE, "Sobre la reciente edición del *LBA* por J. Joset para "Clásicos castellanos" ", in *BICC,* XXXIV, 1979, pp. 4-5; J. LEMARTINEL, "Une nouvelle édition du *LBA*", in *CLHM,* n[d] 4, 1979, p. 54.

6) M. MORREALE, *art. cit.,* in *BICC,* XXXIV, 1979, p. 9.

7) M.R. LIDA, "Notas para la interpretación, influencia, fuentes y texto del *LBA*", in *RFH,* II, 1940, pp. 131-132; G. CHIARINI, ed. *LBA,* Milano-Napoli, Riccardo Ricciardi, 1964, p. 82; J. COROMINAS, *ed. cit.,* p. 178; J. JOSET, *ed. cit.,* I, p. 154.

rantizan la índole folklórica de la anécdota y su difusión europea sin que sea posible reconstruir una filiación tipo culta. La nómina de los autores que la utilizaron contiene a Brunetto Latini y Luis Vives, Peire Vidal y Luis de Pinedo, Jean de Meung y Melchor de Santa Cruz, Conon de Béthune y polemistas misóginos medievales *(Chastiemusart, Proverbia super natura feminarum)*.

Aiargo la lista con tan sólo dos citas. La una de Pedro Torrelas, poeta del *Cancionero general,* por lo alusivo, da el proverbio por conocido:

> De natura de lobas son [las mujeres]
> ciertamente en escoger (8).

La obra de Brantôme, en sus célebres *Dames galantes* (obra escrita entre 1583 y 1614), ilustra la sensualidad de las mujeres casadas:

> [...] j'ay ouy dire à une grand' dame de part le monde, qu'elle ne mettoit aucune difference entre une dame qui avoit eu plusieurs marys et une qui n'avoit eu qu'un amy ou deux, avec son mary, si ce n'est que ce voille marital cache tout; mais, quant à la sensualité et lascivetté, il n'y a pas difference d'un double ['hay muy poca diferencia'], et en cela pratiquent le reffrain espaignol, qui dit que *algunas mugeres son de natura de anguilas en retener, y de lobas en escoger;* "qu'aucunes femmes sont de nature des anguiles à retenir, et des louves à choysir"; car l'anguile est fort glissante et mal tenable, et la louve choysit tousjours le loup le plus laid (9).

No deja de llamar la atención el textimonio de Brantôme. En primer lugar por el hecho de que cita el proverbio en español (10), como si el dicho hubiera desaparecido del folklore francés al final del siglo XVI. La glosa ("la louve choysit tousjours le loup le plus laid") apunta hacia la misma conclusión: parece que la traducción literal del refrán ("aucunes femmes sont de nature [...] des louves à choysir") ya no bastaba para que se entendiera en Francia.

Luego observamos que el "memorialista" francés vincula dos refranes comparativos cuyos términos son respectivamente las mujeres y las anguilas/las lobas. Debería de estudiarse la filiación de este vínculo hasta ahora inédito que yo sepa. En todo caso, el proverbio segundo de la mezcla encaja menos en el contexto   que en anécdotas, efectivamente contadas por Brantôme, de mujeres que abandonan a maridos o queridos hermosos por amantes feos.

Volviendo a la fuente popular de los versos de Juan Ruiz y demás testigos aducidos, hemos de preguntarnos si la forma del refrán sobre costumbres de la loba no condensara un cuento folklórico más desarrollado. La respuesta pertenece a los folkloristas y, de ser positiva, justificaría la palabra *anécdota* que he empleado al propósito.

---

8) *Cancionero general,* f° 94, vv. 19-20.

9) BRANTOME, *Les dames galantes,* Texte établi et annoté par Pascal Pia, Paris, Gallimard, coll. "Folio", 1981, p. 637.

10) Brantôme (± 1540-1614) había aprendido el español desde 1557. Hablaba castellano y viajó por España. En sus obras figuran anécdotas españolas —y en español—, históricas y folklóricas, que merecen un estudio detenido de un hispanista.

2. Comentario literario.

La *interpretación del contenido y valoración formal* de la copla 402 del *LBA* no pasan de la observación de M. R. Lida que ubica el texto en la tradición burguesa antifeminista destacando su gracia particular (11).

Muchos comentarios podrían agregarse: sobre las aliteraciones *(loçana, loca, loba, ajoba, encoba)*, repeticiones y paralelismos *(fazes .../ fazes ...faze/al ...al.../aquél ... aquél...)*, metáforas, comparaciones y metamorfosis como cuño del arte de Juan Ruiz (12).

3. Estructuras textuales y genotexto.

El comentario literario de un microtexto, v.g. la copla 402 del *LBA*, no tiene sentido si no se relaciona estrechamente con las capas profundas de donde surgió su escritura. La problemática de las *articulaciones entre (micro)texto* y lo que algunos llaman *genotexto* debería de ser planteada previamente a cualquier nueva síntesis sociohistórica que confirmara o negara, por ejemplo, la de Américo Castro.

Por eso tenemos que ir a pasos contados retomando en primer lugar los nexos significativos del microtexto, verificando luego su presencia en contextos de la obra cada vez más amplios.

3.1. La forma del símil, que es la de la c. 402, proporciona unas identificaciones inmediatas: la mujer es loba y el Amor, lobo feo (13).

El discurso callado del *yo* protagonista completa el esquema de asimilaciones y oposiciones. Al lobo feo se opone implícitamente un lobo hermoso que no puede ser sino el contrincante del Amor. A raíz de la querella están las decepciones amorosas sufridas por el *yo* en sus empresas de conquista. Amor viene a ser representante de todos los amantes, también lobos feos, de las queridas del arcipreste, todas lobas.

3.2. Los filólogos llamaron la atención sobre las similitudes léxicas entre las coplas 402 y 420 (14):

> So la piel ovejuna traes dientes de lobo,
> al que una vez travas liévastelo en robo;
> matas al que más quieres, del bien eres encobo,
> echas en flacas cuestas grand peso e grand ajobo.
>   (c. 420)

---

11) M.R. LIDA, *loc. cit.*. En este grupo de comentarios literarios figuraría el estudio de Ian MICHAEL, "The Function of the Popular Tale in the *LBA*", in *'Libro de buen amor' Studies*, ed. G.B. Gybbon-Monypenny, London, Tamesis Books, 1970, pp. 177-218. Ian Michael asimila "cuento popular" y "fábula", no sé si siempre con acierto. Esa reducción hace que no se interesa el crítico por la "función" de la anécdota objeto de mi estudio.

12) Véanse mi tesis doctoral inédita *Le "LBA" de Juan Ruiz, Arcipreste de Hita. Essai de lecture critique*, Université de Liège, 1970, pp. 207-209 y la nota a 402a de mi ed. (I, p. 153).

13) La última identificación viene reforzada por la c. 403: "Ansí muchas fermosas contigo se enartan, / con quien se les antoja, con aquél se apartan: / quier feo, quier natío, aguisado non catan; / quanto mas a ti creen, tanto peor baratan".

14) V.g. J. COROMINAS, *ed. cit.*, notas a dichas cc., pp. 178, 180 y 182.

Las aproximaciones son un poquito más que formales *(loba - lobo; encoba - encobo; ajoba - ajobo*, palabras en rima). Reaparece la figura del Amor lobo ahora con nuevos atributos: se disfraza de cordero, roba, mata con crueldad e hipocresía, es enemigo del bien.

El mecanismo de producción textual parece ser el siguiente:

— la integración del material folklórico (la elección del lobo feo por la loba) en la argumentación del protagonista contra el Amor implica la identificación seguida de éste con el lobo;

— el reempleo de la metáfora a poca distancia (15) induce la repetición de signos lingüísticos y la polarización de rasgos tópicos sacados del repertorio folklórico sobre el lobo.

3.3. Los dos microtextos orgánicamente vinculados por la semántica y, probablemente, por el tiempo de la escritura se insertan en un círculo contextual más amplio: la primera parte de la "pelea" del arcipreste y del Amor, es decir el pedimento fiscal del *yo* protagonista (cc. 181-442). La etapa siguiente del análisis consiste en verificar la presencia de los nexos significativos anteriormente definidos en la totalidad del discurso contra el Amor.

La figura del Amor lobo se registra cuatro veces a lo largo de la diatriba bajo las formas retóricas de la comparación y metáfora:

[1] fazes como el lobo doliente en el vallejo (251d)

[2] por cobrar la tu fuerça, eres lobo carniçero (291d)

[3] quieres lo que el lobo quiere de la raposa (320c)

[4] Tal eres como el lobo, retraes lo que fazes (372a).

Tres ocurrencias anuncian o concluyen fábulas ilustrativas de pecados mortales cuya responsabilidad se reprocha al Amor: [1] el Amor lobo es avaro *(enxienplo del lobo e de la cabra e de la grulla)* e [3, 4] hipócrita (16) *(el pleito qu'el lobo e la raposa ovieron ante Don Ximio, alcalde de Bugía).* La metáfora del lobo carnicero [2] introduce la digresión sobre la gula.

Todas las imágenes del Amor lobo, incluidas las de los dos microtextos de partida, remiten a un material folklórico *senso latu*, cuentos populares en el caso de las fábulas (17), frases hechas y refranes en los demás.

La homogeneidad semántica de la figura se sobrepone a —y probablemente se explica por— la homogeneidad de su material genético: el discurso folklórico en torno al lobo.

Más allá de la función ilustrativa de las fábulas donde interviene el lobo como actan-

---

15) La distancia genética se acorta aún más si se considera que entre las cc. 402 y 420 media una fábula (la del mur topo y de la rana, cc. 407-416), posiblemente escrita antes del conjunto *LBA* (cfr. J. COROMINAS, *ed. cit.,* p. 53). En el tiempo de la escritura, nuestras estrofas son casi contiguas.

16) En el catálogo pecaminoso de Juan Ruiz la hipocresía es consecuencia del pecado mortal de acidia ("Otrosí con açidia traes ipocresía", 319a). Ian MICHAEL, *op. cit.*, p. 200, apunta: "[...] it is clear that Juan Ruiz wisjes to compare the hipocrisy of Don Amor with the hipocrisy of the wolf". También observa que las fórmulas que asimilan Amor al lobo enmarcan el cuento.

17) Sobre la terminología, véase Iann MICHEAL, *op. cit.,* pp. 177 y 182, en particular la nota 1, p. 177.

te (18), nos interesa más el hecho de que en virtud de la identificación Amor=lobo, todos los atributos de la fiera en los cuentos populares también predican al Amor. Cuanto hace el lobo, lo hace el Amor. Roban y matan, son crueles hipócritas. Amor, sujeto de las citas siguientes, podría conmutar con lobo:

> Eres tan enconado que, do fieres de golpe,
> non lo sana mengía, enplasto ni xarope (187ab).

> de día e de noche eres fino ladrón:
> quando omne está seguro, fúrtasle el coraçon (209cd).

Recíprocamente el lobo de los *enxienplos* es desagradecido (cc. 252-254), hipócrita (c. 322), artero (c. 333), ladrón (c. 335), lujurioso (c. 337), así como el Amor.

El estudio particular del rasgo narrativo *disfraz del lobo* realza un proceso de emergencia del *corpus* folklórico a la superficie textual. La treta del lobo disfrazado para engañar a su víctima es un cuento de los más conocidos todavía hoy no sólo de los folkloristas (19) sino de cualquier niño de nuestro mundo occidental y, probablemente, de otras culturas. Piénsese en el cuento de Caperuza roja.

Como vimos, el Arcipreste echa mano de la variante "lobo disfrazado de cordero" sólo al final de la argumentación contra el amor (420a). Sin embargo ya estaba presente, según creo, en otros lugares del discurso, no referido directamente al lobo sino el Amor, su doble. Los predicados del Amor en *Viénesme manso e quedo* (213b) podrían serlos del lobo vestido de la piel ovejuna. Asimismo las continuas acusaciones contra las falsas apariencias del Amor para seducir y luego matar a los humanos evocan la táctica del lobo enmascarado:

> eres mal enemigo, fázeste amador.

> Toda maldad del mundo e toda pestilençia
> sobre la falsa lengua mintrosa paresçencia;
> dezir palabras dulzes que traen abenençia,
> e fazer malas obras e tener malquerençia;

> del bien que omne dize, si a sabiendas mengua,
> es el coraçón falso e mintrosa la lengua
> (cc. 416d-418a).

El proceso de escritura puede ahora reconstruirse hipotéticamente. Al elaborar la diatriba contra el Amor, el Arcipreste se vale del *corpus* folklórico sobre el lobo. La operación previa a su inserción en esta parte del *LBA* identificó Amor al lobo de los cuentos y dichos. A veces la adaptación del material no pasa de la sencilla integración funcional en la argumentación (los *enxienplos*). Otras veces la inscripción textual es mediatizada por una instancia que llamamos el no-consciente antes de formularse en términos marcadamente folklóricos. Así la anécdota del lobo disfrazado que hacía parte del *corpus* folklóco latente, no se declara directamente sino después de un proceso de reescritura que ocul-

---

18) Función desde luego general de todos los cuentos populares en el *LBA:* "In every case except the last [cántiga de los clérigos de Talavera] the function of the tales is to ilustrate a point of argument". (MICHAEL, *op. cit.,* p.215).

19) Véase Stith THOMPSON, *Motif-Index of Folk Literature,* Bloomington-London, Indiana University Press, 1966², K 2011, K 1839.1, K 132. Reelaboraciones cultas son el conocido cuento de Charles Perrault y la fábula de La Fontaine, *Le loup devenu berger* (III, 3).

ta el término lobo de la metáfora dejando sólo paso al término Amor.

Más combinaciones pueden darse al nivel de la mediatización por el no-consciente. El material folklórico puede permanecer oculto, en estado latente. La inscripción textual recorre un camino indirecto mediante la equivalencia de los dos términos de la metáfora con un tercero. Así la naturaleza diabólica del Amor es pieza del código antierótico tradicional que no podía faltar en el discurso del arcipreste: *Natura as de diablo* (405a), le dice sin más rodeos. La no menos tradicional metáfora del Amor fuego (v.g. c. 197) es perturbada por la imagen del fuego infernal:

> liévalos [los soberbios] el diablo por el tu grand [abeitar:
>
> fuego infernal arde do uvias assentar (232cd).
>
> Al que tu ençendimiento e tu locura cata,
> el diablo lo lieva quando non se recata (275cd).

El discurso folklórico sobre el lobo registra la aparición del diablo bajo las especies del animal (20). Sin embargo en el texto del Arcipreste la figura del diablo-lobo es ausente. Este dato del *corpus* folklórico permanece latente y sólo alcanza la superficie textual a través de la identificación Amor lobo (21).

3.4. La inserción de la figura folklórica del lobo y su asimilación al Amor no salen del sector textual del *LBA* cubierto por el discurso del *yo* protagonista. La estrategia argumentativa de la respuesta del Amor (cc. 423 ss.) consiste precisamente en aniquilar la identificación con un animal cruel e hipócrita sustituyéndole el modelo del letrado ovidiano. Los elementos que estructuran la segunda parte de la querella forman un sistema semántico-ideológico radicalmente opuesto al de la primera parte. El nuevo sistema elimina cualquier referencia a la identificación rechazada por lo menos al nivel del enunciado y de sus fuentes. Pero al de la enunciación global de la disputa —y teniendo en cuenta la ambigüedad generaliza del *Libro*—, observamos que al negar la argumentación del protagonista, el discurso del Amor la confirma: para contestar al arcipreste, Amor ha vestida "la piel ovejuna".

*

*   *

Partiendo de la copla 402, hemos ido ampliando nuestro campo de investigación hasta los límites de la sección del *Libro* que la abarca: la pelea del arcipreste y del Amor. Nos queda por examinar las articulaciones del discurso folklórico sobre el lobo y sus transformaciones con el genotexto del pasaje.

El episodio es un "calco discursivo" (22) de la *contentio* escolástica o "debate" ya li-

---

20)   Motivo G 303.3.3.2.1. de la clasificación Stith Thompson.

21)   La equivalencia de los tres elementos (Amor=diablo=lobo) quizás asoma discretísimamente en el v. 402b: *fazes con tu grand fuego como faze la loba,* de aceptarse la contaminación del fuego amoroso por el infernal.

22)   Utilizo el concepto de "calco discursivo" (texto que, reproduciendo un modelo discursivo, propone una lectura e interpretación de sus leyes de funcionamiento) acuñado por Antonio GOMEZ MORIANA, "La subversión del discurso ritual II", in *Imprévue*, 1980, n°2, pp. 37-61 (véase en particular p. 47).

teraturizado en el *partimen, tenso* y otras *disputas* de las letras europeas medievales (23). El modelo discursivo teórico podría ser un debate sobre los maleficios y beneficios del Amor. El juego ambigüo de Juan Ruiz ya orienta la disputa al desviar oposiciones de orden exclusivamente moral hacia consideraciones estratégicas: el debate se instaura entre el fracaso y el éxito amoroso.

El enfrentamiento de argumentos —ley estructural del género— implica el empleo de sistemas referenciales opuestos. Del material folklórico, mediatizado o no por la literatura, toma Juan Ruiz la representación animal que más conviene a la figura del Amor maléfico, diabólico. Luego al microsistema del Amor lobo, opone el del Amor Ovidio. El genotexto de la pelea convoca dos modelos discursivos correspondientes a las instancias opuestas, tradición popular y tradición letrada, lo que no quiere decir, por supuesto, que superficialmente ambas partes del debate no proporcionan, mezclados, textos de procedencia folklórica y culta, ni que los modelos fuesen percibidos como tajantemente diferenciados por el Arcipreste y su público.

Sencillamente queremos decir que la pista del Amor lobo lleva al concepto del amor torpe, instintivo, no cortés, que siempre fracasa. El camino del éxito lo toma el amor fino del letrado.

Por supuesto sería atrevido generalizar las conclusiones de este análisis parcial al conjunto del *Libro*. No se podría afirmar, por ejemplo, que la relación establecida entre material folklórico y situación de fracaso corre a lo largo de la obra ni tampoco que la presencia del mismo *corpus* en el genotexto siempre infiere valores negativos en la organización textual. Hay que tener en cuenta los conceptos que estructuran fundamentalmente el *LBA* : la ambigüedad y lo que he llamado el transformismo. Vimos, por ejemplo, que *in fine*, el Amor Ovidio podría ser una máscara del Amor lobo. Asimismo, en vista de la salvación eterna del hombre y de su "buen amor" —que es el de Dios—, el fracaso del Amor lobo es un éxito mientras, por reversión de valores, las conquistas logradas del Amor Ovidio llevan al infierno.

Sería aún más imprudente relacionar los valores asociados a los modelos discursivos con una eventual ideología del autor. En nuestro caso el razonamiento desembocaría en un esquema simplista y hasta absurdo donde se enfrentarían el rechazo de lo popular y la sublimación del clero depositario de la ciencia.

Haríamos caso omiso de las mediatizaciones y, otra vez, de los principios estructuradores básicos del *Libro* que transforman los datos del genotexto y enredan los hilos ideológicos del discurso. La defensa e ilustración de la sociocrítica exige que el método considere todos los matices de realizaciones textuales y condiciones de producción literaria, que todavía desconocemos en su mayor parte en lo que toca al *LBA*.

JACQUES JOSET
Universidad de Amberes — U.I.A.

---

23) Véase entre otras historias de la literatura, la de A.D. DEYERMOND, *A Literary History of Spain. The Middle Ages*, London-New York, 1971, pp. 72-76. "They [=The Debate-poems] are found in other forms of literature, being, for example, an important part of the *Libro de buen amor* [...]" (p. 76).

RELECTURA DEL ROMANCE DEL "INFANTE ARNALDOS" ATRIBUIDO A JUAN RODRIGUEZ DEL PADRON: INTRATEXTUALIDAD E INTERTEXTUALIDAD

MICHELLE DEBAX

Universidad de Toulouse le Mirail

RELECTURA DEL ROMANCE DEL "INFANTE ARNALDOS" ATRIBUIDO A JUAN RODRIGUEZ DEL PADRON: INTRATEXTUALIDAD E INTERTEXTUALIDAD

Michelle Débax

> 1 Quien tuviese atal ventura   con sus amores folgare
> commo el ynfante Arnaldos   la mañana de San Juane,
> andando a matar la garça   por rriberas de la mare,
> vido venir un navio   navegando por la mare.
> 5 Marinero que dentro viene   diziendo viene este cantare:
> —Galea, la mi galea,   Dios te me guarde de male,
> de los peligros del mundo,   de las onda de la mare,
> del rregolfo de Leone,   del puerto de Gibraltare,
> de tres castillos de moros   que conbaten con la mare.
> 10 Oydolo a la prinçesa   en los P[a]laçios do estae:
> —Si sallesedes, mi madre,   sallesedes a mirare,
> y veredes como canta   la serena de la mare.
> —Que non era la serena,   la serena de la mare,
> que non era sino Arnaldos,   Arnaldos era el ynfante,
> 15 que por mi muere de amores,   que se queria finare.
> ¡Quien lo pudiese valere   que tal pena no pasase!

Esta versión del *Infante Arnaldos* se halla en un manuscrito de Londres, donde está atribuida al trovador Juan Rodríguez del Padrón, y fue editada por Rennert en 1893 (1).

---

1) "Lieder des Juan Rodríguez del Padrón", *Zeitschrift für Romanische Philologie*, 17 (1893), pp. 544-558. Ya había sido publicada por N. Delius en 1852, una versión muy defectuosa que Wolf y y Hofman introdujeron en su *Primavera y flor* en nota a la versión del *Cancionero sin año* de Amberes. La versión de Rennert, la vuelve a publicar Menéndez Pelayo, *Antología de poetas líricos castellanos*, IX, Edición nacional de *Obras completas* de Menéndez Pelayo (C.S.I.C.), t. XXV, Madrid, 1945, p. 455.
Para los problemas de edición y lectura de este texto, véase el estudio muy documentado de F. Caravaca, "El romance del Conde Arnaldos en el cancionero manuscrito de Londres", *La Torre*, 62 (1968), pp. 69-102, en el que se puede ver una fotocopia de los folios del *Cancionero* de Londres (Ms. Add. 10431 del British Museum). Igualmente se encuentra una reproducción en facsímil del texto de esta versión, de mejor calidad técnica, en Teresa Meléndez Hayes, "Juan Rodríguez del Padrón and the *Romancero*" en *El Romancero hoy: Historia comparatismo, Bibliografía crítica (Romancero oral IV)*, Madrid, C.S.M.P., Gredos, 1979, pp. 15-45.
Son tres los romances atribuidos a Juan Rodríguez del Padrón en este Cancionero manuscrito de Londres: *Rosaflorida, La hija del rey de Francia* (o *Caballero burlado*) y el *Infante Arnaldos*.

Entre los estudiosos del Romancero, suele ser más criticada que elogiada, hablando por eufemismo, y se comprende esta opinión de los eruditos, ya que siempre se la compara con la famosísima y tan ensalzada versión del *Cancionero sin año* y se concluye que es notablemente inferior. Mi propósito no es aquí señalar preeminencias sino proponer una relectura y plantear una serie de problemas en relación con esta version y en relación con el tema de este simposio.

Como mi estudio parte de las críticas dirigidas a este texto, es imprescindible que las recuerde brevemente. Estas se cifran en la siguiente opinión de Menéndez Pidal:

"La otra versión, la del *Cancionero manuscrito de Londres*, da al romance una continuación embrollada y absurda, tomada de aquel otro romance del *Conde Niño*: la princesa (personaje nuevo y extraño) oye la canción y dice a su madre que quien canta no es la sirena del mar, sino Arnaldos que por ella muere de amores. El que hizo esta amalgama ni siquiera reparó que en nuestro romance de Arnaldos no es éste el cantor, sino el marinero desconocido" (2).

Entresaquemos las llamadas "incongruencias" del texto que dan pábulo a las críticas:

1— La primera es que se confunde el canto del marinero con el canto de Arnaldos: "... el canto del innominado marinero, oído por Arnaldos al comienzo, es aludido en seguida como si hubiese sido cantado por Arnaldos mismo", según el mismo Menéndez Pidal (3).

2— Se considera que el parlamento de los vv. 11 a 16 está todo en boca de la princesa de modo que ésta reconocería primero un canto de sirena antes de contradecirse a si misma, atribuyendo el canto a Arnaldos.

Es seguro que aquí hay un problema de lectura del texto: como no hay puntuación en el manuscrito, cada uno de los editores introduce la que concuerda con su interpretación. Se presentan dos soluciones: bien poner un guión al principio del verso 11 y dejar el texto hasta el final a cargo de la princesa, o bien señalar el cambio de interlocutor con otro guión en el verso 13. La primera es la que adoptan mayoritariamente los editores (4). Incluso, en el segundo caso si se señala cambio de interlocutor, se puede tachar el diálogo de incongruente, como hace José Caso González: "En vez del diálogo entre Arnaldos y el marinero hay un diálogo entre una princesa y su madre, diálogo incongruente, ya que el

---

2) R. Menéndez Pidal, "Poesía popular y poesía tradicional en la literatura española (1922)", conferencia leida en All Souls College, Oxford, reeditada en *Estudios sobre el Romancero*, Madrid, Espasa Calpe, 1973, pp. 328-356. Para esta cita, p.335.

3) R. Menéndez Pidal, *Romancero hispánico (hispano-portugués, americano y sefardí)*, Madrid, Espasa Calpe, 1968 (2^a ed.), t. II, p. 16.

4) Esto se comprueba con un repaso rápido de las soluciones adoptadas. Delius pone dos puntos al final del verso 20, dejando pues a cargo de un solo interlocutor todo lo que sigue. Wolf y Hofman, al retomar el texto de Delius, introducen dos guiones, uno en el verso 21, otros en el verso 25, señalando así un diálogo. Rennert añade, además de dos puntos en el verso 20, otros dos puntos en el verso·22 (después de "mirare") que suprimirá Menéndez Pelayo al reproducir la versión de Rennert.
   Entre los editores modernos, pocas veces se publica esta versión por preferise la del *Cancionero s. a.* Di Stefano, sin embargo, en los Apéndices de su antología *(El Romancero*, Madrid, Narcea, 1973) la publica con los otros dos romances del manuscrito de Londres atribuidos a J. Rodríguez del Padrón. El también, con un solo guión en el verso 21 elige la solución del interlocutor único.
   Ninguno de estos editores justifica su puntuación.

segundo parlamento es el que debe suponerse en boca de la princesa y no el primero" (5).

Estas lecturas y esta rectificación de José Caso González se ve muy bien que se fundan en el recuerdo del *Conde Olinos* o *Conde niño*: en efecto este romance, en sus versiones modernas conocidas, opone una madre que cree oir cantar a la sirena a su hija que desmiente tal origen del canto y lo atribuye a su galán.

3— Y aquí tenemos el tercer punto conflictivo: se dice que, en esta versión, se contamina el romance del *Conde Arnaldos* con el romance del *Conde Olinos*. Esta opinión supone, dicho sea de paso, que existían ya dos entidades bien diferenciadas, el romances del *Conde Arnaldos* y el romance del *Conde Olinos* a pesar de que, de este último, no se ha conservado ninguna versión antigua, y de que este texto es la primera huella conocida.

Estas tachas que los críticos ven en el texto les llevan a negar la paternidad de Juan Rodríguez del Padrón, dejándole a lo sumo el papel de refundidor (6) o, como Menéndez Pidal, el mero papel de colector de un romance de tradición oral (7).

Esta exposición muy resumida y esquemática del poco aprecio en el que se tiene nuestro texto tiene que completarse y matizarse con el replanteamiento de la cuestión en la crítica reciente, sobre todo por parte de María Rosa Lida de Malkiel en su estudio sobre Juan Rodríguez del Padrón (8) y de Teresa Meléndez Hayes en un artículo sobre los tres romances atribuidos a J. Rodríguez en el manuscrito de Londres (9).

María Rosa Lida aboga a favor de la atribución a J. Rodríguez del Padrón, protestando contra el papel de "mero colector" que se le suele dar, por considerarlo "anómalo y anacrónico". Y añade: "En segundo lugar, es notable que se atribuya al autor de la primera novela caballeresco-sentimental, no tres romances cualesquiera (histórico, por ejemplo, o lírico-alegóricos, o fronterizos o mitológicos) sino caballerescos, y no de los ciclos caballerescos clásicos, por así decirlo, como los artúricos o carolingios, sino de ficción sentimental libre con vago fondo caballeresco, lo que concuerda muy sutilmente con el modo de la *Estoria de dos amadores*" (10).

5) José Caso González, "Tradicionalidad e individualismo en la estructura de un romance", *CHA* 238-240 (1969), pp. 217-226. Para la cita, p. 221.

6) Escribe Menéndez Pelayo de Juan Rodríguez del Padrón: "Su reputación poética cifrada hasta ahora en pocos y medianos versos, aunque sencillos y a veces tiernos, habría de subir al más alto punto si realmente fuese autor de los bellísimos romances del *Conde Arnaldos*, de la *Infantina* y de *Rosa florida*, que un manuscrito del Museo Británico le atribuye; pero aun concediendo (lo que para nosotros no es dudoso) que un poeta cortesano del tiempo de D. Juan II pudiera alcanzar en un momento feliz esa plenitud de inspiración, las lecciones que el manuscrito de Londres da son de tal modo inferiores a los textos impresos, que si Juan Rodríguez las compuso realmente, no puede ser tenido por autor original de estos romances, sino por *refundidor bastante torpe*" (el subrayado es mío). *Orígenes de la novela*, I, Madrid, 1905, P. CCCV.

7) "Sobre la difusión del romancero en Galicia puede recordarse que el coruñés Juan Rodríguez del Padrón, en la primera mitad del XV, es *el más antiguo colector de romances conocido*, atribuyéndosele a fines de ese siglo en el Cancionero de Londres tres versiones, a saber, de *Rosaflorida*, de *La hija del rey de Francia* y de *El infante Arnaldos*, esta última muy confusa, que si por el poeta fue recogida en Galicia, revela que en aquellas tierras andaban ya los romances muy ajetreados en la tradición oral" (lo cursivo es mío). *Romancero hispánico*, ob. cit., II, p. 208.

8) M. R. Lida de Malkiel, "Juan Rodríguez del Padrón: Vida y obras", *NRFH* 6 (1952), pp. 313-351, reeditado en *Estudios sobre la literatura española del siglo XV*, Madrid, Porrúa Turanzas, 1977, pp. 21-144. Las citas remiten a esta última edición.

9) Artículo ya citado en la nota (1).

10) *ob. cit.*, p. 32, nota 10.

En cuanto al *Infante Arnaldos*, María Rosa Lida refuta parcialmente a Menéndez Pidal conservando sin embargo algunas de sus conclusiones. Entresaco estas líneas: ' La versión atribuida a Juan Rodríguez adolece de incongruencias en la distribución del diálogo, como señala Menéndez Pidal, pero en conjunto no sólo no es incongruente sino que, por su contenido amoroso, es mucho menos insólita en la tradición del asunto novelesco que la versión absolutamente única, en su delicado misterio, del *Cancionero de Amberes*" (11).

Teresa Meléndez Hayes, por su parte, es la primera que yo sepa, que, al enfrentarse con el problema de la identificación de los interlocutores de los versos finales, sigue la lógica del texto y pone la refutación "que non era la serena..." a cargo de la madre. Además en la línea de M.R. Lida considera este texto no como una balada sino como una canción de amor que utiliza material folklórico. Aunque no estoy de acuerdo con todas sus interpretaciones, digamos que su estudio me ha servido de aliciente y, en concreto, respecto al diálogo, pienso como ella que los versos finales le corresponden a la madre. Por eso he tomado como texto de referencia la transcripción que ella hace del manuscrito (12).

Este exordio demasiado largo pero incompleto me ha parecido sin embargo necesario para delimitar los problemas que plantea este texto. Vamos a enfocarlos bajo dos puntos de vista:

un análisis intratextual para ver como está organizado el texto y en qué se asienta esta acusación de incoherencia.

un análisis intertextual que tratará de los motivos folklóricos, de la tradición cancioneril y de su papeles respectivos.

I— ANALISIS INTRATEXTUAL.

Si tanto se enfatiza el aspecto incoherente de este texto, es por la mescolanza de actores, como ya hemos señalado, y también probablemente porque al principio se nos presenta a Arnaldos como gozando de una ventura que en los versos finales parece trocarse en desventura ("que se quería finare"). Dicho de otra manera, una primera lectura deja al lector con una impresión de insatisfacción que los críticos han transformado en juicio de valor negativo. Aunque prescindiendo de tales valoraciones, no podemos dejar de tener en cuenta esas lecturas tratando de explicarlas.

En esta primera aproximación, vamos a hacer un análisis semio-narrativo que se funda en los conceptos metodológicos de Greimás y Courtés (13).

Al principio pues, se nos presenta la conjunción de un actor Arnaldos con una "ventura" precisada en seguida en ventura de amor ("con sus amores folgare"). El problema es saber cuál es el contenido de esa ventura presentada como objeto de deseo por el enuncia-

---

11) *ob. cit.*, p. 33, nota 10.

12) *ob. cit.*, p. 21.

13) Proceden principalmente de su diccionario. A.J. Greimas, J. Courtés, *Sémiotique. Dictionnaire raisonné de la théorie du langage*, Paris, Hachette-Université, 1979.

dor que se oculta y se desvela a la vez bajo la forma "quién" (14).

Aparece así un programa narrativo básico de orden cognoscitivo (15) que es la búsqueda por parte del enunciatorio del contenido de esa "ventura", dada como indudablemente existente ya que el enunciador anhela la misma sin tenerla. Este deseo de querer saber del enunciatorio se asimila así en cierto modo con el deseo de querer tener esa ventura del enunciador. Y lo que se manifiesta en los juicios negativos antes aludidos es la frustración de este deseo. Estos juicios son y serán tanto más negativos cuanto que este deseo remite a una curiosidad fundamental: ¿cómo se puede gozar de tal ventura? ¿qué es "folgar" con sus amores?.

El resto del texto a partir del tercer verso tiene que revelárnoslo. Así se distinguen dos niveles subordinados: el de la enunciación enunciada (16) en los dos primeros versos y el del enunciado dependiente de esa enunciación; y, así, correlativamente se dan dos clases de programas narrativos: un programa básico englobante (perdóneseme el neologismo), es decir la explicación por parte del enunciador de lo que es la ventura de Arnaldos, y uno o varios programas englobados (que sirven de programas de uso para el primero) que conciernen la adquisición de "tal ventura".

Vamos pues a seguir esta pista abierta por el contrato enunciativo de los dos primeros versos: ¿qué le ha pasado a Arnaldos para que se le pueda considerar como parangón de la ventura amorosa?.

Subrayemos una vez más que la sanción del enunciador (en posición de Destinador judicativo (17)) sobre el hacer de Arnaldos está expresada de antemano y marcada de sig-

---

14) El que ese "quién" remita de modo indirecto al enunciador se explicita en una versión canaria del *Conde Olinos*:

> ¡Quién yo tuviere la dicha o la pudiere alcanzar,
> la que tuvo el Conde Luna la mañana de San Juan,
> que fue a bañar sus caballos a las orillas del mar!.

Versión de Garafía (La Palma) recogida por Juan Régulo Pérez. Publicada en la *Flor de la marañuela*, Madrid, Seminario Menéndez Pidal, Gredos, 1969, t. II, p. 47 (nº 439).

15) Greimas y Courtés distinguen dos dimensiones en el discurso, la dimensión pragmática y la dimensión cognoscitiva.

"La dimensión pragmatique, reconnue dans les récits, correspond en gros aux descriptions qui y sont faites des comportements somatiques signifiants, organisés en programmes et reçus par l'énonciataire comme des "événements", indépendamment de leur éventuelle utilisation au niveau du savoir". *Sémiotique. Dictionnaire...*, ob. cit., p.288.

"Hiérarchiquement supérieure à la dimensión pragmatique qui lui sert de référent interne, la dimension cognitive du discours se développe parallèlement avec l'augmentation du savoir (comme activité cognitive) atribué aux sujets installés dans leur discours". *Sémiotique. Dictionnaire...*, ob. cit., p..40.

16) "Une confusion regrettable est souvent entretenue entre l'énonciation proprement dite, dont le mode d'existence est à'être le présupposé logique de l'énoncé, et l'énonciation énoncée (ou rapportée) qui n'est que le simulacre imitant, à l'intérieur du discours, le faire énonciatif: le "je", l' "ici" ou le "maintenant" que l'on rencontre dans le discours énoncé, ne représentent aucunement le sujet, l'espace ou le temps de l'énonciation." *Sémiotique. Dictionnaire...*, ob. cit., p..120.

Aquí se habla de enunciación enunciada por estar presente implícitamente el "yo" bajo la forma "quién".

17) El destinador judicativo ("Destinateur judicateur") sanciona el resultado del hacer del sujeto. Véase "Destinateur/Destinataire" in Greimas, Courtès, ob. cit., pp. 94-95.

no positivo ("ventura", "folgar"). Se nota pues una interversión en el orden del relato: primero se encuentra la valoración y luego el contenido mismo del programa.

Lo espinoso del caso será establecer cuál es el programa básico de Arnaldos. Para esto, tenemos que partir como el texto del punto final que resulta ser el principio del texto. Recordemos las precisiones que nos da: un actor, Arnaldos (actante-sujeto) está en conjunción con un objeto de valor, "la ventura", y esto, en una época determinada, la "mañana de San Juan" (18). Notemos que el objeto de valor "ventura" es complejo ya que implica él mismo otra conjunción con un hacer en el cual Arnaldos sigue sujeto: "con sus amores folgare". Y este programa conlleva a su vez una reunión con "su amores". Se da pues una estructura de engastes sucesivos.

El problema viene a ser el cómo Arnaldos se unió con "su amores" ya que no cabe duda de que exista tal reunión.

Primero se nos da una programa de orden pragmático de búsqueda: Arnaldos va de caza o sea un sujeto busca un objeto (figurativamente "la garça" en el texto, y en cierto lugar "por riberas de la mare"). La búsqueda queda frustrada en el espacio textual ya que lo que encuentra por coincidencia espacial es otro objeto, no buscado al parecer, objeto de conocimiento por medio de la vista ("vido venir un navío").

Aunque no haya conjunción sino de orden cognoscitivo, el verbo "venir" que implica un movimiento del navío hacia Arnaldos apunta a una virtual reunión espacial que se queda en pura potencialidad. Podemos pues entresacar de los versos 3 y 4 dos elementos narrativos: programa fallido de búsqueda y programa virtual de encuentro de dos actores, Arnaldos y el navío que, de todas formas, metonímicamente pertenecen al mismo espacio.

Desde este momento va a desaparecer el actor Arnaldos que no volveremos a encontrar hasta el final, declarado en unión con una "pena", pero objeto de un programa virtual de ayuda por parte de otro sujeto, una dama que quiere prestarle auxilio porque ha reconocido que Arnaldos está penando por ella, que ella es la causa de su tormento. Y este conocimiento proviene del canto que ella ha oído, ese canto que a nivel discursivo, está a cargo de otro actor: el marinero.

Ahora bien, notemos que este marinero está en el navío ("dentro viene") y por la misma razón metonímica se une virtualmente con Arnaldos.

En cuanto a su programa, un "cantar", cuyo destinatario queda virtual en el enunciado, es autosuficiente y el empleo del presente cambia la visión retrospectiva que era la del relato de las aventuras de Arnaldos, permitiendo que se desgaje el canto como un conjunto autónomo que puede funcionar aislado y reactualizarse para cada oyente/lector. Del mismo modo el demostrativo "este" parece conectar directamente con la instancia de enunciación. Así el discurso referido del marinero depende directamente de ella sin mediación de un oyente que lo transmitiría (Arnaldos en este caso). Esta enunciación de segundo nivel —el canto— es una súplica, una plegaria que supone un sujeto (el marinero) que se dirige a un Destinador (Dios) que tiene el poder de actuar en dirección a un objeto

---

18) De momento, dejamos de lado la carga semántica de "la mañana de San Juan" obvia y conocidísima.

(la "galea") (19). Este actuar equivale a un "hacer en contra" ya que parece en filigrana un anti-destinador (el mar) cuyo poder y cuyo querer sería la destrucción de la "galea". El canto tiene aquí como finalidad explícita pedir que se preserve la "galea" de los peligros que la amenazan.

Pero al mismo tiempo, ese canto tiene otra función dentro del relato: viene a ser una mediación con otros actores en función de actante-receptor. El canto "es oído" y así se transforma en vínculo entre la primera parte del texto (vv. 1-5) y la segunda (vv. 10-16), sirviendo de programa de uso que permite la realización del programa básico de encuentro.

La recepción del canto se presenta como una operación cognoscitiva que versa en realidad sobre el origen del canto. Con el desdoblamiento del actante-receptor en dos actores (20) se oponen dos interpretaciones, marcadas del signo mentira/secreto. En efecto las dos no están en el mismo plano: la primera interpretación que atribuye el canto a un ser del mar maravilloso y seductor (aspecto implícito en "serena") remite a la mentira ("parecer y no ser") con la refutación explícita "que non era... era". No se niega que pueda parecer una sirena pero la segunda interpretación asienta la existencia de otro origen del canto, según el secreto ("no parecer y ser").

Y es el reconocimiento de ese origen del canto y de su carácter dolorido lo que lleva al deseo fallido de ayuda del último verso expresado en la misma forma personal/impersonal ("quien") y optativa ("pudiese") en la que había empezado el texto. Este programa de ayuda queda virtual por ausencia de poder y no por falta de querer.

A la hora de hacer el balance general de este encadenamiento de programas narrativos, se vuelven a plantear los problemas del principio y uno más, el del origen del canto.

El considerar únicamente el nivel actorial discursivo nos lleva a tachar de falsas las dos interpretaciones, ya que conocemos la verdad: quien canta es el marinero (recordemos la cita de Menéndez Pidal). Pero esta lectura prescinde de la organización narrativa del conjunto del texto que tiende a establecer cierta conjunción entre dos actantes, (conjunción ya asentada en el primer verso por el enunciador), y que, por otra parte, da al canto una función de mediación. Si nos situamos al nivel de los actantes (puros entes funcionales) y no de los actores, vemos que se establece una relación entre dos actantes A y B.

A busca O
    proclama su situación de peligro
    pide ayuda
B se reconoce como el objeto O
        como la causa del peligro en que está A
    quiere ayudarle pero no puede.

La declaración de peligro y la petición de ayuda por parte de A están presentes en el

---

19) Se puede notar que la "galea" tiene dos funciones actanciales aquí: la de destinatario interno del enunciado ("galea, la mi galea") y la de objeto (*te* me guarde de male").

20) Aunque no se admitiera la existencia de dos actores separados (princesa, madre), eso no afectaría ese nivel de análisis ya que se darían dos facetas del mismo actor que afirma y luego niega.

canto precisamente. de modo que el actante A está representado por varios actores: Arnaldos el marinero que pide ayuda, la "galea" metida en los peligros del mar.

Es seguro que esta multiplicidad de actores es un problema que habrá que tomar en cuenta pero es un problema de nivel discursivo y no narrativo. Y narrativamente, no hay incoherencia si se mira ese papel funcional: los programas de A y de B son complementarios. Que la conjunción de A y B —el encuentro, si se quiere— no se realice y quede virtual no impide el reconocimiento mutuo.

En cuanto al análisis semántico, que vamos a abordar rápidamente ahora nada nos autoriza a aislar dos palabras "ventura" y "pena", y a considerarles como los ejes semánticos del texto cuando no están en el mismo nivel enunciativo ni narrativo. El examen de la estructuración profunda del texto no puede fundarse en esta oposición. Otras son, a mi modo de ver, las categorías sémicas profundas.

El texto manifiesta repetidamente el sema /peligro de muerte/. Quizá pueda pues estructurarse alrededor de la oposición Vida/Muerte, siendo la muerte el polo de referencia. La muerte no aparece sino como amenaza y, más que /vida/, lo que califica a los sujetos (Arnaldos, la "galera") es /no muerte/, ya que se definen como muertos en suspenso. Y la "pena" viene a ser este trance de muerte, no la muerte efectiva sino un continuo estar a punto de morirse ("que se quería finare"). En esta situación de desequilibrio, de lo que se trata para el sujeto es de no dar el paso de no muerte a muerte, para lo cual necesita una ayuda o sea el actuar de otro sujeto. Pero para que sea posible este actuar, es esencial que el otro sujeto tenga la competencia necesaria, o sea, que quiera y que pueda. De ahí la importancia de las modalidades, ya subrayada, con esta particular alianza de querer y no poder. Así lo que se llama "ventura" no es la situación azarosa del sujeto, sino el pasar, a causa de ella, a ser objeto del querer actuar de otro sujeto. (Volveremos sobre este punto). No se pretende con este esbozo agotar todas las relaciones semánticas del texto. Lo que hemos tratado de hacer es, poner en relación un eje semántico con la estructura actancial.

Podemos notar también que el poder de muerte lo tienen en el texto tanto el mar como el amor, lo que establece entre ellos una primera conexión por medio del sema /mortífero/.

Vamos a examinar ahora el texto a otro nivel, el de la manifestación discursiva, ya que el mismo esquema actancial y la misma organización semántica podría manifestarse bajo muchas formas discursivas.

II— ANALISIS INTERTEXTUAL.

En este plano discursivo nos damos cuenta desde la primera lectura que muchas de las figuras que aquí encontramos no son peculiares de este texto, sino que pertenecen a un fondo común a muchos textos.

II—1 Configuraciones discursivas y motivos.

Estos conceptos son los de Courtés utilizados sobre todo en su análisis del motivo de la "carta" en el cuento folklórico francés (21). Rápidamente doy una definición de ellos: una configuración discursiva es como un micro-relato "con organización sintáctico-semántica autónoma y que puede integrarse en unidades discursivas más amplias" en las que adquiere funciones diversas, según el conjunto en el que se integre (22). El motivo es también una configuración con "su articulación sintáctica y semántica que hace de él un micro-relato" (23) que puede insertarse en contextos discursivos diferentes. Pero su especificidad es que su forma figurativa estereotipada (los motivos se distinguen por su facultad de repetirse y reconocerse) remite a un universo socio-cultural, que se supone estructurado también (un poco al modo de las *Mitologías* de Levi-Strauss). Por ejemplo la configuración de la caza implica una organización sintáctica análoga a la de la búsqueda. Se trata de un hacer pragmático en el que un sujeto busca un objeto. La especificidad es que sujeto y objeto pertenecen a la categoría /animado/ y que el sujeto busca el objeto para "apresarlo" y muchas veces para "matarlo" (términos del diccionario de María Moliner en la definición del verbo "cazar"). Se descompone en varias unidades, perseguirlo, apoderarse de él o matarlo (con varias posibilidades: desde lejos, desde cerca, con cuchillo, arco, escopeta, etc.), acertar o errar. Nótese que no todas las fases lógicamente implicadas en la configuración están siempre actualizadas, se pueden escoger sólo algunas de ellas. Así en este texto, de la caza sólo se manifiesta el recorrido especial de la búsqueda ("andando"), el lugar ("por riberas de la mare"), el objetivo ("matar") y el objeto ("la garça"). En el plano semántico, la caza puede referirse a una temática de tipo económico: con finalidad de alimentarse, o de tipo social: para adquirir la calificación de cazador, o de tipo ritual, etc. En este texto no hay tematización explícita de la búsqueda.

Pero si consideramos la caza como un motivo que refiere a una práctica codificada en cierta cultura, podemos entender lo que está subyacente aquí. He escogido adrede el ejemplo de la caza que está bien estudiado y documentado en el campo del romancero con los estudios de D. Devoto, Hauf y Aguirre, Edith Rogers (24). La caza (en nuestras sociedades) está relacionada muchas veces con el amor, sobre todo cuando se alía a otros indicios como son aquí "la mañana de San Juan", "la garza", (símbolo del amor esquivo o difícil de alcanzar (25)) sin hablar del indicio explícito del primer verso "con sus amo-

_____

21) Joseph Courtés, "La 'letre" dans le conte populaire merveilleux français", *Documents de recherche du groupe de recherches sémio-linguistiques de l'Ecole des Hautes Etudes en Sciences Sociales,* Paris, 1979, números 9-10 y 1980, número 14. Véase también "Le motif en ethno-littérature", *Le Bulletin du groupe de recherches sémio-linguistiques (EHESS). Institut de la langue française (CNRS),* n⁰ 16, Paris, décembre 1980, con contribuciones de J. Courtés y C. Bremond sobre el motivo.

22) Traducido libremente de la definición de "Configuration"en Greimas, Courtés, *Sémiotique. Dictionnaire..., ob. cit.,* p. 58.

23) J. Courtés, "Le motif: unité narrative et/ou culturelle", *Le Bulletin..., ob. cit.,* p. 47.

24) Daniel Devoto, "El mal cazador", *Studia philologica. Homenaje ofrecido a Dámaso Alonso,* Madrid, Gredos, 1960, t. I, pp. 481-491.
A.G. Hauf, J.M. Aguirre, "El simbolismo mágico-erótico de 'El Infante Arnaldos'", *Romanische Forschungen,* 81 (1969), pp. 89-118.
Edith Rogers, "The hunt in the *Romancero* and other traditional ballads", *HR,* 42 (1974), pp. 133-171.

25) Véase *Poesía tradicional lírica y Romancero,* ed. Alfonso Berlanga, Madrid, Alce, 1978, pp. 47-48. Aparecen muy claramente estos atributos de la garza en los versos siguientes de Juan del Encina, citados en dicha Antología:
"Montesina era la garça
y de muy alto volar,
no hay quien la pueda tomar".

res folgare". He aquí pues que sólo mentar la actividad de Arnaldos y la garza equivale a
dar a entender que lo que busca Arnaldos es el encuentro amoroso imposible, y esto no
está en el texto sino por una supercodificación social. Quisiera subrayar que no se trata
por tanto de hacer un diccionario de "símbolos" válido para cualquier texto, ya que está
bien claro, sólo al leer los estudios citados, que la caza, con tener siempre la misma configuración, puede remitir a tematizaciones diversas (muerte, entrada en un mundo sobrenatural). El contexto en el que se integra el motivo es el que actualiza tal o tal interpretación.

Otro motivo indudablemente presente aquí es el del canto o, mejor dicho, del poder
del canto, motivo cuyo estudio semiótico queda por hacer. Por lo tanto, tratándose de
un motivo complejo, no puedo dar más que algunas indicaciones sobre su utilización en
este texto. Parece que se actualizan dos de sus componentes por lo menos, situados a dos
niveles distintos.

Primero tenemos el contenido del canto que, siendo un canto de marinero, alude a
los peligros del mar. Y estos peligros refieren a la vez a una tradición geográfica de lugares
peligrosos y a una situación histórica precisa ("tres castillos de moros"). Que estas aventuras marítimas sean recuerdo más o menos dierecto de la *Crónica de Pero Niño*, nada menos seguro, y no nos adentraremos en este campo de hipótesis (26). Bien se sabe por los
textos posteriores que el canto del marinero no es fijo y presenta variantes discursivas que
se pueden ampliar (27) y que aluden a los peligros del Mediterráneo. Pero el segundo punto que más interesa en este texto, a mi modo de ver, es la utilización de estos versos (probablemente ya tradicionales y no inventados). En la descodificación final del canto, estos
peligros se transforman en peligros de amor. La situación peligrosa de la "galea" en el mar
viene a ser la misma que la del enamorado. La mención, pues, de los peligros del mar no es
fortuita ni absurda, sino que está ligada al tema subyacente de la muerte y, como ya lo
dijimos, el amor como el mar es factor de muerte.

---

26) Véase al respecto, F. Caravaca, "El romance del Conde Arnaldos en textos posteriores al del Cancionero de Amberes, s.a. (A) (B)", *BBMP*, XLVI (1970), pp. 7-13.

27) He aquí el canto del marinero en el *Cancionero de Romances* de 1550:

"Galera, la mi galera
Dios te me guarde de mal,
de los peligros del mundo.
sobre aguas de la mar,
de los llanos de Almería,
del estrecho de Gibraltar
y de golfo de Venecia
y de los bancos de Flandes
y del golfo de León
donde suelen peligrar".

y en el *Pliego suelto* de Praga (que se supone impreso a mediados del siglo XVI):

"Galera, la mi galera
Dios te me guarde de mal,
de los peligros del mundo,
de fortunas de la mar,
de los golfos de León
y estrecho de Gibraltar,
de las fustas de los moros
que andavan a saltear".

Y lo que refuerza la alianza mar/amor es la interpretación del canto hecha por la princesa. Introducir a la sirena como origen del canto es desvirtuar una sola lectura seudoreferencial de estos versos para indicar que, en este caso, se trata de un canto de amor. La tradición odiseica del canto de seducción de la sirena parece tomarse aquí como indicio connotativo de amor. Y la estructura de refutación repetida en muchos textos que utilizan este motivo del canto ("que non era la serena...") permite, al negar el origen maravilloso del canto, asentar la existencia de un enamorado preciso (28).

Con este motivo del canto no estamos en el plano de la verosimilitud sino en el de los valores connotativos que adquiere y, al mezclarse en él varias influencias culturales, éstas se aprovechan para hacer de él, en un sincretismo audaz, la representación del "canto de amor dolorido" de Arnaldos. Es de notar que en este texto para nada intervienen el carácter maravilloso ni el poder sobrenatural del canto, presentes en otros textos (29).

Este análisis, demasiado esquemático de algunos componentes de estos motivos nos servirá sólo para ejemplificar cómo, en este caso, éstos se han seleccionado, reagrupado, reorientado para formar un texto estructurado que es más que la yuxtaposición de todos ellos.

II—2 Tradición cancioneril.

Y es así porque, a estos motivos tradicionales (si no están documentados antes, poco probable es que no fueran ya conocidos), se suma la huella de otra tradición, culta ésta, la de la poesía cancioneril. A ella pertenece sin duda alguna el verso 15: la coincidencia textual, casi la cita ("morir de amores" es un tópico cancioneril), es una señal inequívoca que apunta a esta tradición (30). Pero más allá de estas similitudes discursivas, si volvemos al análisis intratextual y a las conclusiones a las que hemos llegado, quizá podamos aclarar un poco más ahora el contenido de "ventura". Si el texto establece una relación entre Arnaldos y su dama, si ésta lo reconoce como su galán y quisiera ayudarle si pudiera, al fin y

---

28) Podemos citar un ejemplo entre tantos:

> "De las altas torres del palacio la reina lo oyó cantar:
> - Mira, hija, cómo canta la sirena de la mar.
> - No es la sirena, madre, que esa tiene otro cantar,
>   que es la voz del Conde Olinos que por mis amores va".

Versión del *Conde Olinos* de Tinajo (Lanzarote), *Flor de la marañuela*, ob. cit., II, p. 187 (n⁰ 583).

29) Por antonomasía, cito los versos de la versión de *Cancionero s. a.*:

> "Marinero que la manda
> diziendo viene un cantar
> que la mar fazía en calma,
> los vientos faze amainar,
> los peces que andan n'el fondo
> arriba los haze andar,
> las aves que van bolando
> nel mastel las faz posar".

30) Véase por ejemplo a este respecto, N. Salvador Miguel, *La poesía cancioneril*, Madrid, Alhambra, 1977, pp. 291-293 y P. Le Gentil, *La poésie lyrique espagnole et portugaise à la fin du Moyen-Age*, Rennes 1949, t.I, p.133 y n.133).

al cabo se trata de amor correspondido, y es innegable que al amor correspondido es la suma "ventura" en la poesía cancioneril. En este momento es quizá cuando tenemos que volver al problema de la atribución a Rodríguez del Padrón. Es seguro que presunciones no son pruebas y que nadie puede afirmar que él sea el autor de este texto: pero no extraña que tome como ejemplo de la ventura de amor esta particular ilustración de las aventuras de Arnaldos quien escribió en los *Siete gozos de amor*, al definir el "seteno gozo", el más alto para él:

> "El final gozo nombrado
> solo fin de mis dolores
> es amar y ser amado
> el amante en igual grado
> que es la gloria de amadores" (31)
> (grafía modernizada).

Por otra parte, el que este amor correspondido se quede en pura virtualidad, sin ninguna posibilidad de actualización (recordemos el querer y no poder) remite a la tradición del "fino amor" trovaderesco que Rodríguez del Padrón, fiel admirador de su paisano el trovador Macías, conocía muy bien (32). (Y si no fuera Rodríguez del Padrón quien compuso este texto, para mí no cabe duda que haya que atribuirlo a otro poeta coetáneo suyo y de su misma escuela poética).

Ya podemos volver al conjunto del texto considerando una de sus lecturas posibles: la ventura de amor es ser correspondido y no es lograr la realización efectiva del amor ya que el querer se basta a sí mismo. Y quizá no quedemos ahora tan insatisfechos. Más aún: me parece que esta lectura le quita a este texto su carácter de objeto arqueológico y permite que lo miremos con los ojos de nuestra modernidad. En efecto parece asomar aquí la negatividad intrínseca de todo deseo, concepto tan trillado en nuestros días. No insisto en este aspecto pero quiero sugerir una posibilidad de lectura acorde a nuestra problemática moderna.

II—3 Interpenetración de tradiciones.

Otro problema crucial de este texto y que más interesa en este simposio es el de la interpenetración de dos tradiciones.

La tradición romancística es la que más ha llamado la atención de los eruditos hasta tal punto que, incluso a hombres de tan gran cultura como Menéndez Pelayo y Menéndez Pidal, les han podido pasar desapercibidos los rastros de la tradición culta, o, mejor dicho, los han tomado como pegote "estrambótico". Pero el considerar este texto como procedente de las dos tradiciones nos lleva a dos tipos de cuestiones que son:

la integración y el papel de los motivos en esta versión de *Arnaldos*,

la problemática que sugiere en cuanto al Romancero.

---

31) *Cancionero general* de Hernando del Castillo (Valencia, 1511), ed. en facsímil por A. Rodríguez Moñino, Madrid, 1958, fol. 92.

32) Para la influencia de Macías en J. Rodríguez del Padrón, véanse las páginas que le dedica M. R. Lida de Malkiel, *ob. cit.*, pp. 37-42.

II—3—1 Utilización de los motivos tradicionales en este texto.

Cuantitativamente forman la mayor parte del texto. Casi todos los versos (salvo los dos versos finales y "con sus amores folgare") no son creación de J. Rodríguez del Padrón, ni de quien sea el autor de esta versión, sino que están tomados de una tradición ya existente.

Y tiene toda la razón Menéndez Pidal al afirmar que Juan Rodríguez apuntó por escrito la tradición oral, pero en lo que se equivoca, a mi modo de ver, es en darle únicamente el papel de colector como el de los encuestadores modernos que escrupulosamente transcriben las versiones que les dictan sus informantes. Por el contrario, entre una serie de motivos referentes al amor, ha escogido unos cuantos, reorientándolos en función de unas directrices semánticas ajenas a ellos, pero aprovechando sus potencialidades propias. Y no es de extrañar esta postura, si es Juan Rodríguez el autor de esta versión cuando leemos el trabajo de María Rosa Lida que recalca el carácter medieval y no renacentista de su obra particularmente en este aspecto de imitar e incluso insertar versos ajenos, lo que es "antigua usanza provenzal, reflejada en los *cancioneros* gallego-portugueses" (33). Bien es sabido que el texto medieval es intertexto por esencia.

Ahora bien, tenemos aquí un problema de recepción del texto, muy difícil de solucionar en el contexto de la época. ¿Cómo era considerada esta utilización de un material tradicional por el público de la época? ¿y por qué público?.

Difícil es contestar, pero se puede quizá analizar cómo se relacionan estos textos de origen diverso. Se suele hablar de la "ironía" de los romances de Rodríguez del Padrón (34). Si se define ironía como un significante único que remite a dos significados, es seguro que para apreciar la ironía es imprescindible descifrar el doble significado, en este caso reconocer estos versos como versos tradicionales y a la vez como soporte de un ejemplo de amor al uso en la poesía cortesana. Y quizá, más que de ironía se podría hablar de "parodia", ya que la ironía es intratextual mientras que la parodia es intertextual, haciendo intervenir la memoria de otro texto (35). Se superponen pues dos textos, el texto parodiado y el texto que parodia y aunque éste se parezca mucho a aquél (al ser a veces como aquí casi cita textual), los leves retoques y desplazamientos bastan para indicar su cambio de enfoque. Así el verso inicial "quien tuviera atal ventura", con la adjunción del segundo hemistiquio menos tradicional "con sus amores folgare", es claro indicio de la orientación erótica del texto. Quizá también se podría reinterpretar por esa vía el llamado absurdo de la intervensión princesa/madre. El que la princesa llame a su madre se podría relacionar con el papel de confidente que desempeña la madre en la poesía gallega portuguesa, y el que la dama de Arnaldos sea la madre explicaría la imposibilidad de concretar su amor para una mujer casada. No son más que sugerencias pero las diferencias, aunque mínimas, con el texto tradicional implican que, aunque éste parece ser el mismo, en realidad es otro.

------

33) M. R. Lida de Malkiel, *ob. cit.*, p. 40.

34) "The theme of the three ballads is frustated love; the design is paradox and irony", T. Meléndez Hayes, *art. cit.*, p. 21.

35) Un intento de definición de estos términos se encontrará en: Linda Hutcheon, "Ironie, satire, parodie", *Poétique 46* (abril 1981), pp. 140-155. El criterio definitorio es de orden pragmático, tomando en cuenta el efecto producido en el receptor.

Por otra parte, la parodia en sí no es de signo positivo ni negativo, es neutral, depende de cómo se reciba. Y, en este caso, utilizar los versos tradicionales es darles categoría de modelos al igual de los modelos antiguos o litúrgicos. Esta posición parece acorde al tradicionalismo poético ya subrayado de Rodríguez del Padrón y dista mucho de la de otros poetas como J. de Mena o Santillana que despreciaban los romances. Dicho sea de paso, Rodríguez del Padrón se suele citar como ejemplo de parodista, no por estos romances, sino por otras obras suyas como los *Gozos de amor* y los *Mandamientos de amor*). Y así J. Rodríguez del Padrón puede tomarse más que como primer colector de tradición oral, como jefe de filas, cronológicamente, de la corriente, vigente en las letras españolas a lo largo de los siglos, de parodia del texto de romance (37).

II—3—2 Los motivos en el Romancero.

Si no se pueden sacar conclusiones generales a partir de ese solo ejemplo, me parece que por lo menos puede servir para aclarar el funcionamiento y cruce de motivos.

Recordemos que los motivos tienen doble faceta, son micro-relatos con su estructura propia que se integran en una unidad discursiva mayor, y son también un componente etnocultural. "Los motivos tienen que ser motivados", dice Courtés (38).

Del funcionamiento narrativo de los motivos no diré nada, ya que queda por hacer el estudio de la estructuración interna de cada uno de ellos y de su integración al conjunto del relato en cada uno de los casos. Pero en cuanto al segundo aspecto, este texto sugiere algunas reflexiones.

Ya dijimos cómo se juzga absurda esta versión por mezclarse en ella versos y motivos que pertenecen a dos romances que se consideran ahora como distintos: el del *Conde Arnaldos* y el del *Conde Olinos*. Pero enfocar las cosas de tal manera puede ser tomar el problema al revés o por lo menos anacrónicamente. ¿Cómo saber si ya existían estos romances como dos unidades narrativas separadas, cuando no quedan pruebas textuales? ¿Cómo saber cuándo y cómo se plasmaron? (39). Varios críticos han subrayado la "contaminación" del *Conde Arnaldos* y del *Conde Olinos* (40). En la famosa versión del *Cancionero*

---

36) Juan de Mena califica los romances de canto de "rústicos" y el Marques de Santillana habla de "romances e cantares de que las gentes de baxa e servil condición se alegran". Citado *Apud* Menéndez Pidal, *Romancero hispánico...*, ob. cit., t. II, p. 21.

37) Los romances insertos en el teatro por ejemplo tendrían que estudiarse bajo este punto de vista paródico, ya que al entrar en una comedia adquieren también una significación segunda.

38) Cita traducida de "Le motif: unité narrative et/ou culturelle", *Le Bulletin...*, ob. cit., p. 51.

39) Acerca del romance de *Olinos*, diche Benichou después de descomponerlo en tres motivos ("el canto mágico, el conflicto de los amantes con los padres de la niña (generalmente con la madre), la doble muerte con las metamorfosis"), pertenecientes todos al folklore poético de Europa: "Es muy posible, pues, que nuestro *Olinos* no sea más que una combinación, realizada en cierto momento, y quizá progresivamente, de temas universalmente conocidos y usados"., P. Bénichou *Romancero judeo-español de Marruecos*, Madrid, Castalia, 1968 (La lupa y el escalpelo, 8), p. 337.
   Véase también el estudio que le dedica Bénichou al *Conde Arnaldos* después del texto de la versión marroquí recogida y editada por él, ob. cit., pp. 205-212.

40) Así Bénichou en el libro citado en la nota anterior, así María Rosa Lida de Malkiel, ob. cit., p. 33, n. 10.

s.a., el motivo central del canto órfico con sus efectos maravillosos es el mismo que se vuelve a encontrar en el *Conde Olinos* (41). Y quizá se podría replantear este problema de "contaminación" en estos dos romances con un análisis del motivo del canto, el cual puede entrar en varios contextos (como son el *Conde Arnaldos* y el *Conde Olinos*) en los que adquiere varias funciones.

Y para quedar con este motivo del canto, daré otro ejemplo, dicho de "contaminación". En el romance de *Gerineldo*, es bastante frecuente hallar al principio versos que se dicen tomados del *Conde Olinos*. Son las versiones que empiezan:

> Madrugaba Gerineldo mañanitas de San Juan
> a dar agua a su caballo a las orillas del mar.
> Mientras el caballo bebe, Gerineldo echa un cantar (42).

Una de ellas sigue:

> parece un ángel de cielo la serena de la mar
> - Yo no soy ángel del cielo o la serena de la mar,
> Soy Gerineldo, señora, que con vos quiero casar (43).

Otra dice:

> Mientras su caballo bebe, Gerineldo echa a cantar.
> La princesa que lo oye ha quedado enamorá.
> - Mira, niña, cómo canta la sirenita del mar (44).

A mi modo de ver, lo que revelan estos ejemplos es la conciencia, a veces claramente explícita, de que el canto es seducción amorosa y, por eso, se utiliza en el romance de *Gerineldo* para explicar y justificar el enamoramiento de la princesa. Y si se ha escogido este

---

41) Véanse los versos referentes a este canto mágico en la versión del *Cancionero s.a.,* supra, nota 29, y compárense con estos sacados de una versión del *Conde Olinos:*

> "Canta unos ricos cantares
> que al caballo le haz parar,
> aves que van por el viento
> abajo les haz bajar,
> peces que estan en el agua
> arriba les haz botar".

Versión publicada por José María De Cossío, *Romances de tradición oral,* Buenos-Aires-México, Espasa Calpe. Argentina, 1947 (2ª ed.) (Austral 762), p. 31.
Muchas versiones del *Conde Olinos* contienen este motivo del canto mágico.

42) Versión de Losacio de Alba (Zamora), publicada en *Romancero tradicional* VII, (*Gerineldo, el paje y la infanta,* 2), ed. de Diego Catalán *et al.*, Madrid, Seminario Menéndez Pidal, Gredos, 1975, p. 98 (es la versión I, 358). Se puede cotejar con el principio de la versión del *Conde Olinos* citada en la nota anterior:

> "Conde Niño, Conde Niño,
> la mañana de San Juan,
> fue a dar agua a sus caballos
> a las orillas del mar".

43) Versión fragmentaria de Sejas de Aliste (Zamora), publicada en *Romancero tradicional* VII, *ob. cit.,* p. 99 (versión I 360).

44) Versión de Aracena (Huelva), publicada en *Romancero tradicional* VII, *ob. cit.,* p. 169 (versión I 439).

motivo para encabezar el romance de *Gerineldo* no es casualidad ni confusión.

Ya advirtió Menéndez Pidal en su estudio sobre *Gerineldo* en 1920 (45) que los motivos (lo que él llama "variantes") emigraban sueltos. Pero su propósito era establecer la geografía de "las variantes" al modo de los atlas lingüísticos. Y se podría reenfocar este estudio, muy valioso por cierto, que proporciona muchos materiales (sobre todo completado con el posterior de D. Catalán y A. Galmés) con un análisis más preciso de las implicaciones estructurales y socio-culturales de cada uno de los motivos.

Y el caso de *Gerineldo* no es único. En muchos romances conservados por la tradición oral se notan "contaminaciones". La razón de la agregación de un motivo, si se mira bien, se encontrará en la adecuación de su contenido latente con el romance que lo acoge. Daré un solo ejemplo: una versión de *Tamar*, recogida este verano en un pueblo de Zamora, Nuez, acaba con *No me entierren en sagrado*, motivo presente también en *El mal de amor* y ciertas versiones de *El Conde preso* (46). En efecto no estar enterrado "en sagrado" sino en un "prado verde" no es un castigo cualquiera; es el que se da a los que padecen "mal de amor". Si es de abolengo trovaderesco este castigo, como dice Menéndez Pelayo, se ha reutilizado como castigo ejemplar en los casos de transgresión de las reglas sociales que rigen las relaciones sexuales: violación en el *Conde Preso,* incesto en *Tamar.* Y los últimos versos de la versión a la que aludo son muy explícitos:

> ... cuando pasen las mujeres digan: "Aquí murió un condenado
> no murió de tabardillo, ni tampoco de costado
> que murió de un mal de amores que es un mal desesperado (47).

Con estas sugestiones, sólo quería señalar vías abiertas. Quizá una aproximación a los romances a partir de este estudio semiótico de los motivos podría dar algunos resultados, sin pretender resolver todos los problemas.

II—3—3 Nota final.

En conclusión, diré que me parece que existe una diferencia crucial entre un texto de un autor, aun cuando utiliza estos motivos etno-culturales y un texto transmitido por la tradición. Y es que el primero les da a los motivos una coherencia propia al reorientarlos al servicio de un sistema de valores. Y el segundo es de otra índole: la colectividad que lo transmite y lo modifica reagrupa motivos, en función de su doble valor, narrativo pero también socio-cultural, en tanto que son expresión de su propia axiología, y quizá más por esa razón de índole cultural que por su congruencia narrativa.

MICHELLE DEBAX
Universidad de Toulouse Le Mirail

---

45) R. Menéndez Pidal (1920), Diego Catalán y Alvaro Galmés (1950), *Cómo vive un romance. Dos ensayos sobre tradicionalidad,* Madrid, 1954 (*RFE* Anejo LX).

46) Véase Menéndez Pelayo, *Antología de poetas líricos castellanos,* IX, *ob. cit.,* p. 254.

47) Versión de Nuez (Zamora) inédita, recogida en julio de 1981.

TEATRALIDAD E INTERTEXTUALIDAD DEL TEMA DE LA MUERTE DEL PRINCIPE DON ALFONSO DE PORTUGAL EN LAS LITERATURAS CULTA Y POPULAR

A José Luis Alonso

JOÃO NUNO ALÇADA
Universidad de Groningen

TEATRALIDAD E INTERTEXTUALIDAD DEL TEMA DE LA MUERTE DEL PRINCIPE DON ALFONSO DE PORTUGAL EN LAS LITERATURAS CULTA Y POPULAR

J.N. Alçada

1. En un ensayo recientemente publicado y cuyo título indica emblemáticamente la actitud filológica y metodológica que rige su elaboración, *Filtros de hoje para textos, medievais, "Hû papagay muy fremoso"* (1), Luciana Stegagno Picchio escribe:

> "Como e em que medida é que uma leitura actualizante, isto é uma leitura consciente do que aconteceu a um texto que se desligou do seu autor, consciente da história acumulada após a sua elaboração, contradiz, ou pelo contrário, apoia uma leitura filológica, con duzida esta do ponto de vista do autor, feita por definição, com o propósito de reconstruir a mensagem própria da intenção (a todos os níveis) e dos parâmetros culturais do emissor?".

Y añade:

> "Poderá uma iluminação crítica, determinada pela analogia com factos posteriores, favorecer o entendimento de textos produzidos em universos culturais para nós remotos?".

Si la pregunta era pertinente y estimulantes las tentativas de lectura bajo ópticas diferentes, los resultados a los que abocaron se volverían sorprendentes y conclusivos.

En la dirección de tal propuesta de lectura pensamos que es posible preguntar por nuestra parte cómo y hasta qué punto un lector de hoy puede conscientemente leer la *transformación* de un texto de literatura culta en un texto de literatura popular, y también las diferentes transformaciones de textos de literatura "oral" insertándolas en la interrelación autor-público. O hasta qué punto en una estructura simultáneamente tradicional y abierta, como es la de un romance popular concebido para un determinado públi-

---

1) La versión original en italiano fue publicada in *Homenagen a Marcel Bataillon* in *Arquivos do Centro Cultural Português,* Vol. IX, Fundação Gulbenkian, Paris 1975, pp. 3-41. Posteriormente editado en versión portuguesa en el volumen *A Lição do Texto Filologia e Literatura, I - Idade Média,* Edições 70, Lisboa 1979, pp. 29-30. La traducción de este ensayo es mía, las otras dos de Alberto Pimenta.

co, se introducen o se descubren posibilidades varias en un texto. Y este, en lo que respecta a sus contenidos, aparentemente inmutable, nos presenta una re-utilización de materiales en régimen de apropiación afectiva, con una gran variedad de sentidos y referencias, adaptadas y revalorizadas por nuevas connotaciones de ambientes culturales y, por ello mismo, capaces de ser cíclicamente re-comprendidos por los nuevos públicos a los que va destinado.

Obsérvese que esa lectura deberá considerar el texto, siempre que ello sea posible, en los dos sentidos; uno exterior de circunstancias, y otro interior, intrínseco, de relaciones de significados, constituyendo, por decirlo así, un *cronòtopo* (2), o sea, un punto de encuentro, confluencia e interrelación de los elementos de un determinado tipo de cultura.

2. Gaston Paris, en 1872, al revelar la existencia de un manuscrito (B.N.P. n° 12744) (3) en los fondos de la Biblioteca Nacional de París y considerándolo de gran importancia para el estudio de la poesía popular del siglo XV, publicó una de las composiciones insertas en él (folio IIII XX XV v°) dejada sin acabar por el copista, a la que le atribuía una fecha aproximada de escritura entre 1495 y 1500. Esta copia, muy probablemente hecha ya a partir de otros manuscritos, contiene errores de contaminación lingüística fácilmente verificables (*làmfainte* / la infanta, v. 4; *quemaillero* / caballero, v. 5; *pazre* / padre, v. 11), lo que llevó al estudioso francés a concluir que se trataba del texto de una canción inicalmente cantada por un español a un francés el cual la habría escrito de memoria. He aquí el texto:

> Ay ay ay ay que foertes paines
> ay ay ay ay que fortes mal
>
> Hablando estaue la reyne en su pallacio real
> con lamfainte de castille princesse de portugal Ay ay ay ay que fortes.
>
> Ailly vino vng quemaillero con grandes lloros llorar
> noues te trago seignora dolorosas de contar ay ay
>
> Ay no sont de reno estrange daque sont de portugal
> voestre princippe seignor voestre princippe real ay ay
>
> Est caidou d'un cauaillo et jarme quere a dioux dar
> sy lo queres de ver vive non queres de tardar ay ay
>
> Ailly estaue el re su pazre que quere desperar
> lloran todes mougeres cazades et por cazar ay ay.

El asunto es fácilmente localizable en el tiempo. El 11 de Junio de 1491 el infante D. Alfonso, hijo de D. Juan II y heredero de la corona de Portugal, casado hacía siete meses y veinte días con una hija de los Reyes Católicos, estando en la corte de Santarem, "corría uma carriera" a orillas del Tajo con D. Jùan de Meneses, hidalgo de su Casa. Y fue así que el caballo "ginete muyto fermoso fouueyro" en el que montaba cayó arrastrando

---

2) Utilizo la terminología introducida por Cesare Segre in *I Segni e la critica, Fra Strutturalismo e Semiologia*, Einaudi, Torino, 1969, p. 28 "Ciò significa tener conto del tempo (della storia) ma nel suo aspetto di dimensione dell'opera; intendere, insomma come um cronòtopo".

3) *Une Romance Espagnole écrite en France au XVème siècle* in *Romania*, I Année, Libraire A. Frank, Paris 1872, pp. 374-378. Conservo la transcripción de Gaston Paris.

en la caída al infante. Este, en coma durante todo el día 12, murió veinticuatro horas después.

Con la muerte de D. Alfonso se desvanece el sueño de D. Juan II de realizar la unidad política de la Península bajo la égida de Portugal constituyendo así una monarquía ibérica. Según las *Crónicas* de la época al ser conocida la triste nueva,

"[...] se levantou antre todos hum muyto grande e muyto triste e desaventurado *pranto*, dando todos em si muytas bofetadas, depenando muytas e muy honradas barbas e cabelos e as mulheres desfazendo com suas unhas e mãos ha fermosura dos seus rostos que lhe corrião em sangue. Cousa tão espantosa e triste que se não vio, nem cuydou [...] E a gente pobre que não tinha com que comprar burel [...] muytos tempos andou como os vestidos virados do avesso, que pollo grande amor que todos tinhão ao mallogrado do Príncipe [...] e o caso ser de tamanha desventura, foy a mais sentida morte e os mayores *prantos* geraes na Corte e por todo o Reyno [...] (4).

Además de enlutar lógicamente las dos Cortes, el acontecimiento trágico inspiró diversos poemas en latín, castellano y portugués. Estos últimos recogidos por Garcia de Rezende en el *Cancioneiro Geral* (5) y un romance *Hablando estava la Reina, en cosas bien de notar* (6) escrito por Fr. Ambrosio de Montesino, confesor de los Reyes Católicos. Este

----

4) *Crónica de D. João II* de Garcia de Rezende. Utilizo la edición de la Imprensa Nacional-Casa de Moeda, Lisboa, 1973, p. 196.

5) Utilizo la edición *Cancioneiro Geral de Garcia de Rezende*, texto establecido, prefaciado y anotado por Alvaro da Costa Pimpâo y Aida Fernades Dias, Centro de Estudios Románicos, Coimbra, 2 volúmenes. 1973-1974. De ello Carolina Nichaelis de Vasconcelos in *Notas Vicentinas*, Revista Ocidente, Lisboa, 1949, pág. 225, escribiendo sobre Juan del Encina afirma:

"[...] e inventara seis Eclogas ou Representações (do Natal, da Páscoa, do Entrudo), duas das quais são festivas, de amores profanos. E dera um passo novo e largo, caminho do Renascimento, nacionalizando em redacção parafrástica as dez Eclogas de Vergilio, aplicando-as aos reis católicos, seu malogrado herdeiro (o Príncipe D. João) e o igualmente cortado antes de maduro Príncipe de Portugal D. Afonso, único fruto do enlace João II e a Rainha D. Leonor".

Por su parte Aida Fernandes Dias in *Motos, Vilancetes, Cantigas e Romances Glosados (Séculos XV e XVI), Separata da Revista de História Literária*, Vol. III, Imprensa da Universidade de Coimbra, 1974, pp. 36-40, indica la existencia de un romance en un manuscrito del siglo XVI de B.N.M. (Ms. 2621, ff. 115-120) que se refiere a la muerte del príncipe don Alfonso. En la nota 35, p. 37 escribe:

"Cremos que [o manuscrito] ainda se conserve inédito, embora o códice já tivesse sido discriminado por José Romeu Figueras (*Anuario Musical*, XIII Barcelona, 1958, p. 74, n. 95). Esta glosa é mais uma composição a juntar aos diversos textos, em verso e prosa, que celebraram o nefasto acontecimento, e de que nos havemos de ocupar em breve".

De donde se deduce la existencia de varios textos. Sobre el mismo asunto citaremos todavía a V.G. Cirot *Sur les Romances. A la muerte del príncipe de Portugal* in *Bulletin Hispanique*, Tome XXV, 1923, pp. 168-172, y también a Paul Benichou, *El Romance de la muerte del Príncipe de Portugal en la tradición moderna* in *Nueva Revista de Filología Hispánica*, Tomo XXIV, 1975, pp. 113-124.

6) Publicado en el *Cancionero Espiritual* (1508) y más recientemente en el *Romancero General*, Tomo XVI de la B.A.E., Atlas, Madrid, 1945, con el n° 1901, p. 673.

texto al contrario de lo que escribieron Jole Ruggieri y Paul Benichou (7), no fue aprovechado por Jorge Ferreira de Vasconcelos en el *Memorial dos Cavaleiros de Tavora Redonda*. Tampoco aparece registrado en la tradición oral del Continente: apenas dos versiones existían aún al final del siglo pasado en las Azores (isla de San Jorge), donde fueron recogidas por Teixeira Lopes y publicadas por Teófilo Braga en sus *Cantos Populares do Archipelago Açoriano* y poco después en su *Romanceiro* (8).

Recientemente otras versiones han sido recogidas por Joanne Purcel (9), Manuel da Costa Fontes (10) y Pedro Ferré da Ponte (11).

3. Gaston Paris, al querer reconstituir el texto del manuscrito, lo coteja con el romance de Montesino

Hablando estaba la reina
En cosas bien de notar
Con la infanta de Castilla,
Princesa de Portugal
5 A grandes voces oyeron
Un caballero llorar
La ropa hecha pedazos
Sin dejar de se mesar,
Diciendo: *"Nuevas os traigo*
10 Para mil vidas matar:
No son de reinos extraños ,
De aqui son, d'este lugar.
Desgreñad vuestros cabellos,
Collares ricos dejad,

15 Derribat vuestras coronas
Y de jerga os enlutad;
Por pedrería y brocado
Vestid disforme sayal;
Despedios de vida alegre,
20 Con la muerte os remediad".
Entrambas á dos dijeron
Con dolor muy cordial,
Con semblante de mortales,
Bien con voz para espirar:
25 "Acabadnos, caballero,
De hablar y de matar.
Decid: ¿qué nuevas son estas
De tan triste lamentar?

---

7) Vid. Jole Ruggieri *Il Canzoniere di Rezende*, Leo S. Olschki, Genève, 1931, pp. 75-76:

"[...] che Fr. Montesino con fluida vena e semplicita gradevole ed ingenua narrava nel *romance Hablando estava la reina — en cosas bien de notar* la cui ispirazione è identica a quella di una canzone populare anonima, più breve e con ritornello: circonstanze del fatto che, fra i poeti antichi, solo Anriquez ebbe in memoria, e che furono conservate nel *Romance da má nova* e nel *Casamento mallogrado*, per essere, più tardi, di nouvo raccolte da Jorge Ferreira de Vasconcelos nel *romance* incastonato nel *Memorial dos Cavaleiros da Tavola Redonda* (c.46)".

Este último comienza por "Príncipes e Emperadores / que o mundo a sabor mandais / e tam pouco vos lembrais / da rota da vida eterna", y se refiere a don Sebastián. Fue compuesto el 15 de Agosto de 1522, con motivo del torneo de Xabregas en honor del rey y de su novia (Cf. Carolina Michaelis de Vasconcelos, *Romances Velhos em Portugal,* Imprensa de Universidade, Coimbra, 1934, p. 239). Teófilo Braga dice que se trata de don Alfonso, el hijo de Juan II, y posiblemente el error fue repetido en cadena de cita a cita, sin que nunca fuese debidamente controlado. Tamb. Benichou, cít. nota 5.

8) V. Teófilo Braga *Cantos Populares do Archipelago Acoriano* Livraria Nacional, Porto 1869 e *Romanceiro Geral Português* Vol. II, Lisboa 1907, pp. 348-354. V. tb. Urbano Canuto Soares *Subsidios para o Cancioneiro do Arquipélago da Madeira,* in *Revista Lusitania,* Vol. XVII, 1914, pp. 146-147.

9) V. *El Romancero Hoy: Nuevas Fronteras,* 2° Coloquio Internacional, University of California, Davis, Madrid 1979, Catedra Seminario Menéndez Pidal, p. 128, nota 16, p.132.

10) V. ob. cit., in 8, *Portuguese Ballads in California and in North America,* p. 133: "I was able to find versions of rare ballads such as *D. Pedro Pequenino* and *Morte do Príncipe D. Afonso.* In Toronto, my informants were from the Azores and Madeira". 12 versiones fueron publicadas posteriormente por el autor in *Romanceiro Português do Canada,* Imprensa da Universidade, Coimbra, 1979, pp. 1-7.

11) Son 24 el número de versiones recogidas por Pedro Ferré da Ponte durante el verano de 1981 en la isla de Madeira.

¿Los grandes reyes d'Espana
30 Son varios, ó váles mal?
    Que tienen cerco en Granada
    Çon triunfo imperial.
    ¿A qué causa dais los gritos
    Que al cielo quieren llegar?
35 Hablad ya, que nos morimos
    Sin podernos remediar.
    — Sabed, dijo el caballero
    Muy ronco de voces dar,
    Que fortuna os es contraria
    Con maldita cruelitad,
    Y el peligro de sa rueda
    Por vos hobo de pasar.
    Yo lloro porque se muere
    Vuestro príncipe real,
45 Aquel solo que paristes,
    Reina de dolor sin par,
    Y el que mereció con vos,
    Real princesa, casar:
    De los principes del mundo

50 Al mayor el mas igual,
    Esforzado, lindo, cuerdo,
    Y el que mas os pudo amar;
    Que cayó de un mal caballo
    Corriendo en un arenal,
55 Do yace casi defuncto
    Sin remedio de sanar.
    Si lo querés ver morir,
    Andad, señoras, andad,
    Que ya ni ve, ni oye,
60 Ni menos puede hablar.
    Sospira por vos, princesa,
    Por señas de lastimar:
    Con la candela en la mano
    No os ha podido olvidar.
65 *Con él está el rey su padre*
    Que quiere desesperar.
    Dios os consuele señoras,
    Si es posible conhortar;
    Qu'el remedio d'estos males
70 Es á la muerte llamar".

Obtenido el siguiente texto reconstituído:

Ay, ay, ay, ay! qué fuertes penas!
Ay, ay, ay, ay! qué fuerte mal!

    Hablando estava la reina
    En su palacio real
    Con la infanta de Castilla,
    Princesa de Portugal
Ay, ay, ay, ay! etc.

    Allí vino un caballero
    Con grandes lloros llorar:
    "Nuevas os traigo, señoras,
    Dolorosas de contar.
Ay, ay, ay, ay, etc.

    "Ay! no son de reino extraño
    De aqui son, de Portugal.

    Vuestro principe, señoras,
    Vuestro principe real...
Ay, ay, ay, ay! etc.

    Es caido de un caballo,
    Y l'arma quiere a Diòs dar:
    Si lo querés de ver vivo,
    No quered (?) vos de tardar".
Ay, ay, ay, ay, etc.

    Allí estava el rey su padre,
    Que quiere desesperar.

    Lloravan todas mujeres,
    Casadas y por casar.
Ay, ay, ay, ay! qué fuertes penas!
Ay, ay, ay, ay! qué fuerte mal!

Sin embargo reconociendo las dificultades para establecer la relación de interdependencia entre las dos obras, Gaston Paris pensaba que era probable que una versión completa de la canción popular, publicada por él, hubiese sido el modelo del romance de Montesino quien la habría ampliado con detalles rigurosamente históricos, como el detalle de que los Reyes Católicos, en ese momento, estaban cercando Granada:

"Que nuevas son estas / de tan triste lamentar
Los grandes reyes dEspaña / son varios, ó valẹs mal?
Que tienen cerco en Granada / Con triumfo imperial".
vv. 27-32

o incluso, invirtiendo el orden lógico de dos versos, como en el caso de esta pregunta de la princesa, colocada después de que el caballero afirme:

"Nuevas vos traigo / para mil vidas matar;
Non son de reinos extraños / de aqui son, deste lugar".
vv. 9-12

El descubrimiento del manuscrito, en sí mismo sería de gran importancia en cuanto texto de una canción con estribillo y música anotada en la primera copla, justificando la afirmación de Juan Rufo, escrita en sus apotegmas en 1596: "Es casi ordinario amoldar los músicos los tonos con la primera copla de cada romance".

Demostraría sobre todo que, como las grandes epopeyas derivaban de cantos cortos, del mismo modo los romances extensos o "literarios" derivarían de canciones cortas, tradicionales o "populares".

A esta tesis se opone Menéndez Pidal al tomar exactamente la cantiga de este romance para iniciar el estudio del nacimiento y popularización de los cantos tradicionales en el ensayo *Cómo vivió y cómo vive el Romancero* (12).

Presentando las varias opiniones de los estudiosos que se han pronunciado sobre este problema de los orígenes —Gaston Paris y Morel Fatio por una parte y Milá y Fontanals y él mismo por la otra— Pidal es de la opinión que el romance de Montesinos, en cuanto *texto* primitivo (o *pre-texto* en términos de intertextualidad) al popularizarse se había reducido en una tercera parte con alteración de varios hemistiquios y que, en cuanto nueva composición reducida, considerada por nosotros como *texto*, tenía, además, un estribillo y una melodía. Esta alteración no aparece procesada lentamente, a través de los siglos, sino excepcionalmente en pocos años o incluso meses, con una intensidad notable facilitada por una actividad rapsódica que se había limitado a repetir una composición eliminando de ella las formas más dificiles de asimilar por un vasto público. Esa reducción podría haber sido llevada a cabo por cualquier músico anónimo de los mismos que contribuyeron en el *Cancionero Musical de Palacio,* incluso durante el cerco de Granada, periodo en el que el romance fue escrito.

Sea como sea, en el caso de la canción publicada por Gaston Paris, se trataría siempre de la versión española del romance de Montesino pero escrita por un francés que no conocía la lengua española y que la había oído probablemente de labios de un portugués. Esta conclusión de Menéndez Pidal podría rectificarse si fueran presentadas pruebas y elementos en favor de la hipótesis de que la reducción habría sido realizada en Portugal y en un tiempo inmediato al acontecimiento. Reducción ésta que se inserta en la constante del romancero portugués tradicional por la que se tiende a reducir, e incluso a suprimir, la mayoría de los elementos narrativos de los romances a la vez que se revalorizan los elementos dramáticos contenidos en dichos romances. Una investigación en tal sentido no es la que nos proponemos llevar a cabo aquí. Señalemos aún que ya Carolina Michaelis en *Romances Velhos en Portugal* (13) llamó la atención sobre el hecho de que durante los siglos XV

12) Vid. R. Menéndez Pidal, *Cómo vivió y cómo vive el romancero* in *Estudios sobre el Romancero,* Espasa Calpe, Madrid, 1973, pp. 407-415.

13) Cit. en 5 pp. 268 (vid. notas 2, 3, 4 y 6). En la pág. 290, nota 1, la ilustre estudiosa escribe refiriéndose a *Lamentação sobre a morte do Príncipe Dom Afonso:*

"E este que eu tencionava historiar como amostra, tornando provável que a lição conservada no Cancioneiro francês, fosse levada daqui em 1493, ou pouco depois, por aquele Monsenhor de Loigny, a cuja capela me referi no parágrafo sobre a música dos romances. O ensaio ia-se-me tornando todavia tão extenso que o puz de parte".

No tenemos conocimiento de que haya sido publicado posteriormente.

y XVI el intercambio de compositores o músicos entre las cortes portuguesa y castellana era frecuente. En 1434 D. Duarte escribe a su primo D. Juan II de Castilla tratándolo de "hermano y amigo" pero quejándose de que retuviera en su corte a un cantor y organista suyo, Alvaro Fernandes, lo que tenía como consecuencia que la Capela Real estuviera desorganizada. Y posteriormente, en 1493, dos años después de la muerte del infante D. Alfonso, un noble francés, "Monseor de Leam vem de livre vontade oferecer ao monarca português trezentas lanças o yr servir na guerra d'Affrica (....) E vinha grandemente acompanhado (...) e trazia muyto boa capella de muytos e bons cantores" Este podría haber sido uno de los canales posibles de transmisión del texto publicado por Gaston Paris.

Recuérdese por último que la colonización de las Azores (territorio en el que ya hemos dicho la tradición oral de este romance se mantiene viva) se lleva a cabo intensamente durante el reinado de D. Juan II.

4. El índice del *Cancionero* de Montesino nos aporta una indicación de indudable importancia para la lectura e interpretación que deseamos hacer. Dice: "Romance hecho por mandado de la Reina Princesa a la muerte del Principe de Portugal su marido" (14). El "mandado" del Rey, la Reina, de la Reina "Vieja" (como en el caso de los textos de Gil Vicente) es fenómeno común de esta literatura cortesana. Pero ella indica a la vez el nivel de audición, el nivel del público al que la obra va destinada. Es de suponer que el romance o texto escrito por un poeta cortesano iba destinado a un público cortesano.

En términos de teoría de la comunicación podemos decir que *emisor* (ya que consideramos emisor a la Reina mandante y no al autor material del texto) y *receptor*, esto es el público de una corte, se colocaban en el mismo canal de información. De ahí que el mensaje producido (la muerte del infante en cuanto trasunto de un acontecimiento al que el primer receptor había asistido) no tuviese como finalidad principal, al narrar el acontecimiento (¿dónde, cuándo, cómo, por qué?), el de "informar" divulgando el hecho, sino el de "informar" describiendo lo que ya era conocido por todos. Descripción que se colocaba dentro de los parámetros de códigos pre-establecidos y a priori comprendidos en los dos polos. Es en esta perspectiva en la que debe ser leído el segundo hemistiquio *En cosas bien de notar,* en el que *notar* debe ser interpretado como "observar", "tener en cuenta", "reflexionar" y también "dictar cosas dignas" y que por eso mismo deben ser anotadas por escrito (15).

Si por un lado el narrador-emisor (Montesino) es exterior a la historia, a la "fábula", por otro su discurso aporta indicaciones precisas en cuanto a los valores y opiniones que le son propias. Estas a su vez envían a otros elementos del proceso de comunicación: el público de la corte o un auditorio más vasto. En relación con este último el grado de diferencia que se confiere al discurso, reenvía como índice a la diferencia de estatuto social (lógicamente de lenguaje) existente entre el emisor y el público más vasto al cual el mensaje

---

14) "El Cancionero de Montesino se publicó en Toledo, 1508; entonces Fray Ambrosio debió retocar el epígrafe del índice anteponiendo la palabra *Reina* al título de *Princesa*, único que le da el romance". Vid. op. cit., in 11. p. 412.

15) Subrayo las diferentes acepciones de la palabra *notar* como están registradas por António Morais da Silva en el *Dicionário da Lingua Portuguesa,* 6ª edición, Lisboa, 1858, p. 427.

debería destinarse en un primero e inmediato nivel de comunicación.

En su totalidad de 70 versos el Romance es apenas una microsecuencia narrativa de un hecho real que no nos es contado en su totalidad y como tal sigue un hilo narrativo articulándose a través de secuencias lógico-temporales que obedecen sensiblemente a un esquema histórico tal como nos es relatado por Garcia de Rezende en la *Crónica de D. Joâo II* y que podemos sintetizar así:

ROMANCE	CRONICA
A	A/B/C
La Reina y la Infanta hablan a solas en algún lugar.	[...] Foi logo dada a lastimosa e desastrada nova à Rainha sua Mãy e à Princesa, sua molher [...].
B	
Llegada del caballero llorando.	
C	
Se dice portardor de malas nuevas.	
D	D
Anuncia la caida del infante en el arenal	[...] Alcançou el Rey, e foy com elle até o Tejo [...] e começou de passear pello campo e lançar o ginete por ser de singular redea e muyto ligeiro [...] E o tomo pella mão (D. João de Menezes) e correndo assi ambos a carreyra na força de correr o cavallo do Principe cahio e o levou debaixo de si, onde logo em proviso ficou como morto, sem fala e sem sentidos [...].
E	E
Les aconseja que partan rápidamente si quieren ver al infante vivo. Junto al cuerpo está el Rey desesperado.	As quaes (Rainha e Infanta) assi como a dera sahirão como desatinadas a pe e em mulas allheas que acharão [...] com muy pouca companhia forão commo fora de seu sentidos até chegarem à pobre e triste casa onde o Principe jazia [...]. [...] E tanto que a triste e desastrada nova derão a el Rey veyo logo a grande pressa. E quando achou hum soo filho que tinha, que criara com tanto amor [...] e queria tão grande bem que hum so dia não podia estar sem o ver[...]ficou em tão grande estremo, triste e desconsolado, que se não podia dizer, nem cuydar dizindo sobre o filho tantas lastimas e palavras de tanta dor e tristeza [...].

5. Si una narración privilegia esencialmente "actos" recurriendo a verbos, una descripción (16) privilegiará sobre todo "cosas o personas" empleando adjetivos. En este sen-

---

16) "[...] elle consiste à exposer un object aux yeux et à la faire connaître par le détail de toutes les circonstances les plus intéréssantes". V. Fontanier *Figure du Discous*, Flammarion, París 1968, p. 420.

tido "descripción" significa interrupción del desarrollo de un "acto", de la sintagmática narrativa, por la inserción de un paradigma sea enumerativo, lexical o de nomenclatura, con el consiguiente retraso del receptor-lector-oyente en el caso de que no posea un conocimiento previo del asunto absorbido, o incluso desviado, de lo fundamental de la acción, debido a la extensa red semántica o retórica que se forma.

En el caso del romance ello significa también acumulación de adjetivos y procesos anafóricos que se insertan en las diferentes pausas del acto de narrar, introducidas por el verbo "decir" (*diciendo*, v.9; *decid*, v. 27; *dijo*, v. 37). Esa red se nos aparece constituida por la utilización de un lenguaje monopolizado por la norma constante de los signos referenciales; estos signos inequívocos, dirigen al lector-oyente hacía ciertas zonas pre-establecidas de aprehensión de sentido codificadas por el emisor. Y cuanto más la descripción fuera hecha en términos de reenvio a un enunciado constante, menos la imaginación del que lee u oye es libre para descubrir otros significados subyacentes. En el *Romance* de Montesino el habla del caballero, si bien formulada a partir de un determinado tipo de discursividad apoyada en unidades básicas que dan un sentido fundamental a las varias secuencias narrativas como:

vs.   9-10 Nuevas os traigo
      Para mil vidas matar

vs. 43-44 Yo lloro porque se muere
      Vuestro principe real

vs. 53-54 Que cayó de un mal caballo
      Corriendo en un arenal

vs. 65-66 Con el está el rey su padre
      Que quiere desesperar.

es constantemente interrumpida por otras que nos aportan indicaciones de gestos y actitudes que son, o deberían ser, asumidas por los interlocutores a cuyo comportamiento verdadero nunca asistimos. Es este el caso de la enumeración de las formas verbales de los imperativos:

vs. 13-19 *Desgreñad* vuestros cabellos,
      Collares ricos *dejad*,
      Derribad vuestras coronas
      Y de jerga os *enlutad;*
      Por pedreria y brocado
      Vestid disforme sayal;
      Despedios de vida alegre,
      Con la muerte os *remediad.*

e incluso de complementos circunstanciales:

v. 8   sin dejar de *se mesar*
v. 22   *Con dolor muy cordial*
v. 23   *Con semblante de mortales*
v. 24   Bien con voz *para espirar*
v. 38   *Muy ronco* de voces dar

La relación que se establece entre los dos interlocutores —infanta-caballero— y la acción que exteriormente se está desarrollando, se vuelve casi estática. Obedeciendo a un sistema descriptivo del género de la poesía didáctica, o sea "representar, agradar, instruir" (17) no relata fundamentalmente y en toda su dimensión dramática la muerte del infante.

En cuanto narración saturada de elementos descriptivos,

> — *el infante*: "al mayor [de los príncipes] el más igual, esforzado, lindo, cuerdo".
>
> — *las malas nuevas* :"para mil vidas matar, de tan triste lamentar, gritos que al cielo quieren llegar".

se obliga constantemente a crear nuevas formas redundantes y, organizándose de este modo, se repite, se cierra sobre sí misma. De referencial pasa a anafórica y en vez de citar "cosas" o "acontecimientos", se cita a sí misma, en movimiento perpetuo de ciclo terminado, aproximándose a lo que podríamos llamar temática vacía, en la que ya no es posible más una transferencia de sentido.

6. Como nos los recuerda Zumthor, una poesía destinada a la transmisión oral implica

> "une primauté du rythme sur le sens, de l'action sur la représentation, de l'attitude sur le concept: elles tendent, comme à un terme ultime, à l'identification de la poésie et de la danse" (18).

Nosotros hoy leemos. Pero el público medieval no leía, escuchaba. Y porque la audición es temporal el texto se dirigía a un destinatario cuya capacidad de recepción estaba muy atenta al arte de representar y a los ritos del espectáculo: la entonación y el gesto, porque voz y gestualidad en el recitador eran dos formas complementarias de la existencia del texto. Por su parte la gestualidad constituye un factor primordial de la comunicación oral porque

> "elle ancre dans le concret toute la problématique de l'oralité. Elle se définit en termes de tension, de modélisation, de distance, ceux mêmes qui servent à décrire l'énonciation... Par elle l'oralité déborde largement le langage et se confond avec ce qu'a propos du Moyen Age, j'ai nommé *la théâtralité*" (19).

Los textos medievales, así pues, encerrarían en su carácter general más pertinente, un aspecto dramático y podrían ser entendidos como destinados a funcionar en condiciones teatrales y éstas serían las formas privilegiadas de comunicación entre un cantor-recitador y un determinado auditorio. Así se explica que en los siglos XIV y XV *autor* y *actor* se

---

17) "[...] la représentation dépend alors de trois réseaux sémantiques: dans la langue, rapports des mots avec les signifiés; dans le texte, avec les autres signifiants; dans le genre, avec la symbolique propre à ce genre. La poésie descriptive est, par définition, le genre où étudier ce complexe et ses conflits internes. La poésie didactique m'a paru se prêter mieux encore à cette analyse. Elle n'est qu'un cas particulier du genre descriptif, puisque la description y doit à la fois représenter, plaire et instruire". V. Michael Riffaterre *Système d'un genre descriptif* in *Poétique*, n° 9, 1972, Seuil, p. 15.

18) Paul Zumthor, "Por une poétique de la voix" in *Poétique* n° 40, 1979, Seuil, p. 516.

19) Ibid. p. 521.

confundiesen (20).

En el caso de una transmisión oral posterior, la relación del público para con el narrador-cantor-autor, privilegiaría sobre todo el interés de retener lo narrado para asegurarse una repetición posterior, lo que se volvía difícil con un texto opaco como es el *Romance de Montesino.*

Releyendo el texto de la canción publicada por Gaston Paris descubriremos que encierra en sí misma un primer nivel de intertextualidad y simultáneamente una primera fase de trabajo tradicional de transmisión en cuanto *reducción* de un pre-texto y de *modificación* por ser primera variante.

Globalmente se trata de una situación en la que dos personajes —*la Reina* y la *Infanta*— hablan entre sí. Pero desaparece el tenor de la conversación —"cosas bien de notar"— substituida por la indicación precisa del lugar donde se va a desarrollar la acción: *el palacio real.* Y esta referencia ya no es a cosas dignas de ser apuntadas, sino a un conjunto de objetos, libremente imaginados por el auditor que compondrá, por sí y libremente, la imagen del ambiente propio a los personajes, *Reina, Infanta, Infante. Palacio Real* adquiere aquí, como signo icónico, un carácter visual escenario-imagen, donde en una secuencia rápida va a desarrollarse la acción dramática que es narrada: un espacio cerrado en contraposición a un espacio abierto —el *arenal*— extraño a la condición de los personajes y en el cual uno de ellos muere.

La llegada del caballero-mensajero no es adivinada por "A grandes voces oyeron / un caballero llorar", pero se presenta como exabrupto y es introducida por el cantor-narrador "Ally vino ung quemaillero" en el mismo hemistiquio "con grandes lloros llorar", dando en síntesis el sentido de las malas nuevas. El desarrollo de la secuencia dramática prosigue con ausencia de diálogo, pudiéndose subentender entre tanto, en el final del tercer verso, la forma verbal "disse". No se verifican substituciones de enunciados, de significación de alguna frase, de sentido contextual, ni siquiera intervenciones a nivel lingüístico o semántico. El nivel es apenas el funcional, porque se altera la situación de un texto primitivo, dándole otro proceso continuo de producción de sentido que se inserta en una nueva inscripción textual del fenómeno espectáculo de manera a *re-presentar* los hechos en clave dramática. Y esto los vuelve otra vez presentes transgrediendo las características estructurales del romance y poniendo de relieve, a través de una nueva pequeña secuencia, la síntesis del acontecimiento en sus estilemas narrativos que "informan" sobre lo que tiene de más dramático.

Esta síntesis aparece justificada también por la exigencia del hecho de memorizar lo que va contra la conclusión enunciada por Zumthor

---

20) Zumthor, ibid. p. 521, escribe a propósito de los diferentes tipos de enunciación: "La communication orale, en revanche, comporte une *énonciation-présence,* perçue en *situation* plus qu'en *discours* (subr. nuestro) D'où la valeur particulière que prend dans la performance le je-poétique. Sans être identique ni à celui de la conversation courante, ni au je-personnage du romancier (pour me référer aux termes extrêmes) il reste, du seul fait de la présence,relativement proche du premier: *c'est pourquoi, du reste, dans l'opinion des récepteurs d'une tradition orale, ont tendance à se confondre les rôles d'auteur et de chanteur ou de récitant, dont la distinction apparaît comme futile".*

"La performance orale implique une traversée du discours par la mémoire, toujours aléa-
toire et trompeuse, déviante en quelque façon; d'où les variations, les modulations im-
provisées, la recréation du déjà-dit, la répétivité: aucune globalité n'est perceptible, à
moins que le message ne soit très bref" (21).

En alternancia con los hemistiquios tenemos la presencia del estribillo para ser cantado por público que hace el papel de un coro. Música, estribillo, estructura métrica asegu-
ran ahora la función de combinar la ruptura y la continuidad de la narración del episodio
obligando a un mayor impacto poético en un clima de mayor emotividad. Aparece, así, la
canción sobre todo como variante fundamental, en cuanto que es intervención del adap-
tador que se convierte en co-autor del texto substituyendo el *tonus lectionum* del romance, en el que predominaba el comentario, por un *tonus lamentatium* perteneciente a la liturgia de la época.

7. La estructura de la canción presupone la existencia de un solista que canta los versos, y de un coro que canta el estribillo. Convendría aclararnos sobre éste y su forma inicial "Ay, ay, ay".

La *Crónica* de Garcia de Rezende insiste en la palabra "pranto" como manifestación
colectiva al ser conocida la muerte del infante D. Alfonso. Para "pranto" tenemos hoy la
acepción de "lástimas y lamentos con gritos, gemidos y otras demostraciones de sentimiento" (22). Como ya hemos visto la oralidad a través del gesto sobrepasa largamente el
lenguaje para confundirse en la Edad Media con lo que podemos llamar convencionalmen-
te la teatralidad. Pero la voz —la que habla vs la que canta— constituye, en cuanto canto,
"une forme substantielle spécifique, désaliénant le langage et épanouissant le corps" (23).
El planto, así parece ser de hecho la forma más adecuada para, a través de la voz y del gesto, manifestar la interiorización de un sentimiento profundo de tristeza-lamento tal y como sintetiza Camões:

> "Se ao canto dei a voz
> Dei a alma ao pranto" (24).

En la literatura medieval coexisten dos formas de *planctus;* una mariana y otra de carácter profano (25). Dentro de esta última podemos distinguir un planto de contenido histórico por la muerte de personajes ilustres que interesará a la literatura medieval latina y a
los varios dominios románicos a comenzar por el provenzal (26) —es el caso de Bertran de
Born— y también al italiano y al francés que se mantienen fieles a la primera forma lírica.

---

21) V. art. cit. in 17, 18 y 19, p.521.

22) V. ob. cit. in 14, p. 581.

23) V. ob. cit. in 17, p. 522.

24) V. ob. cit. in 14, p. 581.

25) De importancia fundamental en lo que respecta a la Península Ibérica es el artículo de Jose Fil-
gueira Valverde, *El "Planto" en la Historia y en la Literatura Gallega* in *Cuadernos de Estudios
Gallegos,* Fasc. IV, 1945, pp. 510-606. Cf. tamb. Mário Martins, *Introduçâo Histórica à vidência
do Tempo e da Morte,* Livraria Cruz, Braga, 1969.

26) Sobre la relación entre los plantos provenzales y la poesía judeo-española cf. Manuel Alvar, *Ende-
chas Judeo-españolas,* Universidad de Granada, 1953, pp. 40-42.

Según Luciana Stegagno Picchio (27) otra forma, la de las *fabulae funeratriciae*, es, a su vez, la de los lamentos fúnebres confiados a un coro y que contienen formas decididamente dramáticas. Pero, el empleo de la interjección *¡Ay!* está divulgado en todo el romancero como vocativo de matiz exclamativo del tipo *¡Ay Madre!*, *¡Ay Pastor!*, *¡Ay Jesús!*. Esto pudo presentarse además bajo la forma apostrófica *Guay* (28).

Elementos reiterativos para marcar una intensidad emotiva son ciertas formas de exordio de romances tales como:

> "Rey Don Sancho, Rey Don Sancho"
> "Moro Alcaide, Moro Alcaide"
> "Cuán traidor eres, Marquillos, cuán traidor".

En un último análisis su función dentro de la estructura de cada romance es la de, implicando al público-auditor, proporcionar la indicación de un tono dentro del que el relato se va a desarrollar. Figueira Valverde considera el estribillo de la canción de que nos ocupamos como "trozos guayados" (29). Por su parte, Giuseppe di Stefano caracteriza la función de estos elementos reiterativos del modo siguiente:

> "el papel de un tal recurso es suscitar [...] más sutilmente una expectación del oyente y su compenetración con la atmósfera prevalentemente trágica del relato [...] Dando un marco forma inicial a la narración el apóstrofe prepara al oyente a recibir el relato, pero al mismo tiempo retrasa y demora su comunicación y agudiza la tensión de espera del destinatario" (30).

El estribillo del que nos ocupamos goza de todas estas características pero, dentro de la estructura en la que está inserto, en cuanto reiteración de un mismo sintagma, *Ay, Ay, Ay*, o de dos versos completos "Ay, Ay, Ay, Ay, que foertes paines / Ay, Ay, Ay, Ay, que fortes mal", es también una forma de repetición de una secuencia narrativa que, incluso interrumpiéndola, no deja de intensificarla. Será usando las palabras de Roman Jakobson "mensaje constante que reenvía a un código".

Por otra parte, en cuanto elemento formal mínimo, poseyendo incluso pequeñas variaciones, se puede integrar en la categoría retórica de los *clichés*, dado que posee un trazo significativo y función idéntica reutilizable en varios contextos.

Es con esta última categoría formal con la que *Ay, Ay, Ay, Ay*, nos hace participar de otro texto cultural, exterior a las simples narraciones de la muerte del Infante, más am-

---

27) Vid. el artículo *Pianto* in *Enciclopedia dello Spectacolo*, Roma, Le Maschere, 1961, vol. VII, pp. 93 -95.

28) La forma *Guay* aparece, por ejemplo, en el verso "Y! Guay! qué dolor!" de la endecha guayada *Los siete hermanos y el pozo airón.* "Se trata de uno de los romances cantados por los sefardíes para endechar en los duelos por sus difuntos y en el día de luto nacional de Tis'a-beab, fecha en que se conmemora la destrucción del templo de Jerusalén y, por extensión, cualquier desgracia sucedida a Israel"' V. *Temas Sefardíes del Cancionero Sefardí*, Ministerio de Cultura, Secretaria General Técnica, Madrid, 1981. Vid. tamb. op. cit. in 25, pág. 32, nota 26.

29) Vid. op. cit. in 24, p. 599.

30) Giuseppe di Stefano "Un exordio de romances" in *El Romancero Hoy: Poética* 2° Coloquio Internacional, University of California, Davis, Madrid 1979, Cátedra Seminario Menéndez Pidal p. 52.

plio y con referencia a una cultura en la cual usando conceptos de sistema semiótico, el significante sería la retórica y el significado una estética o una ideología (31).

8. Si bien un teatro litúrgico propiamente dicho, "ancora latino, nato del rito e nel rito comme ampliamento, troppo drammatico dell'ufficio religioso, in Portogallo non sia mai esistito" (32), poseemos varios documentos testigos de la existencia de espectáculos representados en el espacio de las iglesias y monasterios, considerando como espectáculos teatrales, por ejemplo, las narraciones evangélicas y las procesiones dialogadas y dramatizadas. Entre ellos destacaremos la *Deposição de Cristo* en el túmulo durante las ceremonias del Viernes Santo cuya tradición remonta en Portugal a 1400, cuando, como forma estrictamente litúrgica —procesión donde se cantaban gran número de textos en latín— es introducida por la capilla inglesa de D. Filipa de Lencastre. Y un *Missale Bracarense* impreso en Lyon (1558) (33) registra:

> Et duo pueri, coopertis capitibus, vadant cantando subsequentes versus, respondente choro ut infra notatur:
>
> III (chorus) Cecidit corona capitis nostri, vos nobis, quia peccavimus.
>   (pueri)   *Heu! Heu!* Domine...
> IV (chorus) Spiritus cordis nostri, etc...
>   (pueri)   *Heu! Heu!* Domine... etc

Las lamentaciones de Jeremías pertenecían al coro constituido por los canónigos y eran entonadas en polifonía. La lamentación *Heu! Heu!* entonada en el canto pleno, por los *pueri*, intercalándose la monotonía de los Salmos del oficio de Tinieblas, teniendo, así, alternancia de tonos.

También, un texto italiano del siglo XIV (Verona) de un *Planctus* de Viernes Santo, incluye el estribillo "Heu! Heu! Deus meus! Heus! Heu! Amor Meus!". Y el *Planctus* en Italia, liberado ya de la tutela litúrgica, era, en el siglo XV una manifestación popular incluída en las procesiones del Viacrucis, organizada por numerosas cofradías y posiblemente con cuadros vivos y personajes vestidos al uso de la época.

---

31) Zumthor em *Topique et Tradition* in *Poétique* n°7, 1972, Seuil, p. 354, escribe: "Nous établisson una série d'équivalences entre divers énoncés simultanés ou sucessifs; au XII° ou XIII° siècle, un rapport de participation active attachait chaque énoncé au vaste texte virtuel et objectif de la "tradition", univers de référence, à la fois imaginaire et verbal, qui constituait le *lieu commun* de l'auteur et de l'auditeur[...] Je regroupe sous le nom de *types* toutes les marques formelles en question[...] Un type sera ici tout élément d'écriture à la fois structuré et polyvalent, c'est-à-dire comportant des relaçions fonctionelles entre ses parties, et réutilisable indéfiniment dans des contextes différents".

32) Luciana Stegagno Picchio *Storia del Teatro Protoghese,* Edizioni dell'Ateneo, Roma 1964, p. 8.

33) La exposición y los documentos sobre este asunto siguen la obra de Solange Corbin, *La Deposition Liturgique du Christ au Vendredi Saint, Sa place dans l'historie des rites et du théatre réligieux (Analyse de documents portugais).* Societé d'Editions "Les Belles Lettres" —París, Livraría Bertrand— Lisbonne, 1960 Es hasta hoy la obra más completa sobre este asunto. Vid. tam. Mário Martins *O teatro litúrgico na Idade Média Peninsular* in *Brotéria* LXIX, 1959, pp. 275-87, reeditado en *Estudos de Cultura Medieval,* Editorial Verbo, Lisboa, 1969, pp. 11-33. Sobre la importancia de la liturgia como fuente del drama medieval vid. Michel Hugo, *L'intensité dramatique de la Liturgie Medioevale,* Atti del I Convegno di Studio, Centre di Studi sul Teatro Medioevale e Rinascimentale di Viterbo, Bulzoni Editore, Roma, 1977, pp. 93-105. Vid. tamb. Blandine-Dominique Berger, *Le Drame Liturgique de Pâques. Liturgie et Théatre.* Editions Beauchesne, 1976.

La presencia oficial de las plañideras durante los entierros, sus llantos y gritos, está registrada en la Península desde el Concilio de Toledo que precisamente las prohibe Alfonso X ordenó que los clérigos se retirasen de los entierros cuando "oyessen que davan gritos o endechassen" (34). En la *Primera Crónica General* los plantos por la muerte de San Fernando son descritos de manera semejante a la que nos es dada por Garcia de Rezende en la *Crónica de D. Joâo II:*

> "¿Qui podrie dezir nin contar la maravilla de los grandes llantos que por este sancto et noble et bienaventurado rey don Fernando fueron fechos por Sevilla, o el su finamiento fue et do su sancto cuerpo yaze, et por todos sus reynos de Castiella et de León? ¿Et quien vio tanta dueña de alta guisa et tanta donzella andar descabeñadas et rascadas, rompiendo las fazes et tornándolas en sangre et en carne viva? ¿Quien vio tanto infante, tanto rico omne, tanto infançon, tanto caballero, tanto omne de prestar andando balandrando, dando vozes, mesando sus cabellos et rompiendo las fruentes et faziendo en si fuertes cruezas? Las maravillas de los llantos que las gentes de la cipdat fazien, non es omne que lo podiese contar" (35).

Como forma de planto popular recordemos también las exclamaciones proferidas por Alfonso VI, conquistador de Toledo, a la muerte prematura de su hijo heredero:

> "Ay meu filho! Ay meu filho! alegria de meu coraçon e lume de meus olhos solaz de mia velhece! Ay meu espelho em que me soia veer e con que tomaba gran prazer! Ay meu herdeiro mor!" (36).

El *planctus* parece haber sido introducido en Portugal en las ceremonias de la Pasión por Fr. Joâo Alvares (1467) —que habría asistido a una de estas procesiones en Padua o en Venecia— al redactar las reglas de su monasterio en Paço de Sousa:

> "[...] item, sexta feira d'Endoenças a Procissom e Sepultura de Nosso Senhor, e o *Planto*, et cetera [...]" (37).

Después de este periodo (aunque sea posible descubrir su presencia mucho antes) no dejará de estar presente de manera constante en las ceremonias de La Pasión como elemento indispensable para las manifestaciones del coro colectivo. Será llevado a la India (Cochim) por los jesuitas como aparece en dos documentos (38) datados respectivamente en 1561 y 1566:

> "[...] e levando cada minino revestido hum marturio da Paixão e as Marias cantando os *Euses* e outro choro respondendo em canto de orgão [...]".

____

34) *Partida* I, t.IV, ley XLIV. Cit, por Dámaso Alonso e José M. Blecua in *Antología de la Poesía Española, Poesía de Tipo Tradicional,* Vol. VI da Biblioteca Románica Hispánica, Gredos, Madrid 1956, p. XLV.

35) Cap. 1134, p. 773 b, ed. de R. Menéndez Pidal, cit. por Dámaso Alonso in ob. cit. in 33. *Antología de la Poesía Española.*

36) Cit. por Jole Ruggieri, vid. op. cit. in 6, pág. 83, como perteneciente a una composición poética del *Cancionero da Ajuda*, II, pág. 857.

37) V. ob. cit. in 32 Solange Corbin, p. 260.

38) ibidem pp. 263 y 264.

"[...] A sesta-feira desenserrarão o Senhor [...] e com a procissão ao redor das casas, e com o canto dos *Heus* a gente derramava muitas lágrimas, mostrando a dor dos seus pecados [...]".

Subsiste, en fin, en Brasil donde el nombre tradicional de Verónica es substituído por el de *María Beu*; ésta, durante la procesión canta los *Heu! Heu!* denominados como *Sentidos Heu* (39) y las plañideras "profanas" son substituidas por las tres Marías que durante la procesión murmuran lúgubremente *Behu! Behu!* (40).

El último verso de la canción "Loran todas mougeres cazades et por cazar" es, por un lado, una indicación sucinta con evidente referencia al breve tiempo que el infante estuvo casado, por otro, a la presencia de las plañideras "profanas".

Aunque sea brevemente conviene señalar el hecho de que directamente ligados al tema de la Pasión surgen las Loas y los Plantos de Nuestra Señora que constituyen el tema central de las Laudes Dramáticas cuyo testimonio fundamental son las *Laudes e Cantigas Espirituais* (41) de Mestre André Dias (1435); y aparecen como textos repletos de dramatismo embrionario por ello mismo ya susceptibles de ser representadas. Una vez más, la influencia italiana es en ellas notoria. En efecto, las *Laudi*, de asunto religioso y carácter popular, son un género italiano derivado de las secuencias y prosas litúrgicas cantadas en las iglesias y en las plazas durante las procesiones organizadas por las cofradías. Si bien en un principio poseían un carácter lírico-narrativo (loores de Santos, narraciones de la Pasión, plantos de la Virgen) evolucionarán rápidamente hacia formas dramáticas de diálogo teatral.

En la obra de Mestre André Dias una de las *Laudes* para "dizer em cantar" (f. 30) aunque muy breve es un ejemplo de lamento o planto en forma de diálogo dramático al que no es ajena la forma de narración iterativa.

María Magdalena, que ha asistido a la prisión de Cristo, va a buscar a la Virgen para contarle el caso y anunciarle que lo van a matar. Esta, conocida la noticia, camina apresuradamente al encuento de su hijo diciéndole cosas tristes ("oo muyto dolçe mynha vyda" v.10; "oo filho meu quero morrer" v. 13; "como soom triste e mesquynha" etc.).

En otras, el mensajero que da la noticia es San Juan. En casi todas ponen, como introducción o apoyo del *tonus lamentatium,* la exclamación "oh! Filho!; oh! Jesus!; oh! Cruz Santa!" etc..

Contemporánea de André Dias es la *Obra novamente feyta da muyto Dolorosa morte e paixão de nosso Señor Jesu Christo* del padre Francisco Vaz de Guimarães (Evora, 1559), auto popular en el cual se inserta, en el planto de Nuestra Señora, la exclamación "Ay! dolor! Ay! dolor! Ay! dolor!" que se repite a lo largo de todo él como un estribillo.

---

39) ibidem pp.156-159.

40) "Então as três Marias, que eram músicos vestidos de Dominós pretos e de máscara, avizinhavam-se com as suas auréolas em volta da cabeça, fazendo leves mesuras e murmurando lugubremente: "Behu!Behu!". V. *Sexta feira da Paixão, A Procissão do Enterro* in Melo Morais Filho *Festas e Tradiçães Populares do Brasil,* Revisão e Notas de Luís da Câmara Cascudo, Tecnoprint Gráfica, Rio de Janeiro, 1967, p.298.

41) V. Mário Martins S.J. *Laudes e Cantigas Espirituais de Meste André Dias,* Mosteiro de Singeverga, Roriz-Negrelos 1951. Escritas en Florença (1435) acusan una influencia directa de Jacopone di Todi.

Llegados a este momento y si los límites de este trabajo no lo impidíese sería necesario distinguir más detenidamente la filiación del planto profano por un lado y del planto litúrgico por el otro que, momentáneamente, parecen confluir en el estribillo de la canción francesa. Y ello tomando como punto de partida las recientes observaciones de Aurelio Roncaglia (42) al analizar en términos de historia cultural la estructura estrófica de los siguientes versos:

> O figlio, figlio, figlio,
> figlio, amoroso, giglio!
> figlio, chi dà consiglio
> al cor me'angustiato?
>
> Figlio, occhi iocundi,
> figlio, co'non respundi?
> figlio, perchè t'ascundi
> al petto o'si'lattato?

Versos que insertos en un texto de Jacopone di Todi son considerados como prototipo de "lauda dramática umbra" y ponen de relieve la presencia de "un medesimo modelo formale" en la *balada* en románico vulgar, en los cantos religiosos latinos y en el *zéjel* arabo-hispánico (forma colateral simplificada y popular de la *muwashshaha).*

> "Le tre indicazioni[..]pur presentandosi sotto aspetti a prima vista contradditori, non sono in realtà tra loro inconciabili[...]si tratta d'un problema culturale di dimensioni non solo italiane, ma romanze; non solo neolatine ma anche mediolatine; non solo romaniche, ma arabo-romaniche; e vedremo che neppur questo è sufficiente, giacchè dovremo prendere in considerazione anche la tradizione ebraica".

Subrayando el aspecto que nos interesa directamente ahora, el sentido del estribillo entre las estrofas del texto francés: el esquema estrófico del *zéjel* era el mismo que el del hebraico *pizmón*, forma que en el siglo XI, Shelomó ibn Gabirol (Málaga 1020 - Valencia 1058) más conocido como Avicebron, prefería para sus composiciones. Roncaglia, dando como ejemplo una *Mustayab* (responsorio), cita a Millás y Vallicrosa que describe la estructura y el modo de ejecución como "La forma es coral; la palabra árabe *mustaŷab* equivale a la latina *responsorium;* el solista cantaba las distintas estrofas, y la asambla de los fieles repetía el estribillo inicial, después de cada estrofa". En el caso de las *Laudes,* "i poeti delle confraternité avrebbero adottato per le loro laude, con accattivante sagacia, le forme stesse che le ballate avevano già radicato nel gusto dei laici e divulgate nel canto popolare". Añadamos aún citando a G. Contini, "le laude, tolte le arcaicissime (...) hanno tutte schema di ballata, la stanza destinata a un solista (o anche a un gruppo) la ripresa al coro (...)'"

9. Andrée Crabbé Rocha, que ha dedicado algunos estudios (43) al análisis de los esbozos dramáticos existentes en composiciones recogidas por Garcia de Rezende en el *Cancioneiro Geral,* considera que en él:

---

42) Aurelio Roncaglia, *"Da Avicebron a Jacopone di Todi"*, in *Le Laudi dramatiche umbre delle origini*, Atti del V Convegno di Studio del Centro di Studi del Teatro Medievale e Rinascimentale, Viterbo, Amministrazione Provinciale di Viterbo, 1980.

43) V. *Esboços dramáticos no Cancioneiro Geral,* Coimbra editora, Coimbra 1951.

"[...] todo o texto é intertexto duma suma de tradições mentais, usos, tópicos, e expres-
sões que vão sofrendo apenas alterações de por menor em proporção menor, apontam
também, aqui e acolá, sugestões ainda canhestramente aproveitadas duma *vita nuova*
apenas vislumbrada, e que se traduz por laivos ocasionais de humanismo, de dantismo e
de petrarquismo[...] Intertextualidade voluntária [...] e tambén involuntária[...] pelo recurso constante a tópicos conceituais, a *clichés* e a reminoscências. Nem sempré é fácil
distinguir o que funciona como citação indicio de um discurso outro, que tem o estatuto de *versus cum abetoritate*, e o que é apropriação dum diezer alheio no seu próprio dizer" (44).

Recopilado en un momento de viraje histórico y cultural del país, en el momento en que
se abre a Europa y a un mundo nuevo a descubrir, muchas de sus composiciones son reflejo de las circunstancias en que eran improvisadas, es decir, la actividad lúdica y munda-
na de una Corte.

Son una excepción dentro de esta generalidad las poesías de *arte mayor* sobre temas
históricos, moralizantes o elegíacos. Sobre la muerte del Infante D. Alfonso e insertándose
en lo que antes decíamos a propósito del planto de contenido histórico, existen en el *Cancioneiro Geral* tres composiciones:

1. *Trouas d'Alvaro de Brito à morte do Principe dom Afonso que Deos tem* (45).

en forma casi romanceada donde en las tres primeras estrofas el remate está constituido
por los versos "Chora, chora Portugall/ choremos perda tamanha" y en las dos últimas
"he perdido Portugall / choremos perda tamanha" y "nota todo Portugall, choremos perda tamnha".

2. *De Dom Joã Manuel ha morte do Prinçepe Dom Affonso, que Deos tem, em modo
de Lamentaçam.*
3. *De Luys Anrryquez aa morte do Prinçepe Dom Affonso, que Deos tem.*

Esta última composición, si la quisiéramos leer como obra dramática susceptible de ser
representada, encierra en sus didascalias indicaciones escenicas que explican de modo de-
terminante el comportamiento de los personajes, lugar de acción, entrada y salida de escena, etc Las ocho primeras estrofas constituyen una especie de prólogo donde las expresiones de sorpresa y dolor se mezclan con la exhortación al pueblo de Portugal para que
llore la triste nueva, la melancolía de la evocación del tiempo pasado y, siguiendo la lección de J. Manrique, la caducidad de las cosas mundanas. Dan origen a la primera didascalia: *Admiraçion dell autor*, a la que siguen:

— *Las nuevas que lleuaran a la Reyna y Prinçesa.*
— *La partida delhas.*
— *Ell planto d'El Rey*
— *Fym del planto con este dicho de David*
— *El planto de la Reyna*
— *Fym del planto con este otro dicho dell propheta*

44) *García de Rezende e o Cancioneiro Geral*, Instituto de Cultura Portuguesa, Lisboa 1979, pp. 26-
28.

45) Vid. op. cit. in 4. *Cancionero Geral* Las tres composiciones tienen en él respectivamente los números 76 (p.104), 132 (p. 167) y 317 (p. 365). Sobre las *Trovas* de Alvaro de Brito vid. también
Figueira Valverde op. cit. in 24, pp. 194-195.

— *Ell planto de la Prinçesa*
— *Prosygue ell planto con este dicho de David*
— *Fym com este dicho de Job*
— *Fym y oraçiom.*

En relación con lo que ya apuntamos ser el "discurso" articulado en diferentes secuencias lógico-temporales, es interesante comparar los textos que estamos tratando con algunos versos (vv. 58-75) de la segunda y tercera didascalia que obedecerían a la secuencia ya expuesta de la siguiente manera:

		Las nueuas que lheuran a la Reyna y Prinçesa.		*La partida delhas.*
A/B/C/D/		—Esposa y madre de quien cayo la mortall cayda	70	Solas las dos se partieron, syn mas esperar companhas, desmayadas, corriendo quanto podierom, las que leuam sus entranhas lastimadas.
	60	dell caualho,		
E		andad a ver vuestro bien, antes que se vos despida hyd buscalho. Yo le dexo amorteçydo, a su padre no responde nadea, noo. Hyd a ver vuestro marido, hyvos, madre, all fyjo donde se cayo.		

El caballero mensajero, ahora no citado, es introducido explícitamente por la rúbrica y la comunicación de las malas nuevas y se reduce apenas a tres versos, privilegiándose en todos los otros la partida de la Reyna y de la Infanta porque, lógicamente, los plantos de éstas, que son la finalidad primera del poema, sólo se justificarían ante el cuerpo del Infante.

10. Hemos visto que es a partir de la canción, variante reducida del romance de Montesino, desde donde se elabora un cierto tipo de estructura del texto favorecida por su "dramaticidad" intrínseca. Esta nos permite inscribir cada uno de sus elementos en dos planos: uno *textual* — el diálogo y la exteriorización del dolor; otro *escénico* — lugares sucesivos ocupados por los personajes, sus entradas y salidas de la escena, modos de dislocamiento (forma majestuosa vs forma vacilante, lenta vs precipitada).

De un texto como el del romance que inicialmente privilegia un proceso descriptivo a través de un paradigma que podríamos formular como,

1 personaje no informado (la Infanta o la Reina) +1 personaje informado (el caballero) +un verbo (decir) +objeto (hecho de narrar)

surje otro tipo constituído por,

1 personaje activo (el caballero) + 1 espectador +verbo subyacente (decir) +objeto (hecho de narrar).

Es a través de este último paradigma que se toma conciencia de que el relato en sí mismo contiene los elementos de una tragedia, pues la "dramaticidad" está vinculada a la acción y ésta es dominante en la estructura del texto.

Esta observación nos lleva a la problemática de la capacidad recreadora de la tradición oral en el Romancero —y en el Portugués se realiza de manera exacerbada— que consiste fundamentalmente en el abandono de los rasgos o elementos que puedan ligar una obra a un determinado autor, o ambiente histórico particular, con vistas a obtener una marca de despersonalización. Igualmente digno de notar es la reducción a lo esencial de lo que debe ser narrado, la supresión de elementos narrativos —para alcanzar un elevado grado de condensación de informaciones— y la forma frecuente y esencialmente dramática de representar los hechos.

Una de las versiones del romance de la muerte de D. Alfonso, recogida en las Azores (46), y a la que ya nos hemos referido, es el último hilo de esta cadena de transmisión y continuidad textual a la que pretendíamos llegar a través de una lectura actualizante que nos apropiase del papel de receptores o destinatarios de un mensaje en el que pudiese entrever la actitud descodificadora del público destinatario de un determinado texto de transmisión oral. He aquí los textos:

Romances da Má-nova

I— VERSAO DA ILHA DE S.JORGE (URZELINA)

Casada de outo dias
A'janella foi chegar;
Viu vir um cavalleiro
Tão de contente a mirar:

"Que novas traz, cavalleiro,
Que novas traz p'ra me dar?
— Novas vos trago, senhora,
Má nova é de contar...
Vosso marido é morto,
Caíu no areal;
Rebentou o fel no corpo
Em duvida de escapar;
Se os quereis inda vêr vivo,
Tratae já de caminhar!

Cobriu o seu manto preto,
Começou de caminhar;
Ao pranto que ella fazia
O chão fazia abrandar.
Tres Infantes atraz d'ella
Sem a poder alcançar.
Chegando á freguezia
Começou de perguntar;
Chegando aonde elle estava
Começou de prantear.
— Isto são ais da Infanta,
Quem tal nova lhe foi dar?
Calae-vos, minha mulher,
Não me dobres o meu mal;

O Casamento mallogrado

II— VARIANTE DA ILHA DE S.JORGE

Casadinha de outo dias,
Setadinha á janella,
Vira vir um cavalleiro
Com cartinhas a abanar:

"Que trazeis vós cavalleiro?
Que trazeis p'ra me contar?
—Senhora, trago-vos novas
Muito caras para as dar.
"Quando vós de as dares,
Que farei eu de acceitar!
— Vosso marido caíu
No fundo do areal;
Rebentou-lhe o fel no corpo,
Está em risco de escapar!
Se o quereis achar vivo,
Tratae já de caminhar.

Cobrira-se com o seu manto,
Tratara de caminhar;
As servas iam traz ella,
Cuidando de a não alcançar.
O pranto que ella fazia
Pedras fazia abrandar.
Respondeu-lhe o marido
Do logar aonde estava:

— Calae-vos, minha mulher,
Não me dobreis o meu mal;
Tendes pae e tendes mãe,

---

46) Vid. op. cit. in 7. Considero solamente dos variantes del romance, las presentadas por Teófilo Braga.

D'aqui não vos ficam filhos
Que vos custem a criar;
Sondes menina e moça
Vos tornareis a casar.

Pegam na mão um ao outro,
Ambos foram acabar.

— Toquem—me harpas e violas
E sinos á reveria,
Para entrar a senhora,
Senhora Dona María.
"Já me não chamem senhora,
Senhora Dona Maria,
Chamem-me triste coitada
Apartada de alegria,
Que lhe morreu o seu bem
Capitão de infanteria;
Elle não morreu em guerra,
Nem batalha que trazia,
Morreu no areal
De poços e agua fria.

Podem-vos tornar a levar.
Ficaes menina e moça,
Podeis tornar a casar.
"Esse conselho, marido,
Eu não o heide tomar,
Heide pegar n'umas contas,
Não farei fim a resar.
— Abri lá esse portão
O portão da galhardia,
Para a senhora entrar,
Senhora Dona Maria.
"Chamem-me triste viuva
Apartada da alegria!
Que me morreu um cravo
A quem eu tanto queria.
Elle não morreu na guerra,
Nem em batalha vencida;
Morreu, morreu cá em terra
N'um poço de agua fria.

La microsecuencia narrativa se mantiene como para los otros textos:

A   A janela foi chegar (v.2)
         Viu vir um cavaleiro
B   Tão de contente a mirar (v. 3-4)

C   Novas vos trago, senhora,
         Má nova é de contar... (v. 7-8)

D   Vosso marido é morto,
         Caíu no areal   (v. 9-10)

E   Se o quereis inda vêr vivo,
         Tratae já de caminhar (v. 13-14)

enriqueciéndose, además, por la inclusión de un pormenor descrito en la *Crónica de D. Joâo II* —la partida precipitada de la Reina y de la Infanta— y que es relatada en los versos "Tres Infantes atraz d'ella / sem a poder alcançar" (vv. 19-20).

De la misma manera ciertos versos de las *Trovas* de Luis Anriquez parecen encontrar aquí un eco remoto. Del planto de la Infanta sacamos los siguientes versos:

> [...] Yo soy la triste veuda,
> cuberta de mil tresturas,
> sym abrigo,
> de todo my bien desnuda
> y muy lhena d'amarguras,
> sym amiguo (vv. 25-30)

do *Casamento Mallogrado*:

> [...] Chamem-me triste viuva
> Apartada da alegria (vv. 39-40)

> [...] Pues no mengoa ny se afloxa

> sea my enterramiento
> con el suyo! (vv. 46-48)

do *Romance da Má-Nova*

> [...] Pegam na mão um do outro
> Ambos foram acabar
>   (vv. 33-34)

También son dignas de señalar otras particularidades. Al contrario de lo que escribía Montesino la pregunta "Que novas traz,cavaleiro?" es puesta en secuencia lógica antes de la respuesta "Novas vos trago". La escena principal de la narración del acontecimiento se limita a un diálogo intuido a priori como si se tratara de buenas nuevas —"tâo de contente a mirar" (*Romance da Má Nova*, v. 4)— y que resulta ser exactamente lo contrario "Má nova é de contar" (v. 8). "Palacio Real" es substituído por un elemento más visualizador y concreto que actúa como indicador de la escena, "à janela foi chegar". Pero sobre todo se pierde la denominación inicial de los personajes Reina e Infanta para conservar solamente una alusión al tiempo durante el cual la segunda ha estado casada "ocho meses" por "ocho días". Pérdida ésta fundamental ya que desaparece toda referencia al hecho histórico y supone la participación emotiva del transmisor folklórico en el proceso de creación de las variantes de romances. A la vez, en términos populares, implica la universalización de un tema.

Má Nova puede ahora identificarse con *Casamento Malogrado* y éste con la *Princesa Peregrina* a la vez versión de *La Novia Abandonada*.

Es esta universalización la que va a permitir al romance convertirse en "obra abierta" (según la terminología de Umberto Eco) realizándose posteriormente fenómenos de intertextualidad tales como la adición, por contaminación o préstamo, de otros motivos o escenas. Correspondiendo a las exigencias de gusto y a los valores humanos del cantor, se obtienen nuevos efectos dramáticos en la esfera del melodrama sentimental y moralizante a través de un desenlace prolongado en el que se insertan los varios diálogos, incluso el del Infante muerto y momentáneamente resucitado.

Se producen, pues, nuevas situaciones en las que cada personaje está sujeto a nuevos comportamientos que pueden llegar al sin sentido o el absurdo. El infante D. Alfonso se transforma, por necesidades de rima "areial de poços e àgua fría" (vv. 47-48 del *Romance da Má Nova*), en un prosaico "capitâo de infantaria" el cual, a causa de su misma profesión, nunca tendría que haberse caído de un caballo.

Pero para analizar este tipo de transgresiones de códigos y reglamentos, sería necesaria otra lectura con finalidades y perspectivas diferentes de las que hasta aquí hemos efectuado.

JOÃO NUNO ALÇADA
Universidad de Groningen

LAZARILLO DE TORMES Y SUS ZAPATOS: UNA INTERPRETACION DEL TRATADO IV A TRAVES DE LA LITERATURA Y EL FOLKLORE

MANUEL FERRER-CHIVITE
University College, Dublin

LAZARILLO DE TORMES Y SUS ZAPATOS: UNA INTERPRETACION DEL TRATADO IV A TRAVES DE LA LITERATURA Y EL FOLKLORE

Manuel Ferrer Chivite

Para nadie es un secreto que el Tratado IV del *Lazarillo* es el más corto de los siete que componen la obra.

Más secreta por más discutible es la relación existente entre esa brevedad y el monto de crítica que se le ha dedicado si lo comparamos con los restantes.

Una estadística en este sentido sería tarea excesivamente ardua y aún ociosa, pero no creo andar muy lejos de la verdad si asumo que, proporcionalmente a su brevedad, ha sido este Tratado IV el que más ha preocupado a los críticos.

Suficiente será señalar que constando el VI de 18 líneas frente a las 8 del IV en la edición crítica de Caso González (1), se puede comprobar, no obstante, en trabajos como el de Tarr, Willis, Lázaro Carreter y Sieber (2), por ejemplo, la gran discrepancia en la longitud de los comentarios dedicados a uno y otro.

La justificación de esta discrepancia aparece manifiesta cuando comparan tanto el material que componen ambos tratados cuanto la especial posición de cada uno dentro de la estructura total de la obra.

Cuando al material expuesto vamos, se observa que tanto uno como otro presentan informaciones objetivas biográficas de sus respectivos amos, así como de las incidencias que con ellos le han acaecido a Lázaro, y las correspondientes actividades de éste.

Pero si para el VI Tratado toda esa información resulta clara y explícita y nada nos obliga a suponer que algo se nos esconde —al menos *prima facie*—, no ocurre lo mismo con el IV porque en él además de esa correspondiente información también clara y ex-

---

1) *La vida de Lazarillo de Tormes y de sus fortunas y adversidades,* ed. crític., pról. y notas de J. Caso González, (Madrid: *BRAE,* Anejo XVII, 1967). Citaré por esta edición.

2) F.C. Tarr, "Literary and Artistic Unity in the *Lazarillo de Tormes"*, *PMLA*, 42(1927): 404-21; R.S. Willis, "lazarillo and the Pardoner: the Artistic Neccesity of the Fifth *Tractado"*, *HR*, 27 (1959): 267-79; F. Lázaro Carreter, *Lazarillo de Tormes en la picaresca* (Barcelona: Ed. Ariel, 1972) y H. Sieber, *Language and Society in "La vida de Lazarillo de Tormes"* (Baltimore and London: The John Hopkins Univ., 1978).

plícita se nos informa, así mismo, de una deliberada ocultación con ese su tan comentado final: "Y por esto, y por otras cosillas que no digo, salí de él" (3).

Es decir, que si para ambos tratados puede suponerse una ocultación que se explicaría por y en un pre-texto —no se olvide hasta qué punto la gran picaresca es literatura de dismulación— en el IV esa ocultación aparece ya abiertamente en el mismo texto.

Y ahí, en ese "y por otras cosillas que no digo" es donde reside el *guid obscurum* que ha arrastrado a los abundantes comentarios de la crítica, y con ello a alimentar la discrepancia que vengo señalando.

De lo que tan insinuante frase ha sugerido a los diversos críticos, de las interpretaciones que a la misma se han dado, y, por último, de lo que tras ella se esconde, me ocuparé luego. Ahora me interesa solamente detenerme unos momentos en su función y significado dentro de la estructura total de la obra.

Hace unos dos años y medio me cupo la fortuna —que no la adversidad— de exponer precisamente aquí, en el anterior Symposium, mi tesis sobre lo que yo denomino el proceso psíquico de interiorización dialéctica de Lázaro (4).

Señalaba, entonces, cómo por medio de una acertadísima y bien estructurada presentación de diversas comunicaciones orales, el anónimo autor nos hacía ver de qué modo su personaje, presionado y subyugado por los miembros de esa sociedad disimuladora e hipócrita, comienza aprendiendo a mentir, para acabar, finalmente, aprendiendo a callar.

Destacaba, también, hasta qué punto de acuerdo con ese proceso y como consecuencia de él, tiene la obra la peculiar estructura formal que le caracteriza; es decir, la enorme disimilitud entre la extensión de los tres primeros tratados frente a la abrumadora brevedad de los cuatro últimos, haciendo notar que, precisamente, no podía ser de otro modo, ya que el haber aprendido Lázaro a callarse a lo largo de los tres primeros, consecuente y forzosamente los cuatro últimos tenían que reflejar, con su brevedad, ese aprendizaje.

Línea divisoria formal, vertiente que separa esas dos mitades es el hiato existente entre el III y el IV de los tratados. No es, ni mucho menos, pura coincidencia o azar el que ese III sea el más extenso de los siete, y, en contraposición, el IV el más breve. Muy por el contrario, esto es así porque, en mi opinión, ese autor sabía muy bien que presentando ese sorprendente contraste en la distribución del material realzaba más y mejor ese aprendizaje.

Habiendo aprendido a callar definitivamente en ese III y tras tan abundoso despliegue dialéctico en el mismo, se impone necesariamente y en justísima reacción y contrarréplica la notoria inopia verbal del IV; brevedad ésta que tanta extrañeza e incomprensión ha causado entre la crítica y que queda resuelta y explicada bajo la perspectiva que presento (5).

———————

3) *Lazarillo*, p. 129.

4) M. Ferrer-Chivite, "Proceso psíquico de interiorización dialéctica de Lázaro", *Teorías semiológicas aplicadas a textos españoles: ACTAS del 1º. Symposium Internacional del Dpto. de Español de la Universidad de Groningen, 21, 22 y 23 de Mayo de 1979* (Groningen: Univ. de Groningen, 1980): 135-59.

5) Siento tener que discrepar de tan ilustres críticos como, por ejemplo, Albert A. Sicroff cuando afirma que "le parece más plausible considerar el Tratado quarto como un esbozo inconcluso".(cfr. "Sobre el estilo del *Lazarillo de Tormes*", *NRFE*, 11 [1957], 167, o Bruce W. Wardropper para el que Lázaro "Sólo al final, cuando llega a la cumbre de la prosperidad a él asequible, aprende a ser

./.

Con esa brevedad el autor nos está dando a conocer, así, a un Lázaro que hace patente su convicción de que habiendo hablado demasiado, hora es ya de saber callarse en la misma proporción, y bien nos lo confirma con ese "y por otras cosillas que no digo".

En efecto, si siguiendo su anterior pródiga locuacidad, se hubiera decidido a decirnos todas esas "cosillas" que no nos dice, es hasta muy probable que ese Tratado IV hubiera sido tan extenso como el III, o, quizá, incluso, más, pero con ello hubiera sido totalmente inconsecuente con ese aprendizaje de silencio que advertimos.

Y aún más; si recordamos que las escasas líneas del Tratado VI cubren nada menos que cuatro años con el capellán y un pico más que desconocemos —el tiempo con el maestro de pintar panderos-difícilmente puede uno imaginarse la extensión que el tal tratado hubiera tenido de haber sido expuesto de modo tan pormenorizado como los tres primeros, o, dicho de otro modo, de no haber actuado el freno silenciador del aprendizaje.

Así, pues, esa confesión de silencio no sólo confirma el perfecto resultado del aprendizaje, sino que además, y en consecuencia, marca claramente la pauta que se seguirá en los restantes tratados, es decir, toda esa segunda parte de esa autobiografía. Algo más hay que hacer notar ahora. Hasta darse esa confesión Lázaro ha mentido, ha disimulado y se ha dado a la ocultación varias veces frente a sus amos, sus interlocutores, pero nosotros, los lectores, sabíamos lo que se escondía tras sus mentiras, sus disimulos y sus ocultaciones; ahora bien, desde el mismo momento en que esa confesión de "otras cosillas que no digo" se produce, esos amos se ven desplazados, y somos nosotros, los lectores, y con nosotros, claro está, Vuesa Merced, los sujetos de ese ocultamiento.

Si antes Lázaro sólo se objetivaba escondiéndose frente a sus amos, pero permitiéndonos a nosotros participar de sus congojas, penas y lacerias, dejándonos ingresar en su psique y su conciencia, ahora tras tal confesión, ni siquiera eso será posible; con ella hasta de nosotros se esconderá, objetivándose, así, absolutamente.

Y de este modo esa reticencia final no sólo sirve de pauta para la brevedad de esos últimos tratados, como ya he dicho, sino que además justifica y esclarece el diferente estilo —distanciado, frío e impersonal— que se observa a lo largo de los mismos frente al subjetivo, directo y humano de los tres primeros.

¿Por qué ese distanciamiento y esa deliberada ocultación incluso respecto al lector? ¿Qué le ha podido ocurrir a Lázaro para llegar a tal extremo? ¿Será que por algún motivo o motivos que desconocemos ha llegado a alguna forma de degradación moral que avergonzado de ello ya no se siente capaz de sincerarse ni siquiera con el lector como antes? ¿Serán ese motivo o motivos lo que verdaderamente permanece oculto tras esas "cosillas" que no se atreve a decir de modo franco y abierto?.

No soy, por supuesto, el único que alimenta la sospecha de alguna nefanda degradación moral para este mozo.

./. hipócrita" (cfr. "El trastorno de la moral en el *Lazarillo*", NRFE, 15 [1961], 447, o Lázaro Carreter al decir "Los tratados IV, V y VI son, pues, de necesidad arquitectónica, pero resulta obvio lo atropellado de su construcción" y más adelante "que muy poca materia para el análisis puede ofrecer la estructura de este cuarto tratadillo". (cfr. Lázaro Carreter, pp. 154 y 157 respectivamente), pero de lo que vengo diciendo y cuánto en extenso señalé en mi anterior trabajo citado en n. 3 me obligan a esa discrepancia. Y no soy el único en discrepar. También lo hace H. Sieber que en su reciente trabajo ya citado reivindica ese Tratado IV analizándolo finamente y justificando, así mismo, la necesidad tanto de ese silencio como de esa brevedad (cfr. Sieber, cap. IV). Respecto a esa característica brevedad, más adelante aduciré otra perspectiva justificativa de la misma.

Ya hace años que Karl Vossler, comentando ese final, dijo:

> Palabras que suponen una manera picaresca y pudorosa de velar las mayores humillaciones.

añadiendo que: "Escarmentado desde ese momento, va ascendiendo y progresando"; y en otro lugar reiteró su interpretación asegurando que Lázaro "llega a su última degradación con un fraile libertino" (6).

Otro gran estudioso de la literatura e historia españolas, Marcel Bataillon, hablando de lo mismo comentó que

> la preterición final deja sospechar lo peor acerca de las relaciones del fraile con el muchacho (7).

Bataillon, más cauto que Vossler —o más respetuoso, que no sé-sospecha, no obstante, lo mismo que el alemán y con él coincide. También en esa misma línea dubitativa y/o respetuosa, Lázaro Carreter supone que

> La reticencia final —aquellas 'otras cosillas que no digo'— parece aludir a asechanzas nefandas... el escritor ha aprovechado ese recurso... para intrigar al lector con una insinuante malicia (8);

y así, la certeza de esa degradación que se inició con Vossler, la crítica posterior fue rebajándola pudorosa, pero, a mi parecer, injustamente, a un parecer aludir.

En el extremo de ese humanamente comprensible, pero, creo, irracional rechazo, se encuentra la postura de otro crítico, Manuel J. Asensio. Comentando esos juicios de Vossler y Bataillon, dice:

> Nosotros creemos que, puestos a imaginar lo peor, avances deshonestos del fraile aceleran su huida; es algo a favor de Lázaro, no en su contra; ni en su carácter ni en toda su vida hay el menor indicio para suponer esa inconfesable relación (9).

Hay que admitir que como, en principio, no tenemos absoluta certeza de qué es lo que tras el caso se esconde, la suposición de Asensio —esos "avances deshonestos del fraile" que "aceleran la huida" de Lázaro— puede ser tan válida como cualquier otra. Lo que ya resulta mucho más discutible en su afirmación de que "ni en su carácter ni en toda su vida hay el menor indicio para suponer esa inconfesable relación".

Cierto es que ese juicio se formuló en 1959 y que desde entonces mucho ha llovido en el terreno de la crítica lazarillesca, y claro ejemplo de ello es el trabajo de H. Sieber ya citado, y tras el cual no puede caber dudas sobre la degradación de Lázaro, sea ésta cuál sea, pero aún para entonces —ese 1959— atribuir a Lázaro una buena dosis de rectitud moral,

---

6) Karl Vossler, *Algunos caracteres de la cultura española* (Madrid: Espasa-Calpe, 1962), p. 26. Para la segunda cita cfr. su *Literatura Española: Siglo de Oro* (México: Ed. Séneca, 1941), p. 109.

7) M. Bataillon, *El sentido del "Lazarillo de Tormes"* (Paris: Libr. des Edit. espagnoles, 1954), p. 13, n. 14. Años después en su *Novedad y fecundidad del "Lazarillo de Tormes"* (Salamanca: Anaya, 1968) repitió el mismo juicio: "cuya preterición final... podía dejar suponer lo peor sobre las relaciones de tal amo con su joven criado" (p. 72).

8) Lázaro Carreter, pp. 158-9.

9) Manuel J. Asensio, "La intención religiosa del *Lazarillo de Tormes* y Juan de Valdés", *HR*, 27 (1959), 87, n. 29.

sin querer tener en cuenta lo obvio del *ménage à trois* del último tratado, no pasa de ser, a mi juicio, una visión crítica distorsionada cuando no una gratuita obcecación personal.

Siendo como es el fraile el causante de esa posible degradación, hay que detenerse a examinar esa figura.

Para quienes conocen la historia y la literatura del XVI es cosa de clavo pasado la fama francamente peyorativa que el clero en general tenía a los ojos tanto entre el sector nobiliario como entre las capas populares. Baste recordar, sin necesidad de otros ejemplos, las acerbas puntadas con las que Alfonso de Valdés arremete contra todos esos miembros del estamento clerical —fraile, obispo, cardenal, etc.— que desfilan ante el barquero Carón en su conocido *Diálogo*, y más en concreto la descripción que en general hace de los frailes al final de su obra, tildándolos de pedigüeños, ociosos, hipócritas, supersticiosos, murmuradores y ambiciosos, de un modo más o menos discreto pero no por eso menos virulento (10).

Cierto es que Valdés no acusa a esos frailes de libidinosos, pero de esta tacha no faltan casos en otros textos. Tomemos, por ejemplo, la *Farsa del matrimonio* de Diego Sánchez de Badajoz, precisamente publicada el mismo año de 1554 del *Lazarillo*, en donde se nos presenta un fraile que viendo la candidez de un pastor y su mujer quiere aprovecharse de su hija Menga para satisfacer sus deseos sexuales.

Tras hacer de mentor cuasi-teológico, adoctrinándoles sobre la esencia y condiciones del matrimonio, este astuto fraile les convence para que traigan a su hija, y de sus intenciones respecto a ella de buena prueba el siguiente diálogo a solas con su mozo Martín:

> Fra. Martin hijo ven aca
> duermes necio? ecce ecce
> Min. que es? f. o que lance se ofrece
> Miñ. que?. f. una moça que verna
> padre y madre la traera
> para que se la freylemos
> y enfin lleuarsela hemos
> parecete bien? Miñ. mira.
> Fra. Pues mira si esto se trama
> sabes lo que hemos de hazer
> tu de comer y beber
> yo seruirla de la cama.
> Miñ. bien librada yra la dama.

Pero su libídine tendrá justo castigo, ya que el tal fraile acabará apaleado por el pastor y torturado por el maestro de quebraduras, y aun al final, a Menga se la llevará su mozo (11).

Parecido castigo se aplica a otro fraile literario coetáneo: el del "Entremés que hizo el

---

10) Alfonso de Valdés, *Diálogo de Mercurio y Carón*, ed. José F. Montesinos (Madrid: Espasa-Calpe, 1965), *passim*. Para los ataques contra frailes, pp. 225 y sigs.

11) Diego Sánchez de Badajoz, *Recopilación en metro del bachiller* ... (Sevilla, 1554) (Madrid: RAE, 1929 [ed. facs.]), ff. 1xxxvivto-xciivto. Cita en xcr.

auctor a ruego de una monja parienta suya" de Sebastián de Horozco y que aparece recogido en su *Cancionero* (12).

Aunque la culpa que a éste se le imputa sea básicamente el usar de las limosnas para
su propio provecho,

> Fra.- ... ¿no veis que estáis en pecado?
> Pre.- Mas de cierto lo abrá estado
> quien las limosnas se bebe.

la acusación se extiende, así mismo, a las probables e impropias actividades sexuales de
ese fraile, como le dirá el pregonero:

> no queda en fin tarde o çedo
> bodegón ni tabernilla;
> y aun no será maravilla
> algún día
> visitar la putería.
> si le toma tentación,

y aún más adelante, seguirán otras reticencias dirigidas al mismo:

> Vi.- ¿Pues sólo para tomar
> avés de tener licencia?
> Pre.- Y también para colar,
> y comadres visitar
> y oirlas de penitencia (13).

Y para acabar, ese pregonero y ese villano no sólo le mantean sino que, incluso, le sa-
can el dinero para bebérselo todos. Buenos ejemplos y mejores castigos que indican claramente la visión que de esos frailes tenían sus contemporáneos, y esto en un doble plano,
ya que si los ejemplos denotan la licenciosidad frailuna, los castigos son excelente exposición de la repulsa psicológica de esos contemporáneos ante la misma, y no menos expresión sublimada de una venganza frente a esos abusos que, generalmente, no se podía llevar
a la práctica en la realidad.

A modo de brevísimo resumen quiero señalar ahora hasta qué punto en el XVI, o, al
menos, en su segunda mitad, la figura del fraile se identificaba con la actividad sexual y
aún cómo, yendo más allá de la diaria realidad, se proyectaba esa identificación, plasmán-
dose de un modo mas bien sutil pero no por eso menos evidente.

Uno de los juguetes infantiles más comunes de por entonces era el llamado "frailecillo", y que el Diccionario de Autoridades define así:

> juguete que hacen los niños... cortando la parte superior de una haba, y sacándole el gra-
> no, queda el hollejo de modo que recuerda a la capilla de un fraile" (14).

---

12) Sebastián de Horozco, *El Cancionero de*..., ed. Jack Weiner (Utah. Studies in Literature and Linguistics, nr. 3) (Bern und Frankfurt: H. Lang, 1975), pp. 170-7.

13) Todas las citas en p. 174. Obsérvese, además, la similitud en esos últimos versos con el fraile de la
Merced.

14) *Dicc. Aut.*, II, p. 789 *a, s. v.* "frailecillo". De la popularidad y profusión de esos frailecillos por
aquellos años son buen testimonio las acaloradas palabras del cervantino ventero en defensa de
sus héroes literarios: "Por Dios, ahora vuestra merced había de leer lo que hizo Felixmarte de Hir-
cania, que de un revés solo partió cinco gigantes por la cintura, como si fueran hechos de habas
como los frailecicos que hacen los niños". (*Quijote*, I, cap. xxxii).

Lo que en principio no pasaba de ser un inocente juguete, para la aviesa visualización de los adultos pronto pasó a poseer una patente carga de sugestión fálica. En efecto, no hace falta demasiada imaginación para descubrir en esa haba pelada con su redondeada y lustrosa protuberancia y su ranura central una perfecta representación del bálano del pene. No se olvide, añado, que aun en nuestros días ese extremo del pene se llama vulgarmente la punta del haba.

De que esa trasposición resultaba obvia y era común, tenemos un excelente ejemplo en el n. 86 de las coplas recogidas en *Poesía erótica del Siglo de Oro*; bajo el estribillo "Marica jugaba/ con un frailecillo de haba" se dan varias estrofas de las que extracto la siguiente:

> Y si no se pierde
> por frailes la loca,
> con la misma boca
> la cabeza muerde
> de un haba verde,
> que en su mano andaba
> *aquel frailecillo de haba.*

Tras haber señalado los autores el carácter de "moza desenvuelta y hasta desvergonzada" que es esa Marica folklórica según se desprende –como apuntan– de los abundantes refranes que la mencionan y que Correas recoge, y comentando los versos

> saca una tirilla
> con que la capilla
> ponía y quitaba

de la última estrofa, dicen los mismos:

> Si añadimos que Marica parece haber pasado la edad de los juegos infantiles, y aquel ponerle y quitarle la capilla al frailecillo es muy sugeridor... llegaremos a la conclusión de que esa capilla tiene mucho de capullo (15).

Con lo que esa folklórica Marica loca y más bien salidilla, en sus ratos de ocio se dedica a entretenerse con un pene que viene a resultar representación y suma de todos esos frailes por los que se pierde, y no precisamente por elevadas razones místicas.

Por mi parte, propondré otro ejemplo contemporáneo que ratifica el anterior.

En el entremés cervantino *El viejo celoso* (16), el viejo e impotente Cañizares tiene encerrada a cal y canto a su joven mujer Lorenza. A fin de satisfacer las comprensibles ansias de la desasosegada Lorenza, los buenos oficios de la celestinesca Ortigosa le habrán de proporcionar un joven galán con la anuencia y directísima intervención de su inquieta criada Cristinica, no menos desasosegada y ansiosa que su ama. Habiendo disipado entre ambas las dudas y el temor de Lorenza, solicitará Cristinica de Ortigosa:

---

15) P. Alzieu *et al.* eds., *Poesía erótica del Siglo de Oro* (Université de Toulouse-Le Mirail: Francé-Ibérie Recherche, 1975), pp. 156-7. La cita en p. 158. Por otra parte, la existencia coetánea de otros juguetes infantiles análogos como el matihuelo o dominguillo –actualmente tentetieso–, juguetes que debido a su contrapeso en la base siempre se mantienen erguidos y derechos, muévase como se los mueva, con lo que fácilmente se produce la trasposición a pene, reforzaba lo sugerido por el frailecillo. Cfr. J.L. Alonso Hernández, *Léxico del marginalismo del Siglo de Oro* (Salamanca: Univ. de Salamanca, 1977), *s. v.* "Matihuelo" (p. 520a-b) para información sobre esto.

16) M. de Cervantes, *Entremeses*, ed. E. Asensio (Madrid: Castalia, 1970), pp. 203-19. La paginación de las citas en el texto.

CRIST. Mire, señora Ortigosa, tráyanoslo
galán, limpio, desenvuelto... y sobre todo,
mozo. (p. 205).

y cuanto todo el complot está organizado y ya Ortigosa va a despedirse, otra petición se
dará de Cristinica con un subsiguiente diálogo:

CRIST. Señora Ortigosa, hágame merced de
traerme a mí un frailecico pequeñico, con
quien yo me huelgue.
ORT. Yo se lo traeré a la niña pintado.
CRIST. ¡Que no lo quiero pintado, sino
vivo, vivo...! (p. 208).

La contundente analogía de esas dos peticiones no necesita de mayores exégesis, y
más cuando acto seguido, al irse Ortigosa, Cristinica reincidirá en la misma:

CRIST. Mire, tía; si Ortigosa trae el galán
y a mi frailecico, y si el señor los
viere, no tenemos más que hacer, sino cogerlo
entre todos y ahogarle, y echarle
en el pozo... (p. 208).

El paralelismo galán-frailecico es bien patente, y conocidos los servicios que de tal
galán se esperan, es cada vez menos dudoso lo que tras ese frailecico se esconde.

Y si hubiera dudas se disiparán con una escena posterior.

Escondida ya con su galán, en medio de sus retozos amorosos Lorenza se exalta ala-
bando las buenas disposiciones del mismo; el cornudo Cañizares supone que todo ese pa-
negírico son burlas, y Lorenza le afirmará tajantemente:

LOR. Que no son sino veras, y tan veras
que en este género no pueden ser mayores.

y ahí es cuando interviene Cristinica diciendo:

CRIST. ¡Jesús, y qué locuras y que niñerías!
Y dígame, tía, ¿está ahí también
mi frailecico? (p. 215).

Dada la situación de goce sexual en que se encuentra Lorenza, y sabiendo como sabemos que Ortigosa no le ha traído ningún frailecico a Cristinica, la pregunta de ésta resulta absolutamente absurda tomada en sentido literal. El único posible que tiene, y que
es al que realmente se está refiriendo Cristinica, es demasiado obvio a estas alturas, y por
ello, ocioso expresarlo.

Si la anterior folklórica Marica ha pasado ya de la edad de los juegos infantiles, otro
tanto ha de decirse de esta Cristinica, y la personalidad y carácter con que aparece en la
obra bien lo muestra; ese frailecico de ambas tenemos que verlo, ya sin duda, como una
trasposición simbólica del pene, y en éste una representación y síntesis de la satiriasis frailuna según la veían, entendían y satirizaban los españoles de aquellos años (17).

_____

17) En p. 208, Asensio, en nota, dice: "*Frailecico.* Frailecico es ambiguamente el niño pequeño a
quien por devoción visten de fraile, y el duende, al cual en Portugal llamaban *fradinho da mão furada* y en Italia *fraticello*". Interpretación excesivamente tradicional y simplista que no explica
demasiado y de la que, claro está, he de discrepar.

Dentro de ese frailerío general se encuentran, claro está, los mercedarios, y como de un fraile de la Merced se trata en el caso de Lázaro, en ellos me detendré ahora.

De la fama que éstos tenían algo nos dice Bataillon:

> Il est significatif que le moine du *Tratado IV* soit un moine de la Merci, ordre qui, au Noveau Monde, faisait un contraste scandaleux avec les ordres missionaires par son manque d'esprit évangélique, et que, selon l'évêque de Guatemala, il aurait mieux valu expulser d'Amérique (18).

A esa genérica falta de espíritu evangélico en las Indias, hay que añadir ahora para España otra tacha muy peculiar de algunos de estos frailes: la de la sodomía.

En su obra sobre la Inquisición española, Bennassar, al tratar de los llamados pecados contra natura, y hablando de la abundancia en Valencia de sodomitas para la segunda mitad del XVI según se desprende de los procesos correspondientes, nos informa de que entre ellos se destacaban

> surtout plusieurs ecclésiastiques: un prêtre qui s'amusait avec un gamin... un religieux trinitaire d'Alcira qui se faisait sodomiser dans sa cellule par ses invités... et surtout plusieurs mercédaires du couvent de la Merci de Valencia, devenu à l'évidence un repaire de sodomites... (19).

Es de interés observar que de entre toda la información que a este respecto nos proporciona el autor, solamente esa Orden de la Merced aparece acusada globalmente del pecado nefando; en las demás instancias se trata de casos personales particulares. No nos debe extrañar esta casi exclusividad de tal tacha para esa Orden, si recordamos la específica misión de la misma: la redención de cautivos en el Norte de Africa, y más en concreto dentro de esa misión, el hecho de que, como se sabe, acostumbraran a entregarse como esclavos a cambio de los cautivos que querían redimir cuando así era necesario.

Siendo como era la sodomía una práctica habitual entre moros y turcos, y viéndose obligados a convivir en esa específica y distinta civilización, no parece exagerado suponer que muchos de esos frailes fueran sodomizados, y aun sodomizaran, y que, como consecuencia, y teniendo en cuenta la fragilidad de la humana condición, a su vuelta a la península muchos de ellos persistieran en esas prácticas. Que en la información de Bennassar, además de los mercedarios, aparezca asi mismo un trinitario —orden esta de los Trinitarios con una misión análoga también en el Norte de Africa— ayuda a confirmar la hipótesis.

Por otra parte, y para el ejemplo concreto de ese mercedario toledano, que no tengamos evidencia de casos de sodomía en esa ciudad no se debe tanto a la inexistencia de ellos cuanto a que en Castilla la Inquisición sólo comenzó a interesarse en ese delito muy entrada ya la segunda mitad del XVI, como se desprende de la información de Bennassar y atestigua Lea en su monumental estudio sobre la Inquisición española (20).

---

18) Cfr. *La vida de Lazarillo de Tormes,* trad. A. Morel-Fatio, introd. M. Bataillon (Paris: Aubier-Flammarion, 1968), p. 17. En el texto se lee "Tratado VI", evidente error tipográfico que he rectificado.

19) B. Bennassar, *L'Inquisition Espagnole: XVe-XIXe siècles* (Paris: Hachette, 1979), p. 351.

20) Bennassar, cap. x, *passim,* y H. Ch. Lea, *A History of the Inquisition of Spain,* 4 vols. (N. York, The MacMillan Co., 1907), vol. iv, pp. 361 y sigs. En p. 371 dice: "In Valencia, there appeared in the autos from January 1598 to December 1602, twenty-seven of these culprits, (sodomitas) of whom seven were frailes.:: Aunque Lea no especifica Orden, tras lo que sabemos por Bennassar, no resulta difícil suponer que algunos de esos siete frailes, o quizá los siete, fueran mercedarios.

De cualquier forma que esto sea, de que los frailes de la Merced eran suficientemente famosos por esa su afición tenemos un divertido testimonio ya en el siglo XV.

En el *Cancionero General* de Hernando del Castillo de 1511, y entre sus "Obras de burlas", aparece la siguiente bajo la rúbrica "Otra de otro trobador a una dama fea".

> Visarma del tiēpo viejo
> hecha de cuernos de buey
> dama para bucarejo
> primera boz de cōcejo
> delos de barrio de rey
> Visiō pintada en pared
> abominable por cabo
> no digays q̄ nos alabo
> q̄vn frayle dela merced
> os vi colgādo del rabo (21).

Documentado como está rabo por culo (22), y confirmado esto por la característica posición de ese fraile, no sabemos si en este chusco caso fue la fealdad de la dama, o la particular inclinación del mercedario —muy probablemente por ambas razones— lo que le llevó a sodomizarla, pero, de cualquier modo, sí queda clara constancia de lo popular y conocida que debía ser esa afición entre estos frailes.

Y algo de todo esto debe haber tras el hecho de que frente a la omisión de Alcalá, las ediciones de Amberes y Burgos especifiquen muy a las claras la Orden a que pertenece ese fraile del IV Tratado.

Como aquí, entre gente de iglesia parece que anda el juego, para examinar ahora la relación fraile-Lázaro, tomaré como punto de partida otra relación del último con otro amo suyo de ese mismo estamento: el arcipreste de San Salvador.

Cuando se consideran las relaciones entre esos tres personajes —arcipreste, Lázaro y su mujer— algo que no deja de ser curioso y destacable es la más bien excesiva generosidad del primero; no sólo procura —al parecer muy paternalmente— casar a Lázaro con su criada, lo que, como sabemos, hace; no sólo, además, tiene Lázaro en él "todo favor y ayuda", sino que en el colmo de la liberalidad, a su mujer

> siempre en el año le da en veces al pie
> de una carga de trigo, por las Pascuas
> su carne, y cuando el par de los bodigos,
> las calças viejas que dexa. (p. 143).

Mucha prodigalidad parece ésta, cuando habría que asumir que, por el contrario, fueran Lázaro y su mujer los que siquiera por agradecidos y subordinados debieran ser los proveedores de regalos.

Algo debe haber tras esos liberales y gratuitos donativos y no seré yo quien haya de esforzarse en descubrir el oculto significado que se esconde tras ellos; suficientemente bien lo ha hecho ya Michalski en un reciente trabajo suyo, donde comentando la cita arriba recogida dice:

---

21) H. del Castillo, recop., *Cancionero General* (Valencia, 1511), introd. A. Rodriguez-Moñino (Madrid: RAE, 1958 [ed. facs.]), f. ccxxxr.

22) Alonso Hernández, p. 652a, *s. v.* "rabo".

> Aquí cada una de las expresiones usadas en la frase tienen un evidente doble sentido, el usual y el erótico.
> Así lo de la *carga de trigo* tiene un paralelo en la *troba cazurra* del *Libro de Buen Amor,* en que el lujurioso escolar Ferrán González le promete a la panadera Cruz: 'trigo que tenía añejo"... En ambos casos, *trigo* equivale a semilla, es decir, semen .
> ...
> En cuanto al *par de los bodigos,* creo que no es necesaria una explicación por lo obvia. En realidad, las otras expresiones no tienen aquí otra función que la de reforzar el doble sentido de la palabra *carne.*

término éste de "carne" que líneas más arriba ya ha comentado en sus dos sentidos de alimento y de sexo (23).

Reforzando las connotaciones sexuales de ese "trigo" y esos "bodigos" aparece la acepción que de "pan" nos da Alonso Hernández en sus dos sentidos de "coño" y "cojones" (24); añadiré, por mi parte, que a la *troba cazurra* de Juan Ruiz hay que agregar la figura de la Panadera de las conocidas coplas satíricas y el estribillo que las recorre: "Panadera soldadera/ que vendes pan de barato" de obvio significado tambiém, pues bien documentada está la condición de esa panadera como puta y alcahueta, y, con secuentemente, el de ese "pan" que vende (25). Y aun el mismo simil sexual persiste en nuestros días con una ligera variante; recuérdese la común expresión "no comerse una rosca" —con significado de todos conocido—, en donde a la materia común —trigo para ambos, pan y rosca— se ha venido a acumular muy gráficamente el aspecto formal, ese agujero central de la rosca.

Certero y fino como es el análisis de Michalski no deja de llamar la atención que haya pasado totalmente por alto la última de las dádivas de esa serie: esas "calças viejas que dexa"; aunque sólo hubiera sido por un lógico proceso deductivo de continuidad y contaminación entre los términos de tal serie. Michalski debiera haber supuesto que la misma carga semántica sexual tendría que aplicarse a esas "calzas"; pero ni siquiera es necesario ese proceso para reconocer sin ambages que esa carga sexual opera para esas "calzas" tanto como para esa "carne", ese "trigo" y ese "par de los bodigos".

Si popular y conocidísima es la expresión "no comerse una rosca" que citaba antes, tanto o más lo es su opuesta, la afirmativa de "calzarse a una mujer". Y no se crea, ni por un momento, ser de origen exclusivamente moderno la tal expresión; ni mucho menos; documentada está la misma para el Siglo de Oro y ya Alonso Hernández recoge esa acepción y cita como refrendo un texto de *La vida de don Gregorio Guadaña* en donde se lee:

> Está engañado; mo merece descalzar a
> doña Angela, cuanto y más calzarla (26).

23) A. Michalski, "El pan, el vino y la carne en el *Lazarillo de Tormes", La picaresca: orígenes, textos y estructuras: ACTAS del I Congreso Internacional sobre la Picaresca* (Madrid: F.U.E., 1979) 413-20. Las citas en p. 419 y *subr.* del autor.

24) Alonso Hernández, p. 577*a-b, s. v.* "pan".

25) Véase, por ejemplo, G. Fernández de Oviedo, *Las Quincuagenas de la nobleza de España,* 2 tomos (Madrid: RAH, 1880), Tomo I, p. 183, así como Fray Melchor de la Serna, *La novela de las madejas,* ed. Yvan Lissorgues (Toulouse: Univ. de Toulouse, 1978), p. 16, *n.* y también P. Alzieu *et. al,* p. 153, n. 13.

26) Alonso Hernández, p. 161*a, s. v.* "calzar".

Más explícito en esa línea es otro texto contemporáneo que nos aparece en el *Estebanillo González:*

> Tenia cada noche mi amo mil cuestiones con ella, sobre que yo la descalzaba por presumirse que no era yo eunuco, y por verme algo bonitillo de cara y no tan muchacho que no pudiera antes calzar que descalzar (27).

Y a no dudar que ese mismo acto sexual era el que estaba presentando, más o menos solapadamente, el autor del *Lazarillo* con ese donativo de "calzas viejas". Y así lo ha visto también Sieber que comentando el singificado de esas "calzas", dice:

> The fact these particular stockings are used by the archpriest further underscores their complicit arrangement, but more pertinently, it focuses attention on the archpriest as the sexual perpetrator. In one sense his giving the stockings to Lázaro is simply restoring them to their proper owner. After all, he has been using them to wear his servant's shoes (wife) (28).

y con ello redondea el análisis de Michalski y confirma concretamente ese *ménage à trois* que Asensio ha olvidado o ha querido olvidar.

Suponiendo, pues, que esas "calzas" suplantan metafóricamente al órgano sexual masculino como los "bodigos" a los testículos y el "trigo" al semen, se puede ir más lejos en esa línea. Cierto es que, en principio, esas "calzas" se las regala el arcipreste a su criada, como corresponde, puesto que de su órgano sexual se trata, pero algo más puede sospecharse de la ironía y el regocijado disimulo del autor. Ese doble sentido de lo material físico y de lo metafórico sexual también habrá que aplicarlo, claro está, a esas "calzas", y en cuanto lo hacemos y las consideramos como simples prendas de vestir, comprendemos el poco uso que de ellas puede hacer esa criada, siendo como son prendas masculinas; es decir, que esas "calzas" aunque regaladas a la criada, van dirigidas y han de ser utilizadas por su marido Lázaro, con lo que observamos un acrecimiento del sentido metafórico sexual; las tales "calzas" operan así como órgano sexual, por supuesto, pero como órgano sexual del que participan tanto la criada —regalo— cuanto Lázaro uso de ellas.

Mucho de esto también ha de deducirse de la cita de Sieber que acabo de dar, pero también de la misma se infiere que para este crítico la relación del acto sexual representado por esas "calzas" es exclusivamente unidireccional; para él, en cualquier caso, tanto el arcipreste como Lázaro son siempre los íncubos siendo la mujer del último la que siempre actúa como súcubo. Ahora bien, teniendo en cuenta que, como arriba he señalado, el regalo va dirigido a ambos, pero que el único que puede usarlas es Lázaro, yo sugiero, dando un paso más allá del análisis de Sieber, imaginar un *ménage à trois* aun más perfeccionado, o, de otro modo, una situación en la que ese arcipreste además de ponerle los cuernos a Lázaro, lo sodomiza.

Se me dirá, quizá que voy un poco demasiado lejos en mis conclusiones, pero si descubrimos que antes de topar con ese arcipreste, Lázaro ha sufrido ya experiencias sodomíticas, las mismas no parecerán tan descabelladas.

---

27) *La vida y hechos de Estebanillo Gonzalez*, 2 vols., ed. J. Millé y Giménez (Madrid: Clás. Cast., 1946), vol. I, cap. iv, p. 185.

28) Sieber, p. 55.

Esas aparentemente gratuitas y liberales dádivas del arcipreste no son únicas en la vida de este mozo.

Antes Zaide habrá aportado para él y su familia "pan, pedaços de carne, y en el invierno leños" (p. 64), pero bien sabemos las interesadas razones del moreno; más tarde, el ciego decidirá compartir las uvas de Almorox con él, pero a pesar de que el primero diga:

> —Agora quiero yo usar contigo de una liberalidad, y es que / ambos comamos este racimo de uvas y que hayas de él tanta parte como yo. (pp. 74-5).

bien sabemos que esa liberalidad no es tal, sino consecuencia —como Lázaro nos confiese— de

> no lo poder llevar, como por contentarme, que aquel día me había dado muchos rodillazos y golpes. (p. 74).

aparte de que con ello podrá demostrar ese ciego su astucia. En el Tratado III será la compasión de las vecinas ante un mozuelo que muere de hambre lo que les llevará a darle los escasos alimentos que pueden. Motivaciones todas ellas que poco tienen que ver con una gratuita liberalidad por parte del dador. A observar, además, que en el caso de Zaide y de las vecinas sus aportaciones no son superfluas o prescindibles; muy por el contrario, son absolutamente necesarias si Lázaro ha de sobrevivir, y en el caso del ciego tanto el mantenimiento de un mínimo soportable de relación con su destrón como la satisfacción de su *ego*, hacen obligatoria esa concesión.

Dejando aparte, pues, estos casos, con lo que curiosamente nos encontramos, es con que a lo largo de toda la obra sólo se da otra ocasión en que se presentan esos caracteres de gratuidad y liberalidad que se han dado antes para el arcipreste, y casi resulta ridículo, por obvio, el citarla: la del regalo del fraile de la Merced.

Lazaro nos informará en qué consiste:

> Este me dio los primeros çapatos que rompí en mi vida; mas no me duraron ocho días. (p. 129).

¡Curiosa coincidencia ciertamente esa de que el regalo del arcipreste sea unas "calzas" y el del fraile de la Merced, asi mismo, una prenda análoga de la indumentaria humana: esos "zapatos"!

Un esquema se impone, aquí, antes de pasar adelante.

Dador	Arcipreste	Fraile de la Merced
Dádiva	calzas	zapatos
Transmisor	mujer de Lázaro	mujercillas (que le encaminan al fraile)
Receptor	Lázaro	Lázaro

Y el esquema se refuerza por doble partida ya que el orden vertical se complementa con el horizontal: religosos ambos dadores, prendas para las extremidades inferiores los regalos; mujeres los vehículos de transmisión y receptor único Lázaro.

Ahora bien, si, como acertadamente señala Michalski en el lugar citado, son los casos de Zaide y el arcipreste "las únicas veces en que se habla de traer o dar carne" en toda la obra, en toda la misma obra también en dos ocasiones —y solamente en dos— ocurre que se entregue un específico tipo de regalo —calzas, zapatos— con exclusiva y aparentes gratuidad y liberalidad.

Esa dualidad de paralelismo se confirma, a su vez, en el contenido de las tres series dadas, siendo la del arcipreste la que opera como eje central coordinador. Veamos cómo.

Reduciendo a esquema los datos expuestos por Michalski tenemos:

Dador	Zaide	Arcipreste
Dádiva	pan, carne, leños	trigo, carne, bodigos (calzas)
Receptor	Antona Pérez	mujer de Lázaro

Ese paralelismo se complementa, a su vez, con el de la subserie de las dádivas que ratifica el de la serie mayor; pan-trigo, carne-carne, leños-bodigos, correspondiendo bodigos-testículos a leño que calienta-pene que excita a Antona. Salta a la vista en este esquema la existencia de un elemento extraño: las calzas. Rasgo éste, el de surgir como elemento extraño que tampoco es privativo de estas calzas; también se da, y no es pura coincidencia, para los zapatos del fraile; en efecto, Sieber al hacer la comparación entre los referentes determinantes del primer y segundo niveles de discurso que estructuran ese Tratado IV, presenta otro esquema:

1. vecinas	fraile	enemigo	andar	por esto
2. mujercillas	pariente	amicísimo	trote	otras cosillas

y destaca, muy atinadamente, que

> The only other referent without an equivalence or contrast is the shoes. They are not given another name that would connect them to the second discourse and thus seem to belong solely to the first (29).

señalando en líneas posteriores cómo la ausencia de referente en un segundo nivel discursivo para estos "zapatos" es debida, precisamente, a la condición de tabú lingüístico que opera sobre ese referente no enunciado, es decir, a su simbolismo como pene.

Reagrupando ahora los dos esquemas propuestos, el de Michalski y el mío, y teniendo en cuenta que la madre de Lázaro, al igual que su mujer, opera ambivalentemente como receptora y como vehículo transmisor —mediante la primera se alimenta y calienta Lázaro—, nos encontramos con uno final, cuyo receptor único es ese mozo.

Dador	Zaide	Fraile	Arcipreste
Dádiva	pan, carne, leños	zapatos	trigo, carne, bodigos, calzas
Transmisor	madre	mujercillas	mujer
Receptor	Lázaro	Lázaro	Lázaro

y se puede observar que frente a la sub-serie paralelística mayor de dádivas: pan-trigo, carne-carne, leños-bodigos, corresponde otra sub-serie menor: zapatos-calzas, y asi mismo,

---

29) *ibid.,* p. 48.

y lo que para mi exposición es más destacable, que si la sub-serie mayor de dádivas se produce en una relación hombre-mujer, la menor se da en una de hombre a hombre, o, lo que es lo mismo, que al comercio carnal existente entre Zaide-Antona y arcipreste-mujer de Lázaro, corresponde exactamente otro comercio carnal, el de fraile-Lázaro y arcipreste-Lázaro.

Y aún puede acumularse un paralelismo más: el de silencio impuesto por Lázaro. También este rasgo aparece dos veces —y sólo dos veces— a lo largo de esa obra. Vuelvo a citar a Sieber cuando señala en relación con ese forzado silencio del Tratado IV que

> There is only one other place where he displays the same desire to suppress speech... His attempt to silence the gossip surrounding the behavior of his wife and the archpriest (30).

Paralelismo este último que no sólo refuerza el valor de la serie de los anteriores, y con ello la identidad ese fraile y ese arcipreste como agresores sexuales respecto a su servidor, sino también la perfecta estructura circular de esa segunda parte de la obra, esos cuatro últimos tratados que con un freno silenciador se abren y con el mismo se cierran.

Claro está que desarrollando estos comentarios un punto más allá se llega a la conclusión de que así como ese fraile sodomiza a Lázaro, asi mismo fornica con las susodichas mujercillas, y, sin duda, que eso es lo que se esconde tras la afirmación "al cual ellas le llamaban pariente", y bien ha hecho ver A. Blecua la carga sexual que se oculta tras ese apelativo (31), pero baste citarlo aquí ya que tal deducción no resulta necesaria para mi tesis (32).

---

30) *ibid.*, p. 46.

31) Véase *La vida de Lazarillo de Tormes*, ed. A. Blecua (Madrid: Castalia, 1972), p. 157, n. 287, en donde cita el comentario de Villalobos; "debe haber veinte años... que ella es manceba de un clérigo bien honrado y gordo, el cual (santa gloria haya) la llamaba sobrina".

32) Para Fred Adams ("A note on the Mercedarian friar in the *Lazarillo de Tormes*", *Romance Notas*, 11, [1969], 445) "the carnally oriented Mercedarian may be seen as a redeemer of the prisioners of love, who are released from their pangs of passion and brought together for illicit sexual pleasures through his efforts". y líneas más arriba lo ha considerado ya como "a male Trotaconventos". Perfectamente válida como esa interpretación, la considero parcial; ni lo cortés quita lo valiente ni la celestinesca condición de Trotaconventos de ese fraile se opone a que, además, se dedique también al personal fornicio; por el contrario, resulta mucho más lógico que quien se ocupa en alcahueteriles oficios se dedique, asi mismo, al adulterio, que bien sabemos que Celestina antes de ser alcahueta, o simultáneamente, fue puta y bien puta. Con más razón si recordamos la abundancia de mujeres solas o solteras en Toledo de que nos informa Linda Martz (*Toledo y los toledanos en 1561* Toledo: Inst. Prov. de Investigaciones y Estudios Toledanos, [1974], p. 36) donde nos dice: "Entre las viudas y las muchas mujeres registradas como 'solas' o 'solteras' en el censo de 1561, Toledo parece haber sido una sociedad con escaso número de hombres, o como Luis Hurtado comentaba, había 'un excesivo número y notable cantidad de mugeres'", y aún lo que señala B. Bennassar (*L'homme espagnol: attitudes et mentalités du XVIe siècle au XIXe siècle* Paris: Hachette, [1975], p. 77"Cette indifférence ou ce mépris pour le sacré... nous le retrouvons évidemment avec les bigames, voire les 'biandres'. Cette fois encore, il y a tout lieu de supposer que les coupables ont été beaucoup plus nombreux que ne le disent les sources: pour Tolède.... cent huit cas au XVIe. siècle" Y añádase lo que anota R. García Cárcel (*Herejía y sociedad en el siglo XVI: La Inquisición en Valencia: 1530-1609* Barcelona: Ed. Peninsula, [1980], p. 281) en donde tras señalar que "la actividad sexual del clero se reflejó con mucha más frecuencia... casi siempre utilizando el confesionario... como la ocasión ideal para iniciar el proceso de seducción", en la estadística que da para procesos de solicitaciones, es Toledo, con mucho, la que supera a las demás ciudades. Y a no dudar que entre esas viudas, esas solas, esas solteras y esas biandras —¿cuántas de ellas solicitadas?— hay que contar a esas "mujercillas". Y para acabar esta nota, de la abundancia de putas en Toledo por aquellos años bastante nos habla Sebastián de Horozco en unas coplillas de su *Cancionero* que ya recogí en mi anterior trabajo citado en n. 4 (cfr. ahí, p. 157, n. 1).

Supuesto ese homosexualismo tanto del fraile como del arcipreste, y como tal conclusión podría parecer simplemente el resultado de un excesivo esquematismo, es de rigor ahora comentar y documentar más en concreto el vehículo de la sodomización de Lázaro, partiendo tanto del material literario como del folklórico. La ley del levirato entre los antiguos judíos —y cito unos extractos— se regula del siguiente modo:

> Cuandos dos hermanos habitan uno junto al otro y uno de los dos muere sin dejar hijos... su cuñado irá a ella y la tomará por mujer, y el primogénito que de ella tenga llevará el nombre del hermano muerto... Si el hermano se negase a tomar por mujer a su cuñada, subirá ésta a... los ancianos, y les dirá: 'Mi cuñado... no quiere cumplir su obligación... tomándome por mujer. Los ancianos... le harán venir y le hablarán. Si persiste en la negativa... su cuñada... *le quitará del pie un zapato* y le escupirá en la cara, diciendo: 'Esto se hace con el hombre que no sostiene la casa de su hermano'. Y su casa será llamada en Israel la casa del descalzado (33).

Ese específico rito de quitarle un zapato —y solamente un zapato, en singular— al hombre que se niega a procrear un primogénito en su cuñada representa, muy a las claras una forma de castración simbólica: el "descalzado" es el castrado, y en consecuencia, ese zapato arrancado simboliza, obvio es, el pene. De que ese simbolismo zapato-pene persistió a lo largo de los siglos en la tradición judía, al menos, tenemos un excelente testimonio en el testamento que en 1410 hizo el judío don Judáh, vecino de Alba de Tormes. Dirigiéndose a su mujer, se lee en él:

> Por mí, vos doña Sol, non fagades malandança, ca yo vos tengo por tal, que magüer vos diera el libelo de repudio, non le quisiérades, e ansi me lo dixistes: Magüer me lo diessedes, non lo tomaria; que *el vuestro zapato es firme porfía de mi coraçon*. E yo vos dixe: Ansi lo quiero e lo quiere el Dio; que marido e mujer somos, e dos y venyte años ha que façe agora que nos goçamos e yaçemos en uno (34).

Apareciendo ese zapato como objeto contractual del vínculo matrimonial y siendo, a su vez, la prenda que por la parte masculina ratifica ese matrimonio, no es difícil ver en él un pene simbólico, único sentido que se le puede atribuir dentro de esa inveterada tradición.

Este testimonio, por otra parte, no pasa de ser un ejemplo particular del rito folklórico que se vino practicando genéricamente entre los judíos sefardíes. Ya hace años indicó Jacob Nacht en un muy bien documentado trabajo que

> It is a practice among the Sephardic Jews that the bridegroom, before the wedding, bestows shoes upon the bride (35),

---

33) Deuteronomio, 25, 5-10. Cito por la versión de E. Nácar y A. Colunga, *Sagrada Biblia* (Madrid: BAC, 1964), p. 224a. *Sub. mío.* Para un ejemplo concreto de la aplicación de esa ley véase Rut, 4, en pp. 285-6.

34) Recogido por J. Amador de los Ríos, *Historia social, política y religiosa de los judíos de España y Portugal* (Madrid: Aguilar, 1973), p. 964. *Sub. mío.*

35) J. Nacht, "The Symbolism of the Shoe with special references to Jewish Sources", *Jewish Quarterly Review*, 6 (1915-16), 1-22. Cita en p. 17. Expone ahí, también, lo repartido de este rito con sus correspondientes variantes entre otras comunidades por todo el mundo, y en pp. 14-5 la gran importancia simbólica de los zapatos en los contratos matrimoniales a lo largo de toda la tradición europea. Cfr. Sieber (pp. 53, n.) para su cita de Diego de Haedo que expone como ese simbolismo zapato-pene sirve para una particular prueba judicial entre los musulmanes precisamente relacionada con la habitual práctica de la sodomía entre estos de la que más arriba he hecho mención. Y de como persiste hasta nuestros días la tradición folklórica en el mundo judío del zapato en cuanto a símbolo del pene representativo del vínculo matrimonial, es un fascinante ejemplo
./.

lo que definitivamente nos asegura de la existencia de ese rito en España, y, más en concreto, nos da una excelente clave para entender lo que entre ese fraile y ese mozo ha sucedido.

La transferencia del plano folklórico al literario y la correspondiente subsunción y transformación del primero en material para el segundo es fenómeno suficientemente conocido.

Para el caso particular del período literario en que ese *Lazarillo* aparece, bastará traer a colación un par de ejemplos.

El *Sermón de amores*, una de las obras más picantes y donosas de Cristóbal de Castillejo fue impreso en 1542. Su autor versificando las penas que los amadores sufren a causa de los desprecios que les infligen sus damas, dice:

> Y el pecador del penado
> Trabaja por entendellas,
> E a las veces queda dellas
> Alegre e mas engañado
> E vendido;
> Desvelado e embebido
> Se va pensando en aquello;
> Ella ríe del y dello,
> Diciendo: ' ¡Ved qué perdido!
> ¡Qué hastío!
> *Ved con qué se viene el frío,*
> *Más necio que su zapato* (36).

Considerando que de no tratarse de cojos, los zapatos siempre van por pares, es evidente que en un primer plano de nivel discursivo resulta ilógico e incomprensible sintetizar en un exclusivo zapato, en singular, la necedad de su poseedor como lo hace esa dama que se ríe y desprecia al mismo; para entenderlo en su real significado hay que recurrir necesariamente al segundo nivel. Tratándose como se trata de una relación amorosa y dado que el miembro viril ha de ser el vehículo que ha de colmarla y perfeccionarla, no es extraño que a los ojos de esa desdeñosa dama toda la necedad y frialdad de su poseedor —y entiéndase aquí impotencia por frialdad e invalidez por necedad— se transfiera y concentre en ese zapato, con lo que el mismo adquiere plena validez como simbólico sustituto de ese miembro viril. Paso al segundo ejemplo.

En 1548 se imprimía la traducción que el beneficiado sevillano Fernan Xuarez hizo de la *Terza e ultima giornata de capricciosi ragionamenti* de l'Aretino bajo el título caste-

---

./.   —y vaya esto para los aficionados al buen cine— la película *Tell Me a Riddle* de 1981. Se nos narran las vicisitudes de una muy vieja pareja de inmigrantes judíos de origen ruso afincados en USA. Su pasado y sus tradiciones son la base que mantienen la estrechísima y enormemente afectuosa relación de ambos cónyuges, y así se explica que en el momento cumbre en que la mujer va a morir, la última obsesiva preocupación suya es: "¿Dónde está mi zapato?, ¿dónde está mi zapato?", y con un zapato fuertemente apretado contra su regazo —zapato que no es sino la representación de ese marido del cual sabe que va a quedar absolutamente solo tras su muerte y al cual quisiera llevarse consigo a la tumba— habrá de morir esta mujer transida del espíritu y las tradiciones hebraicas. Incongruente e incomprensible como para muchos espectadores pueda parecer esta imagen sólo desde esta perspectiva puede entenderse plenamente.

36) Cristóbal de Castillejo, *Obras*, 4 vols., ed. J. Domínguez Bordona (Madrid: Espasa-Calpe, 1946), Vol. I, p. 37, *vv.* 877-888. *Sub. mío.*

llano de *Coloquio de las damas de Aretino* (37).

En ese *Coloquio* en que se nos cuenta la vida, costumbres y artimañas de las putas, Lucrecia cuenta a su interlocutora Antonia una traza que usó con un merceder y con la cuál consiguió cazarlo.

Consistió la dicha traza en hacerle creer al mercader que un español, el conde de Monturque —Imbasciadore di Spagna en el original— le envía unas aves mediante un paje, cómplice de Lucrecia previamente aleccionado por ella, con el fin de conquistarla, pero que ella ni puede ni quiere hacerle caso dado lo enamorada que está del tal mercader, y para mostrar abiertamente ese desdén, dice:

> a che si pensa? lo Imperadore non che il suo Imbasciadore, non saria per averne pure un bascio, e piú stimo le scarpe vostre, che mille migliaia di ducati (38);

Xuarez traducirá:

> No piense este conde español que aura de mi vn beso; que en mas estimo vuestro çapato que a cincuenta condes. (p. 259a).

Esas "scarpe" en plural del Aretino —zapatos del fraile, calzas del arcipreste— se han convertido, así, por obra y gracia de ese beneficiado en un singular "çapato". ¿*Traduttore tradittore*? Puede ser, pero, además, y tras el ejemplo coetáneo de Castillejo ya visto, expresivo resumen de la conciencia para los hablantes de ese período de que el zapato es claro símbolo fálico aceptado y entendido por todos ellos.

Y si en el caso de Castillejo podía caber alguna duda acerca de ese simbolismo, en este de Lucrecia, puta que se conoce muy bien su oficio y aun sabe mejor cuál es la materia en que se centran sus negocios, esa posible duda pasa a ser certeza (39). Y no quiero pasar por alto aquí un detalle que resulta francamente sugestivo.

---

37) Cfr. M. Menéndez Pelayo, ed., *Orígenes de la novela*, 4 vols. (Madrid: Bally Ballière, 1951), IV, pp. 250-77.

38) Cito por P. Aretino, *I Ragionamenti* (Milano: dall'Oglio, 1967), p. 282. No es éste el único ejemplo dentro de la literatura italiana; Sieber aporta otro: "we can consult Giovan Francesco Straparola's *Le piacevoli notti*, in which 'Madonna Modesta, moglie di messer Tristano Zanchetto, acquista nella sua gioventú con diversi amanti gran copia di scarpe" y añade: "The number of shoes collected is explicitly related to the number of sexual favors granted" (p. 52).

39) También a Rampín, criado de la Lozana, cierto anterior amo le regala unos zapatos, según nos informa: "Pensá que yo he servido dos amos en tres meses, que estos çapatos de seda me dio el postrero, que hera escudero... Y como no hize partido con él que estava a discrición, no saqué sino esos çapatos a la francesa". Cfr. F. Delicado, *Retrato de la loçana andaluza*, ed. B. Damiani y G. Allegra (Madrid: Ed. J. Porrúa Turanzas, 1975), p. 156. Más dudoso me parece, no obstante, este caso. Cierto es que tras esos "çapatos de seda" "a la francesa" pueden sospecharse ocultos significados; sabido es que a los conversos relajados y a sus descendientes, —como antes a los judíos, se les prohibía llevar seda en sus vestiduras— cfr., por ejemplo, algunos finales de sentencias en H. Beinart, ed., *Records of the Trials of the Spanish Inquisition in Ciudad Real*, 2 vols., (Jerusalem: The Israel Academy of Sciences and Humanities, 1977), vol. 2, pp. 121, 186 y 316, así como R. García Cárcel, *Orígenes de la Inquisición española: El tribunal de Valencia, 1478-1530* (Barcelona; Ed. Península, 1980), p. 190, entre otros textos aducibles —y que, por otra parte, como se sabe, a la sífilis se le llamaba *el mal francés*; con todo esto, de existir en este regalo una oculta connotación sexual, resultaría que ese escudero no sólo sodomiza a Rampín sino que, para completar la injuria, le echa en cara, además, su condición de judío y aún, de un modo u otro, quizá hasta la contagia la sífilis, sífilis y judaísmo por los que, a su vez, se asimilaría a su dueña la Lozana. No obstante, todo ello, repito, como es cierto que por aquellos años existía un tipo de zapatos llamados *franceses* —véase Carmen Bernis, *Trajes y modas en la España de los Reyes Católicos*, 2 vols. (Madrid: Inst. Diego Velázquez, C.S.I.C., 1979), II, p. 136, donde informa: "Los 'zapatos franceses', muy chatos, se pusieron de moda a fines del siglo XV y principios del XVI". (En lám. xliv de ese vol. puede verse una reproducción de ese tipo de zapatos)—, es muy probable que esa información de Rampín no pase de ser una simple exposición crítica de la relación amo-escudero típica de por aquel entonces. Para otros casos de la misma clase de regalo de amo a criado véase F. Rico, ed., *La novela picaresca española* (Barcelona: Planeta, 1967), p. xl y notas, pero no parece que en ellos pueda detectarse ningún oculto simbolismo fácilmente.

Cuando esa Lucrecia quiere manifestar lo lucrativo de la carrera que lleva, dice: "Io nel colmo del favore, che mi davano gli amici"; de acuerdo con su acostumbrada libre traducción, Xuarez se decide por la siguiente:

> Estando yo en Roma en la cumbre de mis prosperidades y riquezas en el tiempo que mas estima y valor tenia mi persona, (pp. 265b-66a).

y recordando ahora el conocido final del *Lazarillo*,

> Pues en este tiempo estaba en mi prosperidad y en la cumbre de toda buena fortuna.

cabe preguntarse: ¿simple repetición de un hiperbólico cliché lingüístico de moda por aquellos años? Parece muy probable, y de ser así, muy bien puede sospecharse que, del mismo modo, también era un cliché al uso ese simbolismo fálico del zapato. Sea como sea, lo que sí resulta obvio, a mi juicio, es la función de esos zapatos como instrumento de sodomización de Lázaro; conviene ahora examinar cómo se lleva a cabo la misma.

Cuando Lázaro nos confiesa las causas de haber abandonado a ese fraile, como justificación nos dice:

> ni yo pude con *su trote* durar más. *Y por esto*, y por otras cosillas que no digo, salí de él. (p. 129). *Sub. mío.*

Siendo el antecedente de "por esto" "su trote", será, claro, ese "trote" la razón principal, que no única —ahí están esas "otras cosillas"— por la que se separa del fraile. Para Adams,

> The expressions 'amigo de negocios seglares y visitar' and 'trote' coupled with the explicit/ statement that the Mercedarian wore out more shoes than all of the members of his convent depict him as a male Trotaconventos.

mientras que para Sieber,

> The friar's 'negocios seglares', on the other hand, are defined in terms of his 'trote', his manipulations of women as sexual goods (40).

Es decir, que para estos críticos, y en especial para Abrams, el tal "trote" no pasa de representar el actívisimo andar del fraile para cumplir con sus alcahueteriles funciones de Trotaconventos.

Ahora bien, ¿resulta lógico que ese abundante andar, ese activo trotar de acá para allá sea suficiente como causa fundamental para el abandono por parte de Lázaro? ¿Es posible creer que un mozo joven de a lo más catorce o quince años, un mozo acostumbradísimo a hacer recados día tras día, un mozo que ha caminado tranquilamente de Salamanca a Toledo, se haya de cansar tanto con el trote de un fraile más viejo que él, como para tener que dejarlo por eso? Por supuesto que no. Algo más tiene que esconderse tras ese "trote" como algo más se ocultaba tras los "zapatos" instrumentos del mismo y para el mismo.

Si lo que nos ocultaba tras esos "zapatos" era el pene, en el esquema

Instrumento	*Actividad*
zapatos	trote
pene	

---

40) F. Abrams, 444-5; Sieber, 75.

nos encontramos con un hueco que ni ese andar de acá para allá de Abrams ni esos "negocios seglares" de Sieber llenan cumplida o congruentemente, hueco para el cual no es muy arduo adivinar un correlato, es decir: fornicar, actividad del pene; ahora bien, como de un "trote" se trata, la conclusión se impone y el fornicar de ese pene se nos aparece por correspondencia semántica verbal como un cabalgar, y con tanta más razón si recordamos la específica postura del sodomita íncubo respecto al súcubo. Y tampoco descubro aquí mundos nuevos, que bien documentados, también están ese cabalgar y ese trote en sus significados marginales de "joder"; basta, otra vez, consultar al citado Alonso Hernández (41).

A las citas que dicho autor recoge de Nebrija y de Delicado, entre otras, añadiré una mía por más coetánea del *Lazarillo,* y aunque sólo sea por acrecer la lista de referencias que para el vocablo "caballo" como pene da el mismo.

Volviendo, otra vez, a la traducción de Xuarez, nos encontramos con que hablando de una de sus muchas experiencias profesionales, Lucrecia dice:

> otras quatro vezes, antes que nos leuantassemos, su cauallo anduuo hasta la mitad del camino de nuestra vida (42).

Caballo —esos zapatos con su fraile detrás—, cabalgamiento —ese trote—, causas definitivas para el abandono de Lázaro. Y no únicas, habrá que recordar, porque ahí están esas "otras cosillas". Pero entonces, de ser así, de ocurrir que son ese trote y esos zapatos causas fundamentales de ese abandono, nos encontramos con que esas "otras cosillas" quedan relegadas a segundo término, son *peccata minuta* de escaso relieve para la decisión de Lázaro, y que, contra lo que parece habernos dejado entrever, no se esconde tras ellas el verdadero motivo de la misma.

Para entender cuanto se esconde tras todo ello, hay que partir de la existencia de un doble plano semántico para ese lexema diminutivo —"illas"— de esas "cosillas" que no dice.

Un primero en que ese lexema opera lisa y llanamente como tal diminutivo con toda su carga aminorativa, y un segundo en que el mismo irónicamente sugiere al lector lo contrario, presentándose, así, con una connotación abiertamente aumentativa.

Para el primer caso hay que entender simplemente lo que Lázaro nos confiesa sin rodeos, o sea que lo que no nos dice, no nos lo dice porque son verdaderamente cosillas, diminutas nonadas sin mayor importancia, exactamente como lo son esas "cosillas" que el buldero presenta a los clérigos:

---

41) Alonso Hernández, p. 145*a, s. a,* "cabalgar" y p. 759*a, s.v.* "trote". La tradición literaria de esa acepción de "cabalgar" ha persistido hasta nuestros días. Recuérdense los felices versos de García Lorca en "La casa infiel" de su *Romancero gitano:*

> Aquella noche corrí
> el mejor de los caminos ,
> montando en potra de nácar
> sin bridas y sin estribos.

42) Menéndez Pelayo, p. 256*a.* En el original se lee: "Quatro altre volte, prima che ci levassimo, il suo cavallo andò fino al mezzo del camin di nostra vita" (Aretino, p. 277).

> primero presentaba a los clérigos o curas algunas cosillas, no tampoco de mucho valor ni substancia (p. 131).

y precisamente por tratarse de nonadas de no mucho valor y sin substancia se las calla, ya que en ningún caso merece la pena perder el tiempo en exponerlas. En efecto, ¿para qué va a molestarse en comentarlas ante V. M. —y, subsecuentemente al lector— si lo realmente importante, lo ciertamente vergonzoso ya ha sido dicho, aun de modo críptico, unos momentos antes resumido en ese "Y por esto"?. Y véase aquí, que dado ese sentido, ese "que no digo" opera, precisamente, como elemento que refuerza lo importante de la encubierta ignominia confesada inmediatamente antes, ya que a mayor relieve de esa anterior confesión, más claro lo superfluo y fútil de detenerse en aclaraciones posteriores.

Creo que si hubiera omitido el "que no digo" y tuviéramos exclusivamente "Y por esto, y por otras cosillas salí de él", esas "cosillas" se hubieran visto reducidas al simple y directo significado que vengo suponiéndoles.

Tenemos, pues, a mi juicio, que ese insidioso "que no digo" es el que considerado desde la perspectiva del segundo plano carga de ironía a esas "cosillas", y abriendo el paréntesis de la sospecha, las convierte en potenciales "cosazas".

¿Fue consciente el autor de que esa expresión podría interpretarse como reticencia tras la que deja entrever lo peor? No creo que nadie pueda decidirse definitiva y unilateralmente ya sea por la negativa o por la afirmativa, pero de que esta última es la más plausible buena prueba es cuanto la crítica ha venido inquietándose por ella y su correspondiente desentrañamiento.

Ahora bien, si aceptamos que ciertamente esa reticencia existe, ¿cómo opera la misma y qué función cumple dentro de la estructura significativa total de esa confesión de ignominia?.

A mi juicio, hay una explicación suficiente. Poniendo en boca su personaje ese "que no digo", sabe ese autor que inmediatamente va a suscitar la certeza de que algo nefando se oculta tras esas cosillas, y con ello, y muy aviesamente, conseguirá su propósito real: distraer la atención del lector del lugar en donde realmente aparece lo nefando e ignominioso.

Y así, ese "que no digo" viene a convertirse en cebo dialéctico estratégicamente inserto, y que cumple una función anfibológica: si por un lado nos distrae la atención de donde ciertamente se recoge la ignominia, por el otro nos la reclama para asegurarnos de que, de algún modo, la misma existe. Cierto es que Lázaro no nos dice que son esas cosillas, y no nos lo dice porque —ya lo he hecho notar— son nonadas sin importancia, pero con ese no decirnos nos está diciendo, a su vez e indirectamente, que algo no ha dicho como lo tenía que haber dicho —valga el mínimo trabalenguas—; en otras palabras, que lo que debía haber dicho honesta y abiertamente —su sodomización— es de tal oprobiosa magnitud que ha tenido que decirlo de otro modo, bajo el ropaje de lo simbólico. Avergonzado de su ignominia, Lázaro tiene que encubrirla bajo lo simbólico, pero obsesionado por la misma no puede menos de dejar una mínima pista alusiva.

Y ahora, un último aspecto de la perpetración de esa experiencia lazarillesca; conviene, para ello, observar cómo Lázaro se allega, uno tras otro, a sus sucesivos amos.

Para el primero tenemos que "un ciego... me pidió a mi madre, y ella me encomendó a él" (p. 66); para el segundo, "me toparon mis pecados con un clérigo" (p. 83); para el tercero, "topome Dios con un escudero" (p. 102); para el quinto, "En el quinto por mi ventura dí" (p. 131); para el sexto, "Después de esto, assenté con un maestro de pintar panderos" (p. 139); para el séptimo, "un capellán... me recibió por suyo" (*loc. cit.*); para el octavo, "assenté por hombre de justicia con un alguacil" (p. 141), y, por fin, para el noveno "teniendo noticia de mi persona el señor arcipreste de Sant Salvador... procuró casarme con una criada suya" (p. 142).

Si se comparan todas confesiones con la correspondiente al cuarto, "Hube de buscar el cuarto", salta a la vista una notoria diferencia. Solamente para este cuarto, y contrariamente a todos los demás, se destaca la perentoria necesidad —ese "Hube de buscar"— que impele a Lázaro a buscar un amo sea como sea.

Tras un amo al que abandona —el ciego—, otro que lo despacha —el clérigo de Maqueda—, y un tercero que le abandona —el escudero— la situación de este mozo no puede ser más precaria; tras esa carrera descendente de debilitación de sus fuerzas morales y físicas —debilitación que ya anuncia en el Tratado III con ese "De esta manera me fue forçado sacar fuerças de flaqueza" que lo inicia— este mozo acabará en la más desesperada condición imaginable, esa "ruin dicha" que cierra el tal Tratado.

En tan deporable conyuntura no está este mozo para pedir gollerías; tendrá que pechar con cualquier cosa que venga y aguantar le echen lo que le echen. Y el tal fraile de la Merced, a quien sin duda ya le habrán comunicado las mujercillas la desesperada situación en que el dicho mozo se encuentra, muy bien podemos sospechar que sabe aprovecharse de la ocasión, y el mozo, en consecuencia, se sentirá todavía más enrabiado y más psicológicamente herido al reflexionar sobre la situación de privación e impotencia que le ha llevado a soportar tal vejación. Y con esa definitiva experiencia se cierra ya, absolutamente, todo posible retroceso a una etapa anterior de inocencia, fuera poca o mucha la que quedara a Lázaro tras las sufridas con los tres amos previos. Y se puede comprobar que así es —y aunque solamente fuera por la referencia textual— observando que al final del III Tratado las vecinas le defenderán diciendo: "Señores, éste es un niño inocente... (p. 126), pero ésta será, irremediablemente, la última vez que ese adjetivo se le aplique a Lázaro.

Perdida paulatinamente su inocencia moral y psicológica a lo largo de su convivencia con esos tres primeros amos, con el cuarto acabará perdiendo el único resto de inocencia que le quedaba: la fisiológica. Y así habrá de ser porque para ingresar de lleno en esa sociedad licenciosa, hipócrita, corrupta, hay que hacerlo, como corresponde, totalmente desprovisto de cualquier rastro de decencia o de virginidad, sean éstas morales o fisiológicas.

Cierto es que Lázaro, de algún modo, ha dejado de ser virgen, de acuerdo con la interpretación que vengo dando, pero también que esa pérdida de virginidad es parcial, y que de no darse la experiencia sexual en cuanto varón, su iniciación sería imperfecta. Y por ello es por lo que Lázaro se verá compelido a cumplir un último rito que le prepare para adaptarse a dicha sociedad.

Pero antes de tratar de ese último rito, unas brevísimas consideraciones que aclaren la necesidad del mismo.

En un trabajo anterior he sostenido la tesis de que esa sociedad —según aparece representada en el *Lazarillo*— va modelando a aquellos que han de incorporarse a la misma mediante un artero bombardeo psicológico y una sutil indoctrinación forzados a base de iniciales privaciones, con el resultado final de una total aniquilación de la personalidad (43).

Y ahí señalaba cómo esa degradación de índole socio-psicológica no es únicamente el precio que la sociedad se cobra por el ingreso en ella, sino, además el necesario proceso de indoctrinación para que él neófito se adapte a la misma ya que, por supuesto, una sociedad tal, hipócrita y corrupta, ni puede ni quiere admitir en su seno miembros que no sean igualmente hipócritas y corruptos. Pero dejé de apuntar que esa sociedad, y dada la inmoralidad general que la recorre, además de hipócritas y corruptos los quiere, también libertinos y licenciosos sexualmente, y si para la degradación socio-psicológica buenos mentores fueron los otros amos para ese específico aspecto de lo sexual bien entra en juego como excelente miembro representativo que es de esa sociedad e instrumento de ella, ese fraile de la Merced.

Hora es ya de detenerse en la función activa —ese último rito que complementando y redondeando esa total iniciación le acredita con carta de ingreso para esa sociedad.

Función activa, digo, porque no parece dudoso que ésta se dé; recuérdese que Lázaro nos confiesa: "Este me dio los primeros çapatos que rompí en mi vida"; es decir, que si ha recibido unos zapatos no menos los ha roto; a seguidas de la acción pasiva —recepción— se produce la activa —rotura, y con ello no hace sino aplicar justamente la bien aprendida lección recibida de su amo, del que, ya lo sabemos, inmediatamente antes de confesar el regalo, ha dicho: "pienso que rompía el mas çapatos que todo el convento". Y así, esa habitual práctica del fraile —obsérvese el tiempo verbal en imperfecto, "rompía"— se indoctrina en el neófito, pero para éste únicamente se recoge en pretérito —"rompí"— que junto con el "primeros" indican claramente el carácter de acción única y momentánea que corresponde, como es justo, a una iniciación.

· Y en este sentido, hay que traer a cuento aquí un muy pertinente aspecto de esa iniciación: un proceso de indoctrinación es largo y tedioso, lleva tiempo y exige distintos mentores, mientras que uno de iniciación sexual es momentáneo y un único iniciador —si ha de haberlo— es suficiente. Y de ahí, claro está, que si la degradación socio-psicológica de Lázaro se da paso a paso a lo largo de varios tratados y exige esa conocida serie de amos, para la degradación sexual basta con uno —el fraile y no es indispensable demasiado tiempo; buena fe de ello dan, sugestiva y simbólicamente, esas escasísimas ocho líneas del Tratado frente a la extensión de los demás. Así, en otro alarde de virtuosismo artístico del autor, la forma se corresponde exactamente con el fondo, y esa peculiar brevedad formal, no es, en mi opinión, sino adecuadísima expresión y síntesis del acto culminante y central que en ese Tratado se relata: la total iniciación sexual del mozo Lázaro.

Pero ocurre ahora que este nuevo aspecto de mi interpretación exige necesariamente una extensión del simbolismo de zapato, ya que el dado hasta este momento —zapato co-

---

43) M. Ferrer-Chiviete, "Lázaro de Tormes, personaje anónimo (Una aproximación psico-sociológica)" *ACTAS del 6º. Congreso Intern. de Hispanistas* (Toronto: Univ. de Toronto, 1980), 235-8.

44) Sieber también ha señalado esto: "The use of the preterit tense together with the singular qualifier ('primeros') pints to Lazarillo's inexperience and emphasizes the newness and uniqueness, the introductory nature of the activity in his life". No hace hincapié, no obstante, en el valor que como rito iniciador para el ingreso en esa sociedad tiene esto.

mo pene— no puede ser aplicado de modo válido a estos casos de "rompí" y "rompía", en donde es patente la función meramente pasiva de esos zapatos en cuanto rotos.

Y así es; en su total campo simbólico, si por un lado el zapato se nos presenta como pene —instrumento activo de penetración—, por otro aparece como receptáculo pasivo, sea este ano o vagina, y de hecho, y recordada la específica forma del zapato, es este el simbolismo más claro e inmediato.

De que este simbolismo para el primer caso —el ano— era conocido ya desde el siglo XV por lo menos, tenemos un excelente ejemplo en el *Cancionero General;* ahí, en las "Coplas del cōde de paredes a juā poeta quãdo lo catiuarō sobre mar/ y lo lleuarō allende" se lee la siguiente estrofa que sintetiza el proceso de sodomización que ese conde atribuye al poeta:

> Preguntarō de q̄ trato
> tu quieres beuir aca
> sobre auer pensado vn rato
> dexistes ser vn çapato
> q̄l rey se le calçara
> Ved en q̄ paro ell ardid
> fidencul y q̄ escudero
> entrastes por adalid
> sallistes por çapatero (45).

Y no es muy diferente, por supuesto, lo que a Lázaro le sucede con su fraile.

Para el segundo caso —vagina—, además de la connotación sugerida por ese coloquial "calzarse a una mujer" ya comentado antes, suficiente será añadir otro ejemplo del Siglo de Oro.

En la antología ya citada, *Poesía erótica del Siglo de Oro,* sus autores recogen una letrilla cuya estrofa inicial luego glosada dice:

> No me quejo, Gila, yo
> de que me hayas olvidado
> sino de haberme calzado
> zapato que otro dejó (46).

de exposición tan obvia que hace ociosa cualquier interpretación.

Y con esto ya tenemos todas las claves para entender en su plena extensión esa frailuno donativo.

En una primera interpretación, la más evidente e inmediata —de ahí que no me haya sido necesario detenerme en ella tanto como en la segunda —esos representarán la primera mujer con la que Lázaro ha tenido acceso carnal, y así se incorpora a la figura de ese fraile la condición de iniciador sexual del mozo como quiere y bien ha señalado Sieber diciendo: "In sum he (el fraile) is Lazarillo's master and sexual mentor" (47).

---

45) H. del Castillo, *Cancionero General,* f. ccxxvir.

46) P. Alzieu *et al.,* p. 132. J. Eduardo Cirlot *(Diccionario de símbolos* [Barcelona: Ed. Labor, 1979]) dice así mismo: "Es también un símbolo del sexo femenino y con este sentido puede aparecer en la *Cenicienta"* (p. 469, *s. v.* "zapatos").

47) Sieber, p. 56.

A lo que este autor no ha llegado, no obstante, es a la segunda y paralela interpretación de ese regalo. Aun a pesar de haber andado muy cerca de ella cuando dice:

> Lazarillo defines and is defined by the shoes. He is possessed by the shoes in the same way that he is dominated by the friar (48).

no ha llevado al consecuente extremo la conclusión que de todo el proceso se desprende: la de que esos zapatos si representan la primera mujer en la vida de Lázaro, también representan el primer pene que ha conocido, y con ello, la plena perfección de su iniciación sexual.

Como sea todo eso se explica según deduzco, mediante el muy particular uso de una figura retórica muy de moda en ese Siglo de Oro: el zeugma; empleándolo, ese autor nos está diciendo que esos "zapatos", si bien mencionados una sola vez, representan diferentes zapatos: la mujer y el pene del fraile, o, por lo menos, así se nos sugiere en un principio.

Y digo por lo menos, ya que, a mi juicio, aún otro zapato entra en juego aquí, lo que sospecho partiendo de una última interpretación, quizá la más recóndita y críptica de todas.

Si recordamos que tanto el fraile como Lázaro rompen zapatos, y aún que el zapato del fraile simboliza su pene como instrumento de rotura, es perfectamente lícito sospechar que del mismo modo tras esos zapatos se esconde, asi mismo, el pene de Lázaro.

Al decir Lázaro "los primeros çapatos que rompí en mi vida", parece que ha de entenderse también que se nos está hablando de una rotura de su pene o, en su defecto, de parte del mismo.

Aun sin dejar de aceptar que de la rotura de la vagina se trate, habida cuenta del tipo de mujercillas entre las que se mueven ese fraile y su mozo —muy sospechosas todas ellas de no ser vírgenes ni con mucho— o, incluso que de existir alguna virgen entre ellas sería muy dudoso que ese fraile dejara a Lázaro llevarse las primicias, es lícito suponer que ese "rompí" se aplique más expresamente al pene que a la vagina, y más considerando que de una iniciación sexual se trata con todo lo que de rotura psicológica tiene la misma; por todo ello creo que de lo que realmente quiere hablarnos Lázaro no es tanto de la primera mujer conocida —en sentido bíblico— cuanto de un aspecto muy particular de su experiencia.

Algo queda por examinar antes de llegar a una conclusión.

Dice este mozo hablando de esos zapatos, "mas no me duraron ocho dias", y aquí hay que preguntarse, de vuelta ahora al nivel literal, ¿en tan poco tiempo —ni siquiera ocho días completos— pueden romperse unos zapatos? Por mucho que el tal mozo haya caminado y trotado, muy cuesta arriba se hace admitir ese escasísimo intervalo temporal como razón para esa rotura.

Muy bien podía habernos dicho "no me duraron más que unas pocas semanas" o "no me duraron mucho tiempo" de un modo indeterminado, y el que no lo haga parece apuntar a algo que se oculta tanto tras esa brevedad cuanto tras esa precisión temporal.

¿Qué se esconde tras esos específicos "ocho días" incompletos directamente relacio-

---

48) *ibid.,* p. 51.

nados con el destrozo de esos zapatos?, o, desplazando la pregunta al nivel simbólico, ¿qué hay detrás de ese pene que se rompe al octavo día?.

Planteada así la cuestión, la respuesta se nos viene a la mano si paramos mientes en un particular rito de una cierta casta española, rito que, precisamente, cumple una función de iniciación e ingreso del néfotio dentro de su grupo social— y no se olvide que de iniciaciones e ingresos tratamos en este caso—; ya se habrá sospechado que hablo de la circuncisión que como bien se sabe consiste en un retaje o rotura del prepucio con una doble función; una social, la de incorporar a ese neófito al grupo, y otro física, la de posibilitarlo para el acto sexual.

Nos encontramos, así, con que esa rotura de zapatos es, ni más ni menos, un simbolismo agregado a la serie que vengo destacando: el de la circuncisión del pene.

Y es esa la razón por la cual Lázaro nos da ese preciso intervalo temporal; en efecto, tratando del tal rito, en la *Encyclopaedia Judaica* se lee:

> The operation must be performed on the eighth day, preferably early in the morning (49),

Ese "preferably early in the morning" nos informa muy a las claras que la operación ha de llevarse a cabo antes de que se acabe el octavo día, lo que corresponde exactamente con la confesión de Lázaro "mas no me duraron ocho días", es decir, algo más de siete pero sin llegar a completarse los ocho.

Y con ello tenemos que ese Lázaro no sólo es iniciado sexualmente e incorporado de lleno mediante esa iniciación a la sociedad a que ya definitivamente pertenecerá, sino, incluso, que esa iniciación presenta un patente carácter doctrinal (50).

Y de que algo de eso flotaba en el ambiente de por esos años y dentro de una específica mentalidad puede ser buena prueba el siguiente significativo dato que aduzco en esta línea. Léo Rouanet en su edición de *Colección de autos, farsas y coloquios del siglo XVI* transcribe entre ellos el *Aucto de los desposorios de Joseph* (51). En él, cuando Butifar (*sic*) promete a Joseph su hija como esposa, éste le dirá:

> y prometo por mi fee
> de oy en ocho dias contados
> que aqui, señor, bolvere.

a lo que contestará Butifar:

> De oy en ocho dias açepto
> la merçed de su Esçelencia.

Más adelante Senec nos hará conocer su ansiosa espera de Joseph:

---

49) Véase *Encyclopaedia Judaica*, 16 vols. (Jerusalem: Keter Publ. Hourse, 1971), V, p. 570*a*.

50) Conste, siquiera en nota, que ese rito y ese específico día octavo para el mismo no es privativo de los judíos; se daba igualmente entre los moriscos y del mismo modo; cfr. Bennassar, *L'Inquisition....* p. 172. De cualquier forma, lo importante es observar que tras todo ello lo que se descubre es una mentalidad no cristiana.

51) L. Rouanet, ed., *Colección de autos, farsas y coloquios del siglo XVI*, 4 vols. (Barcelona: "L' Avenç", 1901) Para ese *Aucto* cfr. I, pp. 331-57.

> Siete dias hizo ayer
> y oy es el otavo día
> en que prometido avia
> que nos bolveria a ver
> mi Joseph y mi alegria (52).

y, en efecto, poco después aparece Joseph y se celebran los deposorios en ese octavo día según al final se lee.

Ha de tenerse en cuenta ahora:

a) Que el tal *Aucto* es casi con total seguridad contemporáneo en su redacción al *Lazarillo*, pues bien dice Rouanet en su introducción que:

> On pourrait donc, sans trop se hasarder,
> fixer entre 1550 et 1575 la date de la
> plupart des pièces... (53).

b) La estrecha relación simbólica entre la circuncisión y esos desposorios, siendo como son ambos, procesos de iniciación sexual de un modo u otro.

c) La absoluta arbitrariedad de ese intervalo temporal; precisamente ocho días cuando bien podían haber sido veinte, o dos meses o cualquier otro plazo.

d) Y, por fin, y lo que es más curioso y destacable, el hecho de que ese específico plazo de ocho días es exclusivo y original del autor del *Aucto*, en el cual lo ha insertado desviándose así, de la ortodoxia literal de la Biblia en donde ningún plazo de ese tipo se recoge. Véase como suficiente ejemplo la Biblia de Casiodoro de Reina publicada en 1569 —es decir, contemporánea también tanto del *Aucto* como del *Lazarillo*— en la que simplemente se lee:

> Y llamo Pharaō el nōbre de Ioseph Saphena-Paneath, y diole por
> muger à Aseneth hija de Putiphar principe de On: y salió Joseph
> por la tierra de Egypto (54).

Y tanto detrás de esos ocho días de la simbólica circuncisión lazarillesca cuanto de los otros ocho de los desposorios de Joseph no parece difícil aceptar la mano de un converso, o alguien con mentalidad de tal, tras todo ello, y más si se considera que el autor del *Aucto* ha elegido un episodio del Antiguo Testamento y no del Nuevo para injerir su personal "morcilla", dato que, quizá y al menos indirectamente, refuerza la suposición.

Y con ello llego a la última pregunta con que cierro mis comentarios.

¿Era ese autor anónimo del *Lazarillo* converso o descendiente de ellos? Si recordamos aquí, para acabar el detalle ya apuntado por Nacht y antes recogido de hasta qué punto era característica la práctica de entregar un zapato el novio a la novia entre los sefardíes, para mí no es dudoso.

Pero de todo esto algo más hablaré en otra ocasión.

MANUEL FERRER-CHIVITE
University College, Dublin

---

52) *Ibid.*, I, pp. 343 y 345-6 respectivamente.

53) *Ibid.*, introd., p. xiii.

54) Cfr. Genesis, xli, 45.

ONOFAGIA Y ANTROPOFAGIA: SIGNIFICACION DE UN EPISODIO DEL GUZMAN

MONIQUE JOLY
Universidad de Lille III

ONOFAGIA Y ANTROPOFAGIA: SIGNIFICACION DE UN EPISODIO DEL GUZMAN

Monique Joly

Larga es la cofradía de los asnos, pues han querido admitir a los hombres en ella (...)
M. Alemán, *Guzmán de Alfarache,* 1ª, II, 2.

El renovado interés suscitado en los últimos quince años por el problema de las relaciones entre folklore y literatura no ha repercutido hasta ahora en los estudios alemanianos. Las aportaciones con las que contamos en este terreno se reducen en efecto casi exclusivamente (1), tratándose del *Guzmán*, a las que encontramos en los estudios de M. Chevalier sobre el cuento oral. Me propongo mostrar aquí con un ejemplo, que, aunque injustificada, esta situación se explica por causas relativamente complejas, sobre las que pienso volver en mi conclusión.

El ejemplo escogido es el de la comida engañosa que se le sirve a Guzmán en el mesón de Cantillana (1ª I, 5 y 6). Sabido es que Guzmán, persuadido de que come ternera, come allí la carne de un muleto sacrificado por el mesonero, que teme que se descubra que ha infringido las leyes que prohibían la cría del ganado híbrido en Andalucía (2). El carácter tradicional de la substitución fraudulenta que sirve de punto de partida para la elaboración de todo el episodio está señalado por una alusión que encontramos un poco más adelante, cuando al cerrarse el primer capítulo del libro siguiente se refiere Guzmán a los

---

1) Al introducir esta reserva, estoy pensando en las indicaciones que encontramos, por ejemplo, en una nota de Rico (véase la nota que dedica a los testamentos de animales, en la p. 656 de su edición del *Guzmán* Planeta, 1967, a la que remiten todas las referencias ulteriores), o en el artículo de Recoules sobre "Las cadenas del *Vizcaíno fingido*", en *ACerv.*, 15, 1978, pp. 249-256.

2) Véase la nota de Rico, *ed. cit.*, p. 170.

engaños venteriles y mesoneriles tales como, sirviendo a un ventero, los ha visto practicar desde dentro:

> Teníamos también en casa unas añagazas de munición para provisión de pobretos pasaje-
> ros y eran ellas tales que ninguno entrara en la venta a pie que dejara de salir a caballo.
> (*G. d. A.*, 1ª, II, 1; p. 256).

El tema de la substitución de la carne de un bóvido o de un cérvido por la de un équido, que como acabamos de ver está aprovechado en dos lugares de la obra de Alemán es un tema arraigado de antiguo en la tradición occidental. Lo encontramos, por ejemplo, en un famoso *fabliau* francés, en el que un inglés que se encuentra con hambre después de haber estado enfermo ruega al compañero que le está atendiendo que le dé de comer *cordero (anel)*; pero, a raíz de una confusión lingüística que se explica por la proximidad fonética de las dos palabras, y por la pronunciación igualmente deficiente de los dos ingle-ses —de la que se brindan con evidente regodeo unas extensas muestras—, lo que el encar-gado de hacer la compra sirve al ex-enfermo es *asnillo (asnel)*. La prolija investigación que lleva a cabo el convaleciente, extrañado por el desaforado tamaño y por la forma de los huesos del "cordero" que cree haber comido, desemboca —como en el *Guzmán*, aunque sin producir las mismas consecuencias—, en la exhibición del pellejo del orejudo ani-mal (3).

Esta tradición, que como veremos está documentada en otros textos no hispánicos que se examinarán a continuación, también lo está en las letras castellanas mucho antes de publicarse la primera parte del *Guzmán*. En unas coplas muy polémicas de Rodrigo de Reinosa, un ventero partidario de los Reyes Católicos y que se niega a abrir su puerta, en una noche lluviosa y fría, a un escudero partidario de Enrique IV, humilla además a su in-terlocutor revelándole que días antes le ha vendido *yegua* por *venado* (4). En otros tex-tos, en vez de tomar la forma de una jactanciosa declaración de la burla por el mismo burlador, la revelación de la misma se integra en las usuales críticas proferidas contra los encargados de comprar, de repartir o de preparar la carne:

> GODOY— (...) Lo primero
>   yo maldigo al Cocinero
>   que da la menestra flaca,
>   y después al Despensero
>   que compra mula por vaca (...) (5)

> si un día coméis en una venta, donde ventero cariacuchillado, experto en la seguida y ejer-
> citado en lo de rapapelo, y ahora cuadrillero de la Santa Hermandad, os vende el gato por
> liebre, el macho por carnero, la cecina de rocín por de vaca, y el vinagre aguado por vino
> puro (...) (6)

---

3) Véase el fragmento citado en el *Apéndice* (1).

4) "Si sois vos a quien vendí,/ aunque andáis muchas leguas,/ los tasajos de mis yeguas/ que se morie-
ron aquí,/ por de venado os los di,/ aunque agudo el escudero (...)", en *Pliegos Góticos de la Biblioteca Nacional*, t. II, 1957, p. 16.

5) B. de Torres Naharro, *Tinelaria*, III, vv. 30-34.

6) E. de Salazar, *Cartas*, Bibliof. Esp., 2ª ed., 1966, p. 74.

PEDRO— Esa [i, e., la buena maña] no falta, el gato por liebre, la carne de mula por vaca, el vino pasado por agua, todo va de esta manera (7).

Finalmente, en una anécdota que ha sido recopilada por Chevalier, y de la que existen versiones publicadas en 1592 y 1599 (8), se pone en boca de un niño, hijo de venteros o de carniceros, una frase con la que se alude claramente a la misma trampa (' —Caro nos costaría, si cada día se nos había de morir un rocín").

+
+ +

Algunas de las substituciones fraudulentas comúnmente atribuidas a los venteros, como la que consiste en dar *vinagre* en lugar de *vino*, o *gato* por *liebre*, nos resultan hoy familiares porque se ha mantenido viva la tradición chistosa con ellas asociada. No ha ocurrido lo mismo con la que tiene por efecto de "hacer caballeros a los de a pie", a pesar de alguna que otra reminiscencia excepcional (9). Si, tomando ya indistintamente en consideración los testimonios anteriores y posteriores al *Guzmán*, confrontamos esta metamorfosis de una carne (A) en carne (B) con las dos que antes he citado, observamos que es realmente asombrosa la cantidad de variantes con las que se llega a designar respectivamente (A) y (B). Es cierto que incluso en el caso de las substituciones clásicas anteriormente mencionadas encontramos ligeras variantes, como ocurre cuando en vez de decir que un ventero da *gato* por *liebre*, se nos dice que acostumbra dar *gato* por *conejo* (10), o cuando la expresión del contraste tradicional entre el *vino* y el *vinagre* se encuentra contaminada por el recuerdo de la no menos tradicional contienda del *agua* y del *vino* (véase *supra*, el ejemplo de E. de Salazar). Pero esta situación está sin común medida con las fluctuaciones con las que vemos que se alude, por una parte, al *muleto*, al *machuelo*, al

---

7) J. Minsheu, *Pleasant and delightful dialogues in Spanish and English* (...) London, 1599, repr. por Foulché-Delbosc en *RHi*, 45, 1919, p. 114.

8) Véanse las versiones recogidas por M. Chevalier, en *Cuentecillos tradicionales en la España del Siglo de Oro*, 1975, pp. 246-247 (L 2). Minsheu es el primer editor conocido de los diálogos bilingües reproducidos luego por J. de Luna y por otros autores. La versión de la anécdota que presenta Minsheu ha sido repertoriada en el *Motif-Index* de Stith Thompson (K 476. 3. 1).
   Se encuentra un eco del chiste final en un entremés de Quevedo (véase Apéndice, (3)).

9) Conforme a las leyes de una evolución harto conocida, una anécdota que como veremos pudo en los orígenes tener un valor altamente polémico ha sido recuperada hoy por el folklore infantil. En un *tebeo* francés que no he podido localizar, se publicaron dos viñetas que presentaban sintéticamente el fraude venteril aquí estudiado: la primera representaba un asno atropellado delante de un restaurante situado junto a la carretera; en la segunda, el dueño del restaurante decía que aquel día el plato principal sería un plato de venado.

10) "Vender gato por conejo,/y ortigas por perejil,/ver dar un falso consejo/quien menosprecie hombre viejo,/de estos veréis vos cien mil". B. de Villalba y Estaña, *el Peregrino curioso*, Bibliof. Esp., 1886, t. I, p. 284. "Aquí, Perico, el conejo/en los tejados se caza,/y puesto en el asador,/a los ratones espanta (...) Calderón, *Entremés del reloj y Genios en la venta*.
   "(...) que es una bodegonera tan rica, que tiene a dar rocín por carnero y gato por conejo a los estómagos del vuelo, seis casas en Madrid, y en la puerta de Guadalajara más de veinte mil ducados (...)", Luis Vélez de Guevara, *El Diablo cojuelo*, CC 38, p. 39.

rocín, a la *mula*, a la *burra*, al *asno*, al *caballo* y a la *yegua* (11), y, por otra, a la *ternera*, a la *vaca*, al *carnero* o al *venado* que la víctima del engaño cree estar comiendo *en adobo*, o bajo la forma de *tasajos*, de *cecina*, de *carne salpresa*, de *tocino*, de *morcilla*, de *empanadas*, etc. (12). Está por otra parte claro que estas fluctuaciones que, dada su abundancia, no pueden dejar de ser significativas, no tienen el mismo sentido, ni están regidas por la mismas leyes que las pintorescas adiciones con las que también ocurre que se alargue la lista de los engaños venteriles. Quiero decir que no es lo mismo inventar nuevos equivalentes de *rocín* (o *mula*) por *vaca*, que afirmar que en las ventas se venden "*ortigas por perejil*" o "*cuervo por palomo*" (13). En este caso, en efecto, la misma perfección conceptista de la relación sentada entre (A) y (B) excluye la posibilidad de introducir variantes, y explica que estas nuevas lexicalizaciones hayan de considerarse como otros tantos *hapax*.

Las variantes que encontramos en dos textos franceses confirman que, según quedó sentado, estamos con las fluctuaciones de una tradición hispánica que cubre más de siglo y medio ante una de las particularidades propias del tema aquí estudiado. En el ya citado *fabliau* de los dos ingleses, el inglés que en lugar de *cordero* ha comido *asnillo* declara en efecto, mucho antes de enterarse de la verdad del caso, que aquella carne le ha sabido a *yegua vieja* (es imposible no pensar a este propósito en la referencia que el ventero de Rodrigo de Reinosa hace a sus *yeguas*, que posiblemente se murieron de viejas). En otro poema, en el que un autor poco adicto a la causa de los partidarios de la Liga deplora la muerte de una burra que éstos han matado y vendido, se declara no saber si ha sido vendida por *carnero* o por *ternera*:

> La chair par membre dépecée
> Tout soudain en fut dispersée
> Au légat, et la vendit-on
> Por veau peut-être, ou pour mouton (14)

Pero el texto que mejor permite captar el sentido del fenómeno aquí estudiado es a mi entender un texto portugués en el que la revelación del escandaloso banquete servido por un ventero toma inesperadamente la forma ritual de una adivinanza, que se pone en boca de su mujer:

---

11) *muleto*, en Alemán y en Belmonte, *machuelo*, en Alemán, *rocín*, en M. de Santa Cruz, en Minsheu, en E. de Salazar, en Calderón y en Vélez de Guevara, *burra* en López de Ubeda y en los refranes recogidos por Correas, *asno*, en Covarrubias y en Quevedo, *caballo*, en *La vida de Estebanillo González*, único texto en el que encontramos una trasposición festiva de la conocida hipofagia de los tiempos de guerra, *yegua*, finalmente, en Rodrigo de Reinosa.

12) *tasajos*, en Rodrigo de Reinosa, *cecina*, en E. de Salazar, *carne salpresa*, en la *Floresta*, tocino, en Luis de Belmonte, *morcilla* (y *albondiguillas*), en Quevedo, *empanadas*, en *La vida de Estebanillo González*.
Remito a los textos citados en nota o en el Apéndice.

13) "ortigas por perejil": véase la nota (10); "cuervo por palomo": es variación culta de F. Santos ("(...) por huir de estos azotes se ha hecho figonero, y a vender gato por conejo, cuervo por palomo, cordero por cabrito, macho por carnero, gallos por capones y gallinas cluecas por pollas tiernas, ha engordado la bolsa y carnes tan demasiadamente que al médico le parece que se le pierde el alma", *El No importa de España*, ed. de J. Rodríguez Puértolas, Támesis, London, 1973, p. 86).

14) "A Madamoiselle ma commère sur le trespas de son asne. Regret funebre (...)" El poema está fechado un poco más abajo: "On le fit mourir en la fleur de son âge, le mardi 28 d'août 1590", *Satyre Ménippée*, ed. par Ch. Nodier, Paris, 2 t., 1824, t. II, pp. 199-200.

pois, traidor, nâo bastava que a carne de que fiz as postas nâe fosse de carneiro ou bode, nem vaca, nem porco, cabra ou ovelha, e que te·nâo custasse nêhum dinheiro (...) (15).

No cabe duda de que tenemos aquí una trasposición festiva de la deliberada omisión de una palabra prohibida (16). Y la prohibición que recae en la palabra puede interpretarse como un reflejo de la profunda repugnancia que suele inspirar, al parecer por toda la extensión de la Europa clásica (17), el consumo de carne de caballo, y *a fortiori*, el de la carne de cualquier équido.

La prioridad dada, en la tradición festiva que estoy estudiando, a las formas degradadas del caballo *(rocín, yegua vieja)* o a los équidos menores cuyos nombres están por otra parte corrientemente aprovechados por los que motejan de bestias a sus adversarios, ha contribuido a borrar, o a hacer perder de vista, la carga de virulencia que podían encerrar todas aquellas representaciones fugaces de una transgresión. Muchas particularidades que pueden observarse en el tratamiendo del tema indican, sin embargo, que susbsisten huellas de su significación primitiva. Algunos de estos indicios son formales, como el ya mencionado lujo detallista de las variantes, y en particular de las que destacan la multiplicidad de los disfraces posibles de la carne consumida. Otro indicio similar es que a la variedad de formas escogidas para la representación del engaño corresponden unas soluciones también variadas para que éste llegue a ser descubierto: se dan casos en los que este descubrimiento es el fruto de una investigación que se lleva a cabo luego de haber concebido sospechas, cuyas bien fundadas raíces siempre se subrayan en forma sumamente degradante (18), y otros en los que, al revés, la revelación en cierto sentido más humillante todavía del engaño coge desprevenida a una víctima que seguía celebrando ciegamente las excelencias de su degradante festín (19). Se observará que, gracias al desdoblamiento de perspectivas introducido en el episodio de Cantillana con la presencia del arriero, Alemán ha conseguido presentar en el *Guzmán* una y otra solución.

Otro indicio, externo ya, de que la burla privilegiada en este fragmento del *Guzmán* tiene raíces más oscuras de lo que dan a entender sus apariencias chistosas, es la recurrencia con la que aparece asociado con la expresión de antagonismos políticos o sociocultura-

---

15) A. J. da Silva (O Judeu), *Obras do Diabinho da Mâo Furada,* en *OC,* Lisboa, 1958, t. IV, p. 282.

16) Dado que el supuesto autor de las *Obras do Diabinho* (...) fue quemado en 1739 por "convicto, negativo y relapso", no me parece ocioso recordar que, en la tradición talmúdica, no ha de pronunciarse el nombre de Dios.

17) Se tocó brevemente el tema en una de las discusiones del coloquio de Tours sobre *Pratiques et discours alimentaires à la Renaissance,* cuyas actas acaban de publicarse (Maisonneuve et Larose, Paris, 1982).
   Se observará que Cortés, al indicar que los españoles comieron la carne de un caballo matado por los enemigos, agrega que lo hicieron a falta de otro bastimento ("Cuarta carta", *Cartas de relación de la conquista de México,* Austral, 547, p. 215).

18) Las primeras reticencias de Guzmán se expresan, por ejemplo, en la forma que sigue: "En el ínterin, porque no nos aguásemos, como postas corridas, nos dio un paseo de revoltillos hechos de las tripas, con algo de los callos del vientre. No me supo bien, olióme a paja podrida" (1ª, I, 5; p. 173). Pero el autor que con más extensión desarrolla este aspecto del tema es Quevedo, en su entremés *La venta* (véase el fragmento repr. en el Apéndice).

19) Véanse a este propósito el texto de Hubert Thomas aducido en el Apéndice, y las diferentes versiones del cuentecillo recogido por M. Chevalier.

les. Está por ejemplo claro que los ataques anti-ingleses del *fabliau* francés han de situarse en el contexto de la guerra de los cien años; no insistiré en la importancia de las contiendas cuyo eco captamos en el poema de Rodrigo de Reinosa, en el que el ventero, campeón de los Reyes Católicos, pone en ridículo a su adversario (20); en cuanto a la *Sátira Menipea*, en la que figura el llanto por la burra sacrificada por los partidarios de la Liga, es harto conocido su papel en el momento en que las guerras entre católicos y protestantes ensangrientan todavía la Francia de finales del siglo XVI. Los conflictos con los que está asociado el tema de la carne de *yegua*, de *asno* o de *burra*, vendida en lugar de otra, no tienen todos el mismo carácter sangriento ni la misma trascendencia que los que se acaban de mencionar. Lo encontramos, por ejemplo, entre los tradicionales denuestos con los que los miembros de una colectividad pueblerina se mofan de sus vecinos:

> *En Cañamero, comen burra por carnero; y el alcalde por más honra, siempre lleva de la cola* (21).

El escaso o el mucho relieve de las contiendas con cuya ocasión vemos que está reiteradamente aprovechado el tema no influye, sin embargo en la significación antropológica del mismo.

El testimonio más valioso que en relación con este problema tenemos es un fragmento de los *Anales* que narran la vida del Elector palatino, Federico II. Hubert Thomas, el secretario de Federico, que acompañó a su amo, entonces *Conde* palatino, en un viaje que éste hizo a Granada en 1526, cuenta en efecto a este propósito la anécdota que sigue: habiendo llegado antes que el conde y que los demás miembros de su comitiva a una venta situada en un lugar desierto, fue acogido en ella por un ventero que le aseguró que tenía en abundancia cecina de venado (22) y vino fresco; el secretario, que había llegado con hambre, quiso probar en seguida la cecina, que le pareció muy rica, y que luego fue alaba-

---

20) Es posible que las coplas satíricas de Rodrigo de Reinosa aludieran a un hecho realmente sucedido. Así, al menos, lo da a entender el siguiente fragmento del *Diálogo de los pajes* (que también puede interpretarse como un recuerdo literario):

> *Lorza*— Por no lo hacer ellos, [i. e. los escuderos] así y dejar perder su crédito, dejó un ventero a un escudero del Rey Católico, que llegó a su venta una noche tempestuosa, tan tarde que él y su familia estaban acostados, y dando golpes el escudero que le abriesen, respondió que era ya muy noche, que no se podía levantar. Rogándole por amor de Dios le abriese para dar siquiera un poco de paja y cebada al caballo, que el daba su fe y palabra de la pagar muy cortésmente, respondió el ventero se fuese en buena hora, que juraba a tal que no cupiesen en una talega, por grande que fuese, las palabras de escuderos que tenía empeñadas por paja y cebada. (Diego de Hermosilla, *Diálogo de los pajes*, ed. de A. Rodríguez Villa, Madrid, 1901, p. 51) [He modificado la puntuación].

21) Se trata de un refrán citado por Correas, con las siguientes variantes y comentarios:

> o: *en Cañamero pesan —o matan— burra por carnero.*
> *¿Coméis cola, alcalde bueno? Mirad no comáis la de Cañamero.*
>   Dándose matraca los lugares fingen que en Cañamero.por falta de res, el carnicero mató su burra y la pesó por carnero, y que el alcalde llevó de la cola (...) G. Correas, *ed. cit.*, p. 132a y 431a.

Tenemos aquí, junto con el tema de la burra vendida por carnero, la alusión degradante a la *cola*, que al parecer formaba parte del repertorio tradicional de las matracas, y cuya integración cervantina en *La ilustre fregona* no parece haber sido correctamente apreciada.

22) Así interpreto yo las indicaciones que nos da el autor sobre la *"ferina carne, salita et fumata, jamque cocta"* (véase en texto en el Apéndice (4)).

da de todos los demás viajeros; el Conde, en particular, no se cansaba de elogiar el plato de venado que le habían servido, y antes de irse encargó a su secretario que comprase toda la que le fuera posible llevarse; en el momento de pagar la cuenta, descubre éste, porque se lo declara con mucha flema el ventero, enseñándole además el pellejo, sagriento todavía, del animal, que lo que en realidad comieron fue asnillo.

Esta anécdota, que el docto secretario cuenta dándola por realmente sucedida, tiene el mismo carácter de dudosa autenticidad que muchos fragmentos de cartas o de relaciones escritas con el pretexto de algún viaje por tierras ajenas, en los que se advierte claramente la huella de una tradición chistosa (23). Pero lo que aquí me interesa destacar es que el detalle escogido para pintar adecuadamente las ventas españolas lo es con la misma intención polémica que la que se rastrea en todos los testimonios conflictivos previamente citados, a pesar de hablarse en este caso con una humorística simpatía de la degradante experiencia vivida por el grupo perjudicado por la burla. En la edición tardía de los *Anales* que he consultado, la potencialidad polémica del episodio incluso está puesta de relieve por una anotación marginal que extiende a toda España la costumbre de comer asno en lugar de venado *(Asinina pro Ferina carne in Hispania in usu)* (24). Información que se encuentra desmentida a distancia por la reacción de escandalizado asombro que provoca en sus interlocutores el paradójico personaje que, en un coloquio famoso de Pedro Mexía, da por averiguado que los Flamencos suelen servir carne de asnillo en sus banquetes (25). Vemos, por lo tanto, que el servir o el comer asno, burra, mula, etc. se considera en realidad como una señal monstruosa de *alteridad*, y se convierte en criterio que permite apreciar el grado de civilización o de barbarie alcanzado por los grupos en los que estas prácticas se toleran o se rechazan con indignación. El ejemplo del fabliau francés muestra que el tema ya tiene estas connotaciones mucho antes de que proliferen en Europa las polémicas en torno a la antropofagia, provocadas como es sabido por los testimonios de algunos viajeros sobre el recién descubierto Nuevo Mundo. No creo sin embargo que pueda descartarse la idea de que estas polémicas, que además se agudizaron al convertirse en elemento

---

23) Este es un tema que he ilustrado con un ejemplo en mi artículo sobre "Rufianes, prostitutas y otra carne de horca", *NRFH*, 1980, pp. 18-20, y que merece unos desarrollos que aquí no le puedo dar. Me limitaré a señalar que en los años en que cabe suponer que fue redactada la relación del viaje a Granada del futuro Elector, la reciente publicación del coloquio de Erasmo en el que se describen los mesones de Alemania *(Diversoria,* 1523) suscita en muchos humanistas una emulación que a veces está expresada en forma muy explícita (cf. el testimonio de Clénard, que en carta escrita a Latomus el 26 de marzo de 1535, declara "Credo, si semel conscripsero dialogos, notabo suis coloribus diversoria Hispanica" —proyecto que en efecto llevó Clénard a cabo dos años más tarde—, y la alusión que de paso hace Justo Lipsio a las ventas visitadas por Erasmo en una carta en que describe las incómodas ventas de Westfalia: "Omitto molestias, et taedia hospitiorum praesertim, quae hic plura quam Germanica". *(Justi Lipsii Quatuor Epistolae, in omnibus fere editionibus omissae (...) in quo comparent, raritatem et sales in Westphalica hospitia urbanissimos, nunc denuo recusae (...),* Roterodami, 1705, p. 2.

24) Hubert Tomas, "Leodius", *Annalium de vita et rebus gestis Illustrissimi Principis Friderici II Electoris Palatini libri XIV,* Francfort, 1624, pp. 92-93.

25) Pedro Mexiá, "Coloquio del Porfiado", en *Colloquios o Dialogos de...* Sevilla, 1548, p. CXXXVII v°.

de la propaganda anticatólica de los protestantes (26), contribuyeran a dotar el tema de la onofagia de una actualidad renovada.

+

+ +

En el *Guzmán*, el momento en el que el tema de los fraudes venteriles se toma explícitamente como criterio de la oposición entre civilización y barbarie corresponde a la fase altamente analítica de la conclusión con la que se da fin, simultáneamente, al primer ciclo de las aventuras del protagonista, y a la denuncia de los abusos cometidos por venteros y mesoneros (27). La relación entre onofagia y transgresión está en cambio aprovechada por Alemán en una etapa anterior, con unos fines simbólicos que deben su peculiaridad al entronque de la burla hasta aquí considerada con otra tradición folklórica, mucho mejor conocida y estudiada que la del festín de los *ono—* o de los *hipófagos*, que es la de los testamentos de animales. Exactamente como en el caso previamente examinado, puede observarse que esta tradición, cuya integración en el episodio de Cantillana es tan perfecta que puede pasar —y en efecto ha pasado— allí inadvertida, vuelve a aparecer en forma ya mucho más explícita en otro lugar del *Guzmán*:

> —Has de saber, Sayavedra, que, habiendo adolecido el asno, hallándose muy enfermo, cercano a la muerte, a instancia de sus deudos y hijos, que como tenía tantos y cada cual quisiera quedar mejorado, los legítimos y naturales andaban a las puñadas; mas el honrado padre, deseando dejarlos en paz y que cada uno reconociese su parte, acordó de hacer su testamento, repartiendo las mandas en la manera siguiente: "Mando que mi lengua, después de yo fallecido, se dé a mis hijos los aduladores y maldicientes, a los airados y coléricos la cola, los ojos a los lacivos y el seso a los alquimistas y judiciarios, hombres de arbitrios y maquinadores. Mi corazón se dé a los avarientos, las orejas a revoltosos y cizañeros, el hocico a los epicúreos, comedores y bebedores, los huesos a los perezosos, los lomos a los soberbios y el espinazo a porfiados. Dense mis pies a los procuradores, a los jueces las manos y el testuz a los escribanos. La carne se dé a pobres y el pellejo se reparta entre mis hijos naturales" (2^a, II, 5; p. 656).

El cuidado, propio del género, con el que se reparten aquí carne, miembros y pellejo (28) autoriza a reexaminar algunos de los pormenores en los que entra el narrador a propósito de la preparación de la comida por el ventero de Cantillana, o del descubrimiento de la clave del enigma por el protagonista, o de la versión compendiada del episodio que éste

---

26) Véase a este propósito F. Lestringant, "Catholiques et cannibales. Le thème du cannibalisme dans le discours protestant au temps des guerres de religion", en *Pratiques et discours alimentaires à la Renaissance*, Maisonneuve et Larose, Paris, 1982, pp. 233-245.

27) " ¡Qué de robos, qué de tiranías, cuantas desvergüenzas, qué de maldades pasan en ventas y posadas! Qué poco se teme a Dios ni a sus ministros y justicias, pues para ellos no las hay —o es que van a la parte, y no es tal cosa de creer. Pero ya se ignore o se entienda, sería importantísimo el remedio, que se dejan muchas cosas de seguir y los acarretos detienen las mercaderías, por la costa dellos. Cesan los tratos por temor de venteros y mesoneros, que por mal servicio llevan buena paga, robando públicamente. Soy testigo haber visto cosas que en mucho tiempo no podría decir de aquestas insolencias, que si las oyéramos pasar entre bárbaros, como a tales los culpáramos y, tratándolas a los ojos, no hacemos caso dellas" (1^a, II, 1; p. 256).

28) Pueden interpretarse las mandas hechas por los animales como una trasposición festiva de las creencias en la *magia homeopática* estudiada por Frazer en *El ramo de oro*.

nos presenta cuando se pone a reflexionar en él *a posteriori.* Guzmán y el arriero llegan al mesón de Cantillana un sábado por la tarde. El mesonero, que ha matado el muleto el día anterior, tiene aderezado para el sábado "el menudo, asadura, lengua y sesos" (p. 170). La lengua y los sesos se vuelven a mencionar en el momento en el que descubre Guzmán los despojos sangrientos del animal ("Tenía tendidas las orejas, con toda la cabezada de la frente. Luego a par della estaban los huesos de la cabeza, que solo faltaban la lengua y sesos", 1ª, I, 6; p. 179). Finalmente, habiendo entrado en cuentas consigo, dice el protagonista enumerando las desgracias que le han sucedido:

> Quejéme ayer de mañana de un poco de cansancio y dos semipollos que comí disfrazados en hábito de romeros para ser desconocidos. Vine después a cenar el hediondo vientre de un machuelo y, lo peor, comer de la carne y sesos, que casi era comer de mis propias carnes, por la parte que a todos toca [de] la de su padre, y, para final de desdichas, hurtarme la capa, (1ª, I, 7, p. 184) (29).

Es clarísimo el valor de las insistentes referencias a la *lengua* y a los *sesos* del muleto. El festivo simbolismo de la alusión se ha mantenido vivo hasta una época relativamente reciente, como vemos por la versión canaria de un testamento de mulo recogida por J. Pérez Vidal ("los sesos, lengua y orejas/con otros pertrechos chicos/éstos se los dejo todos/al que el testamento hizo") (30), y también por un recuerdo —tal vez apócrifo de Baroja:

> En las calles de Bravo Murillo y de Segovia, en algunas casquerías, decía:
> SE VENDEN IDIOMAS Y TALENTOS
> Lo que quería decir que se vendían lenguas y sesos (31).

Pero también es posible que estén igualmente cargadas de sentido las alusiones, más degradantes si cabe, al *vientre hediondo* del machuelo, como indudablemente lo está el detalle de dar Guzmán con el *pellejo* cuando está buscando su *capa.* Más allá del significado y de la trascendencia de cada detalle tomado por separado, merece destacarse el valor global que se asigna a las relaciones de parentesco entre el asno y todo el género humano, a cuyo propósito está claramente señalada la relación que se establece entre onofagia y antropofagia. Se ve que el concepto mismo de transgresión, más arriba introducido por mí analíticamente, está presente, al menos en su modalidad festiva, en el texto singularmente explícito de Alemán. Singularmente explícito, pero no excepcional ni único, como lo demuestra el poema francés de mediados del siglo XVII que me ha sugerido el empleo de un cultismo para referirme a los comedores de asno y a su monstruoso festín, y en el que está abundantemente desarrollado el tema del fratricidio (32).

---

29) En cambio, en el momento de pagarle al arriero la parte del escote que éste le ha reclamado, lo único a lo que se refiere Gúzman es al *vientre* del animal ("Hízoseme caro el vientre del machuelo", 1ª. I, 8; p.244).

30) "Testamentos de bestias", en *RDTP,* 3, 1947, p. 549.

31) En *Vitrina pintoresca, OC,* 1948, t. V, p. 811a.

32) "L'Onophage ou le Mangeur d'asne...., Paris, 1649, en E. Fournier, *Variétés historiqués et littéraires,* t. 3, Paris, 1855, pp. 67-75.

Para apreciar plenamente, sin embargo, lo que significan las variaciones alemanianas en torno al tema de la comida prohibida, hemos de tener en consideración aunque sea brevemente, el famoso episodio del "emplasto de huevos" que precede inmediatamente al de Cantillana. Con cierta insistencia observamos que se refiere Alemán a los desgraciados pollitos a medio empollar que entran en la composición de la mal llamada tortilla como si estuvieran todavía rebulléndose y piando:

> Comí, como el puerco la bellota, todo a hecho; aunque verdaderamente sentía crujir entre los dientes los tiernecitos huesos de los sin ventura pollos, que era como hacerme cosquillas en las encías. (1ª, I, 3; p. 151).

> Así proseguí mi camino, y no con poco cuidado de saber qué pudiera ser aquel tañerme castañetas los huevos en la boca (...)
> (...) Y aun en el día de hoy me parece que siento los pobrecitos pollos piándome acá dentro. *(Ibid.;* p. 156).

> Ellos eran mas curiosos o curiales, espulgáronla de manera que hallaron a su parecer tres bultillos como tres malcuajadas cabezuelas, que por estar los piquillos algo qué más tiesezuelos, deshicieron la duda, y tomando una entre los dedos, queriéndola deshacer, por su propio pico habló, aunque muerta, y dijo cuya era llanamente (1ª, II, 4; p. 161).

En estas reiteradas referencias a unas señales de vida que tienen un inconfundible parentesco con las de los humanos se advierte la presencia de otro tratamiento festivo del tabú de la antropofagia. Y, para que sea completo el paralelismo entre uno y otro episodio, se observará que este primer tratamiento del tema, examinado aquí marginalmente y en segundo lugar, también tiene raíces folklóricas. Es en efecto conocidísima, y frecuentemente citada en las modernas ediciones de textos clásicos, la anécdota del Vízcaino que al tragarse un huevo se traga con él un pollo, y que al oirlo piar dice lacónicamente que ha piado tarde (33). Queda de este modo confirmado que los elementos básicos que sirvieron para la elaboración del inquietante conjunto con el que se da comienzo a la serie de experiencias iniciáticas de Guzmán están tomados del folklore.

La perfección misma de la labor realizada para borrar la presencia de este material folklórico explica sin duda que, a pesar de su importancia, éste haya podido pasar inadvertido. Se observará en particular que, a diferencia de otros autores, Alemán somete el material folklórico por él aprovechado a una selección que lo deja expurgado de sus aspectos festivos más destacados. Está por ejemplo aprovechada la idea del pío que denuncia la presencia del pollo en el huevo a medio empollar, pero no la chusca conclusión de la anécdota tradicional. También se elimina de la reelaboración alemaniana la epigramática sentencia que, en los cuentecillos reunidos por Chevalier, revela inesperadamente la procedencia de la carne cuya excelencia acaba de ser nuevamente elogiada ("—Caro nos costaría

---

33) *"Tarde piache.* Por: hablar y acudir tarde. Semejanza del polluelo que estaba en el huevo y le engulló el otro, y chilló en el gaznate (...)". Correas, ed. cit., p.490a.
"Tarde piache, dicen que dijo el Vízcaino al pollo que iba vivo en un huevo que sorbía", F. del Rosal, *La razón de algunos refranes,* ed. de B. Bussel Thompson, Tamesis, London, 1976, p. 96.

si cada día se nos había de morir un rocín"), a pesar de haberse conservado, e incluso desarrollado la idea de atribuir la responsabilidad de la revelación del enigma a un ser joven e inexperto (34). Paralelamente, se advierte en Alemán una verdadera hipertrofia de la conocida propensión de muchos expertos narradores a remozar temas tradicionales y a dotarlos de una nueva actualidad, con detalles tomados de la realidad histórica del momento en que cuentan o escriben. El logro novelístico más espectacular que encontramos en los fragmentos aquí estudiados es a este respecto la integración en el episodio de Cantillana de la infracción cometida contra las leyes que proscribían la cría del ganado híbrido al sur del Tajo, circunstancia con la que se agrega una dimensión verista a la novelización de un engaño cuyas raíces son, como se ha visto, mucho más oscuras. Pero la misma tendencia a aprovechar simultáneamente las posibilidades míticas y veristas de un tema es la que lleva por un parte a privilegiar para la salida del protagonista un viernes, día de mal augurio, y a jugar luego con un raro despliegue virtuosista del corto repertorio gastronómico propio de los días de ayuno, o de los ayunos "quebrantados" de los sábados castellanos, integrando de paso en la narración de las comidas iniciáticas del viernes y del sábado el rico material folklórico cuyas huellas he procurado rastrear en lo que precede.

Mencionaré para terminar una causa que, a pesar de haber tenido los mismos efectos que las que se acaban de mencionar, obliga a considerar las cosas desde otra perspectiva. No cabe duda, en efecto, de que el sesgo propio de los estudios alemanianos, incluso en su vertiente más generosa y comprensiva, no ha favorecido el estudio de esas zonas de sombra con las que, como hemos visto con un ejemplo, suelen estar en contacto las reelaboraciones alemanianas del folklore. Creo que estas zonas de sombra requieren tanta atención como han merecido otras facetas del *Guzmán*, y que sin su estudio no podrá ser completo el examen de los problemas ideológicos planteados por la controvertida personalidad de su creador.

MONIQUE JOLY
Universidad de Lille III

---

34) La confrontación entre Guzmán y el ventero toma en efecto, poco antes de hacerse pública la revelación del engaño, el aspecto de nueva lucha entre David y Goliat:

> Como él me vio muchacho, desamparado y un pobreto, ensorbecióse contra mí, diciendo que me azotaría y otros oprobios dignos de hombres cobardes y semejantes. Mas, como con los agravios los corderos se enfurecen, de unas palabras en otras venimos a las mayores, y con mis flacas fuerzas y pocos años arranqué de un poyo y tiréle medio ladrillo que, si con el golpe le alcanzara y tras un pilar no se escondiera, creo que me dejara vengado. Mas él se me escapó y entró corriendo en su aposento, de donde salió con una espada desnuda.
>
> Mirad quién son estos feroces, que ya no trata de valerse de sus tan fuertes brazos y robustos contra los débiles y tiernos míos. Olvidósele el azotarme y quiere ofenderme con fuerza de armas, viéndome un simple y desarmado pollo. (1ª, I, 6; p. 180).

APENDICE

(1) Dada la extensión del *fabliau*, solo se reproduce aquí el fragmento más significativo para una confrontación con el tratamiento del tema de la onofagia en los textos españoles:

"Mi conpanon fout moult malart,/Il proie mi que ge li chat/Un ainel qu'il velt mengier."/Li preudons, c'on claime Mainier,/Le cuide avoir bien entendu:/"Bien t'en est," fait il, "avenu"/M'anesse en oit, ersoir, un bel."/Devant l'Anglois a mis l'anel/Si le vendi; cil l'acheta./A l'ostel vint, si l'escorcha./Quant il est cuit et atorné,/Son conpaignon en a porté/Une des cuisses o le pié;/Et cil l'a volantiers mengié,/Qui moult desirroit la viande/ Et de respaster ert engrande./Quant ot mengié par bon talent,/Les os esgarde qui sont grant/Et la hanche et la quisse tote,/Qu'il vit si grosse et si estote;/Son conpaignon apele Alein,/Et il i est venuuz à plain./"Que volez tu," fait il, "trichart/Que vos me tenez por musart?/Quel beste m'as tu ci porté?/—Anel," fait il, "en charité./—Anel?" fait il, "par seint Almon,/Cestui n'est mie filz moton?/ —Si est, pour ane ge chatai,/Tot de plus grant que je gardai./—Anel! deable, voirement:/Il sanble char de viel jument./Se fu asnel que ge voi ci,/Ainz fu anel vostre merci./—Se tu ne croiz que fout anel,/Mi vos ira mostrer de pel:/—Oïl," dit il, "moustrez de ça."/Et cil la pel li aporta,/Devant son conpaignon l'estent/Cil le regarde durement,/Les piez, la teste, les oreilles:/"Alein", fait il, "tou diz merveilles./Si fait pié, si faite mousel/Ne si fait pel n'a mie ainel./Ainelet a petite l'os,/Corte l'eschine et cort le dos,/Cestui n'est mie fils *bèhè.*/Quoi dites vos, Alein, que est?/Ce ne fu mie fielz berbis./—Tu dites voir, par seint Felix./Foi que ge doi à seint Joban,/Cestui fu filz *ihan, ihan;*/Encor fu d'anesse en maison/Et ge vos porte ci d'asnon".

"De deux Angloys et de l'anel", en A. Montaiglon et G. Raynaud, *Recueil général et complet de fabliaux des XIIIe et XIVe siècles*, 1872-1890, t. II, XLVI, pp. 180-181.

(2) De las tres versiones del siguiente *cuentecillo* recogidas por M. Chevalier (L 2), reproduzco la que se cita en apoyo de una denuncia general de los fraudes venteriles, como puede verse por el breve intercambio de réplicas que sirve de preámbulo a la presentación de la anécdota chistosa:

"AGUILAR. Señora huéspeda, ¿cuya es esta venta?

VENTERA. De un caballero de la ciudad.

AGUILAR. ¿cuánto pagan por ella de arrendamiento en un año?

VENTERA: Más que ella vale, quinientos ducados.

MORA. De esa suerte, buena maña se han menester dar a hurtar, para sacar la costa.

PEDRO. Esa no falta, el gato por liebre, la carne de mula por vaca, el vino pasado por agua, todo va de esta manera.

VENTERA. Mala Pascua dé Dios al bellaco, y mal San Juan, ¿cuándo ha visto el bellaco eso en mi venta?

PEDRO. Vístolo no, gustado sí.

VENTERA. Vos mentís como bellaco, que nunca tal.

PEDRO: Ahora estemos a cuenta, huéspeda, no demos de comer al diablo: venga acá, ¿no
se acuerda del otro día, cuando yo vine por aquí con un caballero, que le pidió le
diese un pedazo de carne, de aquella que le había dado otro día antes, cuando
había pasado por aquí, porque decía que le había sabido muy bien? Lo cual
oyendo aquel niño chiquito, dijo: "Caro nos costaría, si cada día se nos había de
morir un rocín".
VENTERA. Es verdad que aquello fue aquel rocín que se nos murió, pero estaba tan gordo y tan lindo, que era mejor que carne de vaca.
MORA. Señora huéspeda, aunque más lindo sea, no nos dé de él ahora.
VENTERA. No señor, que ya se acabó: ¿hasta ahora había de durar?.

> J. Minsheu, *Pleasant and delightfull dialogues in Spanish and
> English* (...), London, 1599, repr. por Foulché-Delbosc, en *RHi*,
> 45, 1919, p. 114.

(3) Las variantes lexicográficas de la burla: cuatro testimonios españoles posteriores al
Guzmán:

I.   "*TERESA.* En las ventas se hacen lindos enjertos,/pues los árboles, gatos, llevan
conejos (...)
TRISTRAS. (...) ¡por Dios! que era muleto/en figura de tocino./*JUANA.* ¿En
que lo vio? *TRIS.* En el pellejo (...)

> L. de Belmonte, "Entremés de lo que pasa en una venta", repr.
> en *Flor de Entremeses y Sainetes de diferentes autores,* ed. por
> M. Menéndez y Pelayo, Madrid, 1903, p. 171 y p. 180.

II. "*Vender el gato por liebre,* engañar en la mercadería; tomado de los venteros, de
los cuales se sospecha que lo hacen a necesidad y echan un asno en adobo y la
[*sic*] venden por ternera".

> S. de Covarrubias, *Tesoro,* s.v. *gata* y *gato*.

III: "—No entiendo esta morcilla, dijo el uno;/otro santiguador de los mondongos decía: —A cieno sabe, si es de estanque;/y dijo otro, con boca derrengada,/ —Bus-
quen su descendencia a la morcilla,/y darán con un mulo de reata./ ¿Qué es menester saber de quién desciende/de rocín o de oveja?/Bástale ser morcilla de Cor-
neja (...)
ESTUDIANTE. ¿Por cuatro albondiguillas como nueces/me pide veinte cuartos,/
y ayer hizo ocho días/por cuatro albondigones como el puño/ me llevó tres cuar-
tillos? *GRAJAL.* Si haría,/mas no se muere un asno cada día".

> F. de Quevedo, "La venta", en *OC,* Aguilar, 1961, t. II, pp. 539-540.

IV: "Di en hacer empanadas alemanas (...); buscaba la harina en los villajes donde sus
moradores se habían huido y la carne en la campaña adonde sus dueños della se
habían desmontado; hacía cada noche media docena, las dos de vaca y cuatro de
carne de caballo (...) y en llegando la hora del rendibuy general (...) hacía rifar
mis empanadas a escudo quedando muchos quejosos de que no hiciese mayor
provisión dellas, como si la campaña fuese tumba común de caballos muertos".

> *Vida y hechos de Estebanillo González,* ed. de A. Carreira y J.A.
> Cid, Madrid, 1971, cap. VII, pp. 265-266.

(4) *Asinina por Ferina carne in Hispania in usu:*

"Praemisus itaque a principe, per magnas solitudines pervenio ad Ventam quae Euve-
lla appellatur, et ingresus hominem invenio, qui satis loci pro equis nostris et sufficiens pa-
bulum se habere dicit, praeterea boni et frigidissimi vini quantum cuperemus, adhaec de
ferina carne salita et fumata, jamque cocta impertiturum pollicetur: rogo ut mox aliquan-
tulum adferat: attulit ed ad comendendum proponit, deinde abiit. Comedi, si unquam
alias, suaviter (...) deinde a praecursoribus certior factus Principem adventare, curro illi
obviam (...) ille fesus, famelicus et sitibundus jubet adferri, comedit et bebit jucundissime,
neque ferinam satis laudare poterat, et monis ejus familia (...) jussitque de ferina carne ut
emerem quantum mula ferra posset. A media nocte surgit et abiit cum suis: ego rationes
cum hospite meo: ille, tantum, inquit, pro carne asinina. Quid, inquam, appellas carnem
asininam? Ferinam illam, inquit, quam heri comedistis et vobiscum fertis (...) simul haec
dicens aperit parvum conclave, ubi perna recenter occisi asini pendebat (...).

> Hubert Thomas, "Leodius", *Annalium de vita et rebus gestis
> Illustrissimi Principis Friderici II Electoris Palatini libri XIV,*
> Francfort, 1624, pp. 92-93.

SOBRE EL FUNCIONAMIENTO DE LAS INSCRIPCIONES IDEOLOGICAS EN "LA HORA DE TODOS" DE QUEVEDO

EDMOND CROS
Universidad de Montpellier

SOBRE EL FUNCIONAMIENTO DE LAS INSCRIPCIONES IDEOLOGICAS EN "LA HORA DE TODOS" DE QUEVEDO

Edmond Cros

La significación de *La Hora de Todos* plantea un problema en la medida en que hay alguna dificultad en articular por una parte los cuadros políticos con los cuadros morales, y por otra parte la enseñanza moral teórica que expresa Júpiter al final de la obra con el conjunto de los cuarenta episodios. En su introducción, notable en todos los aspectos, Bourg, Dupont y Geneste (1), optan por la hipótesis de un pensamiento providencialista y antimaquiavélico al servicio de un objetivo principal que sería el de "conservar y conservarse" en un mundo donde todo cambia: "se aprecia, escriben, hasta qué punto la distancia es corta entre la sátira de las costumbres privadas y la sátira propiamente política. Frente a la crisis, Quevedo, como Júpiter, reacciona como conservador" (pág. 50).

Josette Riandière La Roche, por su parte, atribuye al discurso de Júpiter un papel funcional de unificación: "Unifica, dándoles un sentido común —la denuncia del dinero corruptor, causa irremediable de la malignidad humana— la totalidad de los episodios de la obra a la que aporta, por este sentido que le *añade*, un elemento de cohesión" (pág. 60) (2).

James Iffland (3) sin embargo rechaza esta búsqueda de la unidad aparente e ilusoria de las producciones literarias y apoyándose a la vez en la *Teoría de la Producción literaria* de P. Macherey y en *Criticism and Ideology* de Terry Eagleton (4), se propone seguir las contradicciones ideológicas que operan en el texto y que se enuncian en él bajo una forma que "representa al mismo tiempo su solución imaginaria o más bien: que las desplaza sustituyéndolas por contradicciones imaginariamente conciliables en la ideología religiosa,

---

1) *La hora de todos*... Paris, Aubier, 1980. Remito en Adelante directamente a esta edición.

2) La satire du "monde à l'envers" et ses implications politiques dans *La Hora de todos* de Quevedo in *L'image du monde renversé et ses représentations littéraires et para-littéraires de la fin du XVIe siècle au milieu du XVIIe*, Paris, J. Vrin, 1979.

3) Cf. Cotextes n° 2, *La hora de todos*, Montpellier, C.E.R.S., 1981.

4) Eagleton Terry, *Criticism and Ideology*, London, Verso, 1978.

política, moral, estética o psicológica" (4 bis). Esta posición teórica le lleva a apuntar el contenido subversivo de ciertos pasajes que entraría en contradicción con el proyecto ideológico del autor; dentro de esta hipótesis, el carácter descentrado del discurso final de Júpiter con relación al esquema narrativo de los episodios que lo preceden expresaría el sentimiento —consciente o inconsciente— de Quevedo de que lo que ha representado en su texto ha ido demasiado lejos. James Iffland explica estas voces contradictorias por las modalidades equívocas de la inserción de Quevedo en una estructura de clase, lo cual en sí me parece totalmente convincente. A la vez que reproduce la ideología de la clase dominante, la obra de Quevedo hace emerger, en efecto, el discurso específico de un sujeto transindividual quien, en el interior mismo de esta clase dominante, se encuentra a su vez dominado y vive su situación de dependencia con amargura y resentimiento.

A diferencia de J. Iffland no pienso, sin embargo, que en lo que sería su crítica del *statu quo*, el punto de vista de Quevedo pueda abandonar su posición de clase para adoptar la perspectiva de las clases inferiores.

El análisis de James Iffland es muy sugestivo en la medida en que pone el acento sobre la complejidad de las inscripciones ideológicas y nos pone así en guardia contra todo exceso de visión mecanista y de reducción monosémica de los textos. Me apartaré de él sin embargo sobre un primer punto, a saber el origen y la naturaleza ideológica de estas contradicciones, y mejor que construir una argumentación progresiva, me limitaré a proponer una serie de sugestiones o de observaciones de orden metodológico:

1) *La Hora de Todos*, como los demás textos, desconstruye una materia preconstruida donde ya se hallan inscritos trayectos de sentido potenciales y significaciones latentes susceptibles de ofrecer al trabajo de la escritura una opacidad más o menos grande y una resistencia más o menos fuerte. Se tendrá que evitar, pues, el confundir los trazados ideológicos *potenciados* en este lenguaje *pre-plasmado*, los cuales pueden resultar complejos y contradictorios, con la *producción* ideológica de sentido operada en el proceso de su transformación textual. En el caso que nos interesa, este "ya-dicho", lo sabemos, es un tópico, el del "mundus inversus", transhistórico y transcultural que, como tal, puede aparecer como vacío de toda significación histórica determinada y no ser concebido sino como refiriéndose a un arquetipo de lo imaginario. Podríamos atenernos a este tipo de observación notando que lo encontramos en la primera mitad del siglo XVII tanto en los textos españoles (Quevedo, pero también Sebastián de Covarrubias y Horozco, en los *Emblemas morales*, 1616 (5), como ingleses (Henry Denne, *Grace, Mary and Pea-*

---

4 bis) P. Macherey, *Pour une théorie de la production littéraire.*

5) "Le monde est renversé, je le comprends pas
L'enfer commande et le Seigneur le prie;
le riche pleure, le pauvre rit;
La montage est en bas, la plaine dans les nuages,
Le lièvre chase le chien
Et la souris le chat. Mais il affirme
qu'il est rond et qu'il tourne et par suite c'est pour cela
que nous nous demandons ici bas qui court après l'autre".

Emblème n° 79

Para este texto y los siguientes, Cf. Frederick Tristan, *Le monde à l'envers*, Atelier Hachette Massim, 1980.

ce (6), 1645), italianos (Giacomo Affinati d'Acuto, *Le monde renversé san-dessus-dessous,* 1610 (7)) o franceses (Jean Deslyons, *Discours ecclésiastique...,* 1664 y texto francés de la tarjeta inferior del grabado de Crispin de Pas, 1635 (8). Aparece sin embargo de este modo la naturaleza del tópico, el cual no articula directamente intereses sociales sino que constituye un sistema modelizante secundario, es decir, un código cultural de transformación de la realidad observable, que nos hace pasar de lo denotativo al lengua figurativo. En lo sucesivo, y a través del tópico del "mundus inversus", los intereses sociales serán metaforizados, escapando así a toda percepción monosémica inmediata. Ahora bien es a lo equívoco del tópico a lo que debe ser ante todo vinculada la significación aparentemente equívoca de *La Hora de Todos.* Desde luego, como lo hace observar Josette Riandière, "el discurso que [Quevedo] atribuye a Júpiter descansa... sobre una doble serie de antítesis, una de resonancia socio-económica, otra de resonancia moral...", pero ¿no es el "mundus inversus" el propio vector de este doble discurso? Recordaré aquí, después de Frederic Tristan, un texto de Aristófanes donde se enfrentan y se interpenetran la denuncia de la injusticia social y el sentimiento de que no conviene modificar el orden existente. Dirigiéndose a Cremilo y a Blepsidemo, que desean trastocar el mundo a fin de que "los hombres de bien sean felices y que los malos y los ateos tengan la suerte contraria", Pobreza les hace observar que si aconteciese lo que desean, no sacarían ellos el provecho esperado: "Si en efecto Pluto volviese a ver y se distribuyera igualmente entre todos no quedaría nadie entre los hombres para dedicarse al arte y a la ciencia. Si estas dos cosas desaparecieran ¿quién querrá para vosotros ser herrero, constructor de navíos, sastre, carretero, zapatero, ladrillero, lavandero, curtidor? o ¿quién querrá, desgarrando el seno de la tierra con la reja, recoger los frutos de Demeter ya que se podrá vivir ocioso, sin preocuparse de todo eso?" (9).

La tentación es grande de interrogar el mismo tópico para reconocer en él la coexistencia, por una parte de un discurso subversivo, y por otra parte de un sistema de ocultación de este mismo discurso cuyo objetivo es el borrar esta evidenciación de relaciones de clase mediante un discurso ético-religioso que maneja la categoría de lo universal. Está claro que, desde ese momento, el tópico cobrará su primera significación del conjunto de

---

6) "Il se pourrait fort bien qu'aux yeux de beaucoup je me sois rendu coupable du crime que l'on impute à l'Apôtre d'avoir mis le monde à l'envers et d'avoir placé tout bas ce que d'autres jugent être le haut de l'édifice et juché sur le toit ce que d'autres ont utilisé comme fondation".

7) "Celui qui était destiné pour loger au ciel eut l'enfer comme maison. Celui qui devait jouir des délices éternelles et célestes fut condamné aux peines perpétuelles et ainsei la glorie fut changée en peine, l'honneur en blâme, les plaisirs en tourments, les joies en pleurs, les récréations en travaux, les richesses en pauvreté, l'abondance en indignité, l'amour en haine, la lumière en ténèbres".

8) "Voyez ce monde retourné
   Aux biens mondains trop adonné
   Qui pour un Rien se veut périr
   Sans ombre d'aveugle plaisir.
   Et Satan qui toujours veille
   leur promet des biens à merveille
   Sachant que dessous tel plaisir
   Se cache un mortel repentir". On pourra examiner la gravure de Crispin de Pas, soit dans F. Tristan, op. cit. soit dans Tours, op. cit.

9) Ploutos, ed. Granier, 1966; p. 391.

la "formación discursiva" (10) a la que pertenece. Júzguese rápidamente comparando la expresión de frustación de un "cristiano viejo": "Dijo que todo anda al revés y todo trocado de alto a bajo: los buenos ya valen poco y los muy buenos para nada y los sin honra son honrados..." (11) con el discurso antisubversivo de un Richard Morrison " ¿No sería cosa loca e inaudita que el pie dijera quiero llevar sombrero así como la cabeza? ¿que la rodilla dijera que quiere tener ojos u otro capricho? ¿que cada hombro reclamase una oreja? ¿que los talones quisieran ir delante y los dedos del pie detrás?" (*A Remedy for Sedition*, 1536) (12).

De reportar el texto de Quevedo a la serie de los testimonios *textuales* del mundo al revés, parece que se pueda decir que, en todos los casos conocidos, es el discurso con dominante religiosa el que prevalece; éste envuelve la problemática socio-económica, de la que se puede pensar que constituye el núcleo original del tópico, para desplazarla y encubrirla (13). Ahora bien, parece que ésta sea la estrategia que escoge la escritura en *La Hora de Todos*: cuando en ésta es reproducido un discurso subversivo, éste siempre se da a percibir como una "ideología citada", para tomar la cómoda distinción de Claude Duchet. La "ideología citadora" por su parte, que nos remite al concepto de "formación discursiva", envuelve del mismo modo la primera intentando minar su sentido. Me limitaré a citar aquí el cuadro XL "Pueblos y súbditos de príncipes y repúblicas" donde la instancia narradora sitúa las controversias entre partidarios de la República y partidarios de la monarquía así como las reivindicaciones femeninas en un cuadro apocalíptico de pesadilla: "Había gente de todas las naciones, estados y calidades. Era tan grande el número que parecía ejército y no junta; por lo cual eligieron por sitio la campaña abierta. Por una parte admiraba la maravillosa diferencia de trajes y aspectos, por otra confundía los oídos y burlaba la atención la diferencia de lenguas. Parecía romperse el campo con las voces... Todo estaba mezclado en tumulto fiero y en discordía furiosa; los republicanos querían príncipes, los vasallos de los príncipes querían ser republicanos..." (pág. 326).

Lo mismo acontece con el *letrado bermejo* condenado por ello aún antes de que abra la boca: "que a todos había revuelto y persuadido a pretensiones tan diferentes y desaforadas. Mandaron el silencio dos clarines cuando él sobre lugar preeminente que en el centro del concurso le miraba en iguales distancias, dijo..."; personaje simbólico que carga con la responsabilidad de la sedición y de la discordia que impera en esta asamblea de furiosos y endemoniados. Su discurso, no obstante, de ser aislado artificialmente de este contexto, aparecería sin duda bajo la forma de cierta coherencia, y dotado de una evidente fuerza de impacto sobre el lector.

2) Y es que, precisamente, este discurso integra otras voces que, al mismo tiempo que vienen a desconstruirse en el tópico, adquieren en éste, por cuanto son *representadas*, cier-

---

10) Sobre la noción de "formation discursive", cf. C. Laroche, P. Henry, M. Pêcheux "La sémantique et la coupure Saussurienne; langue, langage, discours", *Langages*, 24 déc. 1971.

11) Baltasar Gracian, *Criticón* III ; 3, Obras completas, Aguilar, p. 864 Citado por A. Redondo "Monde à l'envers et conscience de crise chez Gracian" in *L'image du monde renversé...* op. cit.

12) Citado por F. Tristan.

13) Cf. "Effets sur la génétique textuelle de la situation marginalisée du sujet", *Imprévue 1980*[1].

to grado de autonomía, portador de *efectos de sentido* potenciales, que transcriben su resistencia al proyecto monosémico de la ideología citadora. Piénsese en el discurso feminista que, manipulado por la instancia narradora no es sino irrisión y nueva realización de un mundo al revés, y donde el lector tendría la tentación de hallar la ilusión de una modernidad provocada en él por la manera en que el discurso figurativo del Siglo de Oro se halla descifrado por una formación discursiva del siglo XX. Si este ejemplo es evidente, probablemente no sea único. No podemos resistirnos a pensar que estas voces "citadas" *representan* aquel sentimiento de crisis que analizó tan magistralmente J.A. Maravall: "Pero lo cierto es que desde que aparece —lleno de conquistas sobre la naturaleza y de novedades sobre la sociedad— el tipo que hemos dado en llamar *hombre moderno* empieza también a desarrollarse la capacidad en él de comprender que las cosas de la economía quizá principalmente y también de otros ramos de la vida colectiva no andan bien y, lo que es más importante, empieza a dar en pensar que podrían ir mejor. Es más, esa conciencia de malestar y de inquietud se acentúa en aquellos momentos en que comienzan a manifestarse trastornos graves en el funcionamiento social, trastornos que en su mayor parte seguramente son debidos a la intervención bajo nuevas formas de comportamiento de esos mismos individuos, a la presión que con nuevas aspiraciones, ideales, creencias etc.... instalados en un nuevo complejo de relaciones económicas ejercen sobre el contorno social..." y "En ellos [tales períodos, E.C.] se complican en principio desfavorablemente las relaciones de grupo a grupo, de hombre a hombre, surgen alteraciones en lo que desean, en lo que esperan, en lo que hacen, impulsados por ese mismo sentimiento de que las cosas han cambiado... Y ello, claro está, trae consigo muchos conflictos o, mejor, una situación muy generalizada que podemos llamar conflictiva (14)". Esas aspiraciones encuentran en el esquema imaginario del mundo al revés una forma que modeliza su significado: "En otros casos, la protesta contra el estatuto social tan desfavorecido de los trabajadores, no puede ser más radical: algunos pretenden invertir los términos hasta el punto de hacer de los que trabajan precisamente el grupo privilegiado" (15).

3) No debemos confundir este primer tópico con aquel otro sistema modelizador secundario que constituye el conjunto de las tradiciones carnavalescas, aun si uno y otro se articulan alrededor de las mismas oposiciones, arriba/abajo, encima / debajo, izquierda / derecha ... Estas se dejan ver en más de un pasaje y bajo rasgos variados: evocaciones de figuras de arlequines (Antón Pintado y Antón Colorado), de *mayas*, de la tarasca... que convocan en el texto tradiciones gestuales populares y que trazan un espacio discursivo distinto al primero, para no decir contradictorio, ya que de aceptar el análisis que hago de él en *Ideología y genética textual* (16), puede ser considerado como formando parte del discurso burgués. Las prohibiciones que caen sobre estas tradiciones tanto en Francia como en España durante la Contrarreforma así como nos lo han recordado Anne-Marie Le

---

14) J.A. Maravall, *La cultura del barroco: análisis de una estructura histórica*, Barcelona, Ariel, 1975, pp. 55 y sg.

15) J.A. Maravall, *La oposición política bajo los Austrias*, Barcelona Ariel, 1972, pp. 220 6 221.

16) Madrid, Planeta, 1980.

Coq, Martine Ginberg o Hélène Grant (17), subrayan evidentemente que son percibidas como manifestaciones de esencia sediciosa. En todo caso así parecen haber sido vividas por Quevedo. Creo haber mostrado cómo, en el *Buscón*, las amenazas de ruptura del estatuto social y de un alzamiento subversivo se hallan representadas mediante un sistema de imágenes de este tipo que las codifica de esta manera antes de inscribirlas en la estructuración textual (18). Ahora bien, se asiste a un fenómeno parecido en el prólogo de *La Hora de Todos* (19) con la carnavalización del Olimpo, que proyecta las divinidades paganas en "el mundo de abajo" donde éstas se difractan: Marte - Don Quijote - viñadero; Baco - panarra; Neptuno - vieja; Venus - animal, etc... Se apuntará que en este tipo de procedimientos dos "efectos de sentido" distintos pueden ser convocados: el matiz burlesco puede ser comprendido como la metáfora de un juicio de valor en lo que respecta al personaje, que se añade al referente y que se presenta como visión subjetiva de éste, pero también puede presentarse bajo la forma de una descripción directa de la realidad; en el primer caso la escritura metamorfosea al personaje; en el segundo, se limita a describir su apariencia. Este segundo efecto es el que prevalece aquí con la evidenciación del disfraz "quijada de vieja *por* cetro", "cara afeitada con hollín y pez", "cara de azófar y barbas de oropel", "a medio afeitar la cara"... y, más concretamente, de un Neptuno / doña Cuaresma, "Neptuno (...) con una quijada de vieja por cetro... y oliendo a viernes y vigilias...". Esta se acompaña de algunos de los procedimientos más conocidos del realismo grotesco, tales como el "gigantismo" de las descripciones "Baco... y en la boca lagar y vendimia de retorno...", "vestido de cultis tan obscuros que no le amanecía todo el bochorno del sol..." o también la elección de ejes semánticos específicos como el beber y el comer: "Neptuno hecho una sopa"; Venus "empalagando de faldas a las cinco zonas"; la Luna "con su cara en rebanadas"; Marte "sonando a choque de cazos y sartenes"...etc.. Al mismo tiempo, sin embago, la escritura sobrepone a esta carnavalización dos textos semióticos que modifican extrañamente su significación: el primero convoca en ella el mundo de la criminalidad, sea directamente (mancomunado, doncella de ronda), sea bajo la forma de imágenes de represión (luz en cuartos), sea también a través de la jacarandina (carda, coime); mientras que el segundo inscribe en ellas huellas de anti-judaísmo (evocación del judío errante bajo la forma del "planeta bermejo y errante") y de práctica inquisitorial (visión de la peluca de Venus como mitra de infamia) las cuales, recíprocamente, sematizan ideológicamente la pintura tradicional de Saturno como "comedor de niños" anexándola a la misma estructura mental (la acusación dirigida por los *cristianos viejos* contra los judíos de quienes sospechan dedicarse, el Viernes Santo, a sacrificios rituales de niños) (20).

Estas huellas semióticas provocan en todos los signos del texto un doble desplazammiento que complica el lenguaje figurativo emplazado por el sistema modelizador secundario (la carnavalización), pero al mismo tiempo desocultan su significación ideológica. La

---

17) Cf. L'image du monde renversé... op. cit.

18) Cf. E. Cros, *Ideología y genética textual,* op. cit.

19) Ed. cit., pp. 178 y sg.

20) El hecho de que tales textos semióticos existen también en el *Buscón* confirma esta opinión.

carnavalización aparece así como el vector del concepto de usurpación, y la instancia del poder invadida por usurpadores peligrosos a la vez para el orden social y la unidad de conciencia religiosa. Las divinidades llevan así a la escena al abrirse la obra, en el juego figurativo, un esquema narrativo que de entrada representa las consecuencias apocalípticas que podría acarrear la aplicación de las teorías sediciosas de un *letrado bermejo*. Dicho de otro modo, entre el juego de la ideología citadora y de la ideología citada que hemos visto operar en el capítulo XL y la representación del prólogo no hay más que una diferencia de nivel en la modelización. La descripción del Olimpo codifica lo que descodifica el capítulo XL, justificando así la teoría de Adorno según la cual la obra literaria dice algo y a la vez lo disimula. Los dos sistemas modelizadores que son el tópico del *"mundus inversus"* y la carnavalización, obran el uno sobre el otro aunque los esquemas inversivos que los estructuran no funcionan de la misma manera, y este juego es uno de los principales factores de la producción ideológica de sentido.

Observo en particular que cada uno de estos dos sistemas organiza aparentemente espacios textuales distintos: los personajes están clasificados en personajes de arriba y personajes de abajo. Los de arriba son espectadores y animadores, protegidos contra los mecanismos desmitificadores de "la Hora"; es sin embargo la escritura la que los desmistifica creando un lugar imaginario donde se revelaría su auténtica naturaleza. Están percibidos en un "envés intocable", probablemente porque su mismo disfraz los desenmascara; así la escritura se deja percibir como el doble revelador de "la Hora" y como una instancia rectificadora de la usurpación, cuya función es concretada y metaforizada por "la Hora".

Así llegamos al carácter "descentrado" de la lección teórica de Júpiter. ¿De qué se trata exactamente? Cuando éste declara: "he advertido que en esta Hora que ha dado a cada uno lo que merece, los que por verse despreciados y pobres eran humildes se han desvanecido y endemoniado y los que eran reverenciados y ricos que por serlo eran viciosos, tiranos, arrogantes y delincuentes, viéndose pobres y abatidos, están con arrepentimiento y retiro y piedad..."(pág. 350), no hace sino contestar a las quejas de los mortales ("quéjanse que das a los delictos lo que se debe a los méritos" (pág. 182)), negando la categoría del mérito (ningún mortal merece los favores de la fortuna). Pero efectivamente la carnavalización del prólogo así como los cuarenta episodios nos dicen otra cosa, a saber, que cada cual debe quedarse en el lugar "en que Dios ha querido que nazca y viva"; por eso la escritura y su doble (la Hora) no distribuyen las recompensas sino que se limitan a desenmascarar, a rectificar, y a defender el Orden contra el Caos. Así el proyecto monosémico de la ideología citadora se fundamenta en una visión providencialista (21), exclusiva de la noción ético-política del mérito a la vez que se envuelve en ésta en la moral explicitada por Júpiter, y, ocultándose de ese modo, se da precisamente a ver como ideología.

4) Una última pregunta se nos plantea, que tocaría a lo *no-dicho* del texto: el deseo de transformaciones sociales ¿desborda la ideología citada para infiltrarse y minar desde el interior la ideología citadora, transcribiendo así las aspiraciones de los grupos dominados en el cuadro de las contradicciones internas de la clase dominante? Propongo que para

---

21) En el particular, cf. la Introducción a la edición de Bourg, Dupont y Geneste.

tratar de contestar a esta pregunta apuntemos fenómenos textuales que hasta ahora no parecen haber sido tenidos en cuenta por la crítica y que son susceptibles de aclarar aspectos fundamentales de *La Hora de Todos:* éste es en efecto uno de los pocos textos que conozco cuyo relato es explícitamente fechado: se trata aquí del 20 de Junio, o sea la víspera del solsticio de verano, es decir el momento del año en que el curso del tiempo parece a punto de invertirse ya que a partir de ese momento los días empezarán a acortarse. Esta fecha inscribe, pues, un primer indicio de la inversión en el texto de creencias populares, las cuales suponen en particular que las fuerzas malignas son especialmente activas durante el solsticio de verano lo que puede explicar que las ceremonias organizadas con esta ocasión, como con ocasión del día de San Juan muy cercano, apuntan una meta profiláctica. Me pregunto si no conviene vincular este primer indicio con la exclamación de Fortuna en el momento en que sale a la escena para trastocar el mundo: "Ande la rueda y coz con ella" evocando así un corro infantil que me parece precisamente mimar una ceremonia apotropéica, en la medida en que los participantes en el corro alejan a patadas a aquél a quien la suerte ha designado como debiendo quedarse fuera, el cual en tal contexto parece representar el mal, o la mala suerte que constituye una de las caras de la Fortuna. En ausencia de toda documentación suplementaria apuntaremos la imagen del círculo que debe proteger del mal; evocaré aquí los discos y ruedas profilácticas del día de San Juan, los círculos incandescentes que se esconden en los graneros para alejar el incendio, las coronas de Artemisa de las cuales no dice Rutebeuf en el siglo XIII que las mujeres se las ceñían para protegerse contra el incendio y la epilepsia (22).

Un estudio estructural nos enseñaría cómo esta imagen del círculo organiza el texto desde el interior, no sólo en su configuración global (regreso al Olimpo y al statu quo) de una serpiente mordiéndose la cola, en la composición de unos cuantos cuadros como el XI "Criado de señor endemoniado" que gira y vuelve a girar en un sentido o en otro, las *sartas* infinitas del XXI "Pretendientes", "El Señor, haciéndole a uno la merced, empezó a ensartarlos a todos en futuras sucesiones perdurables que nunca acaban"..., los deslices sucesivos de un personaje a otro que caracterizan el XVI "Embusteros y tramposos", "Mas el tramposo que oía al otro tramposo que le abonaba al tercer tramposo..." sino también en lo que llamaré el esquema reflexivo de la autocondenación de los jueces (VII), de la autodelación del tabernero (XX), de la autoejecución del médico percibido a la vez como el verdugo de su enfermo y como su proprio verdugo, o de las zarabandas desenfrenadas donde los actantes intercambian al final de los episodios objetos, atributos o funciones, en esos corros diabólicos de materiales, medicamentos o basuras... Del mismo modo se hallarían las características específicas de este corro infantil en la sistemática de la expulsión y de la asimilación, "van tirando coces al que ha quedado fuera, el cual procura, aunque sea recibiendo algunas coces, coger a otro de los que andan en la rueda y el cogido se quede fuera, y siempre van diciendo: Ande la rueda y coz con ella", así como en los juegos de conmutación, de sustitución y de intercambio que operan en la mayoría de los episodios "y como se encontraban al salir y al entrar los botes y la basura..." (pág. 188), "quedando las barbas lampiñas y las uñas barbadas..." (pág. 194), "mandó soltar todos los presos y

---

22) Cf. Van Gennep, *Manuel du folklore français,* t. 4, pp. 1096 y sg.

prender todos los ministros de la cárcel..." (pág. 202), "quitando a todos cuanto tienen y enriqueciéndolos con quitárselo..." (pág. 215), "ofrece hacer que lo que falta sobre" (ibid.), etc..... y que hasta modelizan a veces la organización sitagmática de la frase: "lo que tiene es sólo lo que no tiene". Es importante observar que bajo formas diversas este elemento estructural inscribe en el texto marcas múltiples, en la medida en que éstas reproducen un rito de conjuro contra un mal indefinido cuya realización se teme, realización percibida, por lo demás, como inminente ("El mundo está para dar un estallido") al nivel explícito. Esta obsesión del mal, susceptible de transcribir una angustia fundamental ante un porvenir colectivo, me llevaría a pensar que aún en la hipótesis, en que, personalmente, no creo, se potenciara a nivel de la instancia narradora un deseo de cambio, este último se hallaría en último término exorcizado en las estructuras profundas del texto.

EDMOND CROS
Montpellier C.E.R.S.

EL **PATAS DE PERRO** Y EL "MEDIO POLLO"

A la memoria de
don Gastón Carrillo Herrera,
maestro y amigo

LUIS IÑIGO MADRIGAL
Universidad de Leiden

EL *PATAS DE PERRO* Y EL "MEDIO POLLO"

Luis Iñigo Madrigal

Según he intentado mostrar en otro lugar (1), el principio básico de composición en la narrativa de Carlos Droguett es la *amplificatio* (2).

Patas de perro (3), novela publicada en 1965, no escapa a esa característica general de la obra del escritor chileno. Sin embargo, en el proceso épico de *PP* se integra una narración enmarcada que en cierto modo, puede considerarse como una amplificación referida al objeto del discurso de la novela y que, en ese carácter, presenta una sigularidad manifiesta que la diferencia del resto de las amplificaciones de esa obra y aún del total de las amplificaciones de la narrativa droguettiana. Se trata de una versión literaria del cuento folklórico "El medio pollo", cuento de apreciable difusión en Chile, según testifican las versiones de él recogidas en el país (4).

Quiero examinar ahora las variaciones que el cuento que constituye esa narración enmarcada presenta con respecto a la versión popular originaria, deteniéndome en las amplificaciones que sirven para relacionarlo con el mundo narrado en la novela, mostrando las

---

1) "Los asesinados del Seguro Obrero: 1939-1972", ponencia presentada al coloquio "La obra de Carlos Droguett" organizado por el *Centre de Recherches Latino-Américaines* de la Universidad de Poitiers, 21-23 de mayo de 1981; aparecerá en las Actas de dicho coloquio. En él, Nicasio Perera San Martín habló sobre el cuento del medio pollo en *Patas de Perro*, desde una perspectiva diversa a la que aquí adoptamos.

2) Esto es, el proceso mediante el cual el objeto del discurso o un pensamiento que sirve para su tratamiento es elevado verticalmente, lo que a menudo tiene como consecuencia una amplificación de la formulación lingüística. Cfr. Heinrich LAUSBERG, *Manual de retórica literaria*, Madrid, Gredos, 3. vols., 1968, párrafos 61, 400-409, *et passim*.

3) Carlos DROGUETT, *Patas de perro*, Santiago de Chile, Zig-Zag, 1965; hay una segunda edición, Barcelona, Seix Barral, 1979. Citamos por la primera, de aquí en adelante *PP*, indicando el número de la página pertinente.

4) En Chile están registradas en total cinco versiones del cuento: tres en Ramón A. LAVAL "El cuento del medio pollo", *Revista de Derecho, Historia y Letras*, abril 1909, y. XXXII, pp. 526-538, hay separata; Roberto LEHMANN-NITSCHE, "¿Quiere que le cuente el cuento del gallo pelado?", *ibid.*, t. XXX, p. 301; Yolando PINO SAAVEDRA, *Cuentos folklóricos de Chile*, Santiago, Universitaria, 3 vols., II, pp. 117-119 y comentarios en pp. 322-323. Hay también una versión araucana recogida por Rodolfo LENZ, *Estudios araucanos*, VI, pp. 196-199, n° 8, "Cuento de un pollito".

conexiones que ellas tienen tanto con la figura del narrador principal como con la "idea"
total de la obra, y haciendo alguna acotación sobre la significación que, dentro del campo de la narrativa chilena contemporánea, y tal vez de la hispanoamericana, ostenta el
caso.

    Patas de perro, cuarta de las novelas de Droguett (5), tiene como casi toda su
producción, el tema fundamental de la marginalidad, o más bien de la "otredad" y los
sentimientos de rechazo, temor repugnancia, vesanía, desazón, que ella provoca en los
seres o la sociedad "normales". El protagonista de la obra, Bobi, es un niño que tiene,
literalmente, patas de perro: ser distinto, pero perfecto en su excepcionalidad, ejemplar
único o inaugural, pero bello, al que el narrador, Carlos, ha conocido, adoptado y prote-
gido durante largo tiempo de las múltiples asechanzas y peligros a los que su condición
inusitada le han expuesto, primero en su propia familia, luego en la escuela y después
frente a los aparatos policiales, judiciales y sanitarios; así como de los intentos de ex-
plotación de los que, paralela o sucesivamente, han tratado de hacerlo víctima de intereses
comerciales o políticos. Un largo monólogo interior del narrador principal, en el que se
introducen diálogos, locuciones vividas de otros personajes y del protagonista, etc., reproduce la compleja y superreal historia de ese niño que se mueve entre un sentimiento
íntimo de aceptación y aún orgullo de su singularidad, que no siente como teratológica,
y el deseo de ser aceptado por los demás, lo que le lleva primero a tratar de integrarse en
el mundo de los hombres y después, al ser rechazado por éstos, en el de los perros, que
finalmente lo aceptan; sin embargo Bobi, acosado por los humanos, huirá al fin, con destino desconocido, momento en que el narrador comienza su escrito, "para olvidar, pero
también para recordar, para desmentir a aquellos que dicen "que yo me estoy volviendo
loco y que el niño jamás existió" (6); para sentirse menos solo en este mundo en que
aquel niño con patas de perro era, paradójicamente, lo más plenamente humano.

    Dentro de la morosa reconstrucción de la historia, en el momento en que la perse-
cución de los hombres contra Bobi ha llegado a su apogeo y mientras él y su protector
esperan que lleguen sus acosadores o alguien que pueda ayudarlos, el narrador, con ánimo
de confortar al niño le dice:

> Velemos y conversemos, Bobi, esperemos a ver si llega alguien, a ver quién pasa y quién
> no pasó, estamos ahora como el león y el tigre y la zorra esperando que él pasara por el
> camino . . . .
> . . . .
> ¿De qué hablas? preguntó Bobi levantando la voz, creyendo ahora él que yo era el loco.
> De una leyenda que conocí de boca del padre Escudero, precisamente, una leyenda que
> se te parece, Bobi, muchas veces he pensado que la imaginaron pensando en tu historia,
> tú sabes que el hombre adivina cosas y eso parece que ocurrió entonces, parece que te
> adivinaron a tí. ¿En qué tierra, en cuántos años?, preguntó Bobi. En las tierras del sur,
> Bobi, hace muchos, bastantes años . . . .
> . . . .
> ¿Sabés tú esa historia? Claro que la sé, Bobi, y hace muchos días que he querido contár-
> tela. ¿La quieres oir? Sí, si dijo súbito (*PP,* p. 210).

---

5) Para una amplia bibliografía de y sobre Droguett, v. mi edición de su novela *Eloy,* Madrid, Cátedra,
    Colección Letras Hispánicas, 1982, en prensa.

6) Cfr. *infra,* p. 10.

Efectivamente, el narrador ocupa el siguiente de los innumerados capítulos de la obra, distinguido del resto de ella por estar compuesto en cursiva, en contar la prometida historia. Ella no es otra, como queda dicho, que el cuento folklórico del "Medio Pollo", cuento del tipo 715 según la clasificación de Aarne-Thompson (7), del cual se conocen versiones europeas, iberoamericanas, indígenas americanas, etc., y que en *PP* presenta, como es natural, diversas variantes sobre las formas populares conocidas.

La versión folklórica del cuento que sirve de núcleo a la narración enmarcada que lo incluye es fácilmente identificable (8): se trata de la recogida en Colchagua (provincia del Sur de Chile), de labios de Polonia González y en los primeros años de nuestro siglo, por Ramón A. Laval (9), versión que tiene el siguien desarrollo:

> Un medio pollo, nacido de un huevo huero (10), se va a rodar tierra en busca de fortuna y encuentra una naranja de oro que decide llevar al rey para cambiársela por grano. En el camino topa sucesivamente con un arriero y su recua de mulas, con un río con un tigre, con un león y con una zorra que le piden (a excepción del río, al que se bebe) los lleve con él (11), y, a insinuación del propio medio pollo, se introducen en su interior por su ano (12). Llegado donde el rey le llevan al gallinero, en donde es atacado por las

---

7) Antti AARNE y Stith THOMPSON, *The types of the folk-tale. A classification and bibliography* (Antti Aarne's, *Verzeichnis der Märchentypen,* FFC, n⁰ 3, translated and enlarged by Stith Thompson), FF Communications n⁰ 184, Helsinki, second revision, 1961.

8) Los diversos datos que la narración enmarcada entrega hacen indiscutible que la versión que se sigue es la tercera de las recogidas por Ramón A. LAVAL (*opus cit.,* pp. 532-538); por otra parte el propio Droguett ha confirmado, personalmente, esa elección. De aquí en adelante nos referiremos a ella como MP. Agreguemos que en la recién aparecida traducción francesa de la novela, Carlos DROGUETT, *Pattes de chien,* Paris, Denoël, 1981, traduit de l'espagnol par Jean-Marc Pelorson, se hace constar en nota a pie de página el origen del cuento del medio pollo (p. 223).

9) "La tercera de estas relaciones, que es la más completa y racional —escribe Laval en 1908—, me fué hecha, hará cosa de tres años, por la sirvienta colchagüina Polonia González, tan buena cocinera como excelente contadora, que tan bien aderezaba una cazuela como contaba un cuento. La pobre falleció no hace mucho con grande sentimiento de mis niños, que en las noche, pasaban con ella las horas muertas, oyéndola embobados", LAVAL, *op. cit.,* p. 528.

10) De las versiones chilenas del cuento, la única en que el medio pollo es, efectivamente un *medio pollo,* esto es, la mitad longitudinal de un pollo, es la de Polonia González. En el español de Chile, **medio pollo** significó, hasta las primeras décadas de nuestro siglo, como recuerda el propio LAVAL (*op. cit.,* p. 529) "enclenque, sietemesino, poco desarrollado"; en la actualidad, como define con su habitual imprecisión el en general poco fiable *Diccionario del habla Chilena* (Academia Chilena, Santiago, Universitaria, 1978) *s.v.* pollo, medio pollo es una expresión que designa la "Condición irregular en que trabajan ciertos obreros portuarios y que consiste en realizar el trabajo del obrero titular con un salario menor y entregar a éste la diferencia, quien la recibe sin trabajar". Ralph Steele BOGGS, *The Halfchick Tale in Spain and France,* FF Communication, n⁰ 111, Helsinki, 1933, indica: "I believe that 'half' was originally an expressions of smallness, rather than literally 'half', and the only essential part this trait can play in the organic structur of the tale is that byemphasizing the smallness and apparent weakness of the protagonist, the greatness and marvel of his deeds are enhanced" (p. 14). La opinión de Boggs es atendible, pero dada la función que la narración enmarcada desempeña en *PP*, es de fundamental importancia que el medio pollo sea, propiamente, medio pollo; por donde la versión elegida del cuento folklórico era la única posible.

11) Ni en MP ni en la narración enmarcada la zorra solicita expresamente ser llevada por el medio pollo.

12) BOGGS (*op. cit.,* p. 28) sostiene que en la versión de Paulina González el lugar en que el medio pollo transporta a sus futuros auxiliadores en "his craw", a diferencia de lo que sucede en otras muchas versiones, en donde ellos ocupan "some point along Halfchick's alimentary canal, especially his anus". En efecto, en la versión de MP que nos ocupa, los auxiliares son transportados en el buche del medio pollo, pero luego de haberse introducido por el "potito" del personaje (cfr. infra, n. 23), esto es, por su ano, puesto que *potito* es el diminutivo de **poto** denominación común en Chile del trasero y, también, del ano propiamente dicho.

aves de corral: sale la zorra y se las come. Le llevan entonces a un potrero para que le maten los caballos: sale el león y se los come. Le llevan a otro potrero en el que hay vacas:
sale el tigre y se las come. Le meten en un horno, para que se abrase: sale el río y apaga
el fuego, ahogando además a los que lo cuidaban. Entonces el rey le da todo el grano que
hay en sus bodegas, sale el arriero con sus mulas, lo carga y, en compañía del medio pollo, regresan a su tierra, en donde se reparten el trigo.

A partir de esta versión, el narrador de *PP* forja un relato (13) en el que los diversos
elementos del objeto de discurso del cuento folklórico son amplificados, bien horizontal,
bien verticalmente, de tal suerte que la narración enmarcada resultante conserva, en cierta
medida, la estructura general del cuento maravilloso, y en tanto NE, su propia autonomía,
al tiempo que se relaciona multívocamente con el objeto del discurso de la narración
principal que la contiene.

La primera amplificación de MP en NE se refiere, no al objeto del discurso del cuento, sino a su narradora (14). El narrador de *PP*, que ha indicado que conoció la historia
por el padre Escudero, personaje de la novela (15), comienza la narración enmarcada asegurando que "La señora Polonia... echó la historia al mundo [es decir, la contó por vez pri-
mera] allá por 1900", transformando a la narradora folklórica en personaje de la NE:

....decía ella que era una historia verdadera y que hasta había conocido a la familia, pero
lo decía dudosa, como recordando, escarbándose los ojos junto a la fogata, ahí en el pa-
tio, y peinándose con cuidado, con lenta reminiscencia la larga cabellera, sacando de ella
sus personajes y sus sufrimientos (*PP*, p. 211).

y haciendo que el cuento deje de ser tal para convertirse en una historia ¿verdadera? auto-
rizada por la figura del padre Escudero. Es más, en cuanto se insiste en la caracterización
de Polonia González ("tenía ya mala salud, no era joven, más de cincuenta años confesa-
ba..." (16)) y se describen sus relaciones amistosas con la gallina madre del medio pollo,
con la que de alguna manera comparte un destino común, al paso que se "humaniza" la
historia, se disipa (¿o acentúa?) su carácter maravilloso, acercándola al mundo cotidiano,
si bien ese mundo cotidiano (el del discurso explícito de *PP*) está a su vez teñido de rasgos
de superrealidad. Con todo, ya en la caracterización de la narradora, se presentan también
amplificaciones que convienen al contenido serio tanto de la narración enmarcada como
de la narración principal y que se presentan como *loci communes* puestos en relación con
la materia concreta de ambos discursos; así, por ejemplo:

La señora Polonia se levantó crujiendo porque la cintura le dolía y también para mostrar-
le a la pobre [madre del medio pollo] que *el dolor y el sufrimiento estaban muy bien repartidos en la provincia de Colchagua y que mejor lo estarían a medida que avanzara el
siglo (PP*, p. 213; cursivas mías LIM).

---

13) Esto es la narración enmarcada a la que ya nos hemos referido, que consta entre las pp. 211-238
de *PP* y a la que de aquí en adelante identificaremos como NE.

14) LAVAL (*op. cit.*, p. 532), en el encabezamiento de la versión respectiva anota su nombre ("Polonia González"), su edad aproximada ("50 años más o menos"), y el lugar de su nacimiento ("natural de la provincia de Colchagua"). Antes, en carta a Lehmann-Nitsche que antecede a las tres
versiones recogidas, ha entregado otros datos (v. *supra*, n. 9).

15) Y también personaje histórico chileno, sacerdote y crítico literario, aunque ello no sea relevante
aquí.

16) *PP*, p. 211. Hay otras muchas referencias y notas caracterizadoras de Polonia González a lo largo
de NE.

en donde, anotemos de paso, se insiste en la determinación espacial de la historia ("la provincia de Colchagua"), que será reiterada a lo largo de toda ella y que conforma aquí una de las primeras amplificaciones introducidas en la situación inicial de MP en el texto de NE.

En efecto, la situación inicial de MP, aunque relativamente extensa, no indica determinación espacial alguna. Se describe en ella primero a la gallina madre del medio pollo ("mui wena poneora i mui wena hakaora", MP, p. 532), que en una puesta de veinte huevos saca sólo diecinueve pollitos y, al examinar el huevo restante, conoce "k'egtaba medio wero" (MP, ibid.), pero piensa que si lo empolla nuevamente sacará al menos un medio pollito, como sucede. La gallina quiere especialmente a ese hijo "porke le tenía un kariño kon láhtima" (MP. ibid.), puesto que "no poía bolar porke no tenía máh ki una alita puéh, i andaba a haltitoh porke no tenía máh ki una patita". En el texto de NE se amplifica la figura de la gallina madre, personificándola y atribuyéndole los rasgos de una vieja mujer campesina ("gorda y potente, un poco bravucona, de cabeza airada y ojos pasionales y asustados", PP, p. 211 (17)) que ha visto ir desapareciendo a numerosos hijos y que, en el momento de iniciarse la historia, se nos presenta

> golosa, celosa, enojada, triste, esperanzada, quejosa, quejosa del largo invierno que tanta agua traía, del profundo hielo, lloraba, cinco ya se han muerto, estiraditos, duros, feos, francamente feos en la muerte cruel, y ahora este pobrecito que nació deforme (PP, pp. 211-212).

omitiendo así los detalles de la forma del nacimiento del medio pollo que figuran en la versión folklórica. En cambio en NE se amplifican considerablemente los rasgos de la caracterización del medio pollo que hacen referencia a sus características morales: su madre misma, que le tiene "desconfianza, porque es tan distinto, tan diferente a los otros" (PP, p. 212) observa que, a pesar de ello, no parece desesperado, sino todo lo contrario "dulce, tímido y agradable", pero también orgulloso, mirando con su único ojo (solo dato que se agrega a la prosopografía del personaje presentado en MP), "orondo y suficiente, como si fuera un pollo entero" (PP, ibid).

Finalmente, en la situación inicial del cuento en NE se introduce la figura del padre del medio pollo, que no aparece en la versión popular, "viejo borracho y empedernido... fanfarrón y pasional" (PP, p. 214), a quien el medio pollo "mira casi con burla", pero al que tal vez "quiere o... secretamente admira" (PP, ibid.) y que tiene un estrecho paralelismo con la figura del padre de Bobi en la narración principal (18). Más aún, el personaje del padre tiene aparentemente, en la versión del cuento de NE, alguna relación con la decisión del medio pollo de partir de su casa, relación que obviamente, no existe en la versión fólklórica.

---

17) Aunque no estrictamente, la caracterización de la gallina madre del medio pollo tiene cierto paralelo con la de la madre de Bobi. Ambas son hembras humildes, ya no jóvenes, tristes, desgraciadas en su matrimonio; ambas quieren al hijo que los demás desprecian o humillan por su apariencia distinta. Para la caracterización de la madre de Bobi, v. PP, pp. 41 y ss., et passim.

18) El padre de Bobi, el maestro Dámaso, se siente humillado por el nacimiento de ese hijo distinto ("Al pobre nadie lo saca de la cantina. Dice que se morirá de vergüenza. Dice que matará a su mujer" PP, p. 47), refuerza su afición a la bebida, trata cruelmente a su hijo, pero le utiliza, llegando a exhibirle para ganar unas monedas, Bobi no siente odio hacia su padre, pero, por cierto, tampoco admiración (PP, passim).

En esta última, tras la situación inicial, se cuenta cómo

> ...el medio poyo jué kresiendo i a la gayinita poniéndose bejankona i no poía trrabajar. Entonseh el medio poyo le ijo a su mamita:
> — Biejehita, écheme la bendisión, porke me boi a roar tierrah i no bolberé asta ke tenga komo arle pa k'ehkanse (MP, p. 533),

tras lo cual el medio pollo inicia su viaje.

En NE el anuncio de que el medio pollo se dispone a partir está mucho más elaborado: primero lo anuncia la gallina en el diálogo mantenido con doña Polonia que contiene la situación inicial del cuento ("¡y ahora él me dice que quiere ir a rodar tierras!" *PP*, p. 215), suponiendo que la decisión del personaje está relacionada con una conversación con su padre (conversación que el propio medio pollo recordará más tarde en una locución vivida: "padre dice que soy distinto y que debo conformarme, pero lo dice con desprecio y apuro...", *PP, ibid.*); tras ese primer anuncio el narrador agrega:

> Los hermanos no lo querían, los primos lo odiaban, los tíos lo empujaban del corral a picotazos, le pegaban con las *dos espuelas*; lo espantaban con las *dos alas*, se plantaban un tío a un lado y el otro al otro y lo miraban *cada uno con un ojo, con dos ojos lo miraban* y lo miraban para que se fuera cojeando (*PP, ibid.*; cursivas mías LIM),

y después se reproduce el anuncio que el medio pollo mismo hace de su partida:

> Madre, yo no me voy por los corrales, no saltaré rejas ni empalizadas, no volaré desde las ramas hasta los nidos, madre no busco polla ni pollona, sé que no puedo hacerlo, sé que no debo hacerlo aunque podría intentarlo, pero buscaré, *buscaré y encontraré otra cosa, la mitad de mí mismo, la parte que me falta y que ha hecho a mí débil y a ti desilusionada* (PP, ibid. cursivas mías LIM),

palabras que, al descartar la intención de imitar al padre mujeriego, supuesta por la gallina como motivación de la partida del medio pollo, establecen una relación entre ese personaje con la figura del protagonista de la narración principal, Bobi (que más de una vez preguntó a su protector si él podría casar, e intentó, en el anonimato de una fiesta de disfraces, relacionarse con niñas de su edad, sólo para renunciar posterior y finalmente al amor de las mujeres o al matrimonio), pero palabras también, y fundamentalmente, que indican que la decisión de partir del medio pollo está relacionada en NE directamente con su *carencia* congénita, la falta aparente de la mitad de su ser, en tanto en la versión popular ambas funciones aparecen debilitadas y sin relación necesaria (19).

Tras la partida, en la versión popular, y después de muchos días sin encontrar trabajo, el medio pollo descubre una naranja de oro entre un montón de hojas y decide llevarla al rey para cambiársela por alimento para su madre. En NE, un día después de partir y luego de haber pensado largamente sobre sí mismo (20), el medio pollo, que cree que tiene en

---

19) Hasta aquí podría establecerse cierto paralelismo entre MP y la historia de Bobi, hasta el momento en que éste abandona la casa paterna, "adoptado" por el narrador. La situación inicial de MP presenta elementos similares a los de la vida del niño con patas de perro en casa de sus padres: una madre que lo quiere y le tiene lástima, un padre alcohólico que le trata duramente, hermanos que se burlan de él (*PP, passim* y especialmente pp. 41-48 y 158-164).

20) Se trata de una locución vivida del medio pollo, en que este recuerda su vida en el corral paterno, y que se entremezcla con los sucesos de su primera noche fuera de él. El medio pollo memora a sus hermanos, a su madre, a su padre, mientras siente crecer en él la idea de que su carencia no existe: "Se reían, yo cojeaba para que se rieran y después me quedaba callado, si sentían que me quedaba callado, como si me encerrara de algún modo para mirar a solas el tesoro escondido, la mitad mía que no quería mostrar. ¿No será ésta la verdad?, se preguntaba. ¿No estaré como dormido, como transformado, no tendré yo mismo, sin saberlo, sin desearlo, escondido y aplastado a mi otro hermano, sumergida a mi otra mitad? (PP, pp. 217-218).

su interior un "tesoro escondido, la mitad mía que no quería mostrar" (*PP*, p. 217), ve la naranja entre la hojarasca, escucha que ella le habla diciendo que se la lleve consigo, que eso "es bueno para tí, *pollo*" (PP, p. 218; cursivas mías, LIM) y decide cogerla para llevárselas al rey como regalo, pensando:

> Ya me tratan como un ser entero, se dijo él, contento pero sin envanecerse, y cojeó hacia la naranja, para que ella viera eso precisamente, que él no era más que un medio pollo, pero muy seguro de sí mismo, no como otros pollos y gallos enteros, demasiado enteros pero temblorosos como un ala (*PP*,ibid.).

Así, aun cuando en las dos versiones el encuentro de la naranja es fortuito y antecede a las pruebas a que es sometido el protagonista (21), pareciendo no existir el carácter de objeto mágico del hallazgo, en NE la naranja de oro presenta larvariamente esa condición, siendo encontrada por el protagonista como premio a su decisión de enfrentarse al mundo, de buscar la mitad de sí mismo; en tanto en MP la naranja de oro es sólo un elemento de unión: significación distinta acorde a las diversas motivaciones que en una y otra versión tiene la partida del protagonista. De allí que en NE las pruebas sucesivas a que es sometido el medio pollo, su triunfo en ellas, los auxiliares que obtiene, e incluso su "victoria" final, ostenten de alguna manera un carácter de secuencia reiterativa que no tienen en la versión folklórica. Pero no nos adelantemos.

Reemprendido el camino, el medio pollo encuentra en ambas versiones: a un arriero con sus mulas, que no puede pasar el río por estar éste crecido y que, al manifestar el protagonista su intención de cruzar tal río de cualquier manera, le pide le lleve con él junto con sus animales, petición a la que el medio pollo accede; al río mismo, al que se bebe, dejando el lecho seco y cruzándolo, con la corriente en el buche; con un tigre que debe ir donde el rey y está muy cansado, por lo que le pide al medio pollo que lo lleve con él, petición a la que también accede, metiéndose el tigre en su interior; con un león con el que se repite el mismo proceso; con una zorra, que aunque no solicita expresamente ser llevada, es invitada por el medio pollo a irse con él, también en su buche.

Pero si esos motivos y su secuencia son los mismos en MP y NE, en el texto de ésta última se introducen una serie de variantes sobre aquél. Así, por ejemplo, se amplifican extraordinariamente las caracterizaciones del arriego, los animales y el río, recapitulando sus historias, y explicitando las razones de su interés (en los casos del arriero, el tigre y el león) por ir adonde el rey; trazo común a estas amplificaciones es la persecución que los personajes sufren por parte de los "pacos" (nombre popular aplicado a los carabineros, la policía uniformada de Chile) o el antagonismo que con ellos mantienen: ese rasgo, complementado con las referencias a otras instancias del poder (ministros, diputados, etc.) torna "realista" la narración fantástica, poniéndola al mismo tiempo en estrecha relación o paralelismo con la historia de Bobi en la narración principal, acosado por semejantes enemigos (22).

----

21) Pruebas que adquieren significado distinto en MP y NE, de acuerdo al diverso ánimo con que en uno y otra las enfrenta el protagonista, v. *infra*.

22) En PP, los enemigos de Bobi son múltiples (primero su propio padre, después el profesor Bonilla, el abogado Cruz Meneses, etc.), pero de todos el más persistente es el Teniente de carabineros (sin incluir en este recuento la persecución institucionalizada de que es objeto). Cabe agregar que Bobi tiene también sus "auxiliares", o al menos, los que el narrador de la historia considera como tales: el propio narrador, el ciego Horacio, el doctor Van Diest, el padre Escudero. No analizaremos aquí las posibles relaciones entre esos personajes y los auxiliares del medio pollo en el cuento folklórico.

De mayor relevancia que lo mencionado es, sin duda, la actitud con que el medio pollo accede a las peticiones que se le dirigen. En MP la petición y la aceptación de ella aparecen lacónicamente expresas. En NE, el medio pollo contempla, desde el primer instante,
con simpatía, pero también con lástima a los personajes que va encontrando; los siente
más desgraciados, más incompletos que él mismo que, al ayudarlos, se siente crecer, como si ya hubiera encontrado su otra mitad; sensación que nace, más que de las miserias de
los propios peticionarios, del encuentro del medio pollo con el mundo y de la convicción
de que, frente a él, su carencia no es tal:

> ...vio gente, poca gente, gente sonriente, gente triste, gente llena de sol, gente llena de
> frío, vio perros, perros vagabundos que iban siguiendo huellas invisibles, buscando cosas
> invisibles, como él mismo buscaban, todos buscan algo, pero nadie se fija en los otros si-
> no en lo que uno mismo busca, se dijo para sí y *estaba cada vez más seguro de que no co-*
> *jeaba nada...* (PP, p. 222; cursivas mías, LIM) (23).

En MP, tras el encuentro con la zorra, el medio pollo llega al palacio real y es conducido inmediatamente a presencia del rey. En NE hay un largo pasaje de unión entre ambos
motivos, en el que el medio pollo es detenido ante la reja de palacio por un carabinero y,
posteriormente, otros empleados tratan de impedir que llegue a hablar con el rey; este pasaje enlaza (como en ocasiones anteriores) la represión presente el mundo del medio pollo
con la existente en el mundo de Bobi.

De allí en adelante NE y MP continuan su desarrollo paralelo, según el esquema señalado para la narración popular, si bien persisten las amplificaciones referidas a los personajes, a su vida interior, etc. Ambas versiones concluyen con el regreso del medio pollo a su
casa, en donde le espera su madre:

> ...la gayinita –dice MP– he puho mui kontenta e borber a ber a hu medio poyito i ya
> nunkita máh tuvo ke trrabajar (MP, p. 538);

en NE, la madre dice:

> Llegas temprano, medio pollito,..., todavía no son las diez y aún no viene tu padre caca-
> reando por los tejados (PP, p. 238).

Anotemos, sin embargo, que mientras en MP el personaje regresa con aquello que
efectivamente salió a buscar (esto es, sustento para su madre), en NE las cargas de grano
que el medio pollo recibe de manos del Rey no presentan relación necesaria con el objeto
de su búsqueda (la otra mitad de sí mismo), incongruencia subrayada en cuanto, en NE,

---

23) Conviene mencionar aquí, aunque no vayan a ser analizadas, ciertas supresiones del texto de MP
en NE; entre ellas la más notable es sin duda la de la reiterada fórmula con que el medio pollo
accede a la petición de los personajes que le piden ser llevados con él:

    Métete en mi potito
    y tránkate kon un palito

(fórmula que, por otra parte, aparece en la totalidad de las versiones chilenas del cuento del medio pollo conocidas), que al igual que el resto de las expresiones o situaciones coprolálicas de MP
("enkontrró una naranjita di oro i kahi he kagó el guhto", p. 533; "he jué a un rikonsito, pujó
un pokichicho y entonseh halló la horra", p. 535; "entonseh el puro mieo he l'ehkapó un peito, y
onde he le abrió el potito halló el tigre", p. 536; etc.) no aparece en NE, tal vez por cuanto cons-
piraría contra el tono "elevado" que reviste esta versión.

el viaje del personaje a la corte real no tiene otra motivación, implícita ni explícita, que la absolutamente desinteresada de regalarle al monarca la naranja de oro encontrada.

En resumen, las diferentes variaciones introducidas por el narrador de *PP* en la narración folklórica, y sobremanera sus amplificaciones, tienden a identificar la historia del medio pollo con la de Bobi, el patas de perro, equiparando ambas figuras e introduciendo en la narración maravillosa una serie de elementos que, al paso que la cotidianizan, incorporándola al mundo de todos los días, hacen que la historia real de la narración principal adopte o alcance un sesgo irreal. Las cursivas en que está impresa la narración enmarcada sólo tienen par en el párrafo liminar de la novela, compuesto también en bastardilla:

> *...y ahora dicen algunos que yo me estoy volviendo loco y que el niño jamás existió. Los padres de Bobi se ríen de mí cuando les converso y un día hasta me mostraron la libreta de matrimonio donde constan todos sus hijos, muertos y vivos, pero ningún monstruo, bramó el borracho con miedo u odio. El profesor, con el que me suelo encontrar, me mira sin saludarme y se lleva la mano a la garganta en un vago gesto de dolor. El teniente, cuando me ve en la calle, me saluda con extraña amabilidad, ya que jamás fuimos amigos, y me pregunta con insistencia, con demasiada insistencia, que cómo me he sentido. Escudero, con el que hablo algunos días, recuerda perfectamente aquel sermón que él disparó a los fieles un domingo del invierno de 1951; dice que Bobi estaba cerca del púlpito be-bebiéndose sus palabras, comiéndoselas, más bien, como un perro que caza al vuelo su pitanza. Estuvo aquí esta mañana y, respondiendo a mis dudas, me dijo que no les haga caso a Cruz Meneses ni a los padres del niño. ¡Era un gran muchacho!, suspiró...* (PP, p. 9),

palabras que pueden leerse desde el propio deseo del narrador de olvidar la historia de Bobi ("Escribo para olvidar...", son las primeras palabras de la narración), o, por mejor decir, de olvidar su propia incapacidad de asumir plenamente la otredad del niño, al que si bien protegió y aún amó, trató también de ocultar en alguna manera (cambiándose de casa frecuentemente, comprándole botas para que cubriese sus pies caninos, pensando incluso en la posibilidad de una operación quirúrgica que hiciera desaparecer su singularidad (24)). En tal sentido no deja de ser significativo que el único personaje que recuerde a Bobi, que le califique además como un gran muchacho, sea el padre Escudero, de cuyos labios conoció el narrador, justamente, la historia del medio pollo.

En rigor, la posición del narrador frente a la condición distinta de Bobi está dictada desde un deber ser, sin que llegue a constituir una convicción profunda y efectivamente vivida. A pesar de sus abundantes protestas frente al rechazo que el niño provoca en los otros, él tampoco le acepta o acoge como a un igual: no sólo tiene miedo por Bobi, tiene también miedo *de* Bobi y de sí mismo, porque se sabe, soterradamente, incapaz de superar las convenciones, la moral tradicional del mundo de los hombres, de la cual la moral ingenua del cuento maravilloso no deja de ser un espejo.

La narración de esa historia maravillosa, el cuento del medio pollo, es el último recurso de que puede echar mano para asimilar a Bobi al mundo cotidiano. Desde su perspectiva, esa historia tiene un valor apologético o edificante, en tanto fábula moral dirigida a Bobi para confortar a éste e indicarle cómo su carencia puede ser superada. Es más, para

---

24) Ariel DORFMAN, "El Patas de Perro no es tranquilidad para mañana", *Revista Chilena de Literatura*, Santiago de Chile, Departamento de Español, Universidad de Chile, n.º 2 y 3, primavera 1970, pp. 167-197, si bien sostiene, a lo que entiendo, una posición distinta a la que aquí desarrollamos, hace mención a la actitud ambigua del narrador con respecto a Bobi.

el narrador, la historia del medio pollo parece operar, desde el comienzo de la narración, desde el comienzo de su relación con Bobi, a manera de correlato objetivo de la historia del niño con patas de perro; así se entiende ya en la primera mención del cuento folklórico que aparece en el texto, mucho tiempo antes de que sea "contado" en el interior de él:

> Bobi ¿conoces la historia del medio pollo? Pudo haber sido imaginada para tí, algún día la conocerás, pudo, por lo demás, tener su origen en *una criatura como tú que no nació completa,* pero más desgraciada que tú, porque su problema y su tragedia y el resumen de su vida estaban en que él debía completar su cuerpo, tenía que buscar y encontrar la otra mitad que le faltaba. Es una fea historia, dijo con desprecio, sin profundidad, sin amargura, captándola ya sin conocerla, no me gusta, no me gusta nada. No te gusta porque comprendes que es una suerte para ti que no seas tú esa historia, tú eres completo, tú estas completo, *demasiado completo,* Bobi, éste es tu drama (*PP,* p. 71; cursivas mías, LIM).

La reacción de Bobi frente al cuento, cuando el narrador decide contárselo, está preanunciada en el párrafo anterior. Después de haber escuchado con paciencia y aun con atención la historia, dirige una sola pregunta a su protector: "¿Existió el medio pollo?" (*PP,* p. 239), y pese a las explicaciones de aquel, pese a las razones con que trata de mantenerlo a su lado, y tal vez por la misma ambigüedad de parte de ellas.

> Bobi, le dije despacito, Bobi, algún día, todavía muy muy lejano, alguién preguntará, algún niño, algún adolescente triste o esperanzado, preguntará: ¿Existió Bobi, el patas de perro? (*PP,* p. 240).

el niño ha sacado su propia enseñanza de la historia y abandonará la casa:

> Me llevaré el sombrero, dijo, es buena idea, y un poco de plata y un paquete de golosinas, como el medio pollo, *pero yo no voy en busca de ninguna mitad mía.* Su voz era ahora neutra, ni atemorizada, ni triste, ni valerosa, estaba pensando únicamente, viendo al medio pollo en la memoria y comparándolo sumariamente. Sí, le dije, tú eres más completo que él, sin embargo, tú te sientes como debió sentirse el pobrecito, recuerda que en su largo viaje casi nunca se sintió medio pollo sino pollo entero. Sí, dijo con un poco de envidia y otro poco de molestia, esa gente de Colchagua parece ser muy dura, pero no te olvides que él se encontró con muy buena gente que le hicieron olvidarse de lo que él era, pero yo no he tenido bestias salvajes que sean estupendas conmigo y *¿cuál es el rey en mi historia?* (*PP,* p. 245; cursivas mías, LIM),

pregunta que es no sólo una acusación de Bobi contra su protector, el reconocimieento de que éste no es esencialmente mejor que los otros, sino también el rechazo de la fábula que se le ha propuesto, en tanto encubridora del deseo o la esperanza de que, renunciando a algo de sí mismo, pueda integrarse en este mundo. Bobi, a diferencia del medio pollo, no volverá a casa como el hijo pródigo: la abandonará optando por la libertad, aunque ésta tal vez conlleve la muerte (25).

Cedomil Goíc ha indicado que, mientras en el cuento folklórico del medio pollo

---

25) Observemos que Bobi abandonó la casa paterna de mano de su protector, el narrador de *PP* y *NE* (v. *supra,* n. 19), pero también la de éste último, de la que huirá al fin definitivamente. Desde esa perspectiva puede establecerse también alguna relación entre el sentido que el narrador quiere dar al cuento del medio pollo y el ánimo con que la recibe Bobi; no se trata de convencer al niño de que vuelva a su hogar paterno, sino de que permanezca en el de su protector.

Los anhelos y las hazañas tenidas por imposibles, en consideración a las posibilidades reales, se cumplen. La moral del bien y de la retribución justa, se realizan en el mundo... En el mundo de los hombres, no se realizan los anhelos de la felicidad ni la justicia. En cierta medida, el niño [con patas de perro; LIM] clama por lo maravilloso ausente de su vida. El paralelismo de las dos narraciones y de las dos figuras, tiene su efectividad cierta y pone límites inequívocos a la deficiente existencia y a la marginalidad del niño (26).

Pero Goíc pasa por alto un hecho fundamental: el paralelismo entre las dos narraciones (el cuento maravilloso y la historia de Bobi) está mediatizado por la narración enmarcada, cuyo narrador es el mismo que el de la narración principal. Las variaciones que este narrador introduce en la versión popular del cuento maravilloso, y que hemos descrito en los párrafos procedentes, no sólo tienden a identificar ambas narraciones con fines didascálicos, no solo sirven para reforzar el ambiente superreal del discurso principal, sino que fundamentalmente, permite que el sistema de valores que rige el universo del discurso principal y de la narración enmarcada sean iguales y que la moral ingenua de la narración folklórica se asimile, de tal forma, a una ética de sometimiento a los valores y las estructuras establecidas.

La significación profunda de *PP* se establece en una instancia superior a la del narrador; surge de la selección y combinación de las distintas partes que componen la estructura novelística dentro del repertorio de posibilidades de contar la misma historia. En este sentido, la elección de una narración popular como elemento de la novela (hecho ya en sí poco común entre los narradores chilenos coetáneos a Droguett) cobra plena significación en cuanto ella es mediatizada por una narrador que pertenece inequívocamente a las capas medias (pensionado, profesor ocasional, individuo de vagas aspiraciones intelectuales), quien la instrumentaliza, distorsionándola y poniéndola a su servicio, integrándola en su propio sistema de valores y usándola, al tiempo, como salvaguarda de su (mala) conciencia.

Ese modelo es diametralmente opuesto al común en la literatura dominante chilena y específicamente contrario a los procesos comunes en la novela de la llamada "Generación del 38" (a la que pertenecen los principales novelistas coetáneos a Droguett), en cuya obra, como expresión literaria que es de la actividad histórica de los sectores radicalizados de la clase media urbana chilena en un período que corre desde 1920 hasta 1938, sería insólito (27).

Podría, pues, postularse que *Patas de perro* (y presumiblemente la obra novelística total de Droguett) tiene una significación ideológica otra que la de la novela dominante en la época; pero comprobar esa hipótesis exigiría un análisis de lo que aquí hemos descrito sólo formalmente, ahora desde el punto de vista de la sociología de la literatura.

Y ese ya es otro cuento. Tal vez el "Cuento del gallo pelao", que Ramón Laval, probablemente sin fundamento, relacionó con el del *medio pollo*, y que podría haber servido

---

26) Cedomil GOIC, *Historia de la novela hispanoamericana*, Valparaíso, Ediciones Universitarias de Valparaíso, 1972, p. 299.

27) Para un análisis del particular, v. mi estudio "La novela de la 'Generación del 38' ", *Hispamérica*, Maryland, año V, n° 14, 1976, pp. 27-43.

de epígrafe a estas páginas:

> — ¿Keríh ke te kuente el kuento el gayo pelao?
> — Weno.
> — Pásate p'al otrro lao (28).

LUIS IÑIGO MADRIGAL
Universidad de Leiden

---

28) Ramón A. LAVAL, *op. cit.*, p. 527.

"RADIO SEVILLA" DE RAFAEL ALBERTI O LA FUNCION POLITICA DEL FOLKLORE

HUB. HERMANS
Universidad de Groningen

"RADIO SEVILLA" DE RAFAEL ALBERTI O
LA FUNCION POLITICA DEL FOLKLORE

Hub. Hermans

"Radio Sevilla" de Rafael Alberti es uno de los muchos y mal conocidos ejemplos del llamado "teatro de urgencia" de la época de la guerra civil. Es una obrita que casi nunca se cita en los manuales de literatura o los estudios sobre teatro. En el mejor de los casos se llega a decir que es una obra de propaganda política; una farsa o burla feroz, condicionada por la circunstancias de la guerra civil. Y aparentemente, pasando por alto el hecho de que bajo los bombardeos lo estético tiene una función bastante diferente de la habitual, todos estos críticos tiene razón. Intentaré demostrar, sin embargo, que esta obrita es mucho más interesante de lo que superficialmente parece. Antes de analizar "Radio Sevilla" escena por escena, daré un resumen global del contenido.

La obra consta de tres tramos: un tramo corto, que sirve de prólogo, un segundo tramo bastante largo en el que se desarrolla la acción principal y un tercer tramo que sirve de epílogo.

En el primer tramo una muchacha republicana que en la guerra ha perdido a su padre y a su hermano, se encuentra por la noche con un soldado, en apariencia de los nacionales; pero que resulta ser también republicano y solo espera el momento más oportuno para pasarse al otro campo.

El segundo tramo tiene lugar en el estudio de Radio Sevilla, desde donde el general Queipo de Llano solía emitir todas las noches su charla sobre la situación política en España. Algo sobre el protagonista de estas charlas: Queipo de Llano era una persona un poco extraña. Después de haber sido destituido de su puesto por Primo de Rivera (CARR, 1978, p. 561), participó en una conspiración fracasada contra el rey Alfonso XIII en 1930 (CARR, 1978, p. 572) y en 1936 participó en el levantamiento contra la República. Gracias a una combinación de astucia y de atrevida improvisación Queipo había sabido ocupar Sevilla. (SORIA, 1978, tomo I pp. 360-361). Pero Queipo de Llano tampoco era falangista. Gracias al hecho de que su feudo andaluz era económica y militarmente independiente de la mayor parte de la España nacionalista, le era posible mantener una posición relativamente independiente. (CARR, 1978, p. 647). Dijo repetidamente que si Franco no era capaz de solucionar los problemas de España. que su patriotismo incluso le llevaría a luchar contra Franco. Lo que nunca haría, claro. Y efectivamente, Queipo era una

persona un tanto excéntrica, muy vanidosa y presumida. Queipo de Llano se hizo famoso
como "el carnicero de la Macarena" y "como el locutor nocturno de Radio Sevilla donde,
con voz ronca, profería obscenidades contra lo marxistas, los rojos, y se vanagloriaba
de haber hecho asesinar a multitud de ellos (...) Su incontinencia verbal era tal que a
menudo, en sus charlas radiofónicas, revelaba al Estado Mayor Central de la república
en guerra (el cual analizaba minuciosamente sus palabras) secretos que debieran haber
sido celosamente guardados. Alto, de ojos grises y brillo metálico, todavía apuesto y
con bigotes de puntas retorcidas, era el prototipo de militarote, decidido, dispuesto a
todas las audacias, a todos los perjurios" (SORIA, 1978, p. 360).

A una de las muchas acusaciones de que constantemente estuviera borracho dijo "pues,
¿por qué no? ¿Por qué un hombre de verdad no gozaría de la calidad superior del vino y de las mujeres de Sevilla?" (THOMAS, 1974, p. 646).

Ahora bien, era una persona que se prestaba fácilmente a la caricatura. El segundo tramo
se basa en gran parte en el poema satírico "Radio Sevilla" del mismo Alberti. Gracias a su
publicación en hojas volanderas y en el romancero de la guerra civil y gracias a la fama de
Queipo, este tema era ya muy popular entre los republicanos. (Sobre el romance ver
NANTELL, 1979, pp. 108-109). En la acción del segundo tramo vemos cómo la charla radiofónica de Queipo forma parte de un cuadro flamenco. El general se degrada cada vez
más y llega a convertirse en un caballo borracho. Al final ya no goza de la confianza de
sus más fieles seguidores ni de la de los alemanes e italianos.

En el tercer tramo muy breve, Queipo es condenado y el soldado y la mucha del primer tramo piden justicia e invitan al pueblo a rebelarse.

"Radio Sevilla" ha sido representada varias veces por las "guerrillas del teatro" en
1938. Que yo sepa no disponemos de datos sobre estas representaciones, así que estamos
obligados a sacar toda la información de los diálogos y de las acotaciones. Para no perder
de vista lo específicamente teatral, he tenido presente siempre el conocido esquema de
KOWZAN (1969) en el que distingue los 13 signos visuales y auditivos de una representación teatral. De acuerdo con Solomon MARCUS (1978, p. 87) definiremos las unidades
dramáticas de base en términos de "situación" o "escena": "La situación dramática se
considera como el intervalo máximo de tiempo en donde no hay cambio por lo que
se refiere al decorado o a la configuración de personajes..."

Estas configuraciones aisladas se caracterizan por los elementos de extensión (el número
de personajes participantes) y de duración. (PFISTER, 1977, p. 235). En lo que concierne
al tiempo seguiremos el de la representación teatral, porque es en el "sujeto" (e.d. "sujet"
en el sentido de Tomachevski), donde mejor se refleja la estructura de la obra tal como la
perciben los espectadores.

Pasando por fin al análisis de la obra vemos que la primera configuración de personajes es formada por el primer tramo. En esta escena única, cuya acción se desarrolla delante
de las cortinas, un soldado se encuentra con una muchacha. Es de noche y la muchacha,
sola, regresa al pueblo. El soldado la detiene y ella, tímidamente le hace el saludo fascista.
Tratando de hacerse el simpático le dice el soldado: (ALBERTI, 1978, p. 766) "¿Vas sola?

¿Cómo te dejan ir por los caminos siendo tan joven, niña, tan niña, tan clavelito y lu-
cero? ¿Quién te espera"?.

Este encuentro recuerda un poco el cuento de Caperucita roja en el bosque con el lobo. Pero el soldado, vestido de uniforme nacional, no resulta ser el lobo, porque cuando la muchacha, pensando en la muerte de su padre y su hermano, se olvida de la situación y empieza a hablar sobre los fascistas, diciendo que son (pp. 766-767) (...) "perros... Más malos que cien mil lobos hambrientos (...) Asesinos del pueblo. (...) Vendedores de España a tan poco precio". (etc.) él la calma y dice

"Basta jazmín... ¿No conoces este saludo?""

Y le hace el saludo republicano con el puño cerrado. La convence de que él es un soldado del pueblo, obligado a hacer el servicio militar en Sevilla y que espera el momento oportuno de pasarse al otro campo. "¡Y yo contigo! ¡Pronto! ¡Vamos!"le dice la muchacha. En este momento suena un altavoz anunciando el comienzo de la charla nocturna de Queipo de Llano: (p. 768) "¡Atención! ¡Radio Sevilla! Queipo de Llano es quien ladra, quien muge, quien gargajea, quien rebuzna a cuatro patas".

Esta voz sale de detrás de las cortinas. Para el público, que automáticamente se va identificando con el soldado y la muchacha, la cortina pues, funciona como una especie de frontera entre el campo nacional y el republicano. Todo lo que sale de allí es totalmente negativo: el esquema parece bastante maniqueo. Así no nos extraña que la voz que anuncia al general, lo presente como si fuera un animal. Resulta claro que el verdadero lobo no es el soldado sino Queipo. Es él quien seduce, engaña y traiciona al pueblo español. Hemos visto que la muchacha se identificaba con clavelitos, luceros y jazmínes, pero Queipo se identificará con un perro, un burro, un berrendo, un sapo, un caballo, un chinche, una cloaca, una tinaja borracha etc. Es sobre todo el soldado quien utiliza todas estas calificaciones para introducir como una especie de "expositio" la charla del general. Le dice a la muchacha (p. 769)

> "Quédate aquí camarada.
> Veremos aparecer,
> entre vinos y guitarras,
> entre relinchos y coces
> y turbias botaratadas,
> un triste cuadro flamenco,
> una siniestra comparsa
> de señoritos facciosos
> de prostitutas monárquicas
> toda la gran pandereta
> de esa estropajosa España
> cuyo vil representante
> cuya bocina cascada
> se nombra Queipo de Llano
> quinto cabrón de Alemania
> primer cabrón de su tierra
> décimo cabrón de Italia" (...)

A través de los aspectos visuales y auditivos de Queipo, nosotros —ya que forzosamente nos identificaremos con el soldado, la muchacha y el público al que éstos se dirigen— podemos burlarnos de los quehaceres de los nacionales; o al menos de la visión estereotipada que propagaban de ellos los republicanos. El animal Queipo traiciona a su país siendo presentado como un cabrón, que para igualar los sueños imperiales de Carlos I, vende su patria a Alemania e Italia. Animales y personas que en principio pueden ser positivos (como toros, caballos o Carlos I) se convierten automáticamente en negativos cuando se identifique a Queipo con ellos. Este juego se hace todavía más interesante cuando al final de este primer tramo se abren las cortinas y surge, dentro de una gran caja de cerillas de la época monárquica; una sala de la emisora sevillana. En la línea de la técnica de distanciación de Brecht aparecen los personajes de la farsa como peleles o marionetas de un teatro de guiñol. Son personajes manejados por el extranjero y observados como tal por la muchacha, el soldado y el público. Ahora empieza la representación: esta obra dentro de la obra tiene el efecto de un cuento de hadas. Tenemos el marco de "érase una vez..." y la función puede empezar... El público que había podido observar el comienzo parecido al del cuento de Caperucita roja (—Además no es gratuito el hecho de que durante los primeros años de la dictadura franquista no se hablaba de Caperucita roja sino de Caperucita encarnada—) ahora observará que el lobo verdadero no es el soldado sino que es Queipo de Llano. Es él quien engaña a los suyos y quien traiciona a la República. En el gran cuadro flamenco que se abre a continuación Queipo, además hace el papel de caballo. Haciendo corbetas a cuatro patas y diciendo repetidamente:

> "Ya se me atiranta el lomo,
> ya se me empinan las ancas,
> ya las orejas me crecen,
> ya los dientes se me alargan," (...)

surge un paralelismo evidente con el de Caperucita roja diciendo al lobo: " ¡Qué orejas tan grandes tienes!" o " ¿Cómo tienes esa boca tan grande abuelita?" Queda claro que el cuento básico se ha transformado por completo; esto hace ganar como consecuencia al texto en ambigüedad.

Este uso de animales y de elementos folklóricos es bastante frecuente en el teatro de urgencia. En estas obritas propagandísticas, rápidas, satíricas, directas y didácticas los autores tomaban distancia de la cultura elitaria y deshumanizada; querían traer la cultura al pueblo y hacer cosas de y para el pueblo. En muchos casos esto significó un uso de elementos populares y elementos emotivos que podían producir la risa y el llanto del público. Un medio fácil y eficaz para conseguir este último propósito era ridiculizar al enemigo mediante su identificación con animales; animales que, por otra parte, figuraban frecuentemente en el folklore. Todo esto tuvo como consecuencia una visión totalmente maniquea de la realidad. Pero intentaré demostrar que, en mi opinión la obrita de Alberti escapa a un maniqueísmo demasiado simple.

El procedimiento utilizado por Alberti para representar a "buenos y malos" en esta obra se podría explicar mediante el título de un dibujo que apareció en la portada del primer número de "EL MONO AZUL" (27-8-1936). Como todos saben "El Mono Azul" era la revista de la "Alianza de Intelectuales Antifascistas para la Defensa de la Cultura", y en ella Alberti publicó entre otras cosas esta obrita de teatro. Ahora bien, el título del dibujo era: "NUESTROS 'MONOS' AZULES LIMPIANDO LA SELVA DE CHIMPANCES FACCIOSOS". De este dibujo y de la "Letrilla de El mono azul" de Alberti que lo acompaña, se desprende que hay varias interpretaciones posibles. La "selva" automáticamente se asocia con España; una España que está en guerra. Entre monos y chimpancés no hay grandes diferencias pero al decir "chimpancés facciosos" los "monos azules" automáticamente se identifican con los republicanos. El color azul de los monos no tienen nada que ver con los nacionales sino con los monos u overols que vestían muchos obreros e intelectuales republicanos. (MONLEON, 1979, pp. 14-15). Además de simio y overol significaba también la tinta que utilizaba el republicano para atacar al enemigo; o sea el uso de la pluma como arma. Dice la letrilla de Alberti:

"mono miliciano, (...) tu fusil
también se cargue de tinta
contra la guerra civil".

En el título del dibujo ("Nuestros 'monos' azules limpiando la selva de chimpancés facciosos") queda claro que los animales republicanos triunfarán sobre los animales nacionales; la diferencia interna entre los simios se basa en la polivalencia del 'mono azul', frente a la univocidad aparente del chimpancé faccioso. Hablamos de univocidad aparente porque mientras nada parece más directo o banal que hablar de un 'chimpancé faccioso', este sintagma cobra su interés gracias a un proceso de intra— e intertextualidad; o sea su combinación con un "mono azul". Y esto es justamente el procedimiento utilizado por Alberti en "Radio Sevilla" y en otras obras propagandísticas de la época de la guerra civil.

De todos es sabido el papel importante que juegan en su obra el folklore y animales como toros y caballos. Todo esto no desaparece durante la guerra, pero cobra otro sentido. A menudo los mismos símbolos adquieren, para referirse a los nacionales, un valor invertido. Cuando Queipo se identifica a sí mismo con un caballo, ya no se trata de un símbolo de fuerza sino de un pobre idiota. La polivalencia simbólica utilizada por Alberti en su poesía anterior desaparece porque es Queipo mismo el que invierte los papeles... En el mismo momento en que Queipo quiere hacer de caballo y su amiga Clavelona de toro, pierden estos animales su carga simbólica positiva y se reducen, como el chimpancé, a una categoría inferior a la de los hombres. Sabemos muy bien que estos personajes no son animales, sino que son representados así porque su apariencia o su actuación se deja simbolizar negativamente por tal o cual animal.

El hecho de que el público sepa que aquí no se trata de una sátira fácil de persons sino de una farsa de la situación política en la zona nacional, hace que el público intente descubrir la carga simbólica. El público está obligado a tomar una postura activa y crítica para poder desentreñar la ideología de los nacionales y para poder establecer las relaciones con p.e. el cuento de Caperucita. Todo esto hace que "Radio Sevilla" escapa a la caricatura realista y al naturalismo usual en el teatro de urgencia. Pero aun diciendo esto, siempre conviene tener en cuenta que la cuestión de calidad, bajo los bombardeos, cambiaba de sentido y que incluso una obra estéticamente inferior a "Radio Sevilla", podía muy bien desempeñar un papel moral de enorme importancia...

Ya hemos visto que la acción de esete segundo tramo tiene lugar en el estudio de Radio Sevilla. Las escenas que siguen tienen el carácter de un cuadro flamenco, pero un cuadro flamenco con todas sus conotaciones negativas. El que el autor lo califique de cuadro flamenco "no supone en absoluto un desprecio del 'cante' —que el gaditano Alberti conoce muy bien—, sino el aprovechamiento de las tradicionales relaciones entre señoritos y complacientes artistas contratados, para delinear la sátira contra Queipo de Llano. El concepto de Cuadro Flamenco tiene, pues, el justo valor peyorativo que muchos enamorados del cante, atribuyen a las "fiestas", donde, además de cantar, es preciso adular al señorito para ganarse una propina y el derecho a ser llamado en una nueva

ocasión. Por lo demás, siendo Queipo el amo de la "fiesta", es lógico que Alberti en-
canalle a todos los participantes". (MONLEON, 1979, p. 263).

Están presentes casi todos los elementos conocidos del folklore andaluz: hay caballos, toros, coplas, pasadobles, guitarras, flamenco con risas y jaleo etc., pero todo adquiere un
valor invertido. No vemos el folklore auténtico sino un folklore barato, prostituido; un
cuadro flamenco del que hoy diríamos turístico. Es un cuadro en el sentido literal de la
palabra. Ya no es el flamenco de todos los presentes sino que se representa algo para un
público. Ya no es una fiesta de todo el pueblo (como p.e. el carnaval tal como lo analiza
Bakhtine), sino que hay artistas que se dejan pagar por su actuación. Así aparece un corte; una especie de barrera, entre el público que apenas interviene, y el espectáculo teatral;
o dicho de otra manera: así nace un espacio puramente escénico. Ahora entendemos mejor por qué la acción de este segundo tramo se desarrolla dentro de una caja de cerillas de
la época monárquica. Todo lo que vemos y escuchamos es como un cuadro de Goya. Los
actores se reducen, en la terminología de Kowzan, casi a la categoría de "aspectos del espacio escénico". Naturalmente son personajes que también se expresan a través de un
"texto pronunciado", pero aparentemente no son más que peleles o muñecos para guiñol.
Tal como las figuras exageradas de las cajas de cerillas de la época monárquica, son personajes vanidosos e hipócritas y carecen de espontaneidad y substancia. (POPKIN. 1975,
p. 263).

En las acotaciones que nos da el autor vemos como aspecto interesante del espacio
escénico el papel de una cabeza de toro de cartón (!), banderillas, dos capotes y un gran
rejón de lujo. Además de Queipo aparecen como personajes el rejoneador Catite, la pros-
tituta Clavelona, el "speaker", tres señoritos falangistas y tres señoritas. Todos halagan al
general diciendo o cantando coplas inspiradas en el folklore, pero lo hacen de tal maneta
que el general queda en ridículo. Así p.e. la megalomanía de Queipo: cuando Clavelona
en una copla canta sobre su "bigotillo" él insiste en que cambie "bigotillo" por "bigota-
zo". Queipo quiere que a él le consideren como el único salvador de España, como el rey
o sultán de la Bética e incluso llega a decir que es un verdadero moro. Su ignorancia es
grande: cuando alguien grita " ¡Viva Boabdil el chico!", lo toma por un insulto. Además
de su manía de grandeza, su ignorancia y su coquetería, se subraya su pasión por el vino.
Cuando Queipo, con el retraso usual empieza su charla, le dice al "speaker": (p. 772) " ¡A
    ver, tú, descorcha ese micrófono y anúnciame. Vamos, ¡pronto!, que esta noche
    me siento inspirado".

Y cuando, por fin, dirige la palabra a los rojos le dice, tomando mientras tanto unas cuantas copas: (p. 773) " ¡Señores!: aquí un salvador de España.
    ¡Viva el vino! ¡Viva el vómito!
    Esta noche tomo Málaga.
    El lunes tomé Jerez;
    martes, Montilla y Cazalla;
    miércoles Chinchón, y el jueves," (...) etc., hasta tomar Madrid. Queda claro que a di-
ferentes niveles se toman vinos y ciudades... En este momento Queipo empieza a convertirse poco a poco en un animal. Mientras que antes los señoritos todavía habían comparado su voz con la de los ruiseñores, calandrias y pavos reales, ahora él mismo se convierte
en el caballo de la victoria. Al imitar los gestos de un caballo vemos delante de nosotros,

gracias a un proceso de intertextualidad psíquica (KRISTEVA, 1978, pp. 66-69), al lobo que quiere comerse a Caperucita, diciendo:

> "ya las orejas me crecen,
> ya los dientes se me alargan" (etc.)

El proceso de inversión llega a tal punto que la ambigüedad del personaje ya no consiste en la diferencia entre los actos de una persona y su justificación o explicación positiva de los mismos, sino en la diferencia que media entre los actos ya en sí negativos, y la exageración grotesca que hace de ellos el propio personaje. Queipo no es un animal porque los rojos lo digan, sino porque él mismo lo demuestra. Es un proceso de hiperbolización negativa.

La ambigüedad de los personajes puede ser demostrada también a través del hábil juego de Alberti con el espacio escénico. Para explicar la superposición de unos cinco espacios diferentes hay que volver al primer tramo. Allí vimos cómo el soldado y la muchacha, que actuaban delante de las cortinas, integraban al público en "su espacio escénico". Al final de este prólogo abandonamos, pues, el "marco del espacio escénico original" para observar otro espacio escénico: el de la caja de cerillas. Identificándonos con el soldado y la muchacha nos damos cuenta de que se trata de un "espacio ficcional interno". Pero, gracias a una serie de recursos escenográficos y teatrales (como p.e. la situación central del micrófono, el uso de altavoces y, sobre todo, la actuación del 'speaker'), se convierte este espacio ficcional interno en un "marco nuevo". En este nuevo marco vemos todo lo que pasa en el estudio de Radio Sevilla: incluso todo aquello que no está destinado para la emisión. Así surge, dentro de este nuevo marco "real" una nueva acción interna (esto es el discurso de Queipo, dirigido hacia un público abstracto). (POPKIN, 1975, p. 92). Nace una tensión entre el nuevo marco "real" (los discursos dentro de la sala de la emisora) y la "nueva acción interna" (el discurso de Queipo para los radioyentes). De esta manera el público distanciado se entera de cosas que pasan al otro lado del frente; o sea dentro de la caja de cerillas. Hemos dicho que este efecto curioso se debe sobre todo al "speaker": por una parte es el speaker oficial de Queipo, pero por otra da avisos y hace observaciones críticas e impertinentes. Para el público es literalmente una especie de intermediario, del que no se sabe si es un personaje desdoblado o si hace el papel de narrador. Especialmente sus observaciones constantes sobre la hora y sus avisos de que todo lo que se dice en el estudio se oye por la radio, subrayan la distinción entre la acción "onstage" y la acción "offstage" (el estudio). Cuando el general y Catite empiezan a imitar los sonidos de animales, dice el "speaker": (p. 774) '¡Mi general, por favor, que esto se oye en el mundo entero! No lo olvide".

Esto es una manera de decir que lo dicho y las imitaciones de los sonidos de animales, al mismo tiempo pertenecen y no pertenecen a la charla. De esta manera se presentan dentro del nuevo marco del espacio escénico, dos versiones:

a) lo que se emite (esto es la dinámica del emisor) y

b) lo que se oye y no tendría que decirse (esto es la dinámica del receptor).

III

LA RADIO

II

EL ESTUDIO

I

EL SOLDADO Y LA MUCHACHA

Los diversos espacios escénicos (de tipo psíquico) que acabamos de distinguir podrían reducirse esencialmente a tres. (Ver el cuadro sinóptico). A base de esta distinción podríamos, dentro de un conocido modelo de comunicación, hacer una clasificación de tres niveles discursivos: (PFISTER, 1977, pp. 20-22).

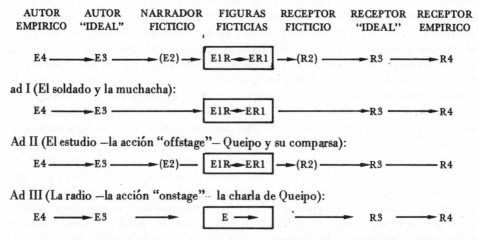

AUTOR EMPIRICO	AUTOR "IDEAL"	NARRADOR FICTICIO	FIGURAS FICTICIAS	RECEPTOR FICTICIO	RECEPTOR "IDEAL"	RECEPTOR EMPIRICO

E4 ——→E3 ——→ (E2) →| E1R←ER1 |→ (R2) ——→ R3 ——→ R4

ad I (El soldado y la muchacha):

E4 ———→E3 ———————→| E1R←ER1 |——————————→R3 ———→R4

Ad II (El estudio —la acción "offstage"— Queipo y su comparsa):

E4 ———→E3 ———————→(E2)—| E1R←ER1 |—→(R2) ——————→R3 ———→R4

Ad III (La radio —la acción "onstage"— la charla de Queipo):

E4 ———→E3 ——————→| E → |———————→R3 ———→R4

Lo curioso de este modelo de comunicación es que demuestra cosas que desde un punto de vista puramente teatral son poco verosímiles. Fijándonos al mismo tiempo en el esquema de KOWZAN (1967) veremos que en el caso del soldado y la muchacha, hay tanto "comunicación verbal" como "-no verbal". Pero a pesar de todo ello es una escena muy poco teatral. En el caso del estudio (adII) hay también tanto "com. verbal" como "-no verbal", pero aquí estorba (al menos en teoría) la presencia de un narrador (el "speaker"). A pesar de todo ello tienen estas escenas muy poco de narrativo y mucho de teatral. En el caso de la charla de Queipo (adIII) en teoría solo hay "com. verbal", pero la práctica es bien diferente. Los tres niveles discursivos se relacionan entre sí gracias al fenómeno de intertextualidad psíquica; esto es lo que da unidad dramática a la obra. Así p.e. se podría establecer una relación entre Caperucita y a) el soldado y b) Queipo.

En la perspectiva del speaker y del espectador hay una distinción entre la dinámica del emisor Catite, imitando animales, y la de Queipo, haciendo su charla. Comparando el discurso de Queipo con el de Catite, en relación con los dos espacios psíquicos ya señalados dentro de la caja de cerillas, llama la atención el hecho de que Queipo, dirigiéndose a los rojos (el "onstage") intente hablar en verso, mientras que en la acción "offstage" habla en prosa. Los miembros de la comparsa de Queipo solo de vez en cuando utilizan imitaciones o variantes pesadas de coplas populares o versos sacados del cante flamenco, mientras que Queipo hace un uso sistemático de un lengua altisonante y unos versos de mal gusto para dirigirse a los rojos. El soldado y la muchacha utilizaban el verso libre. Así que, volviendo al modelo de comunicación, vemos que todo lo que dicen los personajes, dirigiéndose al público, se dice en verso, mientras que todo lo que se dice en la zona nacional y lo que no debería ser emitido, se dice en prosa o versos vulgares. Con otras palabras, se reserva la prosa para los diálogos en el estudio, donde la intervención de una especie de narrador (el "speaker") había hecho parecer el modelo comunicativo (II) más al de la narrativa.

Los versos malos y altisonantes de Queipo provienen de un popularismo estereotipado que se podría relacionar con el ambiente de "bajo folklore" (corrida, tablao flamenco etc.). Su lenguaje es siempre estereotipado de forma (el verso frente a la prosa) pero no de fondo, aunque sea en todos los casos bastante vulgar. El verso es utilizado para dirigirse a unos interlocutores abstractos, nada individualizados, mientras que la prosa es utilizada para dirigirse a unos interlocutores individualizados. Otra paradoja..

En cuanto a la distinción ya observada entre la dinámica del emisor Queipo y la de Catite, llama la atención el hecho de que el uno se va metiendo progresivamente en el campo discursivo del otro. Esta interferencia de discursos nos ofrece algunos casos intesantes de intratextualidad. Un ejemplo de ello lo encontramos en el momento en que entra Catite para dedicarles unas palabritas a los rojos. (pp. 774-775) Dice Catite " ¡Muuú!", (siguen risas y jaleo de los presentes) y luego dice, especialmente para los franceses: " ¡Be,

be, be, be, beeé! Y ahora voy a hacer la rana para que se enteren en Inglaterra: ¡cuác-cuác, cuác-cuác! Y ahora el gallo que quiero dedicar a Checoslovaquia..."

Pero en este momento le interrumpe Queipo, diciendo: "El gallo, ¡a mí, déjamelo a mí! ¡Kikirikiií! ¡Kikirikiií! ¿Qué tal"

Y contesta Catite: "Como siempre. ¡Un talentazo!".

Vemos, pues, que el complejo de inferioridad de Queipo llega a ser tal que interrumple su charla radiofónica para meterse en el discurso de Catite. Como él es el rey de la Bética y como el gallo en el folklore es un rey entre los animales, él quería hacer de gallo. Más adelante Clavelona hace de gallina y entre todos hacen de burro. Esto emociona a todos, lo que le lleva a decir a Catite " ¡Magnífico! ¡Magnífico! ¡Que raza la nuestra!". Y continúa Queipo: "Mi España (...) sabe conservar, como veis, una de las más grandes virtudes de su raza: el buen humor. ¡Qué raza la nuestra!, tengo que repetir con mi amigo Catite. No importa que en los campos de batalla perezcan a millares nuestros soldaditos. ¡No! Para eso Italia y Alemania nos abastecen con creces..."

A partir de este momento se da el fenómeno curioso que Queipo y Catite se han metido tanto en sus respectivos espacios discursivos, que resultaría difícil seguir hablando de dos personas: el Queipo-borracho y el Queipo-animal ahora se convierte también en un Queipo-homosexual. Otro ejemplo de una inversión de la norma, (¡fíjense bien la norma republicana!). Cuando Queipo dice que los alemanes y los italianos los abastecen con creces, esto ofrece al menos una lectura ambigua. ¿A quienes abastecen? ¿a la raza española?, ¿a

Queipo?, ¿a Catite? Naturalmente que en la lectura superficial esto no quiere decir más que los alemanes e italianos abastecen a los nacionales militarmente. Pero teniendo en cuenta el hecho de que Queipo se pone a cuatro patas para hacer de caballo y que el rejoneador Catite se monta sobre él, recogiendo, totalmente invadido en el campo discursivo de Queipo, las palabras de Queipo-lobo: (p. 776) (...) "Ya las orejas me crecen, ya los dientes se me alargan..."; y, teniendo en cuenta además la conducta sexual ambigua de los alemanes e italianos que ahora entran en el escenario, es lícito pensar en un abastecimiento también ambiguo del personaje que dijo: "nos abastecen con creces".. El que la Clavelona exclame inmediatamente después: "¡Viva la alegría!" encuentra así su doble significado:

a) tétrico-militar (correspondiente al "¡Viva la muerte!" de Millán Astray) y

b) erótico-sexual (un abastecimiento por delante y por detrás).

En la lectura superficial no es sino una exclamación implícita y aparentemente unívoca, del bajo folklore estereotipado.

En la corrida de toros que sigue a continuación el rejoneador Catite, montado sobre el caballo-Queipo es atacado por la Clavelona que, como vaca, hace de toro. Otro papel invertido.. En la poesía de Alberti de antes del exilio el toro siempre había sido un símbolo de fuerza, de pasión y de violencia. En la guerra civil esto era un toro herido y agonizante que simbolizaba la España en lucha. (MANTEIGA, 1979, pp. 75-76). Pero en Radio Sevilla vemos a una mujer que, con una cabeza de toro de cartón, hace de toro y tira al suelo a un general y un famoso rejoneador... Otro ejemplo de lo que hemos llado "univocidad aparente".

En el momento culminante de esta "fiesta nacional" pasa algo curioso. Don Gonzalo Queipo de Llano empieza a perder la confianza de los señoritos y señoritas espectadores. Dicen ellos: (p. 777)

"—Más que alazán parece mulo. —Un viejo mulo sin desasnar.

¡Ay don Gonzalo, que le cornean! — ¡Que le empitonan, mi general!"(etc.).

De estas frases, muy inspiradas en el "Retablo de las maravillas", podemos deducir que los participantes en la corrida de toros, olvidándose de sí mismo, ven cosas que no pueden ser vistas. Y esto mientras que el público, al igual que un oficial alemán y un oficial italiano que han entrado "sin ser vistos", "ven" cosas que no tendrían que ver. Los extranjeros son testigos de cómo el general y el rejoneador, embestidos por la Clavelona-toro, caen rodando al suelo. El alemán, hablando de la España romántica de toros, mujeres hermosas, sol y vino, insiste en que el general Queipo le limpie la punta de la bota. Y Queipo, después de haber dado algunos ejemplos graciosos de su idiotez y su cobardía, está dispuesto a hacerlo, aunque diciendo que lo hace por razones estratégicas. Ahora Catite, los señoritos y señoritas y al final incluso la Clavelona, pierden la confianza en su general. Este se pone a limpiar las botas del oficial, cantando con llanto de borracho, la canción siguiente: (p. 781)

"Dale que le das a las botas,
dale que le das, general.
Dale que le das, que están rotas,
dale que le das, que le das".

Aquí tenemos una excepción a la regla general señalada más arriba, según la cual Queipo reservaba el verso para dirigirse a los radioyentes. Un problema que se podría solucionar diciendo que los oficiales —en tanto que críticos de la situación en el campo nacional de Queipo— se sitúan al mismo nivel que los espectadores que también se burlan de la situación. Pero en la interpretación de estos versos los espectadores en seguida toman distancia de los oficiales extranjeros. Para Queipo son unos versos sin significado, sacados de una canción popular, pero para los extranjeros son unos versos con un contenido: se enfadan de que según Queipo, sus botas estén rotas. Así que Queipo utiliza el verso para dirigirse a unos interlocutores abstractos (que se burlan de la forma de estos versos) y para dirigirse a dos oficiales concretos (que se enfadan por el contenido de estos versos). Estos oficiales se ponen furiosos y quieren destituir a Queipo. Visto su comportamiento débil, la comparsa está de acuerdo en hacerlo. Incluso dice Clavelona: (p. 782) "O te comportas como un héroe o me voy con Catite". La derrota para Queipo parece total, pero en este momento se pone firme y decide detener a los extranjeros. Pero cuando éstos demuestran no tener ningún inconveniente en marcharse, el asunto se vuelve peor y todos los presentes piden a los "salvadores extranjeros" que se queden... En la escena siguiente entran soldados extranjeros (los "salvadores"). Cito de las acotaciones: (pp. 783-784) "(Entran tres soldados italianos, de negro, facinerosos, bigotudos, llenos de plumas los sombreros, pistolones al cinto y un inmenso sable desenvainado. Van seguidos por tres soldados nazis, finos, rubios, afeminados, depiladas las cejas, pintados los labios" (...). Aquí vemos otro ejemplo de una inversión antitética. En los tópicos literarios los italianos siempre son elegantes y afeminados mientras que los alemanes son altos y fuertes. El oficial italiano y el alemán cantan unas sevillanas —todo lo contrario del cante grande—, con unas connotaciones eróticas muy claras. En seguida los tres soldados italianos empiezan a bailar con las señoritas sevillanas y los tres soldados nazis se cogen del brazo de los señoritos. Es una inversión un tanto curiosa. ¿Quiere Alberti a través de esta inversión antitética subrayar la unidad y superioridad de la raza latina frente a la rubia raza aria de los alemanes? Vista su condena implícita de la homosexualidad es posible, pero vistas sus frecuentes burlas de la desigualdad y de todo racismo, no es probable. Más probable es que mediante esta nueva inversión antitética haya querido subrayar otra vez más lo falso y lo contradictorio de la conducta de los nacionales. Si hubiera utilizado tópicos fijos para burlarse de sus adversarios políticos, el resultado habría sido una imagen estereotipada y por ende poco convincente. El uso de tópicos ambiguos o deformados, sin embargo, siempre presenta una imagen sorprendente.. Este procedimiento de intertextualidad psíquica obliga al espectador a estar alerta y a ser lo suficientemente crítico como para entender el sentido de estas inversiones. Al igual que la técnica de distanciación, se estimula de esta manera la actividad del público. El público podrá sacar la conclusión de que los nacionales son manejables; no porque Alberti los pintara como peleles, sino mucho más porque ellos demuestran que son pasivos y que se dejan manejar...

Pero todo esto ya pertenece a las conclusiones. Mientras que todos bailan, Queipo se deja ofender más y más. El oficial alemán besa a "su" Clavelona y el italiano propone que Queipo cierre la emisión haciendo de caballo. Este su último baile ya no tiene connotaciones humorísticas ni sexuales. Queipo, totalmente borracho y rendido queda reducido a un verdadero animal que canta por última vez: (p. 785)

"Ya se me atiranta el lomo,
ya se me empinan las ancas,
ya las orejas me crecen,
ya los dientes se me alargan
la cincha me viene corta,
galopo, galopo... al paso.
Estaré en Madrid mañana". Y el general cae al suelo...

Este segundo tramo tiene un final muy cínico. A un golpe seco y fuerte de la guitarra que acompañaba a los presentes, todos quedan inmóviles en una postura de cuadro flamenco.

El tercero y último tramo consta de una escena muy corta en la que el soldado y la muchacha comentan lo que acaban de escuchar. Invitan con versos muy clásicos al pueblo español a ofrecer resistencia contra el enemigo. Mientras tanto se va cerrando la caja de cerillas que había servido de estudio. Al final la caja se cierra por completo, quedando fuera, cogida por el cuello, la cabeza de Queipo de Llano. Y termina el soldado con las palabras: (786)

" ¡Venid, vecinos, vecinas,
madres fuertes de Triana,
cigarreras, hombres todos,
venid, que Sevilla os llama!
Solamente esa cabeza
el pueblo puede juzgarla".

Este final que parece tan vulgar y de un realismo barato, seguramente no lo era para el público de aquel entonces. Fijándonos en los signos visuales, este final tiene grandes atractivos ideológicos y artísticos. Esto hay que verlo dentro del juego que hace Alberti con elementos folklóricos y con procedimientos de ambigüedad y de polivalencia. Ya hemos señalado su uso de intertextualidad y de distanciación. Ahora bien, todos estos elementos vuelven en este final con la caja de cerillas que se cierra, quedando fuera la cabeza de Queipo. Según las acotaciones "entran gentes armadas de palos, escobas, escopetones etc., y golpeando en ronda la cabeza de Queipo, cantan mientras —con la música del "Trágala"— letras alusivas al momento" (...).

Esta imagen tiene, tal como hemos podido observar arriba, un mensaje unívoco: Queipo como pelele es manejable y su cabeza es decapitable. La República puede vencer. Pero detrás de este mensaje unívoco hay como mínimo tres lecturas diferentes:

A) La caja de cerillas funciona como guillotina. La España de pandereta tal como figura en las cajas de cerillas de la época monárquica es, al igual que la España tal como la sueñan los fascistas, una España irreal. La falsa fachada misma de esta otra España funcona como guillotina para la cabeza de Queipo. Los que están dentro de la caja de cerillas (e.d. detrás de esta fachada) no todos son malos: se han dejado engañar por una persona como Queipo; él es el verdadero culpable.

B) Queipo es como una cerilla con una cabeza de fósforo. Aquí se utiliza el procedimiento de la hiperbolización inversa: Queipo como hombre es tan insignificante que se parece a una cabeza de fósforo. Al mismo tiempo se podría pensar en el hecho de que, encendiendo esta cabeza tan insignificante, se encienden todas las otras cerillas que están en la caja; o sea, matando a Queipo se morirá el fascismo.

C) El pueblo viene, armado con palos, escobas, escopetones etc. para golpear la cabeza de Queipo. Pensando en las últimas palabras de Queipo ("ya las orejas me crecen" etc.) relacionamos automáticamente a la muchacha con Caperucita y a Queipo con el lobo. Los cazadores del cuento de Caperucita son las gentes de Sevilla que ahora se rebelan contra el fascismo, golpeando la cabeza del lobo-Queipo. Los significados de la palabra "lobo" en la literatura clásica —"ladrón" y "borrachera enorme"— (ALONSO, 1976, p. 486), se dejan asociar fácilmente con la imagen de Queipo tal como se nos presenta en esta obra de teatro. Pero también podríamos pensar en una costumbre folklórica muy conocida en la península ibérica, y que consiste en "ganar más que con cabeza de lobo". Esta costumbre se refiere a los que recorren los pueblos con una cabeza de lobo, justificando así el haberlo matado. Les dan "abundantes limosnas o recompensas por haber librado a los campesinos, y sobre todo a los pastores, de una alimaña perjudicial para sus ganados y personas" (ALONSO, 1976, p. 147).

Asociando a Queipo con el lobo, todo el mundo pensará en esta vieja costumbre. Una interpretación superficial daría: "para ganar dinero hay que matar a Queipo", pero una interpretación simbólica y más interesante daría: "para ganar la guerra hay que matar al lobo". Telón.

HUB. HERMANS
Universidad de Groningen

BIBLIOGRAFIA

ALBERTI, Rafael, *Radio Sevilla. (cuadro flamenco)* 1937. Publicado en la revista *El Mono Azul,* año III n° 45, mayo de 1938 (pp. 176-178) y en el libro *Teatro de Urgencia,* Ed. Signo, Madrid, 1938. Para nuestro análisis hemos utilizado la versión de las Obras Completas, tomo II, *El poeta en la calle,* Aguilar S.A. de Ediciones, 1978, Madrid, pp. 761-786.

ALONSO HERNANDEZ, José Luis, *Léxico del marginalismo del Siglo de Oro,* Universidad de Salamanca, 1977.

BAKHTINE, Mikhail, *La poétique de Dostoïevski,* Editions du Seuil, Paris, 1970, pp. 145-237.

BETTELHEIM, Bruno, *The Uses of Echantment;* (The Meaning and Importance of Fairy Tales), Vintage Books, New York.

BOLETIN DE ORIENTACION TEATRAL. (Consejo Nacional del Teatro, Delegación de Madrid). Se publicaron 6 números entre el 15 de febrero y el 1 de junio de 1938. En el último número (p.2) aparecen dos figurines que hizo el escultor Yepes para "Radio Sevilla".

CARR, Raymond, *España 1808-1939,* Ed. Ariel, Barcelona 1978.

ESCHBACH, Achim, *Pragmasemiotik und Theater;* Ein Beitrag zur Theorie und Praxis einer pragmatisch orientierten Zeichenanalyse, Gunter Narr Verlag, Tübingen, 1979.

KOWZAN, Tadeusz, *El signo en el teatro;* Introducción a la semiología del arte del espectáculo, en: *El teatro y su crisis actual,* (varios autores), Monte Avila Editores c.a., Caracas, 1969, pp. 87-105.

KRISTEVA, Julia, *Semiótica 2,* Ed. Fundamentos, Madrid 1978, pp. 66-69.

LECHNER, J., *El compromiso en la poesía española del siglo XX,* parte primera; de la generación de 1898 a 1939, Universitaire Pers Leiden, 1968.

MANTEIGA, Robert C., *The Poetry of Rafael Alberti: a visual approach,* Tamesis Books Limited, London 1979.

MARCUS, Solomon, *Estrategia de los personajes dramáticos,* en: André Helbo et alt.: *Semiología de la representación,* Col. Comunicación visual, Gustavo Gili S.A., Barcelona, 1978, pp. 87-105.

MARRAST, Robert, *El Theatre durant La Guerra Civil Espanyola;* assaig d'història i documents, Publicacions de l'Institut del Teatre, Edicions 62, Barcelona, 1978.

MARRAST, Robert, *Le Théâtre a Madrid pendant la Guerre Civile.* Une expérience du théâtre politique en: *Le théâtre moderne:* hommes et tendances, Entretiens d' Arras 20-24-VI-1957, Ed. du C.N.R.S., Paris, 1973, pp. 257-274.

MONLEON, José, *"El Mono Azul", Teatro de urgencia y Romancero de la guerra civil,* Ed. Ayuso, Madrid, 1979.

EL MONO AZUL, Hoja semanal de la Alianza de Intelectuales Antifascistas para la Defensa de la Cultura, (1936-1939), 47 números. (Editados en facsímil por Turner Ediciones y Topos Verlag, Liechtenstein).

NANTELL, Judith Ann, *Rafael Alberti's vision of Spain, 1930-1955: the merging of politics and poetics,* Indiana University, 1979.

POPKIN, Louise B., *The Theatre of Rafael Alberti,* Tamesis Books Limited, London 1975.

PFISTER, Manfred, *Das Drama:* Theorie und Analyse, Wilhelm Fink Verlag, München, 1977.

REBOLLO TORIO, Miguel Angel, *Lenguaje y política:* Introducción al vocabulario político, republicano y franquista (1931-1979), Fernando Torres Ed., Valencia 1978.

ROMANCERO DE LA GUERRA CIVIL: Selección, introducción y notas de Francisco Caudet. (Para "Radio Sevilla" ver p. 119). Ediciones de la Torre, Madrid, 1978.

SORIA, Georges, *Guerra y Revolución en España 1936-1939,* vol. I, Ed. Grijalbo S.A., Barcelona 1978.

THOMAS, Hugh, *The Spanish Civil War,* Penguin Books, London 1974.

EL HIPO DE LOS HIPOCAMPOS
(MODELO DE INTERTEXTUALIDAD ASTURIANA)

DORITA NOUHAUD
Universidad de Limoges

EL HIPO DE LOS HIPOCAMPOS
(MODELO DE INTERTEXTUALIDAD ASTURIANA)

Dorita Nouhaud

Asentaré mi ponencia en dos postulados, y de entrada va el primero: la intertextualidad como práctica significante (insisto en lo de práctica, cosa por supuesto bastante anterior al concepto que difundiera Julia Kristeva) representa el aspecto más novedoso, la verdadera modernidad, la más auténtica creatividad de la obra de Miguel Angel Asturias (1). A mi modo de entender, el texto asturiano no funciona sino con respecto a otro texto, ya diremos cuál inaudita relación privilegiada que aprovecha la escritura para no hablar sino de sí misma, con tautológica constancia, ese tipo de constancia repetitiva a la que llamaba Marcel Proust "monotonie du génie". Dicho de otra manera, a pesar de la variedad de géneros literarios abarcados por el escritor guatemalteco (novela, poesía, teatro, periodismo etc), pese también a la diversidad de los argumentos aparentes, los argumentos "visibles" (en gracia de que dicho adjetivo era muy del gusto de Miguel Angel Asturias), y más allá de la suntuosidad verbal del raconto, la escritura asturiana en el fondo (2) incansablemente cuenta un cuento, siempre el mismo, el cuento del cómo, del porqué, del para qué y para quién funciona tan peculiar y brillante escritura. Tuve la oportunidad, (y el espacio) en mi tesis doctoral, de explicar de qué manera era dable considerar ciertos textos, v. gr. la última pieza de *Leyendas de Guatemala* "Cuculcán, Serpiente-Envuelta-en-Plumas", como un auto genotextual, cuyo argumento fuera el funcionamiento de la escritura, la escritura representando sus propios mecanismos, la Palabra tomando la palabra. En suma, la representación de lo teórico, el auto de la teoría.

Según declaraciones del propio Asturias, todo empezó catastróficamente el 25 de diciembre de 1917 cuando a eso de las diez de la noche en una serie de sacudidas terráqueas, se vino abajo parte de la capital Ciudad Guatemala y con ella la casa familiar del futuro Premio Nobel de Literatura. O por lo menos, si no se vino abajo del todo, sí se le

---

1) ASTURIAS (Miguel Angel), escritor guatemalteco, nacido en Ciudad Guatemala el 18 de octubre de 1899, muerto en Madrid el 9 de junio de 1974. Premio Nobel de Literatura en 1967.

2) Ese "fondo" germinativo y anespacial, desde donde afectuosamente te saludo, querido Edmond Cros, es aquello que por lo menos a mi modo de entender llama Julia Kristeva "genotexto".

abrieron en las paredes unas grietas. En aquel espantoso desconcierto de los elementos, aquel "desentenderse todas las cosas" (3) despedazarse las formas "sabidas", y a pesar de los inconfesables efectos fisiológicos del miedo, encaramado en un árbol el todavía por nacer novelista y poeta para alejarse en lo posible del tremendo hamaqueo de la tierra, dizque le entraron feroces deseos de cantar, o sea de contar lo que estaba presenciando pues le palpitaba que podía ser explicación eidética de otros terremotos todavía por descubrir. Cuarenta años después del suceso lo recuerdo de la siguiente y poética manera: "Un pájaro. Robo total. Enajenación Doscientas voces en un trino. Sólo él cantando olvidado de los movimientos de la tierra (...) A qué volver desde ese trino" (4).

Por lo menos de "ahí" efectivamente nunca volvió pues para siempre había descubierto el secreto, la magia de la escritura, la escritura solución al caos, impulso de vida capaz de contrarrestar la muerte, la escritura imagen de lo perdurable. Qué de veces, en sorprendentes metáforas (por ejemplo en variantes del siempre desconcertante para muchos lectores sintagma "saliva de espejo" con el que expresa el humano don de la palabra creadora) evocará Asturias, a lo largo de medio siglo de producción textual, la identidad de cuantas sacudidas destrozan al hombre, la terrestre sacudida del sismo, la del orgasmo generador de vida, la temblorosa y angustiada si bien puramente mental sacudida de la creación artística.

Sin embargo, todavía habían de transcurrir casi diez años después de la catástrofe de Ciudad Guatemala para que vinieran a luz los primeros efectos del terremoto asturiano. Diez años, y un viaje a Europa. Es hoy día un lugar harto común entre americanistas, de tan común y por muy sabido casi se callara pero para ustedes lo aclararé, recordar que paradójicamente no descubrió Asturias sus raíces etno-culturales mientras vivía con sus gentes, entre los indios de Guatemala (por quienes sin embargo manifestó temprano y generoso interés, como de ello deja constancia su tesis de Doctor en Leyes, titulada "Problema social del indio", presentada en 1923), ni siquiera en algún lugar de América, sino en el sofisticado ambiente francés, tan intelectual, tan parisino ambiente de la Escuela de Altos Estudios donde por los años 27 impartía el Profesor Georges Raynaud sus clases sobre religiones y culturas precolombinas. Bajo la dirección del maestro Raynaud y en unión de otro compañero lationamericano, se dedicó el mestizo Asturias a verter del quiché al francés, y después del francés al español algunos libros de sus mayores: *Anales de los Xahil* (5) y sobre todo el prodigioso *Popol-Vuh*, el Libro del Consejo de los maya-quichés (6). Deslumbramiento de estudioso y de poeta ante la belleza de un hallazgo literario en el que, al fin y al cabo, reconocía algo suyo, deslumbramiento y legítimo orgullo ante una belleza tanto más apreciada cuanto que le era dable profundizarla científicamente con la valiosa

---

3) ASTURIAS (M.A.), *Tres de Cuatro Soles,* presentación y notas de Dorita Nouhaud, Klincksieck, Paris, Fondo de Cultura Económica, México, 1977, p. 5.

4) *idem,* p. 10.

5) *Anales de los Xahil,* Traducción y notas de Georges Raynaud, Miguel Angel Asturias y J.M. González de Mendoza, UNAM, México, 1946. (Libro conocido también con el nombre de *Memorial de Tecpán-Atitlán*).

6) Entre las versiones más difundidas del *Popol-Vuh,* pueden citarse la de Asturias, editada por Losada, y la de A. Recinos, por Fondo de Cultura Económica. Asequibles ambas.

ayuda de un gran director de estudios como lo fuera Georges Raynaud. Deslumbramiento que no tardó en despertar otro muy natural y legítimo sentimiento, la añoranza a la tierra patria, pues a pesar de lo bien que lo estaba pasando Asturias en el Barrio Latino, no dejaba de extrañar aquel hombre del trópico la dulzura de su Guatemala natal. Acabo de decir que deslumbramiento y añoranza: vale interpretar choque y desgarramiento, despedazamiento, un sismo, nuevo sismo en el que pronto se engendraría un libro de peregrina escritura, *Leyendas de Guatemala* (7), con un significativo epígrafe a su madre que le contaba cuentos. Y a estas alturas, podrían estudiarse el enlace del título y el epígrafe como una verdadera declaración de intertextualidad, una suerte de manifiesto de la misma. Desde luego que a ella fue llevado por el ambiente en que vivía en unión de sus amigos surrealistas, puesto que si la intertextualidad tampoco la inventaron los surrealistas en lo que al concepto respecta, ellos sí fueron quienes lo promocionaron en cuanto práctica con los "collages" ilustrados por los más famosos nombres del célebre movimiento (8). Pero con todo, y ahora se nos presenta por delante y muy a pelo el segundo postulado, la intertextualidad asturiana difiere totalmente de las demás prácticas así llamadas no solamente en sus formas sino que es singular ante todo en sus motivos. Con el segundo postulado declaro que a Asturias no lo movieron modas literarias, ni siquiera afanes de índole estetizante (si bien en el texto se hace patente la realidad estética del logro poético), sino hondas preocupaciones ideológicas. Su intertextualidad corresponde a una voluntad de actuación social, una vocación misionera (un misionar entre ricos, eso sí, pues tan brillante y a veces difícil de entender escritura no pretende dirigirse a los indios analfabetos de Guatemala que de sobra conocen sus problemas, ni siquiera al mediocre y egoista lector que sólo busca en los libros un pasatiempo y no se da por aludido con problemas de subdesarrollados, sólo apunta al privilegiado intelectual siempre que tenga a la vez sensibilidad poética y preparación social y política, lo que a veces es ya mucho pedir) para clamar que desde la conquista española el pueblo en Guatemala ha vivido marginado, enajenado. Y la mejor manera de decirlo a la faz del mundo era conseguir, conquistar el supremo galardón literario, el Premio Nobel, para que por la boca del poeta vivo vinieran a hablar, lo diré parafraseando a Pablo Neruda, todas las bocas muertas de los mayas sus ilustres si bien hoy casi olvidados antepasados.

La escritura asturiana posee un verbo idiolectal, *desandar* que sin proponérselo define qué cosa es la intertextualidad del novelista guatemalteco, un desandar el tiempo, pero no haya equivocación, ese desandar no es un ir romántico o nostálgico hacia el pasado sino, dialécticamente, un volver, trayendo, atrayendo el pasado al presente para que el Señor del Canto por su recitación que llega a ser recreación, confunda en un solo hálito, como queda dicho, su propia voz con todas las voces anteriores a la suya. Julia Kristeva perfectamente ha asentado que ese tipo de escritura era "lectura de un conjunto literario anterior absorción de, y réplica a otro texto" (9). Parece que lo hubiera escrito pensando en la

----

7) Edición corriente y asequible: Losada.

8) En el área de las artes cabe citar a Max Ernst, cuyo collage, "La mujer sin cabeza", fue como un manifiesto del movimiento. En el área de las letras, interesantes resultados consiguió Jacques Prévert, investigando sobre la relación entre el texto y la imagen.

9) KRISTEVA (J), *Recherches* pour une *sémanalyse*, Paris, le Seuil, 1969.

obra de Miguel Angel Asturias pues imposible definir con mayor precisión la vinculación del texto asturiano con los textos mayas que lo generaron. Como si la traducción del *Popol-Vuh* hubiera sido la captación de un mensaje personal, interpretó concretamente Miguel Angel (tan concretamente que a lo largo de cincuenta años de escritura consiguió inventarse como Gran Lengua) las palabras popolvúhicas: "en mi saliva y en mi baba te he dado mis descendencia (...) No se extingue ni desaparece la imagen del Señor, del hombre sabio o del orador sino que la dejan a sus hijas y a los hijos que engendran. Esto mismo he hecho contigo. Sube pues a la faz de la tierra, que no morirás. Confía en mi palabra que así será" (10). La voz popolvúhica, Asturias, además de oirla, la entendió, y cumplió.

¿Y que contó el Gran Lengua?

Pues como en los textos mayas, contó la historia del universo, vale decir la del hombre, o sea la suya propia.

¿Y de qué manera lo contó?

A eso vamos ahora.

Primer ejemplo de intertextualidad, al que podría llamarse "collage" por ser la citación stricto sensu del texto de *Anales de los Xahil*, sin comillas, sin el más mínimo distanciamiento tipográfico entre el texto propio y el ajeno: En una de las leyendas del citado libro *Leyendas de Guatemala*, titulada "Leyenda del Tesoro del Lugar Florido", se evoca la cotidianidad del pueblo cakchiquel (con los Quichés y los Zutuhiles eran las tribus mayas importantes cuando llegaron los españoles) a vísperas de presentarse Pedro de Alvarado, por no decir que el mismo día de su llegada. Empieza con la descripción de un día de mercado, parecido a cualquier otro día. De pronto, irrumpen situaciones textuales inauditas que vienen a perturbar el discurso narrativo (anticipación del evento histórico evocado, la llegada de los extranjeros que perturbarán definitivamente la vida de las tribus):

— Nuestros corazones reposaron a la sombra de nuestras lanzas — *clamaban los sacerdotes*

— Y se blanquearon las cavidades de los árboles, nuestras casas, con detritus de animales, águila y jaguar...

— Cuatro mujeres se aderezaron con casacas de algodón y flechas. Ellas combatieron parecidas en todo a cuatro adolescentes —*se oía la voz de los sacerdotes a pesar de la muchedumbre.*

¿Cuál es la creación asturiana? Poca cosa: el iterado comentario narrativo: cursiva por mí (lo demás procede, como queda dicho, de *Anales de los Xahil*).

clamaban los sacerdotes

se oía la voz de los sacerdotes.

"clamar" / "oir": la voz emitida y la voz recibida. En ambos casos, el mismo sujeto, "los sacerdotes". Aquí interviene lo ideológico, pues el discurso de los *Anales* sabido es que no se debe atribuir a una voz sacerdotal sino a la muy profana voz de un descendiente de los antiguos señores cakchiqueles, querellante en un proceso de propiedad, dato que no desconocía Asturias. Si deliberadamente tomó unas cuantas oraciones de *Anales de los Xahil* sin tener en cuenta su contenido semántico (el violento contraste con el entorno textual

---

10) *Popol-Vuh*, Fondo de Cultura Económica, sep. ed. México, 1964, pp. 58-59.

en que vienen insertas es un ejemplo de la peculiar retórica asturiana que nada tiene que ver con normas retóricas) fue precisamente por lo que era el manuscrito: la reivindicación de un título de propiedad. En cuanto a los sacerdotes, representan la categoría social que en cualquier civilización tuvo la posibilidad de hablar en *voz alta*, en voz más alta que los demás (el logro asturiano estriba en que el carácter ideológico de la jerarquía social lo expresa la ficción mediante una jerarquía espacial puesto que los sacerdotes "claman" desde *lo alto* de la pirámide). Además de su preminencia social, los sacerdotes mayas poseían la preminencia cultural con la exclusividad de los conocimientos científicos, especialmente en lo que a la escritura jeroglífica atañía. Por eso remite el texto a dos espacios:

— el espacio de la ficción, el del mundo indígena evocado por la leyenda en sus quehaceres, hábitos cotidianos, y su reconocida religiosidad, espacio en que la voz clamante de los sacerdotes va dirigida si cabe decir sincrónicamente en el ámbito temporal (pese a su verticalidad espacial como queda dicho) a la plebe sumisa e ignorante de su próxima destrucción.

— el espacio referente, espacio histórico del que precisamente dejaron constancia los sacerdotes escribas (11). En este espacio diacrónico, a quienes quiere alcanzar la voz de los sacerdotes es, en el espacio de la realidad presente, a los lectores, ustedes, yo, para que entendamos no tanto *lo que* está clamando sino que *está clamando* la cruel destrucción e injusto abandono.

Segundo ejemplo de intertextualidad al que llamaremos "citación implícita". Sin ser su traductor, Asturias fue lector asiduo de los libros proféticos de *Chilam Balam* y particularmente del más conocido, el *Chilam Balam de Chumayel* (12). Entre el interesantísimo si bien en gran parte arcano material del mismo, se hallan muestras de los hábitos mentales y lingüísticos de los mayas mediante un curioso rito iniciático verbal, el lenguaje de Zuyua, a usanza de los aspirantes a jefe. V.gr: lo primero que se les exigía era la comida:

> Traedme el Sol, dirá el Halach Uinic, Jefe, a los Batabes, los-del-hacha. Traedme el Sol, hijos míos, para tenerlo en el plato. Hincada ha de tener la lanza de la alta cruz en el centro de su corazón en donde tiene asentado a Yax Bolón, Jaguar-verde, bebiendo sangre". Esto es lo que se les pide: el Sol es un gran huevo frito y la lanza con la alta cruz hincada en su corazón a que se refiere es la bendición, y el jaguar verde sentado encima bebiendo sangre es el chile verde cuando comienza a ponerse colorado. Así es el habla de Zuyua" (13).

Sin ser citación explícita, las ingenuas preguntas de Chinchibirín el Guerrero, en *Cuculcán-Serpiente-envuelta-en-plumas* y las respuestas de La Abuela de Los Remiendos con sutilísima y retorcida sabiduría, son innegable eco, en situación inversa (el que pregunta es el que menos sabe y su pregunta no es una prueba cuando sí lo es la respuesta) al lenguaje de Zuyua:

---

11) Toda clase de sacerdotes escribas puesto que se le puede considerar al Padre Sahagún como a uno de los primeros americanistas.

12) Véase *El Libro de los Libros de Chilam Balam,* Fondo de Cultura Económica tercera ed. México, 1965.

13) *idem.,* p. 132.

— CHINCHIBIRIN — ¿Qué clase de ave es el Guacamayo?
(...) Hay tantos por aquí que uno no los distingue.
— ABUELA DE LOS REMIENDOS — ¿Qué cosa y cosa es el Guacamayo? Sí, son distintos, entonces tu pregunta es ya distinta (14).

En esta segunda categoría intertextual, una manera aún más elaborada de aludir al habla de Zuyua es la citación metafórica. En algunos casos, el acertijo-metáfora viene con la solución:

> Juan Poyé sacó sus ramas al follaje de todos los ríos. El mar el follaje de todos los ríos (15).

La estructura del modelo-acertijo se transparenta en la relación de las dos oraciones separadas por la pausa semánticamente interrogante del punto, el punto como espacio interrogante en sí, no como signo de interrogación para la primera oración.

Pregunta: — ¿Cuál es el follaje de todos los ríos?
Punto/espacio de la reflexión.
Respuesta: — El mar es el follaje de todos los ríos.

Pero en otros casos, la metáfora se da como un mundo misterioso inasequible a quienes no sean los iniciados vale decir, con la necesaria modestia, a los estudiosos de la obra:

> CHINCHIBIRIN — Siento que se hacen agua mis espejos en sus casas de ramas de pino (16).

La estructura del acertijo-metáfora se complica con una doble pregunta:

Pregunta: — ¿Qué son espejos que se hacen agua?
Respuesta: — Los ojos cuando se llenan de lágrimas.
Pregunta: — ¿Qué son casas de ramas de pinos?
Respuesta: — Los ojos con sus pestañas.

Si se disipa el misterio para los estudiosos es solamente porque la respuesta existe intratextualmente y basta entonces tener cierta familiaridad con la obra para trasladarse al lugar de *Leyendas* en que se dice que "los pinos estaban hechos de pestañas de mujeres románticas" (17) para acabar de entenderlo todo claramente. No hay más mérito.

Y ahora llegamos a los ejemplos particularmente representativos de intertextualidad, la creación asturiana procedente de la lectura "como absorción de, y réplica a" el *Popol-Vuh*. De las miles de cosas referidas por el *Popol-Vuh* lo que a todas luces mayor impresión dejó en la memoria asturiana y su espejo, la escritura, coincide con lo que suele llamarse el Génesis americano: creación del mundo por dioses agrimensores que le dan una forma cuadriculada, modelo de la milpa, y la estructura de una casa de tres pisos; de arriba abajo, los trece mundos celestiales, los siete terrestres y los nuevos ínferos llamados colectivamente Xibalbá. Explicación de la alternancia en noches y días: las divinidades solares citadas por los de Xibalbá, bajan por el camino negro (el oeste) y caen en las trampas-

---

14) *Leyendas de Guatemala,* "Cuculcán" Segunda Cortina Amarilla, Losada, Buenos Aires, sexta ed. 1975, pp. 111-112.

15) *idem* "Los Brujos de la Tormenta Primaveral", p. 63.

16) *idem,* "Cuculcán", Segunda Cortina Roja, p. 128.

17) *idem,* "Ahora que me acuerdo", p. 26.

acertijos de los moradores de abajo. Estos le cortan la cabeza pero las calaveras engendran posteridad en una doncella, hija de uno de los de Xibalbá. La joven da a luz a unos mellizos, varón y hembra, que resultan solares como sus progenitores pero avispados como sus abuelos maternos. Citados en Xibalbá, no solamente no caen en trampas (para evitar los peligros nocturnos, duermen en sus cerbatanas, arma del cazador arcaico y símbolo mítico de la divinidad solar) sino que, siendo grandes mágicos, embelesan a Xibalbá con sus prodigios, entre los cuales cuentan el talento y capacidad de despedazarse mutuamente, arrojar los pedazos al río, volverse pez (el pez es el "doble" del maíz cuya vida empieza en el agua) y resucitar antes de subir al cielo para hacer quien de sol, quien de luna. La historia ejemplar de los mellizos popolvúhicos cuenta para el entendido el proceso del maíz que, a semejanza de su modelo solar, se hunde en el mundo oscuro de la tierra donde germina (muere/duerme) para resucitar bajo la forma de una planta que asciende verticalmente hasta madurar la mazorca y volver a caer la semilla. Entrar a lo negro para salir al esplendor del amarillo.

Pues bien, muy provechosa le resultó a Asturias la dialéctica popolvúhica: en todos los lugares del texto asturiano cualquier penetrar supone un salir, cualquier dormir es morir para germinar, vale decir resucitar. De hecho "dormir" actúa en la escritura mediante su forma participial "dormido" que llega a ser un verdadero idiolecto cuyas ocurrencias eslabonan la obra de cabo a cabo:

> "Dos caciques dormidos en el viaje" (*Leyendas*, 1929)
> Fray Pedro, profundamente dormido (idem)
> Aquí la mujer / Yo el dormido (Epígrafe de *Hombres de maíz*, 1949)
> Del que desviste el fuego queda la ceniza. Y el día para él, el dormido (*Tres de cuatro Soles*, 1971).

Entre incontables ocurrencias, diversas por el raconto en que vienen insertas, extrañamente parecidas por su significado, vamos a elegir, en *Leyendas de Guatemala*, la referencia a la vida milagrosa de Fray Pedro de Betancourt, el santo fundador de la orden de los Belemitas que tuviera Asturias oportunidad de leer en *Historia Belemítica*, publicada a cargo de la Sociedad de Geografía e Historia de Guatemala, volumen XIX. La hagiografía de Fray Pedro relata entre los muchos milagros que le valieron reciente canonización, cómo resucitó el bondadoso varón a una dama muerta en estado de pecado mortal y por añadidura en el lecho del amante, lejos del techo conyugal. Ante el milagroso suceso de la resurrección, aquel en todos los aspectos perturbado libertino don Rodrigo de Maldonado, se convierte, sucediendo con el andar de los años a Fray Pedro como superior de los Belemitas. Partiendo de un dato histórico, el entierro que se le diera a Fray Pedro en la capilla de Nuestra Señora de Loreto en el templo de San Francisco, Asturias "recupera" el milagro en provecho de Fray Pedro: a medianoche, una mujer, a todas luces, si cabe decir; puro fantasma, llora ante la imagen de la virgen por un hombre a quien "amaba mucho". Para consolar tan llorosa eternidad, el bondadoso Fray Pedro sustituye su figura también fantasmal a la del añorado amante.

> Y a la mañana siguiente cuéntase que el hermano Pedro estaba en la capilla profundamente dormido, más cerca que nunca de los brazos de Nuestra Señora (18).

---

18) *idem*, "Guatemala", p. 20.

Ironía, o si se quiere, humor negro: no repara el santo varón en hacer las veces del amante siempre que, tratándose de fantasmas, ambos se mantienen fuera del alcance del mundo, carne y demonio, o sea cerca, "más cerca que nunca", de los virginales brazos de Nuestra Señora. Pero ironía muy dialécticamente espacial puesto que el "lugar" a que remiten dichos brazos es a la vez el espacio material de la tumba en la cripta profunda de la capilla, y el elevado espacio abstracto de la Gloria. La elección de una anécdota hagiográfica, sacada de la moderna tradición popular guatemalteca, patentiza la permanencia de los mecanismos de la escritura en que el adverbio "profundamente", profundamente en el espacio de la cripta, profundamente en el tiempo eterno de la muerte, remite como siempre al *Popol-Vuh* (translación del impulso germinativo que explica el surgimiento vegetal, en impulso caritativo, impulso de Amor, que explica no la resurrección, de todos modos inútil, del amante, sino la consoladora y aparante repitición de la situación pecaminosa) y también a la tradición literaria occidental con los "padres profundos" de Paul Valéry, que resurgen en otra novela de Asturias, *Maladrón.*

Aún más evidente la filiación popolvúhica en situaciones textuales de internalización, que expresa la escritura con los verbos "penetrar en", "entrar a", "bajar a", estructuras verbales a las que confiere la preposición significativo alcance más allá de los habituales límites espaciales que le impone la lingüística.

> Sus rayos penetran *en* los sexos oscuros, sin vello, dorados al polen (...) Sol en celo, astro en brama. Luego y fuego y más luego al quedar ciego, el riego de la sustancia engendra-mariposas, pájaros de bella pluma y gemas de luz. ¿Dónde encontrarlo? ¿Dónde encontrar al Tercer Sol? Dejó a su esposa en su lugar y *bajó a* vivir entre orfebres, plumistas, lapidarios, floristas, jardineros (19).

"Penetran *en*". La preposición enriquece el enunciado de ficción con la carga significante del mito: lo mismo que sus padres, los Mellizos solares penetraron en el oscuro mundo de Xibalbá y para evitar los ataques de los celestes Vampiros, se internaron a dormir en sus cerbatanas. De la misma manera, Cuero de Oro *(Leyendas)* entra al mítico bosque ancestral y el Tercer Sol en los sexos en ambos casos, "la amorosa profundidad de la penumbra" (20). Los negros mundos por turno convocados son además aquellos, perfectamente reconocibles por su intenso simbolismo uterino, por donde transita o descansa Cuculcán en las Cortinas Negras de la ya citada pieza "Cuculcán-Serpiente-envuelta-en-plumas". A trasfondo, se entiende la identidad del cuerpo, de la casa, del universo; arraigada en que ese-cuerpo-casa-universo es amarillo por fuera, negro por dentro:

— Bien geográfico (la tierra, Guatemala), bien orgánico (el hombre, el indio) lleva el cuerpo estampado en su color su origen solar (con maíz amarillo, con maíz blanco lo amasaron los dioses, cuenta el *Popol-Vuh*): es "dorado al polen" (*Tres de cuatro Soles*); "forjado a miel" (*Clarivigilia primaveral).*

— Por dentro (o en el sistema asturiano "a lo lejos", o "después") se extiende el mundo misterioso, uterino, lunar, nocturno, negro (21) Mundo femenino, reproduce el mode-

---

19) *Tres de Cuatro Soles,* loc. cit. p. 57.

20) *Leyendas de Guatemala,* loc: cit, p. 23.

21) Negro "después":
   — Y más luego al quedar ciego" (*Tres de Cuatro Soles*)
   — "Mundos que al quedar ciego rescató etc (*Clarivigilia Primaveral)*
   Negro "a lo lejos":
   — "Las mujeres lejos en la claridad y cerca en la sombra. Los hombre cerca en la claridad y lejos en la sombra" (*Hombres de Maíz,* Losada, Buenos Aires, tercera ed. 1957, p. 21).

lo mítico figurado por Xquic, moradora de la negra mansión de los dioses regidos por el cabalístico número nueve, y arquetipo de la maternidad. La relación a su modelo, así la expresa Asturias en *Leyendas*, evocando el ambiente placentero de una vida pueblerina y arcaica:

> Mujeres que mecían el cántaro con la cadera llena (22).

Si en el texto asturiano generalmente viene asociado el cántaro con la mujer, no se explica por mero afán de envolver la prosa en los harapos pintorescos del color local o del realismo interesado en el detalle auténtico y cotidiano. Asturias perpetúa la vocación lunar de la figura femenina (Yaí, la Mulata, Sola), la luna cuyo vientre, a semejanza del de Xquic, se comba y luego desaparece cuando se ha vaciado. En el Códice maya de Dresden viene representado un personaje femenino vertiendo sobre la tierra el agua de un cántaro. El chorro baja del cielo, como se entiende por su magnitud y forma, que es la de una serpiente larguísima. Posiblemente se trate de la ilustración de aquel episodio del *Popol-Vuh* que relata cómo fueron por agua al río Ixquic y su suegra Xmucané (otra versión de figura lunar, la luna "vieja") para entregársela a los mellizos mientras aquellos trabajaban en la milpa (imagen del maíz cuyo crecimiento requiere mucha agua). Dizque cuando las mujeres mayas van por agua a la fuente, procuran atenerse a los cánones asentados en el *Popol-Vuh*. Para la advocación de la luna como dadora de las lluvias (el primitivo calendario agrícola era lunar) sintió Asturias especial predilección. Menudean en la obra evocaciones de mujeres lavando la ropa en el río ("Cuculcán", *Leyendas*), sentadas en torno a las pilas mientras se van llenando los cántaros ("*Leyenda de la Tatuana*") e incluso pilas sentadas en torno al agua cual mujeres sufridas ("Leyenda del Cadejo"), haciendo labores y cantando ("Guatemala", *Leyendas*). En la citación referente la contiguidad del verbo nacer connotativo de maternidad, con la palabra cántaro que denota lo líquido, lo acuático, nos recuerda que precisamente del agua nacieron todas las formas existentes. En tal contexto, no puede menos el adjetivo "llenas" sino sobrepasar los límites de su expresividad plástica siempre que se trate de las redondeces del cuerpo femenino, alcanzando aquí, diríamos que recuperando su acepción sugeridora de capacidades. Queda entonces puntualizada la analogía cadera llena/cántaro lleno reiterativa de la analogía mujer/luna, asentando al cuerpo femenino como imagen de la fertilidad. El hallazgo poético estriba parte en la expresividad plástica del verbo mecer que al bamboleo del caminar añade la sugerencia del vaivén de la caricia arrulladora parte en la transferencia semántica al envase (la cadera) de la calidad de lo envasado (el agua), sin restarle méritos a la conjunción que yuxtapone dos espacios semánticamente opuestos pero no contradictorios, un adentro (la cadera llena, el espacio lleno de la cadera) -recipiente y un afuera (el cántaro, el cántaro lleno, *en* la cadera), a manera de vasos comunicantes.

Sin profundizar el tema por no venir entonces a pelo hacerlo, varias veces hemos esbozado el motivo mítico del maíz en su relación al agua. A estas alturas, quedándonos por examinar la forma más elaborada de la creación intertextual asturiana, venimos directamente al grano, y perdónese ese pésimo juego de palabras. En la obra que puede considerarse como un testamento literario, *Tres de cuatro Soles*, Asturias quiso explicar (así se lo exigía el

---

22) *Leyendas de Guatemala, loc. cit,* "Guatemala", p. 16.

contrato pasado con la casa editorial) cuáles eran los mecanismos de su escritura, por qué senderos caminaba su creación. Absoluta violación de la indiosincrasia del secretísimo guatemalteco, el implícito interrogante de la colección afortunadamente le obligó a acudir a metáforas, a un impresionante sistema metafórico que sintetizaba cincuenta años de escritura. Recordando que con el terremoto del año 17 despertara su vocación literaria, a partir de los mitos popolvúhicos sobre cómo plasmaron los dioses al hombre de maíz, respetando el pensamiento hondamente materialista de los mitos americanos y como auténtico intelectual representativo de su época, lector de Marx y de Freud, ponderó Asturias los méritos del hombre de maíz, el que "se crea a sí mismo y crea las cosas de su vida" (23). Facilitándole el psicoanálisis la dimensión freudiana de la oralidad, dialécticamente repartida entre un comer (penetrar en) creador de somatismos, y un proferir (salir de la boca el halito vital, la palabra creadora, inventa Asturias el enorme, el pantagruélico universo de la boca solar, cuyas muelas son los planetas y cuya lengua, instrumento exploratorio en busca del diento cariado (la Tierra) que molesta al dios, siendo lengua de fuego que se agita entre océanos de saliva, produce cataclismos que destrozan moral y físicamente a los infelices Molarios. Comer y una pléyade de ayudantes semánticos, mascar, triturar, salivar, escupir, digerir, constituyen una imaginativa, divertida y honda meditación sobre el problema ontológico del ser o no ser, el de la vida y la muerte, el por qué de la noche y el día, del sueño y la vigilia etc.

> ¿Eran o no eran? ¿Por qué se borraban? ¿Por qué desaparecían? La alternativa de luz y sombra, presencia y ausencia, ser y no ser, los despedezaba. Pedazos de ellos mismos juntaban en la más profunda oscuridad, al tacto, al tacto, tacto de ciego, fragmentos de sus cuerpos y sus ánimas, y cuando por fin lograban reunirlos, pegarlos con el sueño que lo pega todo, un golpe de luz los desintegraba de nuevo (...) Desaparecer y seguir existiendo es tan terrible (...) que pasaron milenios antes de acostumbrarse aquellos seres al aperitivo de la nada, al aprobador de la no existencia, y siglos y siglos agonizaron noche a noche, al ir oscureciendo, igual que si fueran a desaparecer para siempre (24).

Son reconocibles los, habituales motivos de la noche peligrosa, del sueño imagen de la muerte, del miedo sentido como un despedazamiento, del renacer al alba, y los interrogantes, como en el caso del habla de Zuyua. Como el planteamiento básico atañía a la escritura, y el pretexto narrativo partía (aunque parezca difícil entroncarlo con lo anteriormente resumido, sin embargo así es) del recuerdo del terremoto del 25 de diciembre de 1917, al despedezarse y recomponerse las formas es motivo que estructura lo narrativo. Yo pediré a la escritura un solo ejemplo, creación verbal, juego de palabras, citación del motivo mítico del despedazar y de otros textos pues, a todo esto corresponde el misterioso y poético sintagma "el hipo de los hipocampos".

> Ciudades de osamenta calcinada. Aún tiemblan. Aún arden. Jeroglíficos que descifra el pequeño hipo de los hipocampos. Aún tiemblan. Aún arden. Terremotos, lluvias-incendios, suelo huracanado. Creadores de destrucción (25).

---

23) *Tres de cuatro Soles, loc: cit:* p. 28.

24) *idem,* p. 14.

25) *idem,* p. 56.

Como a la materia en el prístino momento de la creación le fue dable elegir las formas y sus asociaciones, al creador le es dable, frente a la nada de la página virgen, elegir las asociaciones de las formas verbales, con total libertad lúdica: el hipo de los hipocampos es un mero juego de forma a forma despedazada, siendo "hipo" un pedazo, dos sílabas, de "hipocampo". Juego a partir de los significantes, pero no gratuito en un ámbito en que crear es destruir ("creadores de destrucción), juego complementado por los significados:

— los de "hipocampo", criatura acuática, de forma interrogante, puntualizado este significado por el cercano "jeroglíficos", semántica y gráficamente interrogante. Miedo por lo sucedido y lo que queda por suceder. "Descifrar". ¿Será tan espantosa la respuesta de los calendarios divinatorios que al descrifrarla se acorta la respiración, copiando ésta del general desconcierto hasta volverse hipo?.

— los de "hipo" el hipo: los provoca un buen susto, pero con un buen susto, santo remedio, también se quita (*Véase en Hombres de Maíz*, cómo a su mamá le curaron el hipo los cinco hermanos Tecún): el iterativo "aún tiemblan" recalca y amplía dimensión del miedo.

Creación verbal a partir de una destrucción de la forma inicial, no es de extrañar si "el hipo de los hipac" anticipa, en el siguiente y último capítulo de *Tres de Cuatro Soles* el motivo de la serpiente-envuelta-en-plumas, mito de la divinidad creadora de los hombres, "dios educador" como lo llama Carlos Fuentes pero todo ello ya es otro cuento.

DORITA NOUHAUD
Universidad de Limoges

LA SUBVERSION DEL CUENTO FOLKLORICO EN LA VANGUARDIA LITERARIA (CAPERUCITA, GOYTISOLO Y DON JULIAN)

PETER VAN ESSEVELD
Universidad de Groningen

LA SUBVERSION DEL CUENTO FOLKLORICO EN
LA VANGUARDIA LITERARIA
(CAPERUCITA, GOYTISOLO Y DON JULIAN)

Peter van Esseveld

El objetivo que nos proponemos alcanzar con el presente trabajo es el de observar cómo y con qué significado un texto folklórico se inserta en un texto considerado como formando parte de una vanguardia literaria. El ejemplo que hemos tomado para ello es el de la inclusión del cuento tradicional de *Caperucita Roja* en *La reïvindicación del Conde don Julián* de J. Goytisolo. Inclusión que no tiene para nosotros un carácter secundario o de arbitrariedad como pudiera parecer a primera vista. Todo lo contrario, pensamos que se trata de una tematización que nos aclara aspectos importantes de la novela en cuanto a su carácter artístico y su alcance ideológico.

Para empezar, la inserción del cuento en la novela establece, a nuestro parecer, una relación doble de ésta con el folklore. Por ello nuestro trabajo consta de dos partes. En primer lugar tenemos evidentemente la relación explícita que se da por la tematización del cuento folklórico. Es decir, una relación establecida por el contenido de la enunciación novelesca; aquí nos movemos al nivel que se suele llamar enunciado.

Pero en segundo lugar también la manera en que se lleva a cabo la tematización del cuento, las mutilaciones y transformaciones que sufre, sus interferencias con el resto del texto novelesco, establece otra relación, ahora a nivel de la enunciación, con el mundo del folklore: con la tradición carnavalesca para ser más preciso.

Como se trata en nuestro caso del análisis de un solo fragmento nos parece oportuno hacer un breve resumen de la novela a fin de señalar en qué parte de ella se introduce el cuento.

La novela cuenta un día en la vida del protagonista, un español que vive, voluntariamente exiliado, en Tánger. Por un lado se nos describen las actividades del protagonista que se podrían calificar de concretas: sus paseos por la ciudad, visitas al café y al cine, y

---

1) Quiero agradecer a José Luis Alonso por las muchas discusiones que tuvimos. Verdaderos diálogos éstas que han influenciado mucho la orientación teórica del presente trabajo. Valiosas fueron también las muchas sugerencias de detalle que me dio teniendo yo el trabajo ya escrito.

cosas por el estilo. Por otro lado la novela nos permite una introspección en su vida imaginaria; es decir, lo que recuerda de su infancia; guerra civil y años cuarenta; opiniones sobre España y su cultura, y, en general todo tipo de asociaciones y fantasmas. Esto en cuanto al cuadro general. El contexto en el que el cuento de Caperucita va a surgir es el siguiente.

Al anochecer el protagonista entra en un café árabe a fumar Kif. El café está lleno de árabes y todo el mundo está mirando la televisión que emite justamente en este momento un programa español: el reportaje sobre el famoso referendum franquista sobre la Ley Orgánica que se celebró en el 1966 (2).

Mientras que en la tele se ven unos rostros infantiles que aplauden a Franco, el protagonista ya se encuentra en un estado de ánimo de embriaguez, de duermevela, a causa del Kif. Los rostros infantiles le hacen pensar en su propia juventud. Para empezar recuerda unos acontecimientos desagradables que vivió en la escuela primaria. Luego recuerda un episodio de su niñez aún más lejano. Tenemos que ver pues con un verdadero viaje atrás en el tiempo. Y es en este recuerdo de la niñez temprana donde aparece el cuento de Caperucita.

El protagonista, de niño, se encuentra en un jardín, probablemente el jardín de su casa paterna o de la gente que le cuidan. Se trata de un niño muy pequeño todavía; quizás tenga unos tres años. Una vieja sirvienta le cuenta al niño la historia de Caperucita Roja.

Al mismo tiempo el niño oye por casualidad otra historia; se trata de la conversación entre dos vecinas en el jardín de al lado.

En el texto novelesco las dos historias, la de la sirvienta y la de las vecinas, se presentan como un montaje, es decir: fragmentos del cuento de Caperucita alternan con fragmentos de la conversación.

Aquí tenemos que andar con cuidado porque la yuxtaposición muchas veces es indicio de un significado simbólico (3). Vamos pues a considerar la cosa un poco más de cerca. ¿De qué trata la conversación de las vecinas? Es una historia escandalosa. En el barrio vive una mujer que es vendedora de flores. Por lo que cuenta la vecina es una persona algo marginal. Tiene un niño que es idiota y del que no se sabe quién es el padre. La mujer mantiene además unas relaciones irregulares con un hombre de mala pinta (estraperlista, cara acuchillada, moro). Un día el amante va a la casa de la mujer y al no encontrarla, frustado y de carácter primitivo, se pone a mear sobre el niño idiota porque no se le ocurre nada mejor...

Mientras tanto "la vieja y abnegada sirvienta", como dice Goytisolo, sigue narrando la "paradigmática" historia de Caperucita.

---

2) El estado de ánimo del protagonista, el espacio (el café y la ciudad de Tanger) y el momento histórico: todos estos aspectos habría que relacionarlos con el motivo carnavalesco del *umbral*, cf. Bakthine, *La poétique de Dostoievski*, pp. 225-227 y 232. Para un buen análisis de sentimiento de crisis causado por el contexto histórico-ideológico, cf. Gould Levine, *La destrucción creadora*, pp. 55-67. Cf. también Goytisolo mismo en *El furgón de la cola*, pp. 243-271, sobre todo pp. 265-267. Para las relaciones entre crisis y carnaval cf. Bakthine, *L'oeuvre de François Rabelais*, p. 17.

3) Sobre la función de la yuxtaposición cf. Elgar, *The interpretation of symbols*, pp. 22, 23. Naturalmente la yuxtaposición forma parte del problema más global de la contextualidad en la interpretación simbólica, cf. Alonso Hernández, *Reconocimiento y función del símbolo*, 171 ss. Para el mismo problema cf. Elgar, pp. 15, y sobre todo pp. 27-28.

Todo esto puede causar fácilmente una impresión de disparate. ¿Qué tiene que ver el cuento de Caperucita con otra historia tan trivial y escandalosa como la de las vecinas? ¿O no tienen acaso nada que ver entre si y estamos solamente ante un ejemplo de una construcción literaria malograda, incomprensible y de mal gusto de la que se acusa tantas veces a las vanguardias literarias? Veamos.

Examinemos para empezar un poco más detenidamente el cuento de Caperucita. Todo el mundo conoce la historia: la madre pide a Caperucita que lleve una cesta de comida a su abuela, que está enferma y vive al otro lado del bosque. Pasando por el bosque Caperucita se encuentra con el lobo y le cuenta a donde va. El lobo se precipita a casa de la abuela, finge ser Caperucita, entra y come a la abuela. Luego cuando llega Caperucita finge ser la abuela y come también a Caperucita.

En la novela no se nos cuenta la historia completa de Caperucita. El cuento nos es sugerido más bien a través de una serie de fragmentos. Ello es posible por tratarse de un cuento muy conocido, pero hay que tener cuidado. Del cuento de Caperucita y el lobo existen varias versiones. Las más famosas son la de Perrault del siglo XVII y la de los hermanos Grimm del siglo XIX (4). Como se indica al final de la novela, Goytisolo ha utilizado la versión de Perrault. Por lo general será esta la versión mejor conocida en el mundo latino (5).

Las diferencias entre la versión de Perrault y la de los Grimm son notables y para evitar cualquier malentendido las señalo inmediatamente. Una primera diferencia que salta inmediatamente a la vista es la de que el cuento de Perrault termina mal. El lobo come a Caperucita y ya está, cuento terminado, mientras que los Grimm cuentan que el padre salva a Caperucita y mata al lobo. Otra diferencia importante reside en las connotaciones eróticas que tiene el cuento de Perrault y que son de un carácter bastante explícito. Según los Grimm el lobo se ha vestido de abuela, pero Perrault dice que está en la cama desnudo cuando invita a Caperucita a acostarse con él. Entonces, cuenta Perrault, Caperucita se desnuda también, se mete en la cama y observa que el lobo tiene unos brazos muy grandes. "Es para abrazarte mejor, hija mía", responde el lobo. Nada de esto en los Grimm. Perrault, por fin, añade una moraleja que falta en la versión de los Grimm: explica que el cuento muestra cuáles son los riesgos que corren las chicas jóvenes y que hay que tener en cuenta que no todos los lobos parecen lobos. Al contrario, que los más peligrosos son los que parecen, los del tipo suave, amable y simpático.

Resumiendo: Perrault nos presenta una versión con un contenido erótico relativamente explícito que termina mal para enseñar lo que no hay que hacer en la vida real. De acuerdo con esto el sicoanalista Charles Bettelheim (6), que se ha ocupado mucho de cuentos infantiles, afirma que en Caperucita se trata del conflicto entre el principio del placer y el principio de lo real (Lustprinzip vs. Realprinzip, según Freud). Caperucita vive

---

4) Para las ediciones de los cuentos que he manejado. Cf. la bibliografía al final.

5) No obstante Bettelheim, *The uses of enchantment*, p. 166, afirma: "The most popular is the brothers Grimm'story (...)".

6) Bettelheim, o.c., p. 170-171.

según el principio del placer porque se deja seducir por el lobo (7). En esta perspectiva el color de su vestido cobra un valor simbólico determinado, esto señalado de paso, a saber el del temperamento sexual (8).

Lo que enseña el cuento en realidad es pues: si vas a vivir según el principio del placer terminarás mal, igual que Caperucita. Por eso tienes que anular tus deseos, tus aspiraciones, todo, en favor de tus deberes sociales y morales (9).

La función del cuento coincide en gran parte con lo que suele ser el resultado de la formación del "yo" en el proceso edípico, aunque ello pueda parecer rebuscado a primera vista. Pero sobre todo para delimitar el significado y función dentro de precisamente esta novela de Goytisolo me parece muy pertinente hacer algunas observaciones someras al propósito.

Según Lacan el proceso edípico significa para el hombre la entrada en el orden cultural, que es un orden semiótico, lingüístico sobre todo. Lo que ocurre en el proceso edípico es que el niño aprende a renunciar a la satisfacción inmediata de sus deseos (el acostarse con su madre), aceptando al mismo tiempo la superioridad de la ley social, representada por el padre. Es decir: el proceso edípico 'produce' sujetos que pueden funcionar dentro de un orden social y cultural dado (10).

El cuento de Caperucita sirve para fortalecer este proceso de disciplina, de 'asujetissement'. En el cuento y por el cuento se oye la voz del padre. Y aunque parezca ausente el padre en la versión del cuento de Perrault (vid. supra) nadie está más presente que él, ya que es la voz del narrador. Perrault mismo utilizaba sus cuentos para contárselos a su hijo.

El cuento tiene, pues, la función de disciplinar al niño. Con respecto al proceso edípico de la vida real funciona como matriz, como modelo. De ahí que Goytisolo hable en su novela de la *paradigmática* historia de Caperucita. Luego volveremos sobre el funcionamiento del cuento como matriz.

Pero antes es preciso decir algo sobre las relaciones que el cuento mantiene con la escandalosa historia de las vecinas. Para empezar hay que señalar que no se trataba de una yuxtaposición meramente formal sino que hay toda una serie de coincidencias substanciales entre ambas historias. A saber: a) en los dos cuentos aparece un niño; b) en ambos casos el asunto termina mal para el niño, es decir que cumple el papel de *víctima* (11); c) ambas historias tienen una carga sexual, erótica.

En cada una de las historias *intercaladas* hay pues un niño que juega el papel de víctima. Es importante subrayar que son historias intercaladas. Esto implica que tiene que existir un nivel de narración más alto todavía: es el nivel del jardín mismo, para decirlo de

---

7) Bettelheim, o.c., p. 180.

8) Bettelheim, o.c., p. 173.

9) Bettelheim, o.c., p. 176.

10) Cf. Lacan, *Ecrits*. Dado el estilo particular de los escritos de Lacan no me parece muy útil citar afirmaciones aisladas. Cf. para los temas tocados las entradas correspondientes al índice razonado del libro de Lacan. Buenas introducciones al pensamiento de Lacan son, a mi ver, Althusser, *Freud et Lacan*, y también la tesis de Mooij, *Tall en verlangen*.

11) Lo mismo ha observado Gould Levine, o.c., p. 215.

una manera un poco primitiva. La cosa se complica entonces, porque también a este nivel encontramos un niño: el protagonista cuando era niño.

Para no perder el hilo del argumento voy a resumirlo esquemáticamente (12):

Esquema I

Nivel de narración		Identidad del narrador	Historia narrada	Personaje niño en la historia
0		narrador abstracto	toda la novela	
1		protagonista	monólogo interior	
2		protagonista de niño	el recuerdo juvenil	niño A (prot. de niño)
3	a	sirvienta	Caperucita y el lobo	niño B (Caperucita)
	b	vecinas	historia escandalosa	niño C (niño idiota)

Las historias intercaladas se sitúan en el cuarto nivel como se ve. El recuerdo juvenil se sitúa en el tercer nivel narrativo, donde el protagonista, de niño, escucha las dos historias. Ahora, como veremos, se van a producir unas interferencias entre los dos niveles de narración y entre las tres historias que se narran en estos niveles. La carga erótica de ambas historias excita al niño. Excitación ésta que tiene sus consecuencias como veremos. Pero las historias al mismo tiempo le aterrorizan porque él también puede terminar mal: igual que Caperucita, igual que el niño idiota.

Esta equiparación implícita que hacemos aquí entre Caperucita y el niño idiota necesita quizás alguna explicación, porque se dirá que el papel de víctima que desempeña éste es completamente contingente. El castigo que recibe Caperucita se motiva con evidencia por su desobediencia. Pero el niño idiota es completamente inocente, no ha hecho nada ilícito.

Lo que ocurre en realidad es muy interesante. Podríamos compararlo con el fenómeno de translación (Verschiebung) en sicoanálisis (13).

La historia de Caperucita es una secuencia narrativa completa: el protagonista em-

___

12) El esquema se inspira en Genette, *Figures III*. Para los niveles de narración y la identidad del narración y la identidad del narrador cf. pp. 183 ss.

13) Para los fenómenos de Verschiebung y Verdichtung cf. en primer lugar Freud, *Traumdeutung*, pp. 235-259, y *Vorlesungen*, pp. 136-146.

pieza como sujeto de Deseo y termina como objeto de Castigo. A este respecto la historia contada por las vecinas se presenta como una secuencia incompleta: solo existe objeto de castigo. La secuencia se completa a otro nivel narrativo, al nivel del niño protagonista (niño A). Es allí donde tenemos que buscar al sujeto de Deseo que estaba ausente en la secuencia inicial (14). Y es después de haber escuchado las dos historias cuando el niño protagonista (niño A) va a cumplir el papel de sujeto de deseo, de manera que el castigo que recibe el niño idiota en cierto sentido se llega a motivar, pero sólo *après coup*. Es como si se invirtiera el razonamiento de base —cuando haya deseo ilícito entonces habrá castigo— en: hay castigo, entonces hubo deseo.

¿Cómo cumple su papel de sujeto de deseo el niño protagonista? Va de exploración, a ver qué ocurre exactamente a la casa escandalosa. Va a la casa y trata de espiar por las ventanas pero no logra ver nada. Entonces la mujer le atrapa. Pregunta al niño que si vió el "bicho", es decir, quiere saber si el niño logró ver el pene del amante. El chico contesta que no ha visto nada. "¿Querías ver dónde se mete, verdad?" le dice al chico. Y entonces le obliga a entrar en la vagina:

> "agarrándole de la cabeza con una mano y levantándose la falda con la otra: obligado (¿él?) a penetrar en el virgiliano antro: dejando atrás monte de Venus, labios, himen, clítoris y orificio vaginal para internarse en la oblicua garganta abierta en la excavación pelviana y recorrer minuciosamente las caras anterior y posterior y sus bordes y extremidades" (p. 100).

Doy la cita para que no haya ninguna duda sobre lo que pasa (15). A mi entender, la acción que se describe en la cita mantiene una relación muy significativa con el cuento de Caperucita, visto éste en la perspectiva en la que lo hemos analizado. Pero vamos a volver sobre esto todavía. Antes querría señalar el carácter ambiguo de la penetración efectuada por el niño.

Aparentemente tenemos que ver con un castigo, o por lo menos de tal manera lo recuerda (16) el protagonista: había espiado, cosa que no se debe hacer y por eso recibe el castigo; igual que Caperucita y el niño idiota.

Pero se puede hacer también una interpretación inversa de lo ocurrido tratando el relato, el discurso del protagonista, como una denegación (Verneinung) freudiana. según

---

14) La misma conclusión saca Gould Levine, o.c., p. 215. En mi opinión el estudio de Gould Levine sigue siendo uno de los mejores sobre la obra novelística reciente de Juan Goytisolo que se ha publicado hasta ahora.

15) La entrada del niño en la vagina no es un acontecimiento único en la novela, sino que habría que considerarla como un *leitmotiv*. Para una discusión más a fondo de este aspecto cf. Gould Levine, *La Odisea por el sexo*.
Por otra parte hay que señalar también el carácter carnavalesco de este motivo, cf. Bakthtine, *L' oeuvre de François Rabelais*, p. 375 ss. Interpretaciones del viaje por el coño en un sentido psicoanalítico cf. Schwartz, *Stylistic and psychosexual constants*, y *Ambivalent artist*. Otra interpretación, que se inspira en Jung, en: Ortega, *Alineación y agresión*, pp. 91-101.

16) Alonso Hernández, *Lectura psicoanalítica*, p. 112, distingue entre discursos de recuerdo en los que "(...) el agente escarba en su pasado rescatando olvidos y sintiéndolo como pasado". y discursos de repetición que no son "(...) un hecho histórico sino una potencia actual, en la que el pasado se siente como presente y los displaceres antiguos son sentidos como actuales, (...)". El caso que analizamos nosotros habría que considerarlo evidentemente como un ejemplo de tal discurso de repetición.

Freud la experiencia clínica sicoanalítica muestra que si un cliente niega algo con vehemencia, en la mayoría de los casos en realidad se trata de una afirmación. Si por ejemplo un cliente dice que nunca ha tenido el deseo de acostarse con su madre, lo más problabe es que lo haya deseado muchísimo.

En nuestro caso todo esto significaría que no tenemos que ver con un castigo sino que al contrario: el niño justamente deseaba penetrar la vagina. La posibilidad de tal lectura se respalda, fuera del fenómeno de la denegación, por otros dos argumentos todavía.

En primer lugar un argumento que viene del texto novelesmo mismo, es decir: un argumento textualmente *interno*. La mujer, la vendedora de flores, se llama "Putifar". Es un nombre extraño con una connotación bíblica muy clara: se refiere a un episodio del Génesis (17) que todos conocen:

En este episodio se desarrolla fundamentalmente un tema tradicional: la mujer trata de seducir a José, es decir que trata de ser deseada, pero él la rechaza. Para vengarse de este rechazo denuncia a José falsamente, de manera que su marido, que se llama Putifar, le mete en prisión (18).

¿Qué significación, ahora, tiene el hecho de que la mujer en la novela de Goytisolo se llame Putifar? En la narración bíblica se pueden distinguir dos funciones importantes: en primer lugar el objeto de deseo que es la mujer y en segundo lugar el sujeto de castigo que es Putifar.

La vendedora de flores desempeña ambas funciones: es tanto objeto de deseo del niño, como sujeto de su castigo. La vendedora de flores es a la vez Putifar mismo y su esposa. He aquí un ejemplo del fenómeno que en sicoanálisis se llamada condensación (Verdichtung).

Otro argumento que indica que la penetración que efectua el niño no es solo un castigo sino también un deseo, es de tipo extratextual y nos es sugerido por Lacan, que dice que en cierto momento del proceso edípico el niño desea ser todo para la madre (19). El niño supone que la madre desea el falo. Entonces, efectivamente el niño quiere ser el falo para la madre. En esta perspectiva el episodio tan raro de que un niño entre en una vagina súbitamente cobra sentido.

El carácter ambiguo de la penetración (castigo y deseo cumplido a la vez) es importante. Creo que la fuerza de la secuencia reside precisamente en la posibilidad de tal lectura doble. Veremos en un instante el porque, pero antes quiero señalar que en la parte de la novela que estamos analizando ocurren todavía más ambigüedades. Las ambigüedades son

---

17) Génesis, 39, 1-23.

18) En mi opinión no es casualidad que se haya utilizado precisamente la historia de Putifar y José en la novela. Lo que tienen en común la historia de Putifar, su tematización en la novela, es la ambigüedad del castigo que figura en ambas. Porque, considerarlo bien, ¿cuál es la causa real de ser denunciado y castigado José? Es justamente el no haber aprovechado la oportunidad que la mujer le ofreció. Entonces si normalmente se castiga por la transgresión, José es castigado por la no-transgresión.
Señalado sea de paso también que la burla del hombre que no sabe aprovechar la oportunidad ofrecida es un tema conocido en la literatura española de tipo tradicional o folklórico. Por ejemplo los conocidos romances sobre *La Dama y el Caballero,* y *La Dama y el pastor.*

19) Lacan, o.c., p. 814. Cf. también Mooij, o.c., p. 135, y Schwartz, *Stylistic and psychosexual constants*, p. 124. Duane, *Myth and archetype,* p. 189, ha malcomprendido el episodio.

el resultado de las interferencias intertextuales, dice Bakhtine (20). Uno de los aspectos interesantes de la novela de Goytisolo es que tematiza en realidad el fenómeno de intertextualidad y que saca provecho de sus efectos de ambigüedad. Vamos a hacer ahora un pequeño inventario de las ambigüedades producidas por la intertextualidad (21) en las secuencias que hemos analizado.

Para empezar quiero recordar cómo el cuento de Caperucita ha determinado la manera en que el niño protagonista escuchó la conversación de las dos vecinas. La historia contada por las vecinas sólo es una secuencia narrativa incompleta con respecto al cuento de Caperucita. Se interfieren aquí la historia ficticia de Caperucita y otra más "real", la de las vecinas. Esto produce una ambigüedad que es esencial para el cuento para poder cumplir su función paradigmática (22).

Con respecto al cuento, en la historia de las vecinas falta un sujeto de deseo hemos dicho. Esta ausencia es llamada por el niño protagonista. De manera que se da una ambigüedad entre la función del *receptor*, que es el niño protagonista porque escucha las historias, y la función del *personaje-actor*, que es el niño idiota.

En tercer lugar está la ya mencionada ambigüedad entre castigo y deseo en el caso de la penetración. Relacionado con ello está la identidad ambigua de Putifar como objeto de deseo y sujeto de castigo al mismo tiempo.

Y por fin queremos mencionar una ambigüedad que a nuestro entender es fundamental. Hemos dicho que no sabemos si la penetración es un deseo o un castigo; que es más bien las dos cosas. Nosotros como lectores no lo sabemos. Pero tampoco el niño protagonista lo sabe. Los varios niveles de narración que hemos distinguido significan también que hay problemas de interpretación a varios niveles. Por una parte el niño protagonista interpreta la penetración como un castigo, porque tiene una sensación de temor. Pero al mismo tiempo lo interpreta como algo deseado porque se siente culpable y responsable por el castigo que ha recibido el niño idiota. Aquí funciona la ley invertida que mencionamos antes: hay castigo luego hubo deseo. El niño protagonista piensa, pues, que el niño idiota ha sido castigado por sus propios deseos ilícitos.

Lo que ocurre en realidad es que se produce con todo esto una ambigüedad entre el sujeto del deseo y el sujeto del castigo: dicho en otras palabras, el autor de deseos ilícitos se castiga a sí mismo, lo cual quiere decir que la prohibición social se interioriza. Y esto es justamente el mecanismo que funciona en el cuento de Caperucita. El niño-oyente empieza a identificarse con Caperucita pero al final ha de reconocer que ha sido un error, pues-

---

20) Para la ambigüedad como resultado de la intertextualidad cf. Bakthine, *Esthetique et théorie du roman*, pp. 122-152, sobre todo p. 126. Sobre el mismo fenómeno: Todorov, *Le principe dialogique*, pp. 95-115. Para una aproximación profunda y crítica sobre la ambigüedad y la intertextualidad cf. Kristeva, *Le mot, le dialogue et le roman*, en particular las pp. 155-158.

21) Concebir la ambigüedad solo en relación con la intertextualidad pecaría de formalismo. Por eso habría que señalar por lo menos la profunda afinidad entre la ambigüedad en sistemas semióticos y la tradición carnavalesca, como fue estudiada por Bakhtine en sus varios libros.Una interpretación de la ambigüedad novelesca que se ha inspirado mucho en Goldmann es la de Zima. Para títulos cf. bibliografía.

22) Cf. para este fenómeno también la ponencia de Alonso Hernández.

to que ella termina mal. Es entonces cuando asume la perspectiva del narrador del cuento, que es en última instancia, como habíamos dicho ya, el padre.

Resumamos brevemente los resultados hasta ahora adquiridos: el niño oye el cuento de Caperucita y amplia la historia ficticia hacia su ambiente inmediato, es decir, utiliza el cuento como matriz para interpretar lo que ve y oye en la vida real. Esta aplicación del cuento como matriz supone también que el niño asume la perspectiva narrativa del cuento (principio de lo real) y renuncia a su propia perspectiva inicial que se identificaba con Caperucita (principio de placer). El episodio juvenil vivido por el protagonista coincide por grante parte con el proceso edípico que vive cada hombre, si se interpreta el proceso edípico como la entrada en el orden socio-cultural.

En la novela de Goytisolo esta entrada en el orden cultural y social de tipo carpetovetónico es sentida como un daño, una ofensa. De allí la tentativa de reparar esta ofensa a través de una nueva versión del cuento, versión que ya se anuncia en las primeras páginas, tratando además de liberarse de la norma social interiorizada.

El contraataque, si podemos formularlo así, al cuento de Caperucita y a sus efectos se da en la cuarta parte y consta de dos episodios que son ambos nuevas versiones del cuento por un lado y de la historia escandalosa por otro. De manera que ya no tenemos que ver con una yuxtaposición simple de dos narraciones como la que acabamos de analizar, sino que se produce un cuadro más complejo (23) que gráficamente se podría representar así:

Esquema II (24)

	1	2	
A	cuento original	historia escandalosa	repetición
B	nueva versión del cuento	historia sádica	
ampliación			

---

23) Sería interesante analizar más a fondo el problema específico del cuento encuadrado y el contexto novelesco que lo encuadra. A mi entender se podría estudiar la tematización del cuento de Caperucita en la novela goytisoliana como un caso invertido de la 'didáctica' del cuento marginal en la literatura oficial tal como ha sido estudiado por Alonso Hernández en su *Didácticas de los Marginalismos*. Si por una parte podemos preguntarnos si la neutralización de lo marginal en la literatura es tan absoluta como lo afirma Alonso Hernández, por otra parte surge el problema de si la subversión de los discursos monológicos y hegemónicos tal como se la proponen llevar a cabo las vanguardias literarias y la tradición carnavalesca en general, no peca también de un cierto absolutismo, ahora no de tipo pesimista, sino optimista. Algunas observaciones interesantes sobre la cuestión de neutralización y subversión se encuentra en Ginzburg, *Der Käse und die Würmer*, p. 207, donde discute críticamente la posición de Bakthine con respecto. (Del Libro de Ginzburg he manejado, como se ve, la traducción alemana. La edición italiana original es: *Il formaggio e i vermi. Il cosmo di un mugnaio del'500*, Torino 1976).

24) La repetición es un fenómeno importante en la novela de Goytisolo. Spires, *La autodestrucción creativa*, afirma: "el concepto de repetición constituye el apoyo sobre el cual la estructura de la novela se forma", p. 191. En mi opinión hay que relacionar el fenómeno de la repetición con el carácter cíclico del sistema carnavalesco. La importancia de la repetición reside en su efecto subversivo sobre la univocidad, o dicho de otra manera, su potencial destructiva con respecto al principio de identidad. Para la problemática cuestión de la eficacia final me refiero a la nota precedente.

Creo que la nueva versión del cuento se distingue en cuatro rasgos mayores de su versión original. Veamos.

En primer lugar los abstractos personajes del cuento se concretizan ahora en personajes ejemplares con connotación histórica (25), como es el caso con la Madre-Isabel la Católica o con el Lobo-Julián, de manera que la nueva versión se convierte en una especie de alegoría histórica o utópica. Que la nueva versión asuma tal carácter hay que comprenderlo en relación con la función que ha desempeñado el cuento en la entrada del protagonista en el orden cultural carpetovetónico.

El cambio de sexo que sufre Caperucita en la nueva versión es un efecto de su concretazión en un niño varón: Alvarito. Señalado sea de paso también que la inversión sexual implica que cambie de carácter la relación con el lobo que ahora será de tipo homosexual.

En segundo lugar la nueva versión es más completa, ya no faltan trozos del cuento como era el caso con la tematización inicial. Concretamente esto quiere decir que se han reinsertados los episodios en el bosque y el acostarse con el lobo.

El carácter de estas reinserciones nos revela la tercera diferencia, a saber, el cambio de perspectiva narrativa. El nuevo Caperucito ya no tiene inclinaciones hacia los principios de placer. Esto se ve muy claramente en el tratamiento que ha sufrido el episodio en el bosque: no se divierte recogiendo flores y cazando mariposas (26) sino que:

> deposita una oruga en la vera del camino evitando su probable aplastamiento bajo las suelas de algún peatón distraído: endereza el tallo de una flor agobiada por los calores veraniegos: siembra migajas de pan para los pájaros desnutridos: fustiga suave, pero firmemente la escandalosa impudencia de dos moscas vinculadas ex commodo en fulmínea y sonora copulación etcétera (DJ. 207).

Y lo que es más significativo quizás aún, es que se ha eliminado por completo el primer encuentro con el lobo, encuentro éste que según Bettelheim (27) es un indicio importantísimo de las inclinaciones de Caperucita al principio de placer. Dada esta carencia total de lo ilícito, la muerte de, ahora, Caperucito, cambia completamente de sentido: ya no se castiga la transgresión de la norma, sino al contrario, su obediencia. Y castigando la normalidad representada por el nuevo Caperucito, la perspectiva narrativa va centrándose en el Lobo-Julián, doble simbolización de lo 'malo' y de la traición. De ahí también que el

---

25) También otros aspectos del cuento se concretizan, aunque sea de otra manera. Estoy pensando concretamente en la inserción de los fragmentos periodísticos que concretizan ciertos espacios u objetos. En realidad se deshacen aquí 'Unbestimmtheitstellen' (puntos de inderterminación) (Ingarden).
Hay que observar que las concretizaciones forman dos series semánticas de signo opuesto: una serie de carácter 'castizo' que se aplica a los personajes (Alvarito, Isabel) y otra serie de tipo tecnócrata, neocapitalista, que se aplica a espacios y objetos (periodismo comercial IBM, chalé prefabricado, Rolex Oyster Daydate etcétera).
Las dos series son mutuamente interrelacionadas por su refencia común a la realidad histórica de la sociedad española de los años sesenta, que según el propio Goytisolo se caracteriza por su carácter ambiguo que resulta de la oposición entre el sistema político-ideológico que es anacrónico y la estructura económica que se está modernizando rápidamente en vías del neocapitalismo occidental. Cf. Goytisolo, El furgón, pp. 243-271.
Gould Levine, o.c., p. 223, no se ha dado cuenta del trasfondo ideológico en este caso, y piensa erróneamente que se trata solamente de una parodia formal del cuento de Caperucita, causada por la antítesis del mundo maravilloso del cuento con el estilo periodístico.

26) Cf. Bettelheim, o.c., p. 171 y Perrault, Contes, p. 144.

27) Cf. Bettelheim, o.c., p. 169.

narrador se dirija a Julián-Lobo en segunda persona, que lo describa en segunda persona

Ulbán (no cabe la menor duda: eres tú!) (DJ, 209).

Por fin, y con esto tocamos el cuarto rasgo distintivo; hay que señalar que el signifi-cado erótico del cuento ahora se explicita completamente:

abuelita, qué bicha tan grande tienes!
es para penetrarte mejor, so imbécil!
y, al punto que dices esto, encovarás la culebra en el niño y le rebanarás el cuello, de un tajo, con tu brillante navaja albaceteña (DJ, 209, 210).

Esta explicitación de la connotación erótica del ser comido por el lobo tiene como conse-cuencia que se multipliquen los niveles de significación: al niño le matan y violan a la vez, de manera que ya no se trata de una matanza sin más, sino que tanto la violación como el carácter homosexual significan dos transgresiones ideológicas con respecto a las normas que representaba el niño. Es decir, que se trata de una agresión que tiene tanto un aspecto corporal como un aspecto ideológico (28), que los dos aspectos coinciden en este solo ac-to de agresión, de violencia.

Para terminar quiero presentar brevemente la ampliación del nuevo cuento mutilado en la historia que hemos llamado 'sádica' y que es en realidad una nueva versión de la his-toria escandalosa contada por las vecinas. Igual que en la nueva versión del cuento vemos en la historia sádica una identificación del narrador con el agresor, en este caso con el mo-ro que mea encima del niño. También coinciden ambas 'nuevas versiones' en su carácter alegórico.

Para una interpretación de este carácter alegórico es importante tomar en considera-ción el hecho de que no se mata al niño (como en el caso de Caperucita) sino de que se suicida. A mi entender el aspecto autodestructor del suicidio cristaliza toda la autodes-trucción que se lleva a cabo a lo largo de la historia sádica (29).

Los tres personajes principales de la historia sádica hay que considerarlos como ins-tancias de una sola personalidad (30). Hemos dicho que el protagonista asume el papel del moro sádico. Pero el niño sodomizado no es otro que el propio protagonista de niño:

...aguardarás como tantas otras veces la esbelta silueta del niño que vuelve del colegio con la cartera a la espalda y darás cabalmente con él: delgado y frágil: vastos ojos, piel blan-ca: ... tú mismo un cuarto de siglo antes, ... (DJ. 217).

Y el instrumento de sodomización, la culebra, es evidentemente el falo del protago-nista (31). En lo anterior habíamos dicho ya que el falo no es solo, ni en primer lugar, el pene físico, sino que más bien es el objeto virtual de deseo. De manera que el deseo de fa-

28) Cf. Gould Levine, o.c., p. 225.

29) La autodestrucción y el suicidio son en realidad manifestaciones del motivo del *renacimiento*, que es un motivo carnavalesco. Cf. Duane, o.c., p. 168, 182 y 183, Ortega, o.c., p. 95.

30) La destrucción de la univocidad del personaje es una cuestión interesante que no podemos tratar a fondo aquí. Quiero referirme a Bakthine, *La poétique de Dostoieski,* donde se afirma que es un fenómeno característico de la tradición carnavalesca (cf. p.e. p. 163). Según Zima la desaparición del personaje unívoco tiene que ver con la crisis de valores causada por la predominancia del valor de cambio sobre el valor de uso en la sociedad capitalista. Cf. los títulos en la bibliografía.

31) Bakthine escribe también sobre el hacerse independiente del falo. Cf., *L'oeuvre de François Rabe-lais,* p. 315.

lo es en realidad la existencia imaginaria, el super-yo, como decía Freud, propiamente dicho. De allí también que la culebra se llame Julián, que es efectivamente el yo-ideal del protagonista. Siguiendo por el camino de la topología síquica freudiana, el niño representaría el 'ello", la mala conciencia, las normas interiorizadas de una sociedad y de una cultura dadas, que en este caso, es la cultura hispánica tradicional.

Que la madre del niño sodomizado sea Isabel la Católica —igual que en la nueva versión del cuento de Caperucita— es decisivo para nuestra interpretación, ya que Isabel simboliza el fin de la tolerante sociedad española medieval y el comienzo de esta mala y trágica historia española de la cual el protagonista se siente producto y víctima. La liberación personal (32), desde luego, lleva consigo el tratar de destruir la parte de esta mala tradición que se ha interiorizado y que coincide en gran parte con el propio pasado juvenil.

Conclusión.

En la novela de Goytisolo se tematiza en realidad una interpretación sicoanalítica del cuento de Caperucita, haciendo patente la función que desempeña éste en la inserción de individuos en un orden social y cultural determinado. A base de esta tematización específica se edifica luego una tematización antitética (33), es decir que se critica el cuento en su funcionalidad y también que se trata, por consiguiente, de descomponer los procedimientos narrativos que apoyan el cuento en su funcionalidad y de deshacer los efectos de adaptación social y cultural en el individuo que son sus resultados.

A mi entender los recursos discursivos que se emplean en la así llamada tematización antitética, forman parte de la tradición carnavalesca en literatura tal como fue definida por Bakhtine. Pero esto es harina de otro costal y que merece estudio aparte.

PETER VAN ESSEVELD
Universidad de Groningen

---

32) Para la cuestión del renacimiento vease lo dicho en la nota 29.

33) Compárese la discusión de estos fenómenos por Alonso Hernández en su ponencia.

BIBLIOGRAFIA

ALONSO HERNANDEZ, J.L., Didácticas de los Marginalismos, en: Imprévue, N. 1, (1980), pp. 113-128. Lectura psicoanalítica de temáticas picarescas, en: Imprévue, N. 1, (1981), pp. 105-113.
Algunas claves para el reconocimiento y la función del símbolo en los textos literarios y folklóricos, en: Alonso Hernández (ed.), Teorías semiológicas aplicadas a textos españoles, Groningen, 1981.

ALTHUSSER, L., Freud et Lacan, en: Positions, Paris 1976, pp. 9-34.

BAKHTINE, M.M., La poétique de Dostoievski, Paris 1970. L'oeuvre de François Rabelais et la culture populaire au Moyen Age et sous la Rénaissance, Paris, 1970. Esthétique et théorie du roman, Paris 1978.

BARTHES, R., S/Z, Paris 1970.

BETTELHEIM, B., The uses of enchantment. The meaning and importance of fairy tales, New York 1977.

DUANE, Th.W., Myth and archetype in the new Spanish novel, Kansas 1975 (Tesis).

ELGAR, V., The interpretation of symbols in literature, en: PTL, N. 4, (1979), pp. 15-30.

FREUD, S., Die Traumdeutung, Frankfurt am Main, 1977.
Vorlesungen zur Einführung in die Psychoanalyse, Frankfurt am Main, 1977.

GENETTE, G., Figure III, Paris 1972.

GINZBURG, C., Der Käse und die Würmer. Die Welt eines Müllers um 1600, Frankfurt am Main 1979.

GOYTISOLO, J., La reivindicación del Conde don Julián, Méjico. 1976.
El furgón de cola, Barcelona 1976.

GOULD LEVINE, L., Juan Goytisolo: la destrucción creadora, Méjico 1976.
La odisea por el sexo en Reivindicación del Conde don Julián, en: The analisis of Hispanic texts, current trends in methodology. Second York College Curriculum. Eds. Lisa E. Davids & Isabel C. Tarán, New York 1976, pp. 90-108.

GRIMM, Die Kinder- und Hausmärchen der Brüder Grimm in ihrer Uhrgestalt, (Hrs. von Friedrich Panzer), dos tomos, München 1913.

KRISTEVA, J., Le mot, le dialogue et le roman, en: Semeiotèke, récherches por une sémanalyse, Paris 1969, pp. 143-174.

LACAN, J., Ecrits, Paris 1966.

MOOIJ, A.W.M., Taal en verlangen. Lacans theorie van de psychoanalyse, Meppel (Holanda), 1975.

ORTEGA, J., Alineación y agresión en Señas de Identidad y Reivindicación del Conde don Julián, New York 1972.

PERRAULT, Ch., Contes. Edition de Jean-Pierre Collinet, Paris 1981.

SCHWARTZ, K., Stylistic and psychosexual constants in the novels of Juan Goytisolo en: Norte, año XIII, N. 4-6 (1972), pp. 119-128.
Juan Goytisolo —ambivalent artist in search of his soul, en: Journal or Spanish Studies, XX— the Century, Vol. 3, N. 3 (1975), pp. 311-318.

SPIRES, R.C., La autodestrucción creativa en 'Don Julián' en: Journal of Spanish Studies, XX-th Century, Vol. 4, N. 4 (1976), pp. 191-203.

TODOROV, T., Mikhaïl Bakhtine, le principe dialogique, Paris 1981.

ZIMA, P.V., Krise des Subjekts als Krise des Romans, en: Romanische Zeitschrift für Literaturgeschichte, N. I (1978), pp. 54-77.
De krisis van het personagebegrip in de socioideologische konteskst, en: M. Bal (ed.), Mensen van Papier, Assen (Holanda) 1979, pp. 84-91.

INDICE